# Klassenlektüre

106 Autoren
stellen sich vor mit ihren
selbst ausgewählten
Texten

Herausgegeben von Bernt Engelmann
und Walter Jens

Albrecht Knaus Verlag

Mit Unterstützung des Verbands deutscher Schriftsteller (VS)
in der IG Druck und Papier und des P.E.N.-Zentrums Bundesrepublik
Deutschland

1.–10. Tsd.
© Albrecht Knaus Verlag, Hamburg 1982
Gesetzt aus Baskerville
Einband und Schutzumschlag: Werner Rebhuhn
Gesamtherstellung: Mohndruck Graphische Betriebe GmbH, Gütersloh
Printed in Germany · ISBN 3-8135-6377-4

# Inhalt

# Vorwort

Dies ist kein Sammelsurium literarischer Bemühungen und auch nicht die tausendundeinste Anthologie. Dies ist vielmehr ein Band besonderer Art: deutschsprachige Schriftsteller, Frauen und Männer aus der Schweiz, aus Österreich, der Bundesrepublik und der DDR, Junge und Alte, Hochberühmte und eher Unbekannte, im Lande Tätige und Exilierte, haben unter ihren Arbeiten *den* Text ausgewählt, von dem sie meinen, daß er in besonderer Weise tauglich sei, Schülern und Lehrern im Unterricht Diskussionsmöglichkeiten zu geben.

Szenen, Gedichte, Prosastücke, die einen behutsam, die anderen provokant, klassisches Deutsch, alternierend mit zitathaft verfremdetem Jargon – alles unter der Devise versammelt: *Das*, Hauptschüler oder Primaner, bin *ich*, das ist für *euch* ausgewählt, weil ich, Autor X, hoffe, daß euch dieses Beinahe-Nichts von wenigen Seiten nachdenklich machen könnte, daß ihr's behaltet und davon erzählen werdet und daß am Ende die erzählte Erzählung (Szene, Essay, Gedicht, Traktat, Gleichnis) nachwirkt: »Mir hat mal einer gesagt, daß er als Schüler, beim Blättern in einem Buch, zufällig . . .«

Versuche von einzelnen, durch die Gewinnung von Heranwachsenden (und wenn's jeweils nur eine Handvoll sei) ein bißchen Weiterleben gewisser zu machen; Versuch von mehr als hundert Schriftstellern, den Schülern eine Art von literarischer Handreichung zu geben: Darum geht es in diesem Band.

*Klassenlektüre:* Ein Anti-Buch zu jener Balladensammlung, die in den Lehranstalten einmal die Deutschlehrer benutzten.

Nicht ›Die Glocke‹ und nicht ›Des Sängers Fluch‹, sondern eine Summe von Versuchen, Entwürfen, Erprobungen. Tastende Unternehmungen im Ungesicherten. Fragen und keine Antworten. Möglichkeit statt Wirklichkeit. Ein vielfältiges ›könnte‹, ›vielleicht‹ und ›sollte eigentlich‹ anstelle des selbstgewissen ›so und nicht anders‹.

Ein Experimentierbuch, alles in allem, das der Überprüfung und Kritik durch Schüler und Lehrer bedarf: Das Unfertige und Unabgeschlossene wartet darauf, im Dialog zwischen den Lesenden und dem Schreibenden weiterentwickelt zu werden. Herausgeber und Mitarbeiter hoffen darauf, daß, anhand von, wortwörtlich, *freigegebenen* Texten, Autoren Gelegenheit erhalten, sich zu stellen, und daß die Leser im Dialog erfahren werden, in welchem Maße Literatur zur Schärfung des historischen Bewußtseins beiträgt – sie, die die Diskrepanz zwischen Sein und Sollen, der bescheidenen Wirklichkeit und der realen Utopie eines sinnerfüllten Lebens auf den Begriff bringt.

Angesichts einer Fülle von Lesebüchern mit Texten zeitgenössischer Autoren, in denen es gelegentlich zu eher befremdlichen Zusammenstellungen kam, da die Devise *in usum Delphini* vorwaltete und auch die Zensur nicht gerade zimperlich war, stellen die in diesem Band versammelten Schriftsteller darauf ab, *ihren* Text auswählend das junge Publikum kraft *eigener* Autorität anzusprechen: ein jeder er selbst, dem Nachbarn durchs Alphabet und nicht durch höhere Einsicht von Editoren verbunden, die, ängstlich auf Ausgewogenheit bedacht, republikanische Schriftsteller Seit an Seit mit Barden von anno dazumal stellen und das politische Gedicht durch Verse frommer Zeitenthobenheit zu konterkarieren suchen.

In *der Klassenlektüre* hingegen werden Gegensätze nicht geglättet, sondern belassen: Wildwuchs statt des französischen Parks! Pluralität statt Ausgewogenheit. Den Schülern stellen sich Autoren, die weder Verkünder ewiger Wahrheiten noch Agitatoren sind, die politische Doktrinen in Vers und Prosa umschreiben. Hier werden vielmehr, auf offener Szene, Angebote gemacht, über deren Seriosität die Schüler befinden mögen – Angebote, die nicht kurzweg angenommen oder ausgeschlagen, sondern diskutiert werden wollen.

So betrachtet, ist es die Absicht dieses Klassenbuches, in dem es Vorschläge, aber, gottlob, keine Befehle gibt, die Lesenden, hier Zustimmung und dort heilsame: weil zu begründende Ablehnung provozierend, zur Diskussion einzuladen – dem Disput über Texte, deren Machart in der Schulklasse zu erörtern für die Autoren, wie die Erfahrung lehrt, von besonderem Reiz ist. *Schriftsteller X liest aus eigenen Arbeiten und diskutiert mit den Schülerinnen und Schülern der Oberstufe:* Da herrscht, jeder der in diesem Band Versammelten hat's vielfach erfahren, nicht die Feierlichkeit sogenannter Dichterlesungen, da wird nicht zelebriert und anschließend der Namenszug in ergeben hingehaltene Bücher geschrieben (ein bißchen huldvoll, ein bißchen verlegen: man ist schließlich kein Bekkenbauer und auch keine Knef), da sprechen Schüler mit gebotener Unbekümmertheit frisch von der Leber weg: *Warum haben Sie das geschrieben? Was wollten Sie damit sagen? Welches Publikum erreichen? Denken Sie, während Sie schreiben, an Ihre Leser? Und wie arbeiten Sie überhaupt? Zu bestimmten Zeiten? Oder nur wenn Sie inspiriert sind?* (Gelächter der Mitschüler.) *Gibt es das wirklich – Dich-*

*tung, um Geld zu verdienen?* (Erneutes Gelächter; einige Damen und Herren im Lehrerkollegium bekunden Entrüstung.)

Und schon eröffnet – das Gespräch! Schon sind wir bei der – nicht oft genug zu lesenden – Umfrage aus der Willy Haasschen ›Literarischen Welt‹ vom Jahre 1928, ›Zur Physiologie des dichterischen Schaffens‹, wo die Meister sich unter anderem zu der Frage äußerten: »Arbeiten Sie zu bestimmten Stunden oder Tageszeiten? Zwingen Sie sich zur Arbeit, auch wenn Sie keine Lust haben?« (Thomas Mann: »Ich arbeite vormittags, etwa von 9 bis 12 oder ½1 täglich mit seltenen Ausnahmen. Das ist nicht Zwang, sondern Gewohnheit, und eine notwendige dazu; denn will ich etwas zustande bringen, so darf ich nicht viel Ferien machen.« Alfred Döblin: »Ich arbeite fast meist gegen Mittag; früher mehr abends; wahrscheinlich aus praktischer Notwendigkeit heraus. Bin nämlich zur Zeit sonst ärztlich beschäftigt und abends von dem langen Tag ermüdet.« Robert Musil: »Von 9–12.30; 16–19 Uhr; manchmal auch noch abends. Zwinge mich unter Umständen. Breche nicht ab, außer bei äußerem Zwang.«)

Gespräch zwischen Autoren und Schülern über die Selbsteinschätzung jener Poeten, der ›Macher‹ also, die in unserem Land von allzu vielen immer noch nicht als Frauen und Männer, die in bestimmten Gattungen tätig sind (poet – novellist; poète – ecrivain), sondern, je nach angenommenem Rang, als Literaten, Schriftsteller oder Dichter apostrophiert werden. Und, siehe, in der Schule zeigen sie sich plötzlich als redliche Handwerksleute, diese Dichter, die keine sind – und mit ihnen verlieren auch diejenigen von ihrem einschüchternden Nimbus und ihrer Feierlichkeit, die größer als die lebenden Poeten sind: größer, oft provokanter (an Lessings Epigrammen und Goethes unter ›Übergangenes‹ eingereihten Gedichten nimmt sich die Lyrik, zum Beispiel Rühmkorfs oder Enzensbergers, im Ganzen genommen nahezu beschaulich aus), unbekümmerter und realistischer.

*Gibt es das wirklich – Dichten, um Geld zu verdienen?* Aber gewiß doch, Leserinnen und Leser aus Klasse 13 – sogar auf den obersten Rängen, im allerheiligsten Bezirk! (»Ich fürchte«, so Schiller anno 1800 an Cotta, »Goethe läßt seinen Faust, an dem schon so viel gemacht ist, ganz liegen, wenn er nicht von außen und durch lokkende Offerten veranlaßt wird, sich noch einmal an diese große Arbeit zu machen . . . Er rechnet freilich auf einen großen Profit, weil er weiß, daß man auf dieses Werk in Deutschland sehr gespannt ist.«)

Eröffnung, nochmals, eines fröhlichen, kritischen, unfeierlichen Dialogs zwischen Schülern, Lehrern und Schriftstellern, in deren

Folge auch jene Literatur der Vergangenheit an Frische und Ursprünglichkeit gewinnt, zu der ein Zugang einzig über die Poesie unserer Tage führt (das Heute erschließt das Gestern: nachzulesen bei Goethe) – eine solche Eröffnung wird auf den folgenden Seiten versucht.

Das Klassenbuch liegt auf dem Tisch und wartet darauf, daß die Schüler ihre Eintragungen machen: sie, die Partner, ohne die es keine Kontinuität der Literatur gibt.

September 1982                                           Walter Jens

# Ilse Aichinger

## Abgezählt

Der Tag, an dem du
ohne Schuhe ins Eis kamst,
der Tag, an dem
die beiden Kälber
zum Schlachten getrieben wurden,
der Tag, an dem ich
mir das linke Auge durchschoß,
aber nicht mehr,
der Tag, an dem
in der Fleischerzeitung stand,
das Leben geht weiter,
der Tag, an dem es weiterging.

# Carl Amery

## Der zehnte Kreis

Dante sah den zehnten Kreis nicht; er konnte ihn nicht sehen. Wer waren die tiefsten, die gewaltigsten Übeltäter seines neunten, des Eiskreises? Wen zermalmte Dis, der Höllenfürst, in seinen drei Rachen auf ewig?

Judas, Brutus, Cassius. Das sind: die drei Verräter am himmlischen und am irdischen Reich, die Erzverräter. Schlimmere Untat als diesen Verrat konnte der Führer Virgilius seinem Schützling nicht weisen, schlimmere waren nicht vorstellbar.

Aber was ist der Verrat des Judas, des Brutus, des Cassius – gegen die Untat des Hilmar Becker, ev., verh., gebürtig 1944 zu A. im linksrheinischen Deutschland?

Die Hölle ist leer. Dis, ihr Fürst, ist geschwunden wie Rauch und alle Schatten der neun Kreise mit ihm; alle Stolzen, Wollüstigen, Geizigen, Mörder, alle Verbrecher wider Glaube, Liebe und Hoffnung. Der große Trichter, in dem sie dahintrieben und gemartert wurden von Stufe zu Stufe, von Kreis zu Kreis, war ja Teil der Welt, der Erde, geschaffen durch den Sturz Satans in den Bauch seines Planeten.

Er ist leer – wie die Hölle. Leer von Gutem wie von Bösem. Er ist ohne Bewußtsein. Nicht einmal die Reflexe des kleinsten Insekts sind ihm verblieben, nur die Gleichgültigkeit der Felsen und Stürme, die Relation zur Schwerkraft himmlischer Körper in einer kleinen Milchstraße am Rand des Universums.

Und der zehnte Höllenkreis, reserviert für Hilmar Becker – bis in alle Ewigkeit.

Warum? Was macht ihn verworfener als Satan selbst, als Judas, Kain, Hitler, Dschinghis-Khan?

Er selbst weiß es nicht; und niemand, der ihn kannte, hätte es gewußt oder begriffen. Hilmar Becker, Juniorchef der Firma Polyphan & Co., 460 Beschäftigte, war ein angenehmer Zeitgenosse. Wäre nicht die zwingende Pflicht gewesen, das väterliche Unternehmen weiterzuführen, wäre er vielleicht ein lokaler Theaterkritiker geworden oder auch Studienrat. Er las gern moderne Literatur, plauderte abends am prasselnden Rauhputz-Kamin über Beckett und Salinger und Handke. Er war so gewissenhaft, daß er Schönberg- und Webernplatten kaufte, obwohl er ›Figaros Hochzeit‹ für das größte Musikwerk der Welt hielt und obwohl er den Amateur-Wettbewerb der Eurovision für lateinamerikanischen Gesellschaftstanz gewann.

Für einen Mann seines Jahrgangs war er überdurchschnittlich gefühlvoll. Er weinte seit seinem sechzehnten Lebensjahr achtmal; davon zweimal am Grab seiner Eltern und einmal, nachdem er seine Ehefrau betrogen hatte, eine weißblonde, weiche, kirschmündige Dentistentochter, die er trotz ihrer bösartigen, egoistischen Dummheit nicht verließ.

Als Arbeitgeber war Hilmar Becker vorbildlich. Er zahlte weit über Tarif, praktizierte vor allen anderen der Branche innerbetriebliche Mitbestimmung wie Miteigentum und ermöglichte über die ›Hilmar-Becker-Senior-Stiftung‹ vierzehn Arbeitersöhnen und sechs Arbeitertöchtern das Studium. Er trat politisch hervor durch ganzseitige, von ihm allein bezahlte Zeitungsanzeigen vor den entscheidenden Bundestagswahlen von 197 . . ., welche die fortschrittliche Koalition unterstützten und alle Wähler aufforderten, das nämliche zu tun. Er verlor dadurch viele Freunde seiner Gesellschaftsklasse, aber er weinte nicht, als ihm dies klar wurde.

Er hatte viele linke Freunde, Revisionisten und Revolutionäre. Die Revisionisten sagten: »Ja, wenn alle wie Hilmar wären!« Die Revolutionäre sagten: »Gott sei Dank sind nicht alle so wie Hilmar.« Fast alle dieser Freunde waren Intellektuelle oder solche, die sich dafür hielten. Er pflegte sie, Revolutionäre wie Revisionisten, in seiner Skihütte bei Cortina d'Ampezzo zu beköstigen und war ihnen dankbar dafür, daß sie ihm ihre Zeit opferten. (Von der Wichtigkeit der Zeit machte er sich unternehmerische, also übertriebene Vorstellungen.)

Warum also ist Hilmar Becker der letzte, der einzige Insasse der Hölle? Er begreift das nicht. Sein christlich-fortschrittliches Gewissen sucht nach Gründen. Er verwirft sie alle, wie seinerzeit der gerechte Hiob die Gründe für sein Elend verwarf.

War es vielleicht diese Sekretärin? Aber wo ist dann sie selbst, die Dame, die damals immerhin die Initiative ergriffen hatte und genau wußte, daß er verheiratet war? Ist ihm ein begabter Arbeitersohn nicht aufgefallen? Oder eine Arbeitertochter? Hätte er seinen Betrieb komplett sozialisieren, hätte er eine innerbetriebliche Räteverfassung einführen sollen? Und wenn – wo waren dann Herr Abs und Herr Flick und die entsprechenden amerikanischen, englischen, französischen Herren, die alle viel reaktionärer waren als er?

Hilmar Becker begreift nicht – und daß er nicht begreift, ist seine tiefste Höllenqual. Sie ist furchtbarer als die der drei großen Verräter. Jene wußten immerhin, warum sie ewiglich zerfleischt wurden in satanischen Kiefern.

Aber würde er begreifen, wenn er wüßte? Würde er den Schiedsspruch des großen Megacomputers anerkennen, der als letzte Institution der Erde funktionierte und entschied, daß Hilmar Becker der Mörder der Welt war? Nicht nur der 4,9 Milliarden Chinesen, Amerikaner, Russen, Bengalen, Ovambos, kurz der Menschheit – sondern auch der Rinder, Rehe, Fische, Tiger, Möwen, Kohlweißlinge, Nematoden – kurz aller Wesen, die auf Sauerstoff angewiesen sind?

Hilmar Becker ist der Mörder der Welt wegen des Prozesses »Polyphan & Co. gegen Bundesrepublik Deutschland«, der in den Jahren 198 . . . bis 199 . . . stattfand. Er führte ihn mit ausdrücklicher Billigung seines Betriebsrats. Schließlich ging es um Arbeitsplätze. Er stellte dem Rat dar, daß die Vollmachten des neuen Öko-Ministeriums genügten, um den Bau der komplizierten Kläranlage zu erzwingen; daß die erforderlichen Investitionen nach dem Verursachungsprinzip von der Polyphan zu leisten seien; daß dadurch die Gewinnausschüttung zehn Jahre lang auf null bis einskommafünf Prozent des Kapitals reduziert werden würde – und zwar des nominellen, nicht des wirklichen. Wenn man aber den Prozeß durch alle Instanzen führte, wäre trotz der hohen Anwaltskosten für weitere drei Jahre die bisherige Ausschüttung garantiert, eine höhere als die bisherige wahrscheinlich. Bis dahin könnten alle Betriebsangehörigen weiter sehen.

Der Betriebsrat war sozialistisch, aber für einen Sozialismus mit menschlichem Antlitz. Er dachte an die laufenden Ratenzahlungen der meisten Beschäftigten, an den Urlaub, der bevorstand, und ging einstimmig auf Hilmar Beckers Alternativvorschlag ein. Die komplizierte Kläranlage blieb vorläufig ungebaut.

In jenen Jahren gingen die Weltmeere der Einstellung ihrer Sauerstoffproduktion entgegen. Ehrlichs, des amerikanischen Ökologen, Warnung war zwar gehört worden, aber der Apparat, der notwendig gewesen wäre, um den Trend der Weltwirtschaft zu wenden, kam nicht mehr zustande. Die Immission immer größerer Giftmassen war logisch, ebenso logisch war ihre Folge. Die Welt begann zu sterben, erst langsam, dann schnell.

Die Menschheit, die zäheste aller Lebensformen, verlangte einen Schuldigen. Während die Städte in Anarchie versanken, während die Meere sterile Wassergumpen wurden und die Vögel ihre Bruttätigkeit einstellten, forderte der Krisenstab der UN alles verfügbare Material von den Öko-Ministerien der Erde an und ließ es an

OMEGAPOINT verfüttern, das Wunder des MIT, den großen Megacomputer, mit der kurzen Frage: WER WAR'S?

OMEGAPOINT wisperte sich die Billionen von Bytes aus seinen Banken zu, in Nanosekunden schossen sie durch die Relaismasken. An dem Tag, an dem ein Mob aus der brennenden Strip City Basel–Rotterdam etliche Dutzend Industrieller ergriff und am Loreleifelsen aufhängte, darunter auch den verwunderten Hilmar Becker (mit dem letzten Blick gewahrte er unter den Erregten ein Mitglied seines Betriebsrats, das immer für Sozialismus mit menschlichem Antlitz gewesen war), hatte OMEGAPOINT die Antwort gefunden –

die letzte, sehr bescheidene Immissionsmenge, die wie ein Kippschalter die Prozesse der Meere endgültig umgelegt hatte, war aus dem Polyphanwerk in den Rhein geflossen.

Und da irgendeine Gerechtigkeit sein muß, sitzt Hilmar Becker hier im zehnten Höllenkreis, der eigens für ihn geschaffen wurde: für den Kain allen Lebens, den Judasverräter jedes Menschensohns, den Vernichter aller Historie, den Mörder des Planeten.

Jede Verheißung ist von der Erde verschwunden (wo werden die Toten auferstehen?) und damit auch jede Verdammnis. Im Nichts schwimmt Hilmar Becker, in der Kälte des Raums. Er hat den Richterspruch nie erfahren. Wird er ihm einmal offenbar? Ist es möglich, daß irgendeiner antwortet, ehe der kalte Planet in die Sonne stürzt oder die Sonne selbst zur Nova wird?

Aber wozu? Hilmar Becker würde selbst dann nicht begreifen. Sein Gewissen ist eine zarte, komplizierte, evangelisch-liberalsoziale Maschine, fast so fein wie OMEGAPOINT – aber die Speicherkapazität genügte nicht. Es hat sich so viel zu merken, daß es die wirklich entscheidenden Daten einfach nicht mehr unterbrachte.

# Arnfrid Astel

## Fünfzehn Lektionen zur Schulweisheit

1 LEKTION
Ich hatte schlechte Lehrer.
Das war eine gute Schule.

2 SCHULPFLICHT
Rechnen und Schreiben
lernen, um Rechnungen
schreiben zu lernen.

3 EIN Lernziel wird verfolgt.
Die Schüler sollen nichts lernen.

4 ZULASSUNG
Ein zugelassenes Schulbuch
ist ein Schulbuch,
lieber Schüler,
das du zulassen darfst.

5 BERECHTIGTE FRAGE EINES LERNWILLIGEN
    SCHÜLERS AN SEINEN LEHRER
Wie kann ich lernen, was Sie wissen,
ohne zu werden, wie Sie sind?

6 COMEBACK
Aus der pädagogischen Ecke
kommt er, wird Lehrer.

7 HINTER dem Klassenlehrer stehen.
Da kann er uns nicht sehen.

8 DU sollst nicht.
Ich darf aber.

9 VERBOTE. Vorboten
einer Erlaubnis.

10 IMMER siegt das Gute über das Böse.
Das ist lieb von dem Guten.


11 AUSNAHMEN
Weshalb sollten Ausnahmen
die Regel bestätigen?
In der Regel sprengen sie diese.
Das ist die Regel.
Ausnahmen bestätigen sie.


12 TOBIAS
»Tobias, nimm gefälligst
deine Füße vom Tisch!« –
»Erst wenn Sie beim Gähnen
die Hand vor den Mund halten.« –
»Geißner, du schreibst zehnmal ab
die Hausaufgabe für morgen!« –
»Ich wußte«, sagt Tobias,
acht Jahre, Sohn des
Sprecherziehers Hellmut Geißner,
»ich wußte, daß Sie
so reagieren würden.«


13 DAS fünfte Rad
am Wagen
ist das Steuerrad.
(Nicht weitersagen!)


14 JEDER Wurf ins Wasser
ist ein Volltreffer.
Die Zielscheibe stellt sich ein.


15 HÜPFEND
nach Hause
ein Schulkind.
So eine
Lehrerin
möchte ich
auch sein.

# Rose Ausländer

## Vorbereitung

Im Frühling und Sommer
bereitet vor das Fest

Reben aus Blutwein
in Katakomben
Marschlieder in Rillen

Ein Aufgebot Stühle
Klappsoldaten
Namen an Namen
in Herbst und Winter

Schatten drehn Windmühlen
mahlen Sandmehl für Kuchen
Wachsblumen häufen sich
Lorbeer und Reisig
nicht alles kann aufgezählt werden

Unverdrossen
die Arbeit schreitet voran
im Frühling und Sommer
bereitet vor das Fest

»Zum ewigen Frieden«

# Wolfgang Bächler

## Das Wasser wird kommen

Überall sah er Musik,
wo keiner sie hörte,
hörte er Farben,
wo keiner sie sah.
Hören und sehen
vergingen ihm nie.
Nur Geschmack fand er keinen
an dem, was den anderen schmeckte.
Und er konnte nicht riechen,
was andere rochen,
den Gestank nicht,
sich selbst nicht
und auch nicht die Blumen,
die er nur hörte und sah.

Er sah sie auch nachts und im Schnee.
Er sah die Farben im Schlaf.
Er hörte überall alles.
Er hörte das Meer im Gebirg,
sah es von weitem her kommen.
Da baute er aus entwurzelten Tannen
unter den Felsen droben ein Boot,
nähte ein Segel,
schnitzte den Mast, die Bank und das Ruder,
wartete auf das Meer.
Er legte sich nachts in sein Boot,
rollte sich in das Segel
und hißte es wie eine Fahne am Tag.
Sein Segel war rot.

Er hatte Geduld und Proviant.
Er war in die Zukunft gespannt.
Er wußte, das Wasser wird kommen.
Das Eis fließt herab,
das Meer steigt herauf.

Er hörte es näher und näher,
hörte das Brausen der Flut.
Er hörte das Meer, und er sah es
die Ebenen überschwemmen,
die Täler überfluten,
höher und höher branden,
die Hänge, Schluchten und Kare herauf.

Bald wird es sein Boot erreichen.
Bald wird es ihn über den Sattel,
die Zinnen und Kämme reißen
und über die Gipfel hinaus.
Bald wird das ganze Gebirge,
bald wird die Welt ein Meer sein.
Er hörte, er sah es kommen.
Er war gerüstet zur Fahrt.

# Reinhard Baumgart

## Was heißt das: bürgerlich?

Kein Zweifel, das Wort hat einen schlechten Ruf. »Gutbürgerlich«, so nennen sich nur noch Gasthöfe, Mittagstische in der Provinz, und dort bedeutet das: keinerlei Übertreibung ist in solchen Häusern zu erwarten, weder in Preis noch in Qualität – eine letzte Erinnerung an die gute alte Zeit, an den Duft der kleinen engen Welt. Doch eine »gutbürgerliche« Zigarette oder Fluglinie empfiehlt sich nirgends. Mit diesem Wort kann nichts verkauft werden, es hat keinen *appeal* mehr, drin sitzt der Muff. Wer bürgerlich ist, und sogar mit Überzeugung, der möchte doch bitte nicht so genannt werden, denn das hieße soviel wie keinen Schwung haben, nicht dynamisch und aufgeschlossen sein oder, mit einem Wort: nicht jung, und genau das kann sich heute niemand leisten.

Merkwürdig, dieser schlechte Ruf eines Wortes, das als Begriff doch auf den verwaschenen Gesamtzustand unserer Gesellschaft immer noch paßt. Mindestens wie die Faust aufs Auge. Denn man kann es mögen oder nicht mögen, man mag es drehen und wenden, wie man will, diese eine Banalität steht fest: Wir leben hier in einer von oben bis unten bürgerlich eingefärbten Gesellschaft, noch, aber auf vorerst noch unabsehbare Zeit. Dieser Klasse, dem dritten Stand der Französischen Revolution, ist es als erster in der Geschichte gelungen, die Gesellschaft nicht nur von oben zu beherrschen, sondern sie zu durchdringen, ihr bis weit nach unten diesen ihren Gütestempel »bürgerlich« aufzudrücken. Es existieren zwar Randzonen, und es existiert sicher ein Proletariat, aber auch das möchte am liebsten nicht mehr so genannt werden und lieber bürgerlich leben. Es gibt nicht mehr, was es noch in den zwanziger Jahren gab, was es in Sizilien, Indien oder Mexico City heute noch gibt: eine »Kultur der Armut«, eine Alternative. Da so alles »pluralistisch«, wie die Ideologen sagen, stärker oder blasser diese eine Farbe trägt, kann der Begriff »bürgerlich« offenbar alles und somit fast nichts meinen. Bürgerlich werden Mozart, Statussymbole, Aktienkurse gepflegt. Bürgerlich wird auch die Subkultur schon zum Wirtschaftsunternehmen ausgebaut, verbürgert ist die SPD, aus dem Bürgertum kamen die Intelligenz und die Wut der APO. Muß man denn bis nach Kuba oder bis nach China gehen, um endlich ein Außerhalb zu diesem panbürgerlichen Kosmos zu entdecken? Ich jedenfalls habe in den letzten Jahren nichts selbstzufrieden Bürgerlicheres gesehen als »Schwanensee«, getanzt vom Moskauer Bolschoi-Ballett. Das muß eine wunderliche Revolution sein, die fleißig die Basis umwälzt und im Überbau versteinerte Vergangenheit genießt.

Für den, der nur auf die Basis starrt, wird freilich im Handumdrehen alles klipp und klar – er sieht auch bei uns, jedenfalls auf dem Papier, ganz messerscharfe Klassenfronten. Bürgerlich ist dann nur, wer Produktionsmittel im Besitz hält. Mich interessieren an dieser Definition eher ihre Lücken als ihre theoretische Reinheit. Nach ihr dürfte sich der Jungmanager zu den »lohnabhängigen Massen« zählen, ein Kioskpächter dagegen wäre ein Mehrwertverdiener. Das alles hat seine Logik, nur keinerlei praktische Bedeutung.

Nur dann, wenn man das Wort historisch nimmt, verliert es seinen verschwommenen pluralistischen Glamour, dann erklärt sich auch seine Zweideutigkeit oder Verlegenheit. In ihm steckt Vergangenheit, eine schöne, eine steckengebliebene. Denn was heute so muffig oder schummerig wirkt, das hatte ja einmal fast rötlichen Glanz. Im Interesse des Bürgertums sollte vor zweihundert Jahren die Geschichte ruckhaft vorwärts bewegt werden, und bessere Parolen als *Liberté, Egalité, Fraternité* sind seitdem nicht ausgerufen worden. Doch verwirklicht wurde von den Parolen nur die Gleichheit von Bürgertum und Adel (die niemanden mehr interessiert), dann die freie Welt als Welt des *free enterprise*, und vor allem: das brüderliche Angebot an alle, teilzuhaben an der bürgerlichen Kultur, an Brahms und Schwedenmöbeln und Leistungsethos mit dem dazugehörigen Ruhe- und Ordnungsbedürfnis.

Sehr brüderlich ist gerade dieses Angebot nicht. Schon das Bildungsprivileg sorgt dafür, daß für den größten Teil der Bevölkerung die String-Regale und ein Volkswagen immer noch erschwinglicher sind als Strawinsky, Bergman oder Kafka. Doch gerade dort oben im bürgerlichen Überbau dämmert es seit fünfzig Jahren am auffälligsten. An der Basis sitzt man trotz drohender Mitbestimmung noch einigermaßen fest in den Positionen. Da oben aber werden immer seltener jene gutbürgerlichen Werte verkauft, mit denen innerlich ausgerüstet man vor zweieinhalb Jahrhunderten in die Stellungen einer damals herrschenden Klasse einrückte. Das Souterrain ist ruhig, noch ruhig, der Dachboden aber so morsch, daß man dort auf den Zusammenbruch des ganzen Hauses längst gefaßt ist. Von da oben ist ja das Gerücht vom Ende des Bürgertums ausgegangen und hat sich gehalten trotz allem gelungenen oder halbgelungenen *crisis management*. Wer seine Umsätze steigen, seine Lohnempfänger konzertieren, seine Aktien haussieren sieht, kann diese Unkerei nicht ver- und nicht ausstehen. Alles klappt, aber diese Auguren sehen immer schwarz. Für sie, die aus den bürgerlichen Kulturresten weissagen, ist, was so rüstig fortlebt, schon zu Ende.

Und tatsächlich: Wenn man der Geschichte des bürgerlichen Idealismus nachgeht, dieser Geschichte einer ständigen Verfinsterung, von »Kabale und Liebe« zu Becketts »Endspiel«, von Puschkin zu Tschechow, von Beethoven zu Webern, von Schelling zu Heidegger, dann muß man nicht einmal weissagen, wenn man aus Agonie auf Ende schließt, und ist auch kaum leichtfertig, wenn man trotzdem keinen nagelneuen Anfang dagegen zu bieten hat. An Sowjetrußland ist zwar zu lernen, daß eine Ideologie ihre Klasse überleben kann, aber daß eine Klasse den Zusammenbruch ihrer Ideologie unangefochten überdauert, das ist noch nicht vorgekommen. Kein Wunder also, wenn Produzenten im Überbau sich am lautesten verabschieden vom Bürgertum, wenn sie schon so tun, als wäre »bürgerlich« nicht nur etwas nicht ganz zeitgemäß Schickes, sondern auch etwas ganz und gar Moribundes. Sie übertreiben, sicher, schließlich sind sie noch Mitglieder dieser bürgerlichen Gesellschaft und höchstens utopisch, in Gedanken schon draußen. Aber sie gehen täglich mit Beweisen dafür um, daß bürgerliche Kultur ihre progressive Phase längst, aber auch ihre defensive schon lange hinter sich hat. Wie sollten sie auf dieses abgekämpfte, wenn auch zähe Pferd noch setzen? Es ist möglich und wäre nicht das erste Mal in der Geschichte, daß eine Kulturrevolution der politischen vorausläuft.

# Jurek Becker

## Die Mauer

Mein Gott, ich bin fünf Jahre alt, wir Juden sind wieder ein stilles Glück. Der Nachbar heißt wieder Olmo und schreit den halben Tag mit seiner Frau, und wer nichts Besseres zu tun hat, der kann sich hinter die Tür stellen und jedes Wort hören. Und die Straße hat wieder ihre Häuser, in jedem ist etwas geschehen mit mir. Ich darf sie nicht verlassen, die Straße, streng hat es mir der Vater verboten. Oft glaube ich nicht, womit er das Verbot begründet, manchmal aber doch: daß es eine Grenze gibt, eine unsichtbare, hinter der die Kinder weggefangen werden. Niemand weiß, wo sie verläuft, das ist das Hinterhältige an ihr, sie ändert sich wohl ständig, und ehe du dich versiehst, hast du sie überschritten. Nur in der eigenen Straße, das weiß der Vater, sind Kinder einigermaßen sicher, am sichersten vorm eigenen Haus. Meine Freunde, mit denen ich die Ungeheuerlichkeit bespreche, sind geteilter Meinung. Die immer alles besser wissen, die lachen, manche aber haben auch schon von der Sache gehört.

Ich frage: »Was geschieht mit mir, wenn sie mich fangen?« Der Vater antwortet: »Es ist besser, du erfährst das nicht.« Ich sage: »Sag doch, was geschieht mir dann?« Er macht nur seine unbestimmte Handbewegung und will sich nicht mehr mit mir unterhalten. Einmal sage ich: »Wer ist es überhaupt, der die Kinder wegfängt?« Er fragt: »Wozu mußt du das auch noch wissen?« Ich sage: »Es sind die deutschen Soldaten.« Er fragt: »Die Deutschen, die eigene Polizei, was ist das für ein Unterschied, wenn sie dich fangen?« Ich sage: »Mit uns spielt aber jeden Tag ein Junge, der wohnt viele Straßen weit.« Er fragt mich: »Lügt dein Vater?«

Ich bin fünf Jahre alt und kann nicht still sein. Die Worte springen mir aus dem Mund heraus, ich kann ihn nicht geschlossen halten, ich habe es versucht. Sie stoßen von innen gegen die Backen, sie vermehren sich rasend schnell und tun weh im Mund, bis ich den Käfig öffne. »Dieses Kind«, sagt meine Mutter, die kein Gesicht mehr hat, die nur noch eine Stimme hat, »hör sich einer nur dieses Kind an, dieses verrückte.«

Was geschehen ist, muß seltsam und unerhört gewesen sein, sonst lohnt es nicht, darüber zu berichten. Am Ende habe ich den

Kaufmann Tenzer umgebracht, nie werde ich es wissen. Er wohnt in unserer Straße und hat ein schwarzes Mützchen auf dem Kopf und trägt ein weißes Bärtchen im Gesicht, er ist der kleinste Mann. Wenn es kalt ist oder regnet, kannst du zu ihm gehen, er weiß Geschichten. Die abgebrühtesten Kerle sitzen stumm vor ihm und schweigen und halten den Mund und sind ganz still, auch wenn sie später ihre Witze machen. Doch mehr als vier auf einmal läßt er nie herein. Von allen hat er mich am liebsten: es tut gut, das zu glauben. Als er mich einmal gegriffen und auf den Schrank gesetzt hat, war er sehr stark, wir alle haben uns gewundert.

Der Vater sagt: »Wer setzt denn ein Kind auf den Schrank? Und überhaupt: was hockst du immer bei dem alten Tenzer, der ist wahrscheinlich nicht ganz richtig im Kopf.« Ich sage: »Du bist nicht ganz richtig im Kopf.« Da holt er aus, ich aber laufe weg; und als ich später wiederkomme, hat er es vergessen. Der Vater holt oft aus, schlägt aber nie.

Einmal bin ich mit allen verstritten und gehe zu Tenzer, noch nie war ich allein bei ihm. Als er mir öffnet und keinen außer mir vor seiner Tür findet, wundert er sich und sagt: »So ein bißchen Besuch nur heute?« Er hat zu tun, er ist beim Waschen, doch schickt er mich nicht fort. Ich darf ihm zusehen, er wäscht anders als meine Mutter, bei der es immer bis in jeden Winkel spritzt. Er faßt die Unterhosen und die Hemden sanft an, damit sie nicht noch mehr Löcher kriegen, und manchmal seufzt er über ein besonders großes Loch. Er hält ein Hemd hoch über die Schüssel, und während es abtropft, redet er: »Es ist schon dreißig Jahre alt. Weißt du, was dreißig Jahre für ein Hemd bedeuten?« Ich sehe mich im Zimmer um, es gibt nicht viel zu sehen, nur eine Sache gibt es, die ist mir neu: Hinter der hohen Rückwand des Betts, auf dem Boden neben dem Fenster, steht ein Topf. Eine Decke hängt davor, daß man nichts sieht. Die Entdeckung wäre mir nicht geglückt, wenn ich nicht auf dem Boden gelegen und nicht vor Langeweile genau in jene Richtung geschaut hätte. Ich mache einen kleinen Umweg zu dem Ding hin, ich schiebe die Decke, die einem doppelt so Großen wie mir die Sicht versperren würde, zur Seite. In dem Topf wächst eine grüne Pflanze, eine merkwürdige, die einen heftig sticht, kaum daß man sie berührt. »Was tust du da?« schreit der Kaufmann Tenzer, nachdem er meinen Schrei gehört hat. Ein Blutstropfen liegt auf meinem Zeigefinger, ich zeige ihm mein dickes Blut. Den Finger steck ich in den Mund und sauge, da sehe ich Tränen in seinen Augen und bin noch mehr erschrocken. Ich frage: »Was hab ich denn gemacht?« »Nichts«, sagt er, »gar nichts, es ist meine Schuld.« Er erklärt mir, wie die Pflanze funktioniert und von wie vielen Tieren sie aufgefressen worden wäre, wenn es nicht die Stacheln gäbe. Er sagt: »Du sprichst mit niemandem darüber.« Ich sage: »Natürlich spreche ich mit keinem.« Er sagt: »Du weißt, daß niemand eine Pflanze haben darf?« Ich sage: »Natürlich weiß ich das.« Er sagt: »Du weißt, was jedem blüht, der ein Verbot mißachtet?« Ich sage: »Natürlich.« Er fragt mich: »Na, was machen sie mit dem?« Ich antworte nicht und schaue ihn nur an, weil er es mir gleich sagen wird. Wir sehen uns ein bißchen in die Augen, dann greift sich Tenzer ein Stück Wäsche aus der Schüssel und wringt es gewaltig aus. Er sagt: »Das machen sie mit ihm.« Natürlich erzähle ich die Sache Millionen Leuten, den Eltern nicht, doch allen meinen Freunden.

Ich gehe wieder hin zum Kaufmann Tenzer, weil er mich seit jenem Tag mit seiner Pflanze spielen läßt, als wären wir Geschwister. Mir öffnet eine alte und fürchterlich häßliche Frau, daß jeder andere an meiner Stelle auch entsetzt gewesen wäre. Sie fragt mit ihrer gemeinen Stimme: »Was willst du hier?« Ich weiß, daß Tenzer immer allein gewesen ist, und eine solche hätte er schon gar nicht eingelassen; daß sie in seiner Wohnung ist, ist also noch erschreckender als ihr Aussehen. Ich laufe vor der Hexe weg und kümmere mich nicht um den Zauberspruch, den sie mir hinterherruft. Die Straße sieht mich kaum, so fliege ich, ich frage meine Mutter, wo Kaufmann Tenzer ist. Da weint sie, eben hat sie noch an ihrer Decke, zu der sie gehört, herumgestickt. Ich frage: »Wo ist er, sag es mir.« Doch erst der Vater sagt es, als er am Abend kommt: »Sie haben ihn geholt.« Ich bin inzwischen nicht mehr überrascht, Stunden sind vergangen seit meiner Frage, und oft schon haben sie einen geholt, der plötzlich nicht mehr da war. Ich frage: »Was hat er bloß getan?« Der Vater sagt: »Er war meschugge.« Ich frage: »Was hat er wirklich getan?« Der Vater verdreht die Augen und sagt zur Mutter: »Sag du es ihm, wenn er es unbedingt wissen muß.« Und endlich sagt sie, wenn auch sehr leise: »Er hatte einen Blumentopf. Stell dir nur vor, sie haben einen Blumentopf bei ihm gefunden.« Es ist ein bißchen still, ich leide, weil ich nicht sagen darf, daß dieser Blumentopf und ich Bekannte sind. Meiner Mutter tropfen Tränen auf ihr Tuch, nie vorher hat Tenzer ein gutes Wort von ihr gekriegt. Sein Stück vom Brot nimmt sich der Vater wie jeden Abend nach der Arbeit, ich bin der eigentlich Betroffene hier, und keiner kümmert sich um mich. Der Vater sagt: »Was ich schon immer gesagt habe, er ist im Kopf nicht richtig. Für einen Blumentopf geholt zu werden, das ist der lächerlichste Grund.« Meine Mutter weint nicht mehr, sagt aber: »Vielleicht hat er diese Blume sehr geliebt. Vielleicht hat sie ihn an eine Person erinnert, was weiß man denn.« Der Vater mit dem Brot sagt laut: »Da stellt man sich doch keinen

Blumentopf ins Zimmer. Wenn man schon unbedingt gefährlich leben will, dann pflanzt man sich Tomaten in den Topf. Erinnern an jemand kannst du dich tausendmal besser mit Tomaten.« Ich kann mich nicht länger beherrschen, ich habe meinen Vater nicht sehr gern in diesem Augenblick. Ich rufe: »Es war gar keine Blume, es war ein Kaktus!« Dann laufe ich hinaus und weiß nichts mehr.

# Manfred Bieler

## Winternacht

Zerbst lag im Schlaf. Der Schnee reichte bis an die Stadtmauern, wölbte sich über die Nuthe, wo sie am schmalsten war, zerfiel hinter den Toren in die Kettenspuren der Trecker und die Waffelabdrücke der Personenwagen, war an den Bürgersteigen zu halbmeterhohen Wällen gehäufelt und schien erst über den Ruinen wieder zu werden, was der Herrgott mit ihm bei seiner Erfindung vorgehabt hatte: daß er als eine Decke auf ein Vierteljahr in Anhalt, woanders auf länger oder gar nicht, zudecken sollte, was anzusehen beschwerlich war und so müdemachend. Ja, er deckte alles zu, der Schnee. Auch dort, wo die Wagen fuhren, fiel er über Nacht aus den Wolken und deckte alles so lange zu, bis am Morgen die städtische Reinigung kam mit ihrem Pflug.

Unter dem Schnee lagen die Häuser, und in den Häusern waren die Wohnungen der Menschen, die Stuben der Soldaten und die Ställe fürs Vieh. Das Vieh und die Soldaten schliefen nachts, aber viele Menschen konnten nicht schlafen, weil sie an den anderen Tag dachten oder überhaupt an die Zukunft, die kommen würde wie die städtische Reinigung mit dem Pflug. Sie wälzten sich hin und her und um und um, und die einen weinten in ihr Kopfkissen, und die anderen beteten, und die dritten lagen auf den Frauen, und wieder andere tranken Schnaps, und manche schliefen auch wie die Soldaten und das Vieh.

Doch viele bewegten sich eben, und es war keine richtige Ruhe unter der Decke, denn selbst die, die schliefen, rührten sich oft im Schlaf, als ob ihnen was auf der Brust oder auf dem Rücken läge wie ein Alpdrücken oder wie Nickert, der Unhold, persönlich. Sie warfen die Schultern herum und träumten. Lagen sie aber wach und dachten über ihr Leben nach, sahen sie oft den Tod. Nicht daß sie Angst vorm Sterben gehabt hätten. Wohl nur wenige. Sie fürchteten eher das ungute Gefühl, das sie mit hinübernehmen würden, wenn es soweit war. Nicht weil sich keiner ihrer Träume erfüllt hatte – wer erwartete das schon? Kaum die Träumer, wenn sie träumten, waren ihrem Traum so nah, daß sie ihn fassen konnten. Das war es nicht. Niemand hatte sie schließlich gefragt, ob sie auf diese Welt und nach Zerbst geboren werden wollten – der Wegtritt müßte also einfach sein: ein Atem zu wenig, ein Schritt zu viel, zu weit, zu nah, zu lang, zu kurz, der Raum stülpt in die Zeit, Zeit wird Allgegenwart – ein kostbarer Gedanke.

In den Mythen aller Völker, Völker, die Kontinente beherrschten oder Wälder von der Größe eines Kontinents, Savannen und Steppen, in denen Platz für England wäre, Völker mit Kalifaten, Karawansereien, Stränden und einem Stillen Ozean, gab es Gott, Götter, die Unsterblichkeit. Aber gestern abend sprach ein Mann aus Langenwetzendorf bei Zeulenroda im ›Volkshaus‹ und sagte, das sei ein Irrtum. In den Provinzen Anhalt, Thüringen, Sachsen, Brandenburg und Mecklenburg gebe es keinen Gott.

Wohin werden wir blicken, wir Zerbster, wenn wir hinübergehen? Der alte Mann mit dem weißen Bart war tot. Er hatte ausgedient. Er war entlassen worden, nicht einmal in Ehren. Er hatte den Saum seines Mantels angehoben, aus dem die Erde, die Sterne, das Wasser und das feste Land gefallen waren, und war davongegangen, zu anderen Völkern, weit weg, niemand wußte, wohin.

Also in die Leere würden die Toten blicken, die sich jetzt noch unter der Schneedecke und unter der Bettdecke wälzten, und so eine Vorstellung machte manche auch sehr unruhig, und unter diesen waren wieder welche, die nicht einmal der Leere ihre Leere glaubten, sondern fürchteten, sie könnte, so leer sie auch war, von gelispelten Trinksprüchen, geschrienen Kommandos, geseufzten Zusagen und gelallten Geständnissen erfüllt sein, und wieder warfen jene sich auf die andere Seite oder betteten den Kopf vom schweißnassen Kissen aufs kühlere Laken.

Zerbst schlief, aber es wälzte sich im Schlaf. Den einen drückte die Liebe, den anderen die Verordnung über den innerdeutschen Handelsverkehr, den dritten das Buntmetallgesetz, den vierten der imaginäre Zeh des im Kriege verlorenen Beins, den fünften die Mitschuld am Einbruch in den Bahnhofskiosk, den sechsten die Schwarzschlachtung eines deutschen Sattelschweins, den siebenten die Erinnerung an einen verratenen Freund, und so drückte es weiter und fort, bis es zehn, hundert, tausend, zwanzigtausend Schläfer drückte, die Kinder eingerechnet, die Gierschlunke, mit ihren Lehrer- und Familiensorgen.

Nun fingen sie an, die Wolken zu zählen, die über den Himmel ihrer geschlossenen Augen flogen, erst langsam und schwer, dann flüssig und leicht, oder ließen die Schäfchen springen über die Nuthe oder legten die Hände flach neben die Hinterbacken, atmeten durch die Nase ein und durch den Mund wieder aus oder schoben die rechte Faust unters Kissen und hörten dem Schlag ihres Herzens zu oder ließen ein letztes Mal Wasser, klemmten sich das

Nachthemd zwischen die Beine und tasteten mit den Füßen nach dem kalten Brett oder beteten das Vaterunser mit dem protestantischen Schluß.

Oder sagten einen Schutzengelvers auf oder versuchten, sich an alle Strophen von Schillers ›Lied von der Glocke‹ zu erinnern, oder sie multiplizierten kleine mit großen oder große mit großen Zahlen, oder sie zogen die Füße an und wippten mit der Bauchdecke, weil sie hofften, daß ihre Schlaflosigkeit aus vollen Därmen herrührte, oder sie kreuzten die Arme über der Brust und stellten sich vor sich selber tot, als lägen sie in einem Sarg oder Sarkophag oder wären schon aus Stein wie der Bürgermeister und Magister Schmidt und seine Frau auf dem Heidetorfriedhof, oder sie machten schlapp, machten sich schlaff, daß alles nur noch lag und hing, oder sie sangen sich selber ein Wiegenlied, bis sie gegen Morgen, manche auch schon gegen Mitternacht, andere wieder, als es langsam hell wurde, einschliefen, so daß eigentlich erst um fünf herum jener feine Summ- und Schnarchton über der Stadt lag, der die ersehnte Ruhe anzeigte, das verdiente Ende der leidigen Wälzerei, aber schon um halb sechs zog der Pflug der städtischen Reinigung von der Alten Brücke her auf den Markt, in seiner Spur den weißen glattgewalzten Schnee und die Zukunft.

# Horst Bienek

## Die Zeit danach

I
Es gibt eine Zeit
            und die Zeit danach
von welcher Zeit wollen wir reden?

II
Als das Reh neben dem Löwen weidete
als der Apfel reifte für den der den Apfelbaum düngte
als wer den Fisch fing ihn auch essen durfte
das war eine Zeit
            paradiesische Zeit
                        von der wir gern
predigen hörten

Als wir zusammengedrängt lagen auf hölzernen Pritschen
als die Dunkelheit unsere schwitzenden Leiber einsperrte
als uns der Hunger den Schlaf und den Traum zerspellte
das war eine Zeit
            finstere Zeit
                        die wir unseren Feinden
nicht wünschten

Als der Schrei des Wachmanns uns auf den Appellplatz jagte
als wir mit stumpfen Geräten die Kohle aus der Erde gruben
als wir in den schwarzen Versteinerungen eine Antwort suchten
warum diese Zeit
            so war
                        von der wir lieber
in den Lesebüchern gelesen hätten

Als wir heimkehrten in die Städte ohne Erinnerung
als – unerkannt – wir uns unter ihre Bewohner mischten
als wir einbrachen in ihre Häuser und den Argwohn zurückließen
das war eine Zeit
            schmerzliche Zeit
                        die wir mit unserer Trauer
zuschütteten

III
Wir sind auf dem Weg von der einen Zeit
in die andere
>doch wohin wir auch gehen
wir kommen nicht an
manchmal brechen wir in die Knie
und der Regen näßt unsre Gesichter
wir singen
>man hört uns nicht
(denn die Müdigkeit
schweißt uns die Lippen zusammen)
unsere Gesten sind zaghaft
>man begreift sie nicht
(denn die Verzweiflung
schlägt uns die Arme vom Rumpf)
wir gehen weiter
auf dem Weg von der einen Zeit
>in die Zeit danach

IV
Mitleidig wirft man uns Wörter in den Schoß

# Wolfgang Bittner

## Taxi frei

Ich erinnere mich genau. Es war im Wintersemester in München. Gegen 24 Uhr hatte ich erst drei Fahrten gemacht und knapp zwanzig Mark eingenommen. Dabei war das Wetter ausgesprochen günstig, das Geschäft hätte eigentlich florieren müssen. Die Außentemperatur lag bei null Grad. Ab und zu fiel Regen gemischt mit Schnee, der aber zum Glück nicht liegenblieb. Wer geht bei so einem Wetter schon gern zu Fuß? Dennoch gab es kaum Aufträge, weder am Standplatz noch von der Zentrale. Man konnte nie genau sagen, woran das lag, vielleicht am Fernsehprogramm.

Um Kundschaft aufzugabeln, fuhr ich bei einer Nachtbar vorbei, hatte aber kein Glück. Auch bei einem Vorstadtkino tat sich nichts, obwohl die Spätvorstellung gerade zu Ende war. Ich blieb mit laufendem Motor stehen, bis sich die Leute verstreut hatten. Dann fuhr ich langsam zu einer nahe gelegenen Kneipe und wollte gerade wieder Gas geben, da tauchten aus einer Nebenstraße zwei Männer auf, die mir winkten. Als sie einstiegen, sah ich, daß es sich um zwei Jugendliche handelte.

Der eine, er war dunkelhaarig und sah aus wie ein Italiener, setzte sich neben mich. Seine Aussprache, als er das Fahrtziel nannte, war allerdings akzentfrei. Er trug einen abgewetzten Militärparka. Ich schätzte sein Alter auf 18 Jahre. Bei dem anderen handelte es sich um einen stämmigen, etwa gleichaltrigen Burschen, dessen rundes Gesicht von einem schwach sprießenden blonden Backenbart eingerahmt wurde, was ihm ein merkwürdig unfertiges Aussehen verlieh. Er war mit einer braunen Lederjacke bekleidet. Die beiden wollten zu einem Lokal in der Innenstadt.

Da es wieder zu schneien anfing, fuhr ich langsam und konzentrierte mich auf die Straße. Die dunkle Fahrbahn sog das Licht der Scheinwerfer förmlich auf. Plötzlich merkte ich, daß es im Wagen totenstill war und daß die beiden einerseits zwar hellwach, andererseits aber ungewöhnlich reglos waren. Einer inneren Eingebung folgend, wollte ich die Sprechtaste für die Zentrale drücken, um mich zu melden. Aber in demselben Moment hörte ich, wie neben mir ein Springmesser klickte.

»Mach keinen Scheiß«, sagte der Schwarzhaarige und legte seine linke Hand auf meinen rechten Unterarm. Gleichzeitig fühlte ich mich von dem hinter mir sitzenden Burschen mit den Schultern fest gegen die Rückenlehne des Sitzes gezogen. Eine unbändige Wut keimte in mir auf, die sich fast augenblicklich in Todesangst verwandelte. Ich war nahezu bewegungsunfähig. Nur mit äußerster Willensanspannung vermochte ich ein Zittern zu unterdrücken, das von meinen Beinen ausging und den ganzen Körper zu erfassen drohte.

»Dir passiert überhaupt nichts, wenn du jetzt langsam rechts ranfährst und mit den Kohlen überkommst«, hörte ich die Stimme des Schwarzhaarigen. Sie hatte einen eigenartig heiseren, vibrierenden Klang. Mein rechter, auf dem Gaspedal liegender Fuß begann zu zucken und machte den Wagen bockig.

»Versuch bloß nicht, uns reinzulegen, sonst geht's dir schlecht«, zischte der Dicke von hinten. Er schien aufgeregt zu sein. Seine in meine Schultern gekrampften Hände zitterten auf einmal. »Los, los, nun mach schon«, sagte der Schwarzhaarige gepreßt. Sie haben Angst, schoß es mir durch den Kopf. Zugleich wurde mir bewußt, daß sich daraus kein Vorteil für mich ergab.

Mir fiel ein, daß zwei Wochen zuvor ein Kollege mit ungefähr zwanzig Messerstichen im Körper ins Krankenhaus eingeliefert worden war, weil er sich geweigert hatte, einem Betrunkenen seine Geldtasche auszuhändigen; daß im vergangenen Jahr ein anderer Kollege nach der Herausgabe seines Geldes erschossen worden war, weil der Täter die Aussage fürchtete. Unfähig, einen klaren Gedanken zu fassen, ging ich mit der Geschwindigkeit herab.

»Was soll das?« fragte ich, mich mühsam beherrschend. »Meint ihr etwa, ihr könnt bei mir etwas abstauben?« Währenddessen überlegte ich, daß ich ihnen vollkommen ausgeliefert sein würde, sobald ich den Wagen anhielt. Also war es besser, so lange wie möglich weiterzufahren. Deshalb gab ich ganz sachte wieder Gas und fügte, ohne eine Antwort abzuwarten, schnell hinzu: »Erstens habe ich noch nicht mehr als zehn Mark in der Tasche und zweitens schnappt man euch sowieso, also was wollt ihr eigentlich?«

Der Dicke griff mir von hinten ins Haar und zog meinen Kopf zurück, daß es im Genick knackte.

»Du tust jetzt sofort, was er dir gesagt hat!« schrie er mir ins Ohr.

»Genau das«, bestätigte der Schwarzhaarige. Die Spitze seines Messers war durch die Kleidung hindurch zu spüren. Der Wagen schlingerte hin und her, und ich bekam ihn erst wieder unter Kontrolle, als der Dicke mein Haar losließ.

»Nur nicht nervös werden«, sagte ich so ruhig wie möglich. »Schließlich kann ich nicht einfach im Halteverbot stehenbleiben.

Außerdem finde ich das beschissen, was ihr hier macht. Einem armen Schlucker wie mir, der sich sein Studium mit Taxifahren verdient, die letzten Kröten abzunehmen. Das ist ja wohl das Mieseste, was es überhaupt gibt.«

»Wenn du noch lange redest, bist du geliefert«, knurrte der Schwarzhaarige. Die Straße war zweispurig. Sie führte direkt in die Stadt. Ich fuhr mit einer Geschwindigkeit von 70 km/h. »Was soll ich denn machen?« gab ich ihm zur Antwort. »Hier darf ich nicht halten. Habt ihr eigentlich Kartoffeln auf den Augen?«

»Mensch, reiß bloß dein Maul nicht so weit auf«, schnaufte der Dicke hinter mir. »Bei der nächsten Gelegenheit hältst du an, verstanden?« Er schien sich gefangen zu haben. Dennoch war mir, als habe sich sein Griff gelockert.

»Ich bin doch nicht taub«, gab ich zurück. »Bloß, mehr als zehn Mark habe ich sowieso noch nicht eingenommen. Und wegen zehn Mark macht ihr einen Raubüberfall, der – ich meine theoretisch – mit einem Mord enden könnte. Daß ihr dafür jahrelang in den Knast kommt, womöglich sogar lebenslänglich, scheint euch überhaupt nicht klar zu sein.«

»Das laß mal unsere Sorge sein«, meinte der Dicke.

»Zehn Mark ist besser als gar nichts«, sagte der Schwarzhaarige achselzuckend. Seine linke Hand lag noch immer auf meinem Unterarm. In der rechten Hand hielt er das Messer.

»Was denkt ihr denn, warum ich Taxi fahre?« stieß ich hervor und beantwortete die Frage sofort selber: »Natürlich, weil ich kein Geld habe. Ich weiß genau, wie das ist, wenn man blank ist, wenn man sich nicht einmal mehr ein Bier kaufen kann. Aber das ist für mich noch lange kein Grund, gleich ein Messer zu ziehen, noch dazu wegen zehn Mark. Meint ihr denn, ich hätte Lust, den Rest meines Lebens im Kasten zu sitzen? Da fahre ich lieber Taxi oder arbeite auf dem Bau.«

Der Schwarzhaarige wollte etwas sagen, aber ich redete weiter, so schnell ich konnte. »Ihr müßt euch das bloß mal vorstellen, ihr bedroht jemanden mit einem Messer und der wehrt sich und ihr stecht den aus Versehen ab. Pfui Teufel, das wär vielleicht eine Schweinerei. Nee, da würde ich mir lieber was leihen oder notfalls einen Automaten knacken. Das ist besser als Mord.«

»Was quatschst du andauernd von Mord?« fuhr mich der neben mir an. »Wir wollen die Moneten, verdammt noch mal, das ist alles.«

»Ja sicher«, entgegnete ich. »Aber was ihr hier macht, ist ja bereits ein Raubüberfall, für den ihr wenigstens fünf Jahre Knast bekommt. Ich meine, wenn ihr wirklich so knapp bei Kasse seid, daß ihr so etwas wegen der paar lumpigen Mark riskiert, dann mach ich euch einen Vorschlag: Ich leih euch die zehn Mark.«

»Der hat wohl nicht alle Tassen im Schrank«, hörte ich den Dikken hinter mir sagen. Aber der Schwarzhaarige hatte meinen Arm losgelassen.

»Ich leih euch die zehn Mark«, sagte ich und blickte ihm voll ins Gesicht. »Die könnt ihr mir zurückzahlen, wenn ihr wieder Geld habt. Meine Adresse gebe ich euch auch, und wenn ihr wollt, könnt ihr mal bei mir vorbeikommen. Ich hab immer etwas zu trinken da.«

»Ich glaube, der spinnt«, grunzte der Dicke. Aber der Schwarzhaarige schien zu überlegen.

»Ihr könnt das machen, wie ihr wollt«, sagte ich. »Entweder ihr schickt mir das Geld irgendwann mit der Post zurück, oder aber ihr kommt mal vorbei und bringt es mir, und dann trinken wir einen zusammen.«

»Möchte mal wissen, wovon wir dir etwas zurückzahlen sollen«, sagte der neben mir. Seine Stimme klang jetzt wieder normal. »Du hast deine Arbeit als Taxifahrer. Aber mit achtzehn bekommt man kein Taxi. Und auf dem Bau oder woanders nehmen die uns auch nicht.«

»Haben wir ja versucht«, pflichtete der Dicke ihm bei. »Als wir ne Lehrstelle wollten, haben die uns ausgelacht. Mit solchen Zeugnissen, haben die gesagt, nimmt euch nicht mal die Scheißhausreinigung.«

Der Schwarzhaarige nickte und sah zur Seite, als ich ihn anblickte. Der Dicke hatte meine Schultern losgelassen.

»Okay«, sagte ich, »dann schenk ich euch die zehn Mark und ihr versprecht mir, daß ihr mich mal besucht. Vielleicht kann ich sogar etwas für euch tun.«

»Darauf scheiß ich, daß andere was für mich tun!« fuhr mich der Dicke an. »Mein Alter will schon seit drei Jahren was für mich tun.«

»Und?« fragte ich.

»Das einzige, was dabei herauskommt, ist eins in die Fresse oder ein Arschtritt. Jetzt hat er sein Fett weg und ist selber arbeitslos.«

»Das ist mit denen vom Sozialamt genau dasselbe«, bestätigte der Schwarzhaarige. »Die versprechen einem das Blaue vom Himmel, und plötzlich sitzt man in Fürsorgeerziehung, ehe man weiß, was gespielt wird.«

»Darüber müssen wir uns mal in Ruhe unterhalten«, erwiderte ich. »Das geht nicht so auf die schnelle, wenn etwas dabei herauskommen soll. Das wichtigste wäre, daß ihr euch darüber bewußt werdet, was ihr überhaupt wollt und weswegen . . .«

»Red nicht so viel«, unterbrach mich der Dicke, »reich lieber den Lappen rüber und damit fertig.«

»Du verpfeifst uns auch bestimmt nicht bei der Polizei?« fragte der Schwarzhaarige.

»Was hätte ich denn davon?« fragte ich zurück.

»Versprich es uns«, sagte er. Ich versprach es ihnen in die Hand.

»Na gut«, sagte der Dicke. »Reden kannst du wie in der Kirche.«

Inzwischen waren wir bei der Kneipe angekommen, die sie als Fahrtziel genannt hatten. Von dem Messer war nichts mehr zu sehen. Ich hielt an und entnahm meiner Geldtasche zehn Mark, die ich dem Schwarzhaarigen gab. Dann nahm ich ein Blatt Papier und einen Bleistift aus dem Handschuhfach und schrieb ihnen meine Adresse auf.

»Das ist hier ganz in der Nähe«, sagte ich. »Wenn ihr wollt, können wir auch mal einen Zug durch die Gemeinde machen.« Den Zettel reichte ich dem Dicken nach hinten. Der faltete ihn zusammen und steckte ihn ein.

»Ich würde mich ehrlich freuen«, sagte ich. »In dieser Gegend hier kenne ich jede Kneipe.«

Die beiden gaben mir die Hand, bevor sie ausstiegen.

»Wir kommen vielleicht mal vorbei«, sagte der Schwarzhaarige.

# Heinrich Böll

## Straßenschule

### I.

Am 30. Januar 1933 war ich fünfzehn Jahre und sechs Wochen alt, und fast genau vier Jahre später, am 6. Februar 1937, neunzehn Jahre und sieben Wochen alt, bekam ich das »Zeugnis der Reife« ausgestellt. Das Zeugnis enthält zwei Fehler: mein Geburtsdatum ist falsch angegeben, und meinen Berufswunsch »Buchhändler« hat der Direktor, ohne mich zu fragen, in »Verlagsbuchhändler« abgewandelt, ich weiß nicht warum. Diese beiden Fehler, die ich preise, geben mir die Chance, auch alle anderen Daten, einschließlich der Noten, anzuzweifeln. Ich habe die beiden Fehler erst zwei Jahre später entdeckt, als ich das Zeugnis zum ersten Mal in die Hand nahm, um es zum Studienbeginn Sommer-Semester 1939 bei der Universität Köln einzureichen, und das fehlerhafte Geburtsdatum entdeckte; ich wäre nie auf die Idee gekommen, einen solchen Fehler in einem so gewichtigen amtlichen Dokument korrigieren zu lassen: dieser Fehler erlaubt mir einen gewissen Zweifel, ob ich's denn wirklich sei, der da für reif erklärt wird. Ob da ein anderer gemeint ist? Und wer? Dieses Spiel erlaubt mir auch die Vorstellung, das Dokument könnte möglicherweise gar nicht gültig sein.

Ein paar weitere Voraussetzungen muß ich notieren: Sollte es zu den Pflichtübungen deutscher Autoren gehören, »unter der Schule *gelitten*« zu haben, so muß ich mich wieder einmal der Pflichtvergessenheit zeihen. Natürlich habe ich gelitten (Zwischenruf: Wer, ob alt oder jung, leidet nicht?), aber nicht in der Schule. Ich behaupte: so weit habe ich es nicht kommen lassen, ich habe – wie später manches in meinem Leben – »die Sache in die Hand«, habe sie zu Bewußtsein genommen. Wie, das wird noch zu erklären sein. Leidvoll war der Übergang von der Volksschule zum Gymnasium, kurze Zeit, aber da war ich zehn, und es betrifft nicht die zu beschreibende Zeitspanne. Ich habe mich manchmal gelangweilt in der Schule, geärgert, hauptsächlich über den Religionslehrer (der sich natürlich über mich – solche Bemerkungen sind – weitere Voraussetzung! – »bilateral« zu verstehen) – aber *gelitten?* Nein. Weitere Voraussetzung: Meine unüberwindliche (und bis heute unüberwundene) Abneigung gegen die Nazis war kein Widerstand, sie *widerstanden* mir, waren mir widerwärtig auf allen Ebenen meiner Existenz: bewußt *und* instinktiv, ästhetisch *und* politisch, bis heute habe ich keine unterhaltende, erst recht keine ästhetische Dimension an den Nazis und ihrer Zeit entdecken können, und das macht mich grausen bei gewissen Film- und Theaterinszenierungen. In die HJ *konnte* ich einfach nicht gehen und ging nicht rein, und das war's.

Noch eine Voraussetzung (und es wird *noch* eine kommen!): berechtigte Zweifel an meinem Gedächtnis; das alles ist jetzt achtundvierzig bis vierundvierzig Jahre her, und mir stehen keine Notizen, Aufzeichnungen zur Verfügung. Sie sind verbrannt und zerstoben in einer Mansarde des Hauses Karolingerring 17 in Köln; auch bin ich unsicher geworden, was die Synchronisierung persönlicher Erlebnisse mit geschichtlichen Ereignissen betrifft: so hätte ich zum Beispiel hoch gewettet, daß es im Herbst 1934 war, als Göring in seiner Eigenschaft als preußischer Ministerpräsident sieben junge Kölner Kommunisten mit dem Handbeil hinrichten ließ. Die Wette hätte ich verloren: es war schon im Herbst 1933, da dies geschah. Und mein Gedächtnis trügt mich nicht, wenn ich mich erinnere, daß eines Morgens ein Mitschüler, Mitglied der (noch schwarzuniformierten) SS, übermüdet und doch noch mit Jagdfieberglanz in den Augen erzählte, sie hätten in der Nacht in Godesberger Villen Jagd auf den ehemaligen Minister Treviranus gemacht. Gott sei Dank (wie nicht er, sondern ich dachte) – vergebens, und wenn ich dann vorsichtshalber nachschaue und feststelle, daß Treviranus schon 1933 emigriert ist, wir aber 1933 erst sechzehn Jahre alt wurden, das Mindestalter für die Mitgliedschaft in dieser SS aber achtzehn Jahre war, so kann diese Erinnerung frühestens im Jahr 1935 ihren Platz haben – es müßte also Treviranus 1935 oder 1936 noch einmal illegal ins Deutsche Reich zurückgekommen sein – oder die SS war einer Fehlinformation erlegen. Für die »story« – diese merkwürdige Mischung aus Übermüdung und Jagdfieberglanz in den Augen – garantiere ich, ihren Platz finde ich nicht. Letzte Voraussetzung bzw. Warnung: Der Titel Was soll aus dem Jungen bloss werden? sollte weder falsche Hoffnungen noch falsche Befürchtungen erwecken. Nicht jeder Knabe, dessen Verwandte und Freunde sich und ihm mit Recht diese ewig-bange Frage stellen, wird nach einigen Aufhaltungen und Um- und Abwegen Schriftsteller, und ich möchte betonen, die Frage war, als sie gestellt wurde, so ernst wie berechtigt, und ich weiß nicht, ob meine Mutter, lebte sie noch, nicht auch heute noch die Frage stellen würde: Was soll aus dem Jungen bloss werden? Vielleicht sollte man die Frage sogar bei älteren und erfolgreichen Politikern, Kirchenfürsten, Schriftstellern etc. hin und wieder noch stellen.

## II.

Mißtrauisch betrete ich nun den »realistischen«, den chronologisch verwirrten Pfad – mißtrauisch gegenüber autobiographischen Äußerungen bei mir und anderen. Für Stimmung und Situation kann ich garantieren, auch für die in Stimmungen und Situationen eingewickelten Fakten, nicht garantieren kann ich, konfrontiert mit kontrollierbaren historischen Fakten, für die Synchronisation: siehe die beiden Beispiele oben.

Ich weiß einfach nicht mehr, ob ich im Januar 1933 noch oder schon nicht mehr Mitglied einer marianischen Jugendkongregation war; es wäre auch unzutreffend, wenn ich sagen würde, ich wäre unter der Naziherrschaft vier Jahre lang »zur Schule gegangen«. Vier Jahre zur Schule gegangen bin ich nämlich nicht, es gab, wenn auch nicht unzählige, so doch ungezählte Tage, an denen ich – abgesehen von Ferien, Feiertagen, Krankheiten, die ohnehin abzuziehen wären – keineswegs zur Schule ging. Ich liebte die (»Buschschule« kann ich nicht sagen, die Kölner Altstadt hat und hatte wenig Gebüsch, nennen wir es also) Straßenschule. Die Straßen zwischen Waidmarkt und Dom, die Nebenstraßen des Neu- und Heumarktes, alles, was rechts und links in Richtung Dom von der Hohen Straße abging, ich trieb mich gern in der Stadt herum, nahm manchmal nicht einmal als Alibi den Ranzen mit, ließ ihn zu Hause zwischen Überschuhen und langen Kleidungsstücken in der Garderobe. Schon lange, bevor ich Anouilhs Stück »Der Reisende ohne Gepäck« kannte, war ich gern ein solcher, und es ist bis heute mein (nie erfüllter) Traum, einer zu sein. Hände in der Tasche, Augen auf, Straßenhändler, Trödler, Märkte, Kirchen, auch Museen (ja ich liebte die Museen, ich war bildungshungrig, wenn auch nicht bildungsbeflissen), Huren (an denen in Köln kaum ein Weg vorbeiführte) – Hunde und Katzen, Nonnen und Priester, Mönche – und der Rhein, der Rhein, dieser große und graue Rhein, belebt und lebhaft, an dem ich stundenlang sitzen konnte; manchmal auch im Kino, im Schummer der Frühvorstellungen, in denen ein paar Bummler und Arbeitslose saßen. Meine Mutter wußte viel, ahnte einiges, aber nicht alles. Familiengerüchten zufolge – die, wie alle Familiengerüchte, mit Vorsicht zu genießen sind – bin ich von den letzten drei dieser vier Nazischuljahre nicht die halbe Zeit »zur Schule gegangen«. Ja, es war meine »Schulzeit«, aber ich war nicht die ganze Zeit in der Schule, und wenn ich also diese vier Jahre zu beschreiben versuche, dann kann das *nur* eine *Auch*-Geschichte werden, denn zur Schule gegangen bin ich *auch*.

# Elisabeth Borchers

## H., einer von vielen

Aufgewachsen ohne Mutter,
der Vater ein Trinker.
Mit vierzehn, mit sechzehn,
dann Einweisung ins Heim.
Mit zwanzig das dritte Mal.
Fünfzehn Jahre insgesamt,
kleine Delikte: das Eigentum anderer.
Nicht etwa Picasso
oder ein Gang durch die Bank.
Fahrrad, Aktentasche,
ein schlecht sitzender Mantel,
doch warm.
Rückfälle. Zechprellerei.

Nun aber Schluß damit,
nun aber geht's aufwärts,
sanft und guten Willens
in ein fröhliches Leben.
Herzlichen Glückwunsch,
der Platz an der Sonne
ist frei.

Einbruch in ein leerstehendes Haus,
Verzehr von Konserven, Benutzung eines Betts.
Das war kürzlich, im Winter,
Sie erinnern sich.
Wir sind überfordert
und härten uns ab.

## H., einer von wenigen

In der letzten Nacht des Jahres
legte er sich ohne Neugier
in den Wald

und erfror.
Zum Glück fiel ein wenig Schnee
darüber.
Es war in der Zeitung zu lesen.

Der Engel, mit dem er den Wald verließ,
blieb ohne Erwähnung.

# Volker Braun

## Höhlengleichnis

Gezwängt in die Versteinerungen unserer berühmten Höhle, in der wir seit 5000 Jahren hocken, waren wir (nach schier aussichtslosem, von den meisten längst aufgegebenem Training der Halsmuskulatur und Rückenwirbel) seit den Detonationen der letzten sagenhaften Kriege immerhin beweglich genug, daß wir uns herumwenden konnten, um durch den Ausgang in das grelle Licht zu blicken. Das Licht, das bekanntlich die Schatten verursachte, die wir bislang als Beleg unserer minimalen Bewegungen wahrgenommen hatten. Als wir jetzt aber ins Freie sahn, war es nicht hell. Die große Lichtquelle, die uns aufgehen sollte, ja die immer wieder etliche seit jedem neuen Jahr Null angebetet hatten, war nicht vorhanden.

Es war auch kein Ausgang da, sondern hinter uns kauerten andere Leute, wie andere immer vor uns kauerten in der selben Dämmerung. Offensichtlich mußten unsere Körper selbst oder die Bewegung der Körper ein schwaches Licht ausstrahlen, das, summiert, uns schattenhaft und flüchtig festhielt an den Wänden. Überrumpelt von dieser Entdeckung wollten wir uns wirklich halten an den Wänden – und griffen verblüfft und erschüttert ins Leere bzw. fielen vornüber in eine Menge Gerümpel, das wir besaßen. Wände also auch nicht! so hatte es kommen müssen. Wir sitzen hier 5000 Jahre in der Höhle, und sie hat keine Wände! Das war keine Höhle, dafür waren wir Logiker genug. Wir hausten womöglich so unglücklich gruppiert, daß wir uns mit unseren Vorstellungen und Apparaten selbst umbaut hatten und jeder aus seinem Winkel in einen unzersprengbaren Raum zu blicken glaubte. Einen Raum von Fakten, von steinernen Gesichtern. Es war nun nicht so, wie einige von uns dachten, daß wir uns aus dem Laden einfach erheben konnten. Bei den ersten Versuchen, uns eilig und entschlossen hochzureißen, fühlten wir uns alsbald wie mit Ketten an den schleimigen Schutt gebunden und zurückgerissen, zumal sich die meisten nicht ruckten auf ihren Erdteilen, und standen schwitzend und, um den schneidenden Schmerz zu lindern, geduckt in den Kontaktzonen, Überleitungsphasen, Ausfallzeiten, bei der rechnergestützten Ermittlung abrechenbarer Verpflichtungen. Die aber den Schmerz nicht scheuten und sich lieber den Kopf einrannten an den herumragenden rostigen Verhältnissen und Stillhaltepraktiken als wieder in die Hocke zu gehn, richteten sich ganz auf und leuchteten für Momente grell, besonders ihr Großhirn wie eine phosphoreszierende Masse, und unsere stummen und halbherzigen Bewegungen waren schwarz und beschämend deutlich auf das ganze Inventar zurückgeworfen, bis die Körper dieser Jünglinge von Stricken quer durchschnitten und verbrannt zwischen unsere Nagelscheren, Tabellen und Nabelschnüre rollten. Darüber begannen wieder Jahrhunderte zu vergehn voll neuem Schutt, geplanten Kosten, Kunstersatz und normativem Gespeichel. Aber in dieser Zeit begann ein neues, härteres Training, des schmerzhaften und wunderbaren aufrechten Gangs.

# Irmela Brender

## Ich werde nicht vom Fallen träumen

*Jeder von uns hat in seiner Schüchternheit eine Grenze, die er
nicht überschreiten kann, ohne geschmäht zu werden . . . Doch
ist diese scheinbare Grenzverletzung jenen ungeheuerlichen Gewohnheiten vorzuziehen, die von Etikette und Ästhetik gutge-
heißen werden.*                                                   *Man Ray*

»Was wirst du tun?« fragte der Mann, der um sie herum war. Er
wirkte bedrückt, sie schien eher vergnügt. Doch sie schrie jede
Nacht. Es war für ihn nicht mehr auszuhalten.
    »Ich gehe zum Traumdeuter.«
    »Nach Indien?« Das traute er ihr zu.
    »In die C. G. Jung-Klinik.«
    »Aber du sagst, du träumst nie.«
    »Vielleicht bringen sie es mir bei.« Sie stellte es sich vor wie eine
Rückkehr in die Schule: Man lehrte sie das Träumen, dann träumte
sie, dann besprachen sie gemeinsam den Traum so lange, bis sie begriffen hatte, wie man träumt und nicht schreit. Sie hatte immer
rasch begriffen, und es machte ihr Spaß, Neues zu lernen, noch
dazu, wenn es nützlich war. Es würde nützlich sein, diesen Mann
nicht mehr durch Schreie aus dem Schlaf zu schrecken, so daß er
besser ruhen konnte für seine wichtigen Tage. Er nahm alle seine
Tage wichtig.
    In der Klinik wurde sie zu einem geführt, von dem sie nicht
wußte, ob er Lehrer war oder Arzt, jedenfalls fielen ihr, als sie ihn
sah, Gesellschaftsszenen aus alten Filmen ein, in denen Tischher-
ren schwarzweiß wie Pinguine neben aufgeputzten Damen saßen.
    Ihr Pinguin klapperte mit dem Schnabel und sagte: »Zum Bei-
spiel Angstträume: Frauen träumen meist vom Fallen. Männer
träumen von Tunnels.«
    Sie mußte lachen. Er sprach wie ein kecker Pinguin zu einer
Pfauendame, noch dazu über Freud. Sie wünschte sich einen Fä-
cher, dann hätte sie ihm neckisch auf die Finger geklopft. So sagte
sie: »Ich werde nicht vom Fallen träumen. Ich falle gern.«
    »Sie meinen, Sie tun es bewußt? Dann wäre es – springen.«
    »Fallen«, widersprach sie und machte es ihm vor: Mit geschlosse-

nen Augen saß sie auf ihrem Stuhl und fiel und fiel. Von einer Fels-
spitze in die Zärtlichkeit des Meeres. Nur zu Beginn brauchte es
Mut, dann kam Gelassenheit, und dann die sanfte Freude. Sie öffnete die Augen und sah, wie erschrocken er war. »Man kommt immer wieder an«, sagte sie beruhigend.

»Wo?«

»Bei sich.«

Da setzte er sich Brillen auf: Hornbrillen, Goldrandbrillen, Nik-
kelbrillen, Nah-weit-Brillen, Sonnenbrillen, Spiegelbrillen, eine
über die andere, bis seine Augen ganz verborgen waren.

»Erzählen Sie mir von Ihrer Kindheit«, sagte er.

Gehorsam erzählte sie von der Zeit, in der sie ein Hund gewesen
war, ein kleiner struppiger, sehr mager, schwarz mit roter Zunge
und immer im weißen Schnee. Sie hatte an Bäumen und Mauern
geschnuppert, vor allem aber und immer wieder an Bahngeleisen.
Es hatte sehr wenige Hunde gegeben wie sie zur Zeit ihrer Kindheit, und wenn, dann waren sie größer gewesen und rasch verschwunden.

Der Pinguin mit den Brillen hatte sich jetzt ein Haus gebaut aus
weißem Papier, darin hielt er sich versteckt. Dumpf fragte er heraus: »Können Sie Ihre Eltern beschreiben?«

Sie verwarf den Gedanken, die Pantoffel zu beschreiben, beige-
braun kariert, die über steile spitze Steine stiegen, bis das Blut her-
vorquoll. Und von der weißen Schürze mit den rötlichen Härchen
darauf, die in der Sonne glänzten, mochte sie auch nicht reden.
Aber um gefällig zu sein, berichtete sie, wie ihr Vater eines Tages
eine Schachtel mitgebracht hatte, viel größer als ein Schuhkarton
war sie kaum gewesen. Er stellte sie auf den Boden und hob den
Deckel ab, da sprang die Mutter hinein und faltete so lange zierlich
ihre Glieder, bis der Deckel wieder paßte. Der Vater schob die
Schachtel unter den Tisch, an dem er dann mit Männern saß, die
Ströme schwarzer Ameisen aus ihren Mündern hervorquellen ließen. Die Ameisen füllten den Boden des Zimmers, das Gekrabbel
stieg schon die Wände hoch, und immer mehr Insekten flossen aus
den Männermündern. Die Mutter in der Schachtel klopfte und
kratzte. Der Vater hob die Schachtel auf den Tisch und lüpfte den
Deckel. Da stieg die Mutter empor, warf ihm einen Blick voll
Freundlichkeit zu und faltete sich wieder zusammen.

»Jugend!« kam es aus dem Häuschen. Wenn sie nicht hinschaute,
verstärkte er die Papierwände offenbar mit Büchern, bis zur Hälfte
waren sie schon unterarmdick.

In der Jugend, das war rasch erzählt, war sie mit Edmond Dantès
im Château d'If gewesen bei Wasser und Brot und hatte von der

Freiheit und der Zukunft geträumt. Doch bevor Edmond noch Graf von Monte Christo werden konnte, hatte er es an die Lunge bekommen und Blut gespuckt, bei ihr quoll es aus dem Bauch. Edmond wurde daraufhin Reserveoffizier der eidgenössischen Armee, und ihr blieb nichts übrig, als mit Lumpen zwischen den Beinen auf den Tod zu warten, der unerklärlich lange aufgehalten worden war.

Die Tür wurde geöffnet, ohne daß jemand angeklopft hätte, und mehrere Pinguine traten herein, die dem ersten glichen. Sie gruppierten sich um das Häuschen, ließen die Brillengläser funkeln und schossen Fragen auf sie ab.

»Freunde?«

Da wußte sie nicht, wo anfangen. Bei den sprachlosen Kinderwagenkindern, die alles wußten? Bei den Bäumen, unter denen sie die Platanen am meisten schätzte, weil sie großzügig waren? Oder beim barfüßigen Jungen, mit dem sie in der VogelVA schweigend Rätsel dachte, wenn die Sonne schien?

»Was ist eine VogelVA?«

»Eine Vogelvollzugsanstalt, was sonst? Sie sitzen da hinter Gittern.« Der barfüßige Junge hätte so dumm nie gefragt.

»Feinde?«

Sie zuckte die Achseln. Sie hatte böse Omen gesprochen über die Frauen, die ihre Babys fraßen, so daß sie von ihnen bersten würden, und über die Männer, die andere in Plastikkoffern mit Stahlrahmen ersticken ließen, bis die Leichen ihnen zwischen zwölf und eins bei Nacht die Kehle zuschnüren würden. Das kümmerte sie nicht mehr. Manchmal kamen welche und versuchten schleimige Netze über sie zu werfen, dann ging sie weg. Wegzugehen war das beste Mittel gegen Feinde, sich langsam entfernen ohne Angst.

Die Gruppe beriet.

Sie hatte Zeit, herauszufinden, daß sich die bebrillten Pinguine ein wenig unterschieden. Einer hatte einen häßlich mageren Hals, der gab ihm etwas Fanatisches. Ein anderer war beleibt ohne Lust. Ein dritter bog sich aus der Hüfte leicht zurück, als wolle er verhindern, daß die anderen ihm ins Gesicht atmeten. Der vom Anfang war gar nicht mehr auszumachen.

Beim Beraten halfen ihnen Gegenstände: Uhren und Kalender und Schreibutensilien, einer benutzte sogar ein Rechengerät. Und dann die Brillen.

Schließlich wandten sie sich ihr wieder zu, und der Fanatische fragte: »Was haben Sie sich von Ihrem Besuch hier erhofft?«

»Ich wollte das Träumen lernen.« Und sie beschrieb den ungeheuren Spaß, den sie sich vorgestellt hatte – belehrt zu werden, wie man träumt, es zu erproben und über die Ergebnisse zu reden. Sie schüttelten die Köpfe. Offenbar hatte sie schon vor Beginn des Unterrichts versagt.

Der Zurückhaltende fragte leise: »Leiden Sie?« Sie nickte.

»Häufig? Beschreiben Sie einen Anlaß – irgendeinen.«

»Oft. Und die Anlässe sind meistens, wie man mir sagt, das alles nicht wert.« Zum Beispiel ein Plakat auf dem Postamt, den Text darauf hatte sie nie gelesen, das Bild darauf zeigte eine Frau, von der sie auch nichts wußte, doch die Augen dieser Frau begleiteten sie den ganzen Tag und bewirkten, daß sie litt. »Aber Sie müssen dieses Plakat doch beschreiben können!«

Das konnte sie nicht.

»Ist es ein Fahndungsplakat?« – »Ein Spendenaufruf?« – »Ein Suchbild?« – »Diese Augen«, das war der Zurückhaltende, »sind sie blau oder braun?«

»Ich habe große Angst, daß es meine Augen sind.«

»Wollen Sie damit sagen, daß in Ihrem Postamt ein Spiegel –«, fing der Beleibte an, doch der Fanatische unterbrach ihn. »Und was tun Sie dann? Was unternehmen Sie?«

»Ich unternehme nichts. Ich gehe aus dem Postamt – und weiter, man geht ja immer weiter – mit dieser großen Angst und Traurigkeit, und ich denke doch, das ist, was man leiden nennt.«

»Sie müßten aber doch wenigstens wissen«, sagte einer, »ob es die Augen einer Ertrunkenen oder einer Mörderin oder einer Bettlerin sind.«

Sie nickte ihm zu. »Das alles. Ich sagte ja – ich habe Angst, daß es meine Augen sind.«

Da wurden die Pinguine sehr unruhig. Sie griffen in ihre Taschen und holten Spritzen hervor. Drohend richteten sie die Spritzen auf sie, und zuerst lachte sie noch und sagte: »Lassen Sie doch das mit Freud. Das weiß nun jeder, und es hilft nicht mehr viel.« Aber sie brachen Ampullen die Spitzen ab und zogen die Spritzen auf und kamen näher.

Da merkte sie, wie sie ihre Zeit vertat, und faßte die Gruppe vor dem Häuschen aus Büchern und Papier so ins Auge, daß sie immer kleiner wurde und sich immer weiter entfernte. Als sie schon keine Pinguine mehr unterscheiden konnte, nur noch Stecknadelknöpfe, da drehte sie sich um und ging ruhig davon.

Draußen ging sie lange und schaute allen ins Gesicht, die ihr begegneten. Hin und wieder, nicht häufig, erkannte sie einen anderen Schreier in der Nacht. Es gab mehr Schreier, als es in ihrer Kindheit schwarze struppige Hunde gegeben hatte. Einmal kam ihr der Gedanke, daß sie nicht zurückgehen würde zu dem Mann mit den wichtigen Tagen, dem sie die Nächte störte. Sie ging einfach weiter.

# Christine Brückner

## »Nicht einer zuviel!«

Der Studienrat Dr. K. muß damals Anfang Vierzig gewesen sein. Wir verehrten ihn, das Wort schwärmen träfe nicht zu. Seine Überlegenheit war augenfällig, er mußte sie nicht betonen. Er war in den entscheidenden Jahren unserer geistigen Entwicklung der Leiter meiner Klasse und unterrichtete uns in den wichtigsten Fächern: Geschichte und Deutsch.

Geschichte war bei ihm nicht mit Kriegsgeschichte gleichzusetzen; er verlangte nicht, daß wir die Daten und Orte der Schlachten auswendig lernten. Er unterrichtete uns in den möglichen Staatsformen. Wir wußten Bescheid darüber, was Absolutismus, was Diktatur und was Demokratie besagte, und kannten die typischen Ausprägungen in den verschiedenen Ländern und Zeiten. Er verglich die Französische Revolution mit der Achtundvierziger Revolution und mit der Russischen Revolution vom Jahr 1917. Wir lasen die amerikanische Verfassung und stellten ihr die Weimarer Verfassung und das Parteiprogramm der NSDAP gegenüber.

Dr. K. hatte als Infanterieoffizier am Ersten Weltkrieg teilgenommen und war an der Einnahme der Festung Douaumont im Februar 1916, damals zwanzigjährig, beteiligt gewesen. Es hieß, daß er im Bericht der Obersten Heeresleitung namentlich erwähnt worden sei. Er war Träger des Eisernen Kreuzes Erster Klasse, aber er erzählte uns nie von seinen Erlebnissen im Krieg, nicht einmal am letzten Tag vor den Sommerferien. Zu keinem der zahlreichen nationalen Feiertage trug er ein Ordensbändchen im Knopfloch. 1918 war er durch einen Lungendurchschuß schwer verwundet worden, auch davon sprach er nicht. Wenn er die Zahl der Toten und Verwundeten des Ersten Weltkriegs nannte, erwähnte er nie, daß er dabei mitgezählt worden war, statt dessen unterrichtete er uns über die Höhe der Kosten für Waffen und Munition.

Ich erinnere mich, daß er 1934 zu uns sagte, der Nationalsozialismus könne zum Verhängnis für das deutsche Volk werden. Er vertrat die Ansicht, daß Aufklärung nicht allein im Biologieunterricht, sondern auch und vor allem im Geschichtsunterricht zu erfolgen habe und daß Geschichte kein totes Wissensgebiet sei, sondern daß man aus der Geschichte lernen könne und müsse. Es gab Augenblicke, in denen leidenschaftlicher Eifer bei ihm durchbrach, im allgemeinen blieb er ruhig, beherrscht, sachlich. Er las uns Abschnitte aus Hitlers ›Mein Kampf‹ vor, ein Buch, das er für eine unerläßliche Pflichtlektüre für alle Gymnasien ansah, da es das ganze Programm Hitlers enthielt, das jener zu verwirklichen trachtete. Wir sprachen über die ›Germanisierung des Ostraums‹, über den Austritt Deutschlands aus dem Völkerbund und über die Folgen, die die einseitige Kündigung des Versailler Vertrages würde haben können. Wir lasen gemeinsam die Texte der Kriegserklärungen und lasen die Texte der Friedensverträge.

Der weitaus größte Teil unserer Klasse saß in braunen Uniformen vor ihm. Das hinderte ihn nicht daran, über das Risiko zu sprechen, das die deutsche Regierung mit der Einführung der Wiederbewaffnung einging. Wir waren zwölf- und dreizehnjährig in dieser Epoche der nationalen Erhebung und von unkontrollierten Gefühlen mitgerissen. Er stand uns ruhig und besonnen gegenüber. ›Ich gebe zu bedenken‹, mit diesen Worten fingen viele seiner Sätze an. Später konnte er seine Erwägungen nicht mehr zu bedenken geben. Er besaß eine Familie, vier Kinder. Er las nicht mehr ›Mein Kampf‹ mit seinen Schülern, zitierte nicht mehr ironisch Dietrich Eckardt, nahm nicht mehr Führerreden mit uns durch. Er mußte die Lektüre von Heinrich Heines ›Politischem Testament‹ abbrechen, immerhin lasen wir Herders Schrift ›Über den Nationalwahn‹.

Eines der Themen, die er uns für den deutschen Aufsatz gab, lautete: »›Der Intellekt ist eine Gefahr für die Bildung des Charakters‹. Welche Wirkung übt dieser Satz Josef Goebbels' auf den Schüler einer Obersekunda aus?«

Als unsere jüdische Mitschülerin eines Tages fortblieb, sagte er: Sie kann nicht länger eine deutsche Schule besuchen, da weder ihr Aussehen noch ihr Charakter so deutsch sind wie eure und meine. Außerdem lebt ihre Familie erst seit zweihundert Jahren in dieser Stadt, das reicht nicht aus.

Von da an bediente er sich nur noch der mittelbaren Äußerungen, der Verschlüsselungen. Einige seiner Schüler verstanden ihn, die anderen hörten die Ironie nicht heraus, wenn er Hölderlins ›Tod fürs Vaterland‹ interpretierte. »O Vaterland / Und zähle nicht die Toten! Dir ist / Liebes! nicht einer zu viel gefallen.« Er gab dann exakt die Zahl der Toten auf deutscher Seite und auch auf der Seite der Entente an. »Nicht einer zuviel!« Damit schloß er den Unterricht und verließ das Klassenzimmer, bevor es geläutet hatte.

Als seine Oberprimaner nach Ausbruch des Zweiten Weltkriegs einberufen wurden, sagte er zu ihnen: »Ich habe versucht, Sie auf das Leben vorzubereiten. Ob meine Vorbereitungen auch –, da brach er ab, sagte nur noch: »Das Leben ist der Ernstfall! Der Frieden!« und ging.

Die Angehörigen meines Jahrgangs sahen sich 1948 zum ersten Mal bei einem Klassentreffen am Schulort wieder. Von einundzwanzig Schülern waren noch neun am Leben. Sieben waren gefallen, drei vermißt, eine Mitschülerin war bei einem Luftangriff ums Leben gekommen, eine war im Konzentrationslager vergast worden, einer der Männer trug eine Beinprothese.

Wir hätten Studienrat Dr. K. gern zu diesem Treffen eingeladen, aber es war uns leider nicht möglich. Es hat ihn nie gegeben.

# Günter de Bruyn

## Eines Tages ist er wirklich da

Und eines Tages dann ist Karlheinz, mein großer Bruder, wirklich wieder da. Er ist am Kino vorbeigegangen bis zur Litfaßsäule, und genau an der Stelle, die wir alle benutzten und die ich noch heute benutze, kommt er über die Straße, im weißen Nylonhemd, das Jakkett im Arm, eine Hand in der Tasche, ohne jedes Gepäck – das werden zwei Lastträger bringen oder das Expreßgutauto. Er geht genau auf die Stelle zu, an der das Eckhaus gestanden hat, durch das wir immer hindurch mußten, sieht die Rasenfläche und hebt dann den Blick zu unserem vierten Stock hinauf. Irgendwann einmal wird er beim Anblick des jetzt im Licht stehenden Hinterhauses »Die Sonne bringt es an den Tag, ausgleichende Gerechtigkeit« oder ähnliches sagen, aber jetzt ist er noch zu erstaunt, kennt sich nicht gleich aus; zweiundzwanzig Jahre sind eine lange Zeit.

Sein Blick sagt: So ist das also jetzt mit dem Haus, in dem ich geboren bin, das hatte ich anders in Erinnerung, fertig, abgemacht, und er geht über die Straße, die leer und still ist, denn es ist wohl ein Sonntagmorgen im Sommer, und ich gehe Milch holen, den Kleinen an der Hand, dem es ein Erlebnis ist, mit seinem Vater auf die Straße zu gehen, und der hoffentlich niemals vergessen wird, wie das war, als sein Onkel heimkam, morgens, unerwartet.

Und wir gehen aufeinander zu, langsam, zögernd, gar nicht so, wie man sich das als kinoerfahrener Mensch vorstellt. Zwar habe ich ihn sofort erkannt, wäre aber doch vorbeigegangen an ihm, wenn er nicht reagiert hätte; denn schließlich ist er ja vorbereitet, er weiß, daß er nach Hause kommt, muß damit rechnen, seinen jüngsten Bruder zu treffen; ich aber gehe aus dem Haus, um für meine Kinder Milch zu holen, und kann nicht ahnen, daß der große Bruder plötzlich nach zweiundzwanzig Jahren ohne Nachricht über die Straße kommt, da muß man zögern, auch wenn er sich kaum verändert hat oder gerade deshalb, denn das ist doch gegen jede Erfahrung, aber wahrscheinlich sieht man die Falten und Schärfen des Gesichts, den verbrauchten Glanz der Augen, den Fettansatz erst später, jetzt nur die noch immer vertrauten Züge, den spöttisch-wohlwollenden Blick, die schmale Hand, gegen die die eigene stets plump und bäurisch schien und einem klarmachte, daß dem Großen nachzueifern ziemlich sinnlos war. Natürlich ist dieser fatale Eindruck der Unterlegenheit auch gleich wieder da, als ich ihm die Hand schüttle und ihm dann etwas spät und nicht ohne das Gefühl unzulässigen Theaterspielens um den Hals falle und er wie immer lacht über meinen Hang zur Rührseligkeit. Und auch als ich ihm seinen Neffen vorstelle, lacht er ein bißchen, weil es ihm komisch vorkommt, daß sein kleiner Bruder eine Familie hat, und bei mir kommt sofort was von dem alten Trotz wieder: Ja, grinse nur, aber ich will eben nichts anderes als immer zu Hause bleiben und mittelmäßig und normal sein. Natürlich will ich das nur, weil ich weiß, daß ich nichts anderes kann, schlimm ist nur, daß auch meine Frau das plötzlich weiß, als sie Karlheinz gegenübersteht. Ich bin ein bißchen beschämt, ein bißchen eifersüchtig, ein bißchen bockig, sehr, sehr stolz auf meinen großen Bruder und von einer Riesenfreude erfüllt über diese Heimkehr, an der ich ja nie gezweifelt habe, die nun aber durch die unvermutete Unterbrechung der Monotonie meines Lebens etwas Unwirkliches zu haben scheint.

Am schnellsten überwindet meine Tochter diesen Eindruck. Ungeduldig hört sie sich noch mit an, wie ich von unserer letzten Begegnung erzähle, vierundvierzig, der zerstörte Bahnhof, Aussteigeverbot, zehn Minuten Aufenthalt, er mit vielen anderen an der Tür des Viehwaggons, gedrängt die Mütter davor, ein Pfiff, Winken, Weinen, dann fragt sie ungeduldig ihren Onkel, wie er es fertiggebracht hat, zweiundzwanzig Jahre Mutter und Bruder ohne Nachricht zu lassen, und ich habe Angst, daß er jetzt die Wirklichkeit seiner Heimkehr durch Unsicherheit und ungenaue Erinnerung selbst in Frage stellen, daß er vielleicht sogar zugeben wird, Karlheinz nicht zu sein. Aber er beginnt sofort, sicher und genau zu erzählen, und alles stimmt mit dem überein, was wir schon wissen: Saint-Nazaire, im Rücken schon der Motorenlärm der amerikanischen Panzer, er sagt zu seinem Fahrer, wir machen Privatfrieden, sie steigen aus, laufen den Allied Forces entgegen, eine Hecke trennt sie plötzlich für immer. Ja, das stimmt, das wußten wir schon; siebenundvierzig kam der Fahrer zurück und besuchte uns. Aber dann? Was geschah dann?

Wir sitzen alle um den Küchentisch, er mir gegenüber und stopft sich die Pfeife mit märchenhaft duftendem Tabak, eine Spezial-Blend, er raucht keine fabrikmäßig gemischten Sorten. Zwei Minuten nach der Trennung vom Fahrer hatten sie ihn schon geschnappt. Verhöre, Gegenüberstellungen, kurze Ausbildung und dann ein feines Leben in Luxemburg am Sender für die deutsche Armee, aber nur bis Mai fünfundvierzig, dann PW, Lager, Hunger,

Läuse, er war reif für ein Angebot vom Geheimdienst, zwanzig Jahre Verpflichtung, Schweiz, Österreich, Tanger, Griechenland, Südafrika. Er schüttelt sich. Aus, vorbei! Angst, hierher zu kommen? Da lacht er wieder den kleinen Bruder aus, den Weltfremden, den Hausvater. Keine Bange, der Wechsel war lange geplant, er hat es sich verdient, hier auszuruhen. Es fällt mir schwer, verstehend zu lächeln, weil ich an Mutter denke.

In unserem Trabant fahren wir hinaus zu ihr ins Altersheim. Noch ist Sonntag. Er fährt. Ich habe Angst vor jedem Polizisten, weil ich nicht wage, ihn nach seiner Fahrerlaubnis zu fragen. Aber er fährt gut. Das hat er im Kloster gelernt bei den französischen Trappisten, den Schweigemönchen, die nicht sprechen und nicht schreiben dürfen, aber Auto fahren. Zwanzig Jahre hat er für eine Irrenanstalt Kranke gefahren. Gleich nach der Trennung vom Fahrer war er hinter der Hecke auf Leute vom Maquis gestoßen, war geflohen, hatte plötzlich vor einer endlosen Mauer gestanden, einer weißen, hohen, unüberwindlichen, er hatte sie überwunden, die stummen Brüder hatten ihn verborgen, in den Tagen der Ardennenschlacht schon hatte er die Gelübde abgelegt, ehrlichen Glaubens, aber es gibt Heimweh von solcher Stärke, daß alle Schwüre der Welt dagegen unwirksam werden.

Dann gehen wir den Parkweg zum Heim hinauf, er voran, den Kleinen an der Hand, meine Tochter am Arm. Als wir ihm Mutters weißes Haar hinter dem Fenster zeigen, winkt er ausgelassen, er weiß ja nicht, daß sie so weit nicht mehr sieht. Natürlich spricht er auch viel zu leise mit ihr, aber sie fährt ihn nicht an, wie uns immer: Habt ihr denn nicht schon in der Schule deutlich und laut sprechen gelernt? Ihn umarmt sie nur immerfort und redet mit ihm wie mit Vater, an den ich mich kaum noch erinnere, für mich war Karlheinz immer so was wie Vater, und jetzt ist er wieder da, beruhigend vertraut in seiner Selbstsicherheit, verwirrend fremd in seiner Jugendlichkeit, endlich wieder da, im weißen Hemd, nach zweiundzwanzig Jahren. Er hat doch nicht schreiben können bei Gefahr seines Lebens. Kaum war sein Fahrer hinter der Hecke verschwunden gewesen, hatte er sich ans Steuer gesetzt und war losgebraust, Richtung Heimat. Zwei Monate hatte er sich am Rhein verstecken müssen, ehe er unbemerkt hinüberkam. Winterschlaf bei einer Bäuerin im Harz. An einem Aprilabend endlich hatte er die Stadtgrenze erreicht, in einer Feldscheune bei Schönefeld – in vier Stunden hätte er zu Hause sein können – hatte ihn der Russe erwischt oder eine Russin vielmehr, eine Majorin, die ihn bei sich behielt, vier Monate in Uniform, ohne ein Wort Russisch zu können, Nataschas Entlassung, Heimkehr nach Sibirien, dort lebt er als

Pelztierjäger, drei Kinder, in vier Wochen muß er zurück sein, der Flug dauert nur Stunden, Tage dann aber die Fahrt mit dem Hundeschlitten.

Irrsinniger Schmerz überfällt mich bei dem Gedanken an die Entfernung, die uns bald wieder trennen wird, aber er sieht mich von seinem Platz neben der Mutter her spöttisch an, und ich lasse meinen Kopf nicht an seine Schulter fallen, weil meine Frau dabei ist und die Kinder, die Große schon dreizehn, und ich weiß, daß ich Fieber habe und ruhig liegen muß, um die Frau nicht zu stören, die neben mir atmet, aber ich kann nicht mehr ruhig liegen, mein Kopf schmerzt, mich dürstet, doch das alles ist nicht so schlimm, da ja endlich mein großer Bruder wieder da ist, im weißen Nylonhemd, nach zweiundzwanzig Jahren.

# Hans Christoph Buch

## Anekdote aus dem letzten Krieg

Wie eine Frankfurter Zeitung in ihrer jüngsten Ausgabe berichtet, hat der Hauptangeklagte in einem derzeit vor dem Stuttgarter Schwurgericht anhängigen NS-Prozeß, in dem es um die Ermordung von über tausend osteuropäischen Juden geht, plötzlich sein Schweigen gebrochen – alle übrigen Angeklagten, ebenso wie die von der Staatsanwaltschaft aufgebotenen Zeugen, konnten sich nach vierzig Jahren an nichts mehr erinnern oder machten von ihrem Recht auf Aussageverweigerung Gebrauch – und detailliert zu den Vorwürfen der Anklagevertretung, er habe im Herbst 1941 als Angehöriger eines Einsatzkommandos der SS im Raum Kiew mehrere hundert ukrainische Juden eigenhändig getötet und sich dabei durch übertriebene Pflichttreue und exzessive Grausamkeit ausgezeichnet, Stellung genommen: *erstens,* so führte der Angeklagte in seiner mündlichen Einlassung vor Gericht aus, sei er nicht einem der berüchtigten Einsatzkommandos, sondern lediglich einem Werkstattzug der SS zugeteilt gewesen, dessen Aufgabe einzig und allein darin bestanden habe, die Kraftfahrzeuge der 1. SS-Brigade instand zu halten; *zweitens* habe er für die ihm zur Last gelegten Taten, deren verbrecherischen Charakter er aufgrund der damals gültigen Rechtsordnung gar nicht hätte erkennen können, schon mehr als genug gebüßt, da ihn ein Ehrengericht der SS im Winter 1941 wegen Verletzung der Manneszucht und des Dienstgeheimnisses – er hatte von der Hinrichtung einer Gruppe von circa dreißig jungen Jüdinnen, die sich vor den Augen der SS-Männer mit Knüppeln und Spaten gegenseitig totschlagen mußten, heimlich Aufnahmen gemacht, durch deren Herumzeigen er sich später im Kreise seiner Kameraden brüstete – zu einer symbolischen Haftstrafe verurteilt hatte, die er durch freiwilligen Einsatz an der Ostfront voll abgeleistet habe (wobei er als Folge einer vierundzwanzigstündigen Verschüttung Teile seines Gehörs und seines Gedächtnisses eingebüßt habe, wie ihm der Amtsarzt auf Wunsch jederzeit bescheinigen könne): es sei aber ein international anerkannter und sogar ihm als Laien geläufiger Rechtsgrundsatz, daß niemand für ein- und dasselbe Verbrechen zweimal verurteilt werden dürfe; *drittens,* so gab der Angeklagte abschließend zu Protokoll, habe er zwar jeden ihm erteilten Befehl ohne Widerrede ausgeführt – leider Gottes sei man ja damals gewohnt gewesen, immer nur »Jawoll« zu sagen –, habe sich aber keineswegs durch übertriebene Pflichttreue oder gar Grausamkeit ausgezeichnet: im Gegenteil habe er einen ukrainischen Juden, der ihn auf den Knien angefleht hätte, nun auch ihn zu töten, nachdem er aus nächster Nähe habe mit ansehn müssen, wie der Angeklagte zunächst seine beiden kleinen Kinder und dann seine Frau mit dem Kleinkalibergewehr erschossen hatte, laufen lassen mit der Begründung: er solle machen, daß er nach Hause komme – schließlich sei er, der Angeklagte, ja kein Mörder.

# Peter O. Chotjewitz

Mißglückte Geschichte,
deren Ende schon in der Mitte feststeht,
so daß der Anfang zu lang ist,
zwischendurch einige Seiten ausgelassen
werden müssen und der Schluß
unbefriedigend bleibt, da er keine
Überraschung mehr bildet.

In D., einer westdeutschen Großstadt, lebte einst ein Junggeselle
namens Kurt. Der Name der Stadt ist unwichtig, nicht aber die Tatsache, daß Kurt Junggeselle ist, da es sich um eine Liebesgeschichte
handeln soll. Um eine Liebesgeschichte handelt es sich wohl aber
nicht.

Es war das Jahr 1980 und »Kuller«, wie seine Mutter ihn liebe-
voll nannte, hatte gerade seinen 30. Geburtstag gefeiert, ohne
daran zu denken, daß an diesem 19. September der damalige Bun-
desinnenminister Gustav Heinemann und sein Regierungschef
Konrad Adenauer im Jahre 1950 eine Anordnung erlassen hatten,
wonach Mitgliedern des Kulturbundes, des demokratischen
Frauenbundes, der Gesellschaft zum Studium der Kultur der Sowjetunion, der Vereinigung der Verfolgten des Nazi-Regimes und
anderer demokratischer Organisationen die Beschäftigung im öffentlichen Dienst untersagt wurde.

»Giese« dagegen, die in Wirklichkeit Gisela hieß, hätte sich
daran sicher erinnert, da sie in einem Komitee gegen die Berufsver-
bote arbeitete. Außerdem ist sie Mitglied der demokratischen
Fraueninitiative.

Die Abende Kullers, die erst begannen, wenn er ein paar Über-
minuten absolviert hatte, wie jeder Bankangestellte, der vorwärts-
kommen will, zerfielen in zwei Teile.

Im ersten Teil durchwanderte er, in Gedanken noch bei den Kre-
ditverträgen in der Bank, den Stadtpark, sein kleines viereckiges
Angestelltenaktenköfferchen in der Hand, in dem sich zweimal die
Woche schmutzige Wäsche befand, und stand nach 20 Minuten vor
dem kleinen viereckigen Zweifamilienhaus seiner Eltern, wo er
seine schmutzige Wäsche abgab, die saubere Wäsche entgegen-

nahm und mit seinen Eltern täglich zu Abend aß. Sein Lieblingsessen war rheinischer Sauerbraten und Schokoladenpudding als Nachtisch. Für Mutters Schokoladenpudding hätte Kuller sogar darauf verzichtet zu heiraten, aber das Problem war bisher nicht aufgetaucht.

Giese besuchte ihre Eltern seltener, vielleicht einmal die Woche, wo sie sich dann ebenfalls zum Essen einladen ließ, wusch ihre Wäsche aber selbst. Ihr Lieblingsessen war Borschtsch, das sie sogar richtig aussprechen konnte, mit Kwaß, wozu sie mit Vorliebe gefüllte Piroggen aß. Ihr Glück hätte sie dafür allerdings nicht hingegeben. Sie hatte Russisch studiert, sich mehrfach längere Zeit in der SU aufgehalten, wie sie das nannte, und ihre Eltern mit viel Geduld und Freundlichkeit davon überzeugt, daß sie nicht ihre politischen Ansichten zu teilen brauchten, wenn sie mit ihr die Kohlsuppe teilten.

Den zweiten Teil des Abends verbrachte Kuller in seiner kleinen Zweizimmerwohnung mit Naßzelle und Kochnische, und wenn er nicht gerade darüber nachdachte, was er gerade gelesen hatte, so las er.

Schon auf dem Weg vom Haus seiner Eltern stellte er sich vor, was er an diesem Abend lesen würde, und daheim legte er mindestens ein halbes Dutzend Romane, Novellen und Erzählungen auf das runde Tischchen neben dem Schaukelstuhl, so groß empfand er seinen Lesehunger, wenn er den Tag in der Bank verbracht hatte.

Für das Lesen vermied Kuller die Außenwelt, hatte er darauf verzichtet, einem Verein beizutreten, der lokalen Goethegesellschaft etwa, die in D. nach einem hier gebürtigen Dichter benannt war, der nicht Goethe hieß, und als die Kolleginnen und Kollegen aus der Bank einen Kegelklub gründeten, der vierzehntägig unter strikter Beachtung launiger Statuten und der Klubkasse eine heiße Kugel schob, hatte er sich nicht angeschlossen.

Für das Lesen hätte er sogar auf Mutters Schokoladenpudding verzichtet, aber das Problem war bisher nicht aufgetaucht, abgesehen vom ersten Samstag jeden zweiten Monats.

An diesen Samstagen saß Kuller neben einem Rechtsanwalt und einem Verlagslektor, die ebenfalls literarische Experten waren, im Regionalstudio der Landesrundfunkanstalt, wo unter Leitung eines ungemein belesenen, geachteten und begabten Schriftstellers ein literarisches Ratespiel stattfand.

Kuller war beinahe unübertrefflich in dieser Runde. Er durchschaute mit sicherem Ohr, denn die zu erratenden Texte wurden von einem Rundfunksprecher vorgelesen, von wem ein belletristischer Brief stammte, aus dem zitiert wurde, und an wen er gerichtet war, nämlich von Goethe an Frau von Stein, nannte auf Anhieb den unbekannten Verfasser des berühmten Gedichts vom Büblein auf dem Eis, erriet anhand eines 60-Sekunden-Zitats von wem eine bestimmte Novelle stammte, nämlich von Achim von Arnim, schloß aus einem unbedeutenden Hinweis in einem autobiografischen Bericht, daß der Verfasser der Memoirenschreiber Ritter von Lang sein müsse, und wußte sogar, wer den Text zu Schuberts Lied »Die Forelle« geschrieben hat.

Giese dagegen verbrachte ihre Abende selten in der Wohnung, die sie sich mit einer angehenden Kinderärztin, einem technischen Angestellten, einer Verkäuferin in einer Boutique, die mit dem Techniker verheiratet war, einem Maler und Anstreicher, einer Studentin der Sozialpädagogik und den Kindern des Ehepaares teilte, und in der sie ein Zimmer besaß. An drei Abenden hatte sie feste Termine, und wenn sie keine Verpflichtungen einzuhalten hatte, ging sie ins Konzert, in die Oper, ins Theater, ins Kino oder verbrachte die Zeit daheim mit Hausarbeit, Schreiben und Lesen.

Eine Koryphäe war sie nicht auf irgendeinem Gebiet, im Gegensatz zu Kuller, was ihm eine gewisse Überlegenheit verlieh, wenn man davon absieht, daß sie sich in der russischen Literatur gut auskannte, was er als Bereicherung empfand, eine nüchterne Einstellung zur östlichen Großmacht besaß, wovon Kuller aber nichts erfuhr, eine tüchtige Lehrerin für Russisch, Sport und Deutsch war, wenngleich im Angestelltenverhältnis, obwohl sie schon fünf Jahre an demselben Gymnasium unterrichtete, und eine allgemein geschätzte Kollegin war, von ein paar Ausnahmen abgesehen.

Das Zusammentreffen dieser beiden Menschen, die sich einerseits wie gesagt unterschieden, andererseits auch wieder recht ähnlich waren, was das gemeinsame Interesse an Literatur und Ideen, Spekulationen über das Wesen der Welt, Träume von ihrer Gestaltbarkeit und die Verbesserung der Menschen überhaupt und insbesondere durch das Wort betraf, hatte etwas schicksalsmächtiges.

Sie saßen sich gegenüber an den hufeisenförmig aufgestellten Tischen der Gaststätte, in der einmal im Monat die literarische Matinee stattfindet, die von der örtlichen Brauerei gesponsort wird. Kuller besuchte diese Autorenlesungen regelmäßig, Giese war das erste Mal hier, weil zwei Autoren aus der Sowjetunion angekündigt waren, und erregte sofort Kullers Aufmerksamkeit. Majestätisch erschien sie ihm und erweckte den Eindruck, als sei sie es, der die Verse und Zeilen der Dichter galten, die teils von den Gefechten und Siegen einer Reitertruppe im späten 15. Jahrhundert, teils vom großen vaterländischen Krieg handelten.

Später, als die Autoren Bücher signierten und die Zuhörer noch eine Weile unschlüssig herumstanden, wirkte sie wie der Mittelpunkt der Erde, überragte die Umstehenden an Höhe und Größe, obwohl sie kein Wort sagte und weder dick noch groß war, und es schien ihm, als wartete sie auf ihn seit Jahren. Je länger er sie betrachtete, desto mehr verliebte er sich in sie. Ihr Gang war eigentlich kein Gang, sondern mehr ein höfisches Schweben, ihr Gesicht nicht einfach ein Gesicht, sondern irgendwie das Abbild einer bäuerlichen Jungfrau Maria oder einer demeterhaften Erdgöttin und figürlich ähnelte sie einem Barockengel, soweit er das erahnen konnte, denn sie trug weite Gewänder.

Ihr Eindruck von ihm war nicht so überwältigend, jedenfalls was die äußerlichen Werte betrifft. Etwas steif und verklemmt fand sie ihn, die Hautfarbe ungesund und die Stimme etwas zu laut und hoch. Sein dunkler Anzug erschien ihr spießig. Sie selbst kleidete sich lieber phantasievoll und locker, schwarze afghanische Pumphosen zum Beispiel, die hätten ihm eigentlich auffallen müssen, über denen sie eine lange, weite, weiße Bluse trug mit Stickerei. Sein Beruf dagegen störte sie nicht. Ein geordnetes Kreditwesen, so fand sie, könne auch im Sozialismus nichts schaden.

Sie hätte selbst nicht genau sagen können, warum sie ihn sympathisch fand, mit ihm essen ging und noch anderes. Vielleicht war es der Wunsch, einen Menschen kennenzulernen, mit dem sie nicht schon am Anfang der Bekanntschaft so viele Gemeinsamkeiten hatte. »Warum eigentlich«, überlegte sie manchmal, wenn sie daran dachte, daß fast alle ihre Freundinnen und Freunde mit politisch Gleichgesinnten befreundet oder verheiratet waren, »sollte die Liebe nicht Weltanschauungen überspringen.« Vielleicht lag es daran, daß auch ihre Wohngemeinschaft nur aus politisch Gleichgesinnten bestand.

Kuller bestärkte sie unbeabsichtigt in ihrem Irrtum, wenn sie über die Literatur sprachen, und es war fast unmöglich, mit ihm über etwas anderes zu reden. Seine Einstellung zum kulturellen Erbe als einem Katalog menschlicher und sozialer Werte, die über Klassenschranken und historische Epochen hinausreichen, ließ ihn als idealen Bündnispartner erscheinen.

»Wie soll die schöne Literatur gedeihen«, sagte er einmal auf einem langen Spaziergang vor den Toren der Stadt, »wie soll die schöne Literatur gedeihen, wenn Fleiß und Industrie«, (hier verwandte er geschickt den Titel eines Prosabändchens von Hans Carl Artmann), »wenn Fleiß und Industrie nicht die ökonomischen Werte schaffen, ohne die jede Kultur im Entstehen verdorren muß, so daß der Buchhalter also schon mit dem Wachsen des Bilanzvolumens auch die zarten Gräser der Poesie sprießen hört, und wer soll den Warenwerten die wahren Werte als Maßstab, Sinn und Sein einziehen, wie einst die Fischstäbchen dem Korsett, wenn nicht die Kunst?«

Giese dachte an eine Abart der materialistischen Kulturtheorie, derzufolge die Entwicklung der Künste als gewissermaßen automatische Funktion des Bruttosozialprodukts vom Volkswohlstand, der sozialen Gerechtigkeit, der Abschaffung der Ausbeutung und dem Weltfrieden herzuleiten ist, und fühlte sich von Ferne an ein Marx-Zitat erinnert, als er fortfuhr:

»Auf den Blättern der ewigen Werke der Literatur werden die Normen verkündet, ohne die der Generalbankier nichts ist als ein gesetzlich geschützter Raubritter und der Finanzminister nur ein amtlich bestallter Beutelschneider.«

Ich überspringe jetzt einige Seiten, auf denen die zwei sich näherkommen und zwei oder drei Abende die Woche gemeinsam verbringen, was sich ganz gut fügt, weil sie dadurch genügend Zeit behalten, an den übrigen Abenden weiterhin ihren unterschiedlichen Interessen nachzugehen, sich also näherkommen, aber nicht so nahe, daß Giese ihm schon erzählen könnte, was sie an diesen Abenden tut, so daß er sich mehrfach überlegt hat, ob er sie danach fragen könnte, während sie darüber nachdenkt, wann der richtige Zeitpunkt sein könnte, es ihm zu sagen, bis hin zu dem Punkt, wo er nur noch den geeigneten Augenblick abwartet, um sie zu fragen, ob sie ihn nicht heiraten wolle oder mindestens zu ihm in die kleine viereckige Zweizimmerwohnung ziehen möchte, auf jeden Fall aber vielleicht ihren Eltern vorstellen könnte, denn das hatte sie bisher ebensowenig getan, wie sie ihm ihre Wohnung gezeigt hatte, da dort eine Menge Plakate hingen und Bücher standen, so daß er den Braten wahrscheinlich gerochen hätte. Man kennt das aus Zeitungsberichten, wenn eine konspirative Wohnung aufgeräumt wird.

Ich überspringe auch die Stelle, an der sie sich entschließt, ihm vorläufig nichts davon zu sagen, einfach weil sie Angst hatte, ihn zu verlieren, denn sie liebte ihn wirklich, so wie früher Mädchen ihrem Verlobten manchmal verschwiegen, daß sie keine Jungfrau mehr waren oder vielleicht sogar ein uneheliches Kind hatten.

Der Morgen (des Mißglücks, von dem am Anfang die Rede war) begann mit einer anonymen Nachricht. Es war der Morgen nach dem Abend, an dem die beiden in einem Weinlokal zufällig dem oben erwähnten Kegelklub und damit einem Teil von Kullers Kolleginnen und Kollegen aus der Bank in die Arme gelaufen waren. Der Zettel lag zwischen den Kreditanträgen in Kullers Eingangskasten und lautete in ergreifender Schlichtheit:

»Deine Freundin ist eine Kommunistin!«

Kuller war einen Moment lang verdattert, da er nicht gleich begriff, was mit der Nachricht gemeint sein mochte, dann, als ihm aufging, daß der Zettel mit der Begegnung am gestrigen Abend zusammenhängen mußte, empörte er sich. Es konnte sich nur um einen Fall von Denunziation handeln. Er erinnerte sich zwar nicht, jemals einem leibhaftigen Kommunisten gegenübergestanden zu haben, aber die ideologische Engstirnigkeit und Verbohrtheit, mit der Kommunisten ihre politischen Ziele verfolgen, war selbst ihm bekannt und jeder weiß, daß diese Eigenschaften auch im Gesicht und auf dem Körper eines Menschen Spuren hinterlassen. Giese dagegen war zärtlich, offen und immer gesprächsbereit.

Sein zweiter Gedanke war Ärger und Verbitterung darüber, daß ausgerechnet ihm ein solches Mißgeschick widerfahren mußte. Er haderte, wie man sagt, mit dem Schicksal. Es gab so viele Menschen und so wenige Kommunisten. Jahrelang hatte er sich keiner Frau anvertraut und nun, da er sich verliebt hatte, geriet er ausgerechnet an die Exponentin einer winzigen Minderheit. Schwarz hätte sie sein können oder Jüdin, Mohammedanerin oder Anhängerin der biologisch-dynamischen Anbauweise, rote Haare hätte sie haben können oder schielen und nicht einmal eine kleine, erblich bedingte Körperbehinderung oder Mutters Schokoladenpudding hätten ihn daran gehindert, sie weiterhin zu lieben. Aber so etwas?

Für die Bank war dieser Tag ein schwarzer Freitag. Kuller war unfähig, sich zu konzentrieren, und arbeitete so langsam, daß seiner Arbeitgeberin Kreditzinsen in unbekannter Höhe entgingen. Mindestens eine Stunde lang brütete er über einem Kreditantrag, der normalerweise in zehn Minuten zu erledigen war, und versuchte, sich die Ehe mit einer aktiven Kommunistin vorzustellen.

Er hatte nichts gegen politisch Andersdenkende, da er überzeugt war, sich ohnedies nicht für Politik zu interessieren, und wußte nur, daß er in einem Land nicht leben könnte, in dem diese Leute das Sagen haben. Für die Ehe jedoch, glaubte er, sei eine höhere Form gegenseitigen Vertrauens erforderlich als für das Zusammenleben der Bürger. Eine Ehe braucht ein Mindestmaß an geistiger Übereinstimmung, dachte er, und wie sollte er seinen Eltern und Verwandten, seinen Chefs und Kollegen, seinen Rätselpartnern im Funk die Sache erklären? Sollte er sich in einer so wichtigen Frage öffentlich und ständig von seiner Frau distanzieren müssen?

Kurz vor Feierabend entschloß er sich, niemandem zu trauen; weder dem Denunzianten noch Giese, die die Pflicht gehabt hätte, alle Bedenken gegen sich unaufgefordert anzugeben und auszuräumen, und beschloß, ihr nachzuspionieren. Das literarische Vorbild dazu entnahm er einer Novelle von Robert Walser. In dieser Novelle verkleidet sich ein Detektiv als das zum Verwechseln ähnliche Opfer einer Mörderin, lauert ihr auf und erschrickt sie zu Tode, da diese natürlich glaubt, der Tote sei aufgestanden.

Weiter geht die Geschichte nicht und daher ist sie auch im doppelten Sinne mißglückt, eine echte Novelle also, denn jeder weiß natürlich, wie es weitergeht. Er lauert ihr auf vor ihrem Haus, dessen Adresse er sich tagsüber beschafft hat, und folgt ihr. Sie trifft sich an der nächsten Haltestelle mit einem jungen Pärchen, steigt ein, Kuller folgt ihr im zweiten Wagen. In einem Stadtviertel mit stark vernachlässigten Mietkasernen, manche Leute sagen auch »Mietskasernen«, verlassen die drei die Straßenbahn, stehen vor einer Altbaukneipe, der Mann holt einen Packen Zeitungen aus der Tasche und gibt sie den beiden Frauen, die drei betreten das Lokal, das sich noch dazu im Souterrain befindet, Kuller stark erregt, wegen seiner ungewohnten Tätigkeit als Schnüffler, folgt ihnen ins Lokal, findet sie im Gespräch mit drei Männern, einige der Zeitungen liegen auf dem Tisch herum, Kuller greift sich eine und stellt Giese zur Rede.

Dabei stellt sich heraus, daß die drei einer verfassungsfeindlichen Partei angehören, die Denunziation also der Fürsorge eines Kollegen entsprach, daß Giese in ihrer Wohnbereichsgruppe für den Zeitungsvertrieb zuständig ist und daß sie einmal die Woche mit anderen die Häuser und Kneipen des Stadtteils abklappert, um mit den Leuten über das Blättchen zu diskutieren, es wenn möglich zu verkaufen und zugleich Unterschriften für einen Aufruf zu sammeln. Meistens verkauft sie höchstens drei oder vier Exemplare, nur die Unterschriftenlisten gehen erheblich besser.

Kurz und gut, die drei rätselhaften Abende verbringt sie mit Sitzungen irgendwelcher obskurer Parteigremien, Agitation, Propaganda, das ist Kuller zuviel, das schafft er nicht, da kann er sich nicht einbringen, also ist Schluß. Na ja.

# Franz Josef Degenhardt

## Ballade vom verlorenen Sohn

1. An einem Sonntag, so blauweißgestreift,
   legten sie ab vom bewimpelten Kai.
   Abfallen, killen und Segel fest – los.
   Vater und Sohn und 'ne Katze dabei.
   Was dann geschah auf der Kieler Bucht,
   außer den dreien hat das niemand gesehn.
   Gab keinen Sturm auf der Kieler Bucht, doch
   manchmal, da drehen da plötzliche Böen.
   Abends im Wind lief das Boot an den Kai.
   Fischer war'n da, und der Mond schien auch schon.
   An Bord saß der Vater, und oben am Top
   hockte die Katze. Es fehlte der Sohn.
   Der kam nicht mit.
   der kam nicht mit.

2. Crazy, die Katze, die kam nicht vom Top,
   schlich aber nachts in das Ferienhaus,
   sprang auf den Vater, der saß da und soff,
   riß ihm die Halsschlagader fast raus.
   Schreien und Weinen. Man hat ihn geliebt,
   Hänsel, den Sohn, der war grad sechzehn Jahr,
   weil oder trotzdem, das weiß man ja nie,
   Hänsel so was wie 'n Problemkind war.
   Und in der Klasse, in der man so lebt,
   diszipliniert und sehr sauber verpackt,
   Vater im mittleren Management, da
   ist das schon schlimm, wenn man von einem sagt:
   Der kommt nicht mit,
   der kommt nicht mit.

3. Daß was Bedrohliches da heranwuchs,
   ahnten sie früh, denn ihr Kind Nummer zwo
   lutschte zu gierig und brüllte zu schrill,
   saß viel zu glücklich und oft auf dem Klo.
   Einige Zeit blieb das alles intern,

auch, daß er katzenverrückt war und log,
bis er im Kindergarten auffiel, weil er
Mädchen und Jungen die Hosen auszog.
Lächelten damals die Nachbarn auch nur,
trösteten die Psychologen auch noch,
blödelten Freunde von saftigem Sex,
in der Familie ahnten sie doch:
Der kommt nicht mit,
der kommt nicht mit.

4. Ach ja, die Schule, die Schule, ach ja.
Nachmittags saß da die Mutter und schrie
Zahlen und Sätze in Hänsels Gesicht.
Klappte dann noch über »Legasthenie«.
Doch im Gymnasium klappte es nicht,
auch wenn der Vater im Elternbeirat
clever, mit Eifer und Parties und Geld,
um seinen Sohn hart gepokert hat.
Der begriff nur, daß er gar nichts begriff,
weil, das hatt' man ihm ganz genau beigebracht.
Als man bei ihm Hasch und Pornos fand,
hieß es natürlich auch gleich: Gute Nacht!
Der kommt nicht mit,
der kommt nicht mit.

5. Lösungen gibt es für alles für Geld.
Kam in ein Zwölfhundert-Mark-Internat.
Schmiß man ihn raus, weil er Nacht und für Nacht
mit Katzen und Jungen geschlafen hat.
Und aus dem zweiten entfernte man ihn.
Tauchte dann unter bis nach Amsterdam.
Klaute, hing rum, bis man ihn wieder fing
und er in irgendein drittes reinkam.
Lief aus dem vierten auch gleich wieder weg.
Aber das sechste war zu gut bewacht.
Das fing dann Feuer und brannte fast ab.
Da haben auch die Psychologen gesagt:
Der kommt nicht mit,
der kommt nicht mit.

6. Vater und Mutter war'n ziemlich kaputt.
Kamen auch Krise und Teuerung ins Land.
Was soll aus uns werden, sprach er zur Frau.

Und der Klassenauftrag war auch beiden bekannt:
Vorbild nach unten, nach oben loyal,
dafür ein Leben Marke »Freie Welt«,
sechs braune Riesen im Monat und so,
dieser Deal hält nur solange er hält.
Dafür steht viel, steht auch Sippenhaft.
Jedenfalls glaubt man das, und das genügt,
wenn Nachbarn, Kollegen und Freunde und Chef
teilnahmsvoll fragen mit hartem Gesicht:
Kommt er nicht mit,
kommt er nicht mit?

7. Hat man sich öfter Gedanken gemacht:
Wär' vielleicht eigentlich besser doch, wenn . . .
Wer weiß schon, was man zu Ende gedacht.
Jedenfalls fuhr man in Ferien.
Was dann geschah auf der Kieler Bucht –
außer den dreien hat das niemand gesehn.
Gab keinen Sturm auf der Kieler Bucht, doch
manchmal, da drehen da plötzliche Böen.
Abends im Wind lief das Boot an den Kai.
Fischer war'n da, und der Mond schien auch schon.
An Bord saß der Vater, und oben am Top
hockte die Katze. Es fehlte der Sohn.
Der kam nicht mit,
der kam nicht mit.


## In den Roten Bergen

»Es ist in den Gauen des großdeutschen Reiches aus allen waffenfähigen Männern im Alter von sechzehn bis sechzig Jahren der deutsche Volkssturm zu bilden. Er wird den Heimatboden mit allen Waffen und Mitteln verteidigen, soweit sie dafür geeignet erscheinen.«

Das und ähnlichen Unsinn las ein Nazi in Sonderuniform brüllend von einem Blatt ab. Vor ihm standen auf dem Werkplatz zweihundert Männer in Reih und Glied. Neben und hinter dem Einsatzleiter standen andere Nazis und zehn SS-Leute, die Männer von der Werkwache und ihr Führer Hugo Beck. Die zweihundert Arbeiter, Jungen, Invalide und alte Männer, hatten weiße Binden am Ärmel und Stahlhelme auf den Köpfen. Dann reichten Schupos von einem Lastwagen herunter paar Panzerfäuste und eine Menge

Karabiner, die wurden geschultert, alle machten Linksumabteilungmarsch, und vorneweg die Nazis, SS-Leute und Werkwache – Hugo Beck humpelte dazwischen –, zogen sie durchs Werktor, sangen Ohduschönessauerlandmarmeladeneimer, durchs Viertel, Stumpe, Pottmann, Makewka und Karlheinz waren in einem Glied, kamen zum Neumarkt, wo sie auf andere Trupps trafen, mußten sich da das Gebell von dem Kreisleiter anhören, marschierten anschließend zweimal durch die Stadt, kamen abends ohne Trittmarsch zurück, und bei der Waffenrückgabe stellte sich heraus, daß fünf Karabiner fehlten.

Durchsuchungen in Werk und Häusern wurden von Hugo Beck geleitet und ergaben natürlich nichts. SS-Leute mit MPs liefen durchs Werk, schrien herum, Pottmann wurde zwei Tage lang verhört, sagte nichts, und nach einer Woche war wieder Ruhe. Drei von den fünf Gewehren und einhundert Schuß Munition aus dem Gang unterm Bahndamm waren bestimmt für Alex Schulte, der die Organisation im zwölf Kilometer entfernten Zweigwerk leitete, und Fänä sollte Alex Schulte besuchen, ihm bestellen, er möchte mal rüberkommen.

Der kürzeste Weg zum Zweigwerk führte quer durch die Roten Berge, hohe und breite Halden um ein seit ewig stillgelegtes Erzbergwerk herum, eine Gegend, die niemand gern aufsuchte wegen dem Stotterer, der das Gebiet beherrschte. Abbatz, so um die Zwanzig, war unberechenbar, bekam manchmal Anfälle und schlug dann alles um sich herum kaputt. Mit vierzehn hatte er einen Mann erwürgt, war einige Jahre dafür im Lager gewesen, dann ließ man ihn laufen und machen, was er wollte. Viele wunderten sich darüber, weil das nicht die Art war, wie Faschisten mit solchen Kranken umgingen. Bei richtiger Überlegung war das aber gerade nicht dumm von denen: Die Roten Berge, voll mit Stollen, Gruben und Höhlen, waren das beste Versteck, das man sich denken konnte für flüchtige Leute, überall rundherum lagen die Lager von Zwangsarbeitern und Kriegsgefangenen, und Abbatz ließ in seinem Gebiet niemanden leben, außer natürlich seine Mutter, seine Schwestern und Tiere. Entweder schlug er Eindringlinge selbst und sofort krank oder tot, wie damals den entflohenen Polen Polanski, oder er schleppte sie, wenn es dafür eine Belohnung gab, zu den Bullen. Man müßte sich da Gedanken machen, hatten einige öfter gesagt, auch wenn Abbatz bestußt wär. Aber Heini Spormann war immer dagegen gewesen, weil Abbatz sofort ersetzt worden wäre. Und Rache nähmen sie nicht, schon gar nicht an einem Verrückten.

Fänä ging durch die Roten Berge. Er sollte feststellen, ob der kürzeste Weg zum Zweigwerk in den nächsten Wochen und Monaten von ihren Leuten benutzt werden könnte und ob die Roten Berge noch als Versteck in Frage kämen. Vielleicht war das neuerdings möglich, und dafür gab es auch einen Grund. Die Irrenanstalt in Applerbeck hatte vor einem halben Jahr einen Topf an Abbatz geschickt mit einem Brief, daß in der Urne die Asche von Tita sei. Tita war eine von Abbatz' vierzehn Schwestern gewesen, zehn Jahre alt, die oft weggelaufen war in die Stadt. Sie hatte kaum sprechen können, immer die Leute angelacht, ihre Hand ausgestreckt und genuschelt mit ihrer Hasenscharte, Penning Onkel, Penning Tante, giev mi Penning. Das war einem Oberfaschisten aus der Gauleitung bei der Stadtvisite aufgefallen. Tita wurde eingefangen, nach Applerbeck geschickt, und vier Wochen später mußte Abbatz dann schon die Urne abholen auf der Post. Abbatz hing sehr an seinen Schwestern, und besonders gern hatte er Tita gehabt. Vielleicht hatte der Mord ihn geändert, jedenfalls sollte Fänä das herausfinden.

Ein gefährlicher Auftrag, aber Fänä kannte Abbatz, hatte ihm Schrott verkauft, allerdings in ihrem Gebiet am Bahndamm, bißchen mit ihm geredet über Metalle. Kupfer, hatte Abbatz gesagt, ist das Schönste, was es gibt, warm, leuchtet, und bearbeiten kannses wie Hhhuu ... Fänä hatte nichts weiter verstanden, weil Abbatz seinen Stotteranfall gekriegt hatte, mindestens eine Minute lang, war rot angelaufen, hatte den Kopf weggedreht aber Fänä dabei trotzdem genau beobachtet, ob er lachte. Genau, hatte Fänä gesagt als Abbatz am Ende war, Kupfer ist schön und wird sogar grün nachher. Da hatte Abbatz gelacht.

Vom ersten Hügel aus, oben, sah Fänä sich um. Die Halden aus roter Erde waren teilweise bewachsen mit dichtem halbhohen Gestrüpp. Täler gab es, Schluchten und Steilhänge, zerfressenes Eisen, Räder, Gestänge, nicht mehr verwertbar, halb in der Erde vergraben, und zwischendurch überall Pfade, die irgendwohin führten. Und irgendwo lag auch Haus oder Hütte von Abbatz in einer Senke, die man nicht einsehen konnte.

Fänä folgte dem breiten Pfad auf und ab durch Gebüsch, über kahlen Schutt, und als er sich auf einen so zehn Meter hohen und nackten Buckel gesetzt hatte, sich eine Zigarette drehte, und als sich beim Ablecken die Augen nach oben schoben, sah er direkt gegenüber und über sich auf einer Halde mit schmalem Grat Abbatz. Fänä leckte zu Ende, langsam, Beutel zuschnüren mit Zähnen und Fingern, Beutel ins Hemd, Feuerzeug raus, anzünden, Feuerzeug in die Hose, Hände hinter dem Kopf gefaltet, zurückgelehnt, Zug nehmen bis in die Zehenspitzen, Rauch aus Nase und Mund lassen, langsam. Und dann sah er voll auf Abbatz. Noch nicht grün geworden dein Kupfer, wa, rief Abbatz und lachte. Damit spielte er an auf Fänäs Haar, das einen rötlichen Schimmer hatte, aber längst nicht so rot war wie die Erde ringsum, geschweige denn so wie die Flamme auf Abbatz' Kopf. Fänä rauchte.

Hier kommsse nicht durch, rief Abbatz, hau ab. Fänä holte aus der Tasche neben sich eine Flasche Wein, zog den Korken mit den Zähnen raus, trank und rief, Wein hab ich hier, auch für dich und euer Mama. Er sollte runterkommen, rief Abbatz, und Fänä stand auf, ging den Pfad weiter abwärts, Abbatz sprang vom Haldenkamm, rutschte über den Hang zu Tal, und beide kamen fast gleichzeitig unten an.

Abbatz nahm Fänä die Tasche ab. Du gehst vor mir her, sagte er, immer den Weg lang. Fänä marschierte, Abbatz dicht hinter sich, der wieder anfing, Wein willsse mir schenken und Mama. Und für die Mädchen hasse gar nix? Soviel könnte ja wohl keiner schleppen, für dreizehn, sagte Fänä, und Abbatz lachte. Was er denn dafür haben wollte, für nix und wieder nix schenkt ja wohl keiner was weg. Fänä erklärte, zum Zweigwerk müßte er rüber, und wär ja die kürzeste Strecke durch die Roten Berge, und wollte dabei einfach mal ihn, Abbatz, besuchen. Abbatz blieb stehen, drehte Fänä am Arm herum, holte tief Atem. Besuuhhh . . . fing er an und kriegte seinen Stotteranfall, fast Gesicht an Gesicht mit Fänä, der rosa sah, dann rot und dann blau, und froh war, daß er niemanden mitgenommen hatte, vor allem nicht Sugga, weil Lachen jetzt tödlich gewesen wäre. Abbatz hatte einen Karabiner 98 geschultert, er drehte den Kopf nicht weg, und endlich stieß er mit letztem Atem sein letztes Uuhh in Fänäs Gesicht, entfärbte sich wieder und Fänä sagte, ja, besuchen wollte ich dich mal. Abbatz lachte. Geh weiter, sagte er.

Wo Abbatz, seine Mutter, Schwestern, Ziegen, Schweine, Gänse undsoweiter wohnten, das war ein Geviert aus flachen Backsteinschuppen, aneinandergebaut mit Windmühlen und Wetterfahnen, Kreuzen und Hähnen und lauter Krimskrams aus Kupfer auf den Dachpappendächern. Sie waren alle da, hockten in einem Raum auf zerfransten Sofas und Sesseln, Kissen und Tischen, Abbatz' Mutter dazwischen, groß, dick und rothaarig wie alle. Alle schrien und lachten, zeigten auf Fänä. Füchsken, Blauer, Rübenkopp schrien sie undsoweiter, Namen, die es so gab für Leute mit roten Haaren. Du Schmierkopp, rief eine und trat nach Fänä. Na, brüllte Abbatz, Schluß. Was will der, fragte die Mutter, und Abbatz sagte, er kommt auf Besuch mit Geschenk. Wein hat er uns mitgebracht. Es wurde ganz still. Abbatz stellte die Tasche auf den Tisch, holte eine Flasche raus und sagte zu Fänä, da trink mal vor. Fänä entkorkte, nahm einen langen Zug, setzte ab, wurde von dreißig grünen Augen belauert. Kippt nicht um, sagte jemand, und Abbatz' Mutter stand auf, hob die Flasche hoch, hielt sie ans Licht, holte ein Glas, goß es voll, trank und lachte, und da lachten alle, heiser und laut. Du ißt mit uns, sagte die Mutter. Karnickelfleisch gab es, in Soße aus Blut und Rübenkraut, Maisfladen und Kastanienbrei. Sie tranken den Wein dazu, vier Flaschen hatte Fänä mitgebracht, und sie lachten, erzählten Geschichten, eine verrückter als die andere, und unter dem Tisch hatte eine Schwester die Hand in Fänäs Hose gesteckt und Fänä hatte eine Hand an ihrer Pflaume.

Komm mit, sagte Abbatz nachher, ich zeig dir mal unseren Betrieb hier, und zu Mutter und Schwestern, ihr bleibt hier. Sie gingen durch dunkle Zimmer mit Spinnengeweben an Fenstern, Pritschen standen herum, Kleider lagen auf Boden und Kisten, kamen durch Schuppen voll mit rostigem Eisen, Abbatz' Werkstatt, Drehbank, Kupferplatten, -stangen und -stücke, Stall mit Koben voll Schweinen, Ziegen. Ein Raum hing voll mit Vogelkäfigen. Gezirp und Gezwitscher, und schließlich im letzten Raum sah Fänä das, was er den anderen später immer wieder erzählen mußte: die Rattenstadt, ein Geviert, sechs Meter auf Bauchnabelhöhe in einer flachen, riesigen Kiste, der Boden bedeckt mit Moos, Sand und Gras, mittendurch Straßen und Gassen aus kleinen Steinen, und an den Straßen und Gassen Häuser und Schuppen, Fabriken, Bahnhof und Rathaus, Gasthaus, Kirche, Gefängnis, aus Holz gebastelt, und überall in den Gebäuden, auf Straßen, im Gras und im Sand hockten und huschten Ratten, braune und schwarze und graue, sogar ein paar weiße, Knopfaugen, große Ohren, Schwänze gestutzt. Paß auf, sagte Abbatz und pfiff einen spitzen Ton, und sofort rannten die Ratten auf den Platz in der Stadtmitte und, das war schwer zu glauben und wurde später auch immer angezweifelt, formierten sich dort zu vier langen Reihen hintereinander. Abbatz pfiff noch einmal einen hohen Ton, zweimal spitz, und die Ratten machten Linksschwenk und zogen einmal über den Platz, dann durch die Straßen und Gassen in Viererreihen zu Abbatz' spitzem rhythmischen Pfiff, kamen zurück zum Platz, und auf Abbatz' langes, von Hoch nach Tief auslaufendes Pfeifen huschten sie auseinander.

Dauert lange, bisse pariern. Hausratten alles, sagte Abbatz. Immer kriegense Junge, ich halte aber bloß das Beste. Wasse hier siehs, is Rasse. Aber Geduld musse haben. Bei Geduld kriegte er wieder seinen Stotteranfall. Also, fing er dann wieder an, wer später nicht pariert oder was anstellt, hier! Abbatz zeigte mit einem Rohrstock in den Gefängnishof. Da stand eine dreißig Zentimeter hohe Guillotine mit Holzbock und scharfem Messer. Elektrisch, sagte Abbatz, legte ein Holzstückchen in die Krause, drückte mit dem Rohrstock auf einen Knopf an der Gefängnisrückwand, das Messer schnappte nach unten, das Holzstückchen war geteilt. Fänä blickte in Abbatz' Katzenaugen und dachte, daß er die Siebenfünfundsechzig doch besser mitgenommen hätte auch auf die Gefahr hin, daß Abbatz ihn filzte. Ich hab 'n Pfiff, sagte Abbatz, wenn ich den loslaß, dann greifen die jeden an. Nie anfassen. Beißen sofort. Er schlug mit dem Rohrstock gegen den Kirchturm und sagte, Zischi komm her. Eine weiße Ratte lief von irgendwoher zur Kirche, kletterte übers Dach auf den Turm. Hoch, sagte Abbatz, hob sein Stöckchen dabei, und Zischi die weiße Ratte kletterte auf das Kreuz, stellte sich auf die Hinterpfoten. Abbatz pfiff zischelnd einen häßlichen Ton und die Ratte pfiff leise den gleichen Ton nach. Nächstes Mal zeig ich dir mehr, vielleicht ne Hochzeit, sagte Abbatz, mit Verkleidung. Das is 'n Spaß, lachsse dir einen bei ab.

Und dann gingen Fänä und Abbatz nebeneinander durch die Roten Berge in Richtung Zweigwerk und Fänä sagte, hör mal, was ist denn mit euer Tita passiert. Was soll passiert sein, sagte Abbatz, gestorben isse. So schnell, fragte Fänä. Ja, so schnell, sagte Abbatz. Sie kletterten einen steilen Hang hoch. Von oben sahen sie das Werk, die beiden Hochöfen, darüber weißen Qualm, und vor ihnen lag ein breites Stoppelfeld, erst dahinter die Straße mit den Arbeiterhäusern. Das glaubt doch kein Schwein, daß euer Tita so einfach weggestorben ist, fing Fänä wieder an. Abbatz sagte, halt die Fresse. Abknallen sollte man euch alle. Hau ab. Wenne noch mal hier durchkomms, leg ich dich um.

Fänä rutschte den Abhang hinunter, mußte über das offene Feld, und er fühlte sich wie ein Karnickel bei der Treibjagd. Als er einmal über die Schulter guckte, sah er Abbatz' Schatten vor der tiefen Sonne. Er hatte den Karabiner lose am Riemen über der Schulter und den Lauf nach vorne. Aber Fänä rannte nicht. Langsam ging er über das Stoppelfeld, kam auf die Straße, und am ersten Haus konnte ihm nichts mehr passieren. Er sah noch einmal rüber zu den Roten Bergen. Abbatz war verschwunden.

# Friedrich Christian Delius

## Ode an die Flugzeugträger

I

Auf den Wassern auf den Wolken
Auf Seekarten und Landkarten und Zeitungspapier
Oder sonntags in düsteren Häfen
Seh ich Gebirge aus Eisen tonnenweise zusammengeschweißt
      meergrau gestrichene Stahltürme so hoch
      schwimmende Landebahn vollgestopft mit den funkelnden
      flugfähigen Maschinen immer startklar und gefüllt mit Ra-
      keten so heiß und so still wie Meteore so schnell
Ich sehe die brüllenden Flugzeugträger und will sie nicht sehn

Da sind die blauen Schirme die paradiesischen Spielhöllen
Da sind die Rechenanlagen die die Arbeit der Piraten übernommen
      haben
      endlos flackernde Daten und Zeichen damit jedes Milli-
      gramm Sprengstoff und jeder Millimeter Waffe noch besser
      noch vernichtender trifft
Da sind die schnellen Neutronen die das Riesenschiff antreiben
      sind die Neutronen blau oder gelb oder neutronengrün
Da ist ein übers Wasser laufender Flugplatz wo nichts mehr gedeiht
      kein Blatt kein Zweig für Noah und kein Mut so hoch über
      den Fischen
Ich sehe ein Riesending über die Meere rasen mit der einzigen Bot-
      schaft WIR LIEBEN DEN TOD UND SONST NICHTS AUF DER WELT
      die größte Kriegsmaschine die größte Friedensmaschine für
      Krieg und ich will sie nicht sehn die ist verflucht
Verflucht sind die Flugzeugträger und was sie tragen
      die handlichen und von allen Oberbefehlshabern gehät-
      schelten und abgeküßten Hülsen mit der verborgenen
      Schlagkraft die allen bekannt ist
Verflucht die Sprengköpfe die nach allen Regeln des perfekten Ver-
      brechens von elektrischen Gehirnen gelenkt und fallend al-
      les zerfetzen was Stein ist was Holz ist und was Fleisch
Verflucht was das Knochenmark tötet und die Milz und die
      Lymphgefäße was Geschwüre setzt in Mund Magen und

Eingeweiden und was die Haut verbrennt und die roten
Blutkörperchen rötet und dann zerstört und die Schilddrü-
sen und die Knochen und die Gene kaputtschlägt und den
grauen Star losläßt und die Ohren sprengt und alles was
zeitweilig noch am Leben ist zum Anschwellen und Brennen bringt das ist verflucht verflucht

Da sind die Wehrexperten mit dem fettfreien Marine-Steak im
Bauch und mit den schnörkelfreien Interviews mit dem
freundlichen Kapitän im Recorder
Da sind sie zu sehen im Totentanz auf dem Betondeck Foxtrott mit
den Offizieren
den letzten und noch einen Foxtrott
Da sind sie zu hören und ihre Wörter Abschreckungslücke Kräfte-
übergewicht Vorleistungspazifismus Abwehrbereitschaft
Abschreckungsoption
Verflucht wer das schreibt und wer das wiederholt ohne zu erröten
und sich verkauft an die Ministerien für Mord und für Totschlag


2
Ihr ausgewachsenen Männer
im Käfig im Stahlberg Stahlsarg Stahlgrab
nie habt ihr euren Frauen in die Augen gesehen
nichts wißt ihr von den Gesten der Kinder
was hat man mit euch gemacht
Ihr frisch gewaschnen Matrosen
im Mausoleum für Männerwirtschaft
ich seh euch und will euch nicht sehn ihr Fixer
Ihr Piloten
schon abgestürzt in den adretten freundlichen Haß
abgestürzt in die schulterklopfende Härte
verbeulte Teile eurer Maschinen seid ihr geworden und immer noch mit dem Nacken zuckend vor Angst
abgestürzt seid ihr und verflucht
Ihr ahnungslosen Funker
die ihr alles nachplappert in den pfeifenden Leitstellen jeden planetarischen Tod emotionslos
wer hat euch gelehrt die Gefühle für euch zu behalten zwanzig Jahre lang
Ihr sechstausend Mann
eingepfercht wie die dümmsten Amphibien
rückwärts kriechend auf hochtechnologischen Schienen

uniformierte Hampelmänner seid ihr geworden eingesargt
seid ihr und verflucht
Ihr kiffenden Landsknechte
zieht hinaus mit Hurra und Drauf drauf dran
und ab auf die Wellen und Wolken mit verbundenen Augen
tätowiert mit den Formeln des Stoffs der alles zerreißt
und mit dem einzigen Traum vom größten Fick aller Zeiten
versunken seid ihr und verflucht
Ihr mit den kastrierten Sinnen
sogar die Ohren müßt ihr zuhalten mit Ohrenschützern die
ihr Mickey Mouse nennt
wie Mäuse seid ihr in Kajüten gesperrt die bewohnt sind
von Geheul und das Deck ist voll Geheul
was hört ihr noch außer Befehlen
was hört ihr außer dem Krachen der Triebwerke
befohlen von den Kontrolltürmen
und ihr wißt schon nicht mehr wer den Kontrolltürmen be-
fiehlt
die Befehle gehen von den Maschinen aus
und was gut ist bestimmen die ausgereiften die hochsensi-
blen die überaus intelligenten Raketen
Ihr verbrennt die Erde ihr entsalzt das Meer
ihr verfärbt die Luft und schüttet die Feuer mit Feuer zu
ich begreife euch nicht
ich seh euch und will euch nicht sehn
ich will nichts wissen von euch und ich kenn euch
und wenn jemand fragt dann sag ich
versunken seid ihr und verflucht


3
Verflucht wer sich einläßt auf das Verfluchte
Verflucht sind alle Flugzeugträger und was sie tragen
Verflucht alle Waffenhändler Waffensammler Waffen egal welche
Schlagkraft und welche Namen alles was da Cruise Missile
oder SS 20 heißt oder Tornado oder Backfire oder Lancera-
kete oder Pershing oder Leopard alles verflucht verflucht
verflucht
Verflucht sind die Kampfflugzeuge die Panzerspähwagen und alles
was in Tarnfarben übern Horizont wischt auch die Uni-
formstoffe alle und alle gefüllten Patronen sie sollen verschwinden zerrieseln wie Wasser zwischen den Händen
Verflucht dies Schiffsgebirge das meinen Kopf durchpflügt
mein Leben durchwühlt und mich lächerlich macht

lächerlich meine Wut auf diese Maschinen
lächerlich meine Attacken gegen Windmühlen
lächerlich wie die Flugzeugträger noch hier an Land auf
dem Trockenen mit voller Kraft voraus auf uns zustürzen
und wir schweigen und wollen nicht wissen oder schreien
verflucht verflucht verflucht


4
Sagt mir
Wie krieg ich das Ding aus dem Kopf
     mit welchem Tanz sind die Stahlplatten zu schlagen
     mit welchen Reimen die Rechner
     mit welchen Vögeln die Funksprüche zu stören
     mit welchen Fäusten die Tragflächen entblättern
     welchen Zucker in welchen Tank
Ich weiß nur
     das Ding wird eher verschwinden
     als der Wunsch daß es verschwindet
Ich weiß nur
     irgendwann wird sich der Rost auf unsere Seite schlagen
     und die liebliche Materialermüdung
     irgendwann die heilige Inflation
     irgendwann werden die Planungsingenieure sich überschla-
     gen und samt ihren Waffen auf den Müllhaufen katapultie-
     ren
     und was ist wenn die Bergwerke leergeschabt sind
     dann werden auch diese Monster verschrottet und zu Brük-
     ken verschweißt
Und vielleicht wird es doch einen Tag geben
     an dem zu viele Männer sich weigern
Oder einen Tag
     an dem das Meer streikt
     stellt euch vor das unermüdliche Meer streikt plötzlich und
     trägt keine Kriegsschiffe mehr und läßt sie einfach fallen
     verschwinden versinken im Schlamm und verrosten im
     Schlamm
     und wir feiern am Ufer Auf Wiedersehen ihr Saurier Auf
     Nimmerwiedersehen jetzt kann die Geschichte der Mensch-
     heit beginnen

5
Aber
Das dauert zu lange
Für solche Hoffnungen fehlt mir Geduld
Ich schließe die Augen
Ich konzentriere mich
Ich nehme die Wörter
Denn was die Köpfe und Arme und Plakate und Unterschriften
      nicht schaffen
Das können die Wörter vielleicht
Die deutlichen fließenden zweideutig klaren
Die alleskönnenden kreisenden stechenden Wörter
Die können ja seht was sie können die können
Einen Flugzeugträger aus den Wellen heben
Hoch in die Luft stemmen wassertropfend
Und sogar zum Fliegen bringen
Die können ihn wieder abstürzen lassen ihn durchschütteln
Bis die Matrosen in die Rettungsinseln platschen
Bis alle Kampfflugzeuge auf die Meere verteilt sind auf den Mee-
      resboden
Bis alle Batterien verlöschen
Ja das können die Wörter die Wörter
Können noch mehr sie können in aller Bescheidenheit
Einen Flugzeugträger
Versenken
Nicht nur einen versenken
Alle verfluchten Flugzeugträger aus allen Richtungen
Mit allen Ersatzteilen und allen Flugzeugträgerargumenten
Das können die Wörter
Einfach versenken den Dreck


Also hört her
Also seht her
Einen Augenblick Ruhe bitte

Jetzt
Wird
Er
Versenkt
Auf dieser Zeile versenke ich ihn
In dieser Minute auf dieser Seite auf diesem Blatt
Versenkt

Versenkt
Versenkt
Versenkt im Meer des Gedichts
Vorsicht
Vorm Strudel vorm Sog
Hurra und Adieu da liegt er im Schlamm
Tief tiefer am tiefsten
Versenkt verflucht versenkt

# Hilde Domin

## Abel steh auf

Abel steh auf
es muß neu gespielt werden
täglich muß es neu gespielt werden
täglich muß die Antwort noch vor uns sein
die Antwort muß ja sein können
wenn du nicht aufstehst Abel
wie soll die Antwort
diese einzig wichtige Antwort
sich je verändern
wir können alle Kirchen schließen
und alle Gesetzbücher abschaffen
in allen Sprachen der Erde
wenn du nur aufstehst
und es rückgängig machst
die erste falsche Antwort
auf die einzige Frage
auf die es ankommt
steh auf
damit Kain sagt
damit er es sagen kann
Ich bin dein Hüter
Bruder
wie sollte ich nicht dein Hüter sein
Täglich steh auf
damit wir es vor uns haben
dies Ja ich bin hier
ich
dein Bruder

Damit die Kinder Abels
sich nicht mehr fürchten
weil Kain nicht Kain wird
Ich schreibe dies
ich ein Kind Abels
und fürchte mich täglich

vor der Antwort
die Luft in meiner Lunge wird weniger
wie ich auf die Antwort warte
Abel steh auf
damit es anders anfängt
zwischen uns allen

Die Feuer die brennen
das Feuer das brennt auf der Erde
soll das Feuer von Abel sein

Und am Schwanz der Raketen
sollen die Feuer von Abel sein


## Postulat

Ich will einen Streifen Papier
so groß wie ich
ein Meter sechzig
darauf ein Gedicht
das schreit
sowie einer vorübergeht
schreit in schwarzen Buchstaben
das etwas Unmögliches verlangt
Zivilcourage zum Beispiel
diesen Mut den kein Tier hat
Mit-Schmerz zum Beispiel
Solidarität statt Herde
Fremd-Worte
heimisch zu machen im Tun

Mensch
Tier das Zivilcourage hat
Mensch
Tier das den Mit-Schmerz kennt
Mensch Fremdwort-Tier Wort-Tier
Tier
das Gedichte schreibt
Gedicht
das Unmögliches verlangt
von jedem der vorbeigeht
dringend

unabweisbar
als rufe es
›Trink Coca-Cola‹


## Graue Zeiten

I
Es muß aufgehoben werden
als komme es aus grauen Zeiten

Menschen wie wir wir unter ihnen
fuhren auf Schiffen hin und her
und konnten nirgends landen

Menschen wie wir wir unter ihnen
durften nicht bleiben
und konnten nicht gehen

Menschen wie wir wir unter ihnen
grüßten unsere Freunde nicht
und wurden nicht gegrüßt

Menschen wie wir wir unter ihnen
standen an fremden Küsten
um Verzeihung bittend daß es uns gab

Menschen wie wir wir unter ihnen
wurden bewahrt

Menschen wie wir wir unter ihnen
Menschen wie ihr ihr unter ihnen
jeder

kann ausgezogen werden
und nackt gemacht
die nackten Menschenpuppen

nackter als Tierleiber
unter den Kleidern
der Leib der Opfer

Ausgezogen
die noch morgens die Schalen um sich haben
weiße Körper

Glück hatte wer nur
gestoßen wurde
von Pol zu Pol

Die grauen Zeiten
Montag viel Dienstag nichts
zwischen

uns und den grauen Zeiten


## Rückwanderung

Gerade verlern ich
den Wert
der leeren
Konservendose.

Gerade habe ich gelernt
eine Blechdose fortzuwerfen
mit der meine Freundin Ramona
dem Gast
mit der meine Freundin Ramona
mir
das Wasser schöpft
aus dem großen irdenen Krug
in der Ecke der Hütten
wenn mich dürstet
am Rande der Welt.

Gerade lerne ich bei euch
den Wert einer leeren
Blechdose
zu vergessen.

# Tankred Dorst

## Der Schatten des Vaters

Merlin stand auf dem Berg bei Camelot, da rief ihn eine Stimme:
– Siehst du mich, mein Sohn Merlin?
  Merlin sah hinauf in den Himmel, von dort war die Stimme gekommen. Er konnte aber niemand sehen.
– Du siehst in die falsche Richtung, sagte die Stimme
– Wo soll ich denn hinsehen?
– Sieh hinab!
– Da sehe ich dich auch nicht.
– Sieh über die Berge und über die Felder und über den Fluß und die Stadt Camelot!
– Ich sehe dich nicht!
– Doch! Du siehst mich!
– Ein schwarzer Schatten ist über das Land gefallen!
  Da erkannte Merlin auf einmal, daß der riesige Schatten den Umriß seines Teufelvaters hatte. Er schrie auf vor Entsetzen und rannte den Berg hinunter und durch das verdunkelte Tal und durch die Stadt Camelot, die auch in dem Schatten lag. Die Leute auf der Straße blieben stehen und sahen Merlin nach. Er lief aus der Stadt hinaus über die Stoppelfelder und einen Hügel hinauf, bis er an den Rand des Schattens kam. Aber als er hinüber in die Helle springen wollte, konnte er den Fuß nicht über den Rand des Schattens heben. Da setzte er sich nieder mitten auf das freie Feld und fürchtete sich.
– Sage mir, was du die ganze Zeit getan hast, rief der Teufel.
  Merlin wollte sich vor einer Antwort drücken und sagte ausweichend:
– Ach, so viel Zeit ist vergangen, ich weiß es nicht.
  Aber als der Teufel sich nicht zufriedengab und immer weiter fragte, antwortete Merlin schließlich:
– Ich bringe manchmal Menschen auf den richtigen Weg.
– Was ist denn der richtige Weg? Was meinst du damit?
– Je nachdem, krumm oder gerade, sagte Merlin ausweichend.
  Der Teufel ließ wieder nicht nach und fragte:
– Zum Guten oder zum Bösen?
– Das weiß ich nicht! antwortete Merlin wieder ausweichend. Aber plötzlich stand er auf und schrie:

– Aber zum Bösen auch nicht, wie du das meinst!

Sein Schrei war in der Mittagsstille über das ganze Land hin zu hören.

– Du willst wieder deinen Vater verleugnen!

– Ich habe König Artus die Idee für die Tafelrunde gegeben und er hat sie ja auch wirklich gegründet! Das ist eine große Idee, eine Menschheitsidee! sagte er trotzig. Und was die einzelnen Ritter betrifft ... ich führe zum Beispiel Parzival auf den richtigen Weg, und ich führe Gawain auf den richtigen Weg. Ich habe den stumpfen Orilus in Verwirrung gebracht, damit er mal anfängt zu denken ... und viele andere auch! Und diesen amerikanischen Herrn in der karierten Jacke habe ich lächerlich gemacht, alle haben über ihn gelacht! Hast du das nicht gehört? Und wahrscheinlich muß ich mit Galahad noch etwas anstellen, er weiß mir zu genau, daß er den Gral finden wird, er hat mir zu sehr die Arroganz der Schuldlosen ... Was denkst du darüber, Vater? fügte er plötzlich hinzu, um den Teufel in ein vernünftiges Gespräch zu ziehen, damit er ihn nicht mehr examinierte. Der Teufel:

– Was ist der richtige Weg?

Inzwischen hatte Merlins Furcht nachgelassen.

– Ich habe es dir schon gesagt.

– Du hast es mir nicht gesagt.

– So? Habe ich es dir nicht gesagt? Ich dachte, ich hätte es dir gesagt! Der richtige Weg ist der, auf dem der Mensch sich selber findet.

Darauf schwieg der Teufel und Merlin fühlte sich schon sicher und glaubte, er würde sich zufriedengeben, der Schatten würde verschwinden, und er könnte frei davongehen.

Da fragte der Teufel plötzlich:

– Und Mordred?

– Was soll denn mit Mordred sein?

– Führst du Mordred auch zu sich selber?

– Ja, auch Mordred, auch Mordred, brummte Merlin, er war wieder unsicher und ängstlich geworden. – Mordred hat allerdings eine sehr schlechte Veranlagung.

– Also: er soll ein Mörder werden und er soll das Artusreich vernichten, bravo, ich bin zufrieden, das nennst du also seinen richtigen Weg, höhnte der Teufel.

– Nein, nein, das will ich nicht, murmelte Merlin erschrocken.

– Dein guter König Artus ist auch noch selber daran schuld, daß sein Sohn ein Mörder wird.

– Nein, nein, stöhnte Merlin.

- Er wollte doch den Bastard Mordred wie eine Ratte ersäufen lassen, erinnerst du dich nicht? Wie soll denn ein Sohn, der weiß, daß sein Vater ihn ersäufen wollte, diesen Vater lieben und an seine guten Werke glauben! Und womöglich ein positiver Charakter werden!
- Er hat es doch wegen der Prophezeiung getan! schrie Merlin gepeinigt. – Hätte er ihn nur rechtzeitig ersäuft, dann wäre diese Ratte jetzt nicht mehr unter uns!
- Was höre ich dich da sagen, mein Sohn, höhnte der Teufel.
- Es ist mir so herausgerutscht.
- Aber wieso habe ich dich neulich mit Mordred und seiner wüsten Bande tanzen und eine böse Messe feiern sehen?
- Schrecklich, schrecklich! Ich muß sie studieren, ich muß Bescheid wissen, ich muß erfahren, wie gefährlich sie für die gute Sache sind.
- Geschickte Ausrede, lachte der Teufel.
- In einem muß ich dir allerdings recht geben, sagte Merlin und hob dabei vorsichtig den Kopf, die Bösen sind meistens die interessanteren Figuren.
- Und außerdem tanzt du gern wüste Tänze und zeigst deinen nackten Arsch!
- Habe ich das? fragte Merlin heuchlerisch.
- Gestehe es doch, du bist die fade Tugendhaftigkeit genauso leid wie sie!
  Merlin preßte die Hände aneinander und stöhnte:
- Oh, wie schwer ist der richtige Weg!
- Die jungen Leute interessieren sich für dich, bewundern dich, für die bist du . . .
- Was bin ich für die?
- Aha! Du möchtest es wissen!
- Nein nein nein, sagte Merlin und hielt sich die Ohren zu.
- Der Sohn des Teufels bist du für sie, der Sohn des Teufels! gellte es in Merlins Kopf.
  Da kamen ihm schreckliche Gedanken und er sah Ereignisse vor sich, die Jahrhunderte vor seiner Zeit geschehen waren, und andere, die erst viele Jahrhunderte nach ihm geschehen waren. Er sah Flucht und Gefangenschaft, er sah die Ausrottung ganzer Völker, er sah die Henker, die die schlafenden Kinder in den Keller trugen, um sie dort an Haken aufzuhängen, er sah Menschen an Pfähle gebunden, mit Papiersäcken über dem Kopf, er sah die Blinden, denen man die Augen ausgestochen hatte, über das Land ziehen, er sah brennende Menschen über die Straße rennen, er sah einen vierjährigen Knaben angekettet im dunklen Verlies, er sah nackte

weiße zitternde Leiber, die man zu den Toten in die ausgehobene Grube stieß.

Er schrie auf zu Jesus Christus und verlor die Besinnung.

Als er erwachte, war der Schatten verschwunden. Er saß auf dem Stoppelfeld mitten in der Sonne. Er bewegte seinen Oberkörper hin und her und wollte sehen, ob er noch lebte, und schließlich lachte er und wurde übermütig. Er rief:

– Ich bin ein Künstler, was geht es mich an!


## Parzival

Parzival will in die Welt ziehen, von der er nichts weiß. Aus Angst um ihn hat seine Mutter einen häßlichen Narrenrock mit drei Ärmeln für ihn zusammengeflickt: die Welt soll über ihn lachen. Wen man verlacht, den fürchtet man nicht und er muß nicht kämpfen.

PARZIVAL *hat ein hölzernes Schwert in der Hand:* Du hast immer gesagt, wenn ich zu Menschen komme, bringen sie mich um. Jetzt habe ich ein Schwert, damit sie mich nicht umbringen.

HERZELOIDE Ja ja.

PARZIVAL Die schönen Ritter haben gesagt, sie dienen dem König Artus. Werde ich auch dem König Artus dienen?

HERZELOIDE Du mußt sagen: ich habe keinen König, ich habe kein Land, ich komme von nirgendwo.

PARZIVAL Nehmen sie mich auf, was meinst du? Darf ich dann mit den schönen Rittern zusammenleben?

HERZELOIDE Ritter, Ritter, Ritter!

PARZIVAL Leben dort auch Frauen?

HERZELOIDE Die Frauen heißen Damen.

PARZIVAL Sind sie auch so schön wie die Ritter?

HERZELOIDE Man darf sie nicht ansehen! Du mußt ihnen den Rücken zukehren.

PARZIVAL Warum?

HERZELOIDE Sie lächeln und sprechen, aber sie sind eine Drohung des Todes.

PARZIVAL Ich habe gehört, wie die schönen Ritter von »Ehre« gesprochen haben. Habe ich auch »Ehre«?

HERZELOIDE Ach, Kind!

PARZIVAL Ich muß es doch wissen, wenn mich jemand danach fragt.

HERZELOIDE Wenn jemand von deiner Ehre spricht, dann sagst du: ich habe keine Ehre.

PARZIVAL Was ist die »Ehre«?

HERZELOIDE Eine Drohung des Todes.

PARZIVAL Und wenn ein Ritter mich gern hat und will mein Freund sein?

HERZELOIDE Dann antwortest du: Ich brauche keinen Freund.

PARZIVAL Muß ich denn immer allein sein?

HERZELOIDE Allein ist man am sichersten. Allein mußt du nicht teilen. Allein mußt du nicht streiten. Allein mußt du niemandem danken. Allein bist du nicht enttäuscht.

PARZIVAL Darf ich denn keinen Freund haben?

HERZELOIDE Ein Freund ist eine Drohung des Todes.

PARZIVAL Wenn mich aber jemand um meine Hilfe bittet, weil er in Not ist?

HERZELOIDE *schreit:* Dann spring in den Busch! Halt dir die Augen zu!

PARZIVAL Machen das die Ritter?

HERZELOIDE Das freut sie, da lachen sie.

PARZIVAL Wenn der König Artus mich fragt, was ich weiß und was ich kann, Mutter?

HERZELOIDE *schreit:* Nichts! Du hast nichts gelernt! Du kannst nichts! Du hast keinen Wert. Du bist für nichts zu gebrauchen!

PARZIVAL Sagt das ein Ritter?

HERZELOIDE Das gefällt ihnen. Darüber lachen sie.

PARZIVAL Ach, das ist gut. Ich möchte ihnen gefallen.

HERZELOIDE Du darfst dich nie in die Mitte stellen. Immer in die Ecke!

PARZIVAL Warum denn?

HERZELOIDE Damit alle wissen, daß du dich fürchtest.

PARZIVAL Aber ich fürchte mich ja gar nicht, Mutter.

HERZELOIDE Du mußt dich fürchten!

PARZIVAL Ich bin doch stark und tapfer.

HERZELOIDE Tapferkeit ist eine Drohung des Todes.

PARZIVAL Jetzt verlasse ich dich, Mutter, ich freue mich so.

HERZELOIDE Warte noch! Ich muß dir noch ein Brot backen.

PARZIVAL Ich kann nicht mehr so lange warten, bis du mir ein Brot gebacken hast!

HERZELOIDE Ich muß dir auch noch vieles erklären, und ich mache inzwischen schnell ein Feuer im Ofen für das Brot.

PARZIVAL Ich weiß doch alles.

HERZELOIDE Nein! Das Wichtigste habe ich dir noch nicht gesagt.

PARZIVAL *ungeduldig:* Dann sag es mir jetzt schnell!

HERZELOIDE Warte! Ich sage es dir gleich.

PARZIVAL Ich komm doch zu spät, Mutter! Ich muß mich beeilen.

HERZELOIDE Warte!

PARZIVAL Ach, liebe Mutter, ich brauche nichts mehr zu wissen. Ich mache auch alles so, wie du es mir gesagt hast, wenn ich daran denke. Nur fürchten kann ich mich nicht. Ich weiß nicht, wie ich das machen soll. Als ich ein Kind war, da habe ich mich immer gefürchtet, glaube ich. Ja, Mutter? Habe ich mich da gefürchtet?

HERZELOIDE Ja.

PARZIVAL Aber heute weiß ich nicht mehr, wie das ist, wenn man sich fürchtet. – Wenn mein Vater ein Ritter war, werde ich auch ein Ritter werden können. – Ach, komm doch mit mir, Mutter! Nimm doch auch ein Schwert! Willst du nicht mitkommen?

HERZELOIDE *sitzt da, ist tot.*

PARZIVAL Du machst jetzt so ein strenges Gesicht. Dein Mund ist ganz schief, und du sprichst nicht mehr mit mir. Bist du mir böse? Gut, dann bist du mir eben böse! – Du rührst dich nicht von der Bank, du sprichst nicht mit mir. Und du bist ganz weiß im Gesicht, als ob du aus Vogelmist wärst. Das gefällt mir nicht! So gefällst du mir nicht. Dann bleib nur da, wenn du nicht mit mir sprechen willst. Ich gehe! Ich brauche auch dein Brot nicht mehr! Brauchst das Feuer nicht anzuzünden! *Er geht. Er dreht sich noch einmal um, um zu winken. Herzeloide sitzt tot. Er rennt weg. Herzeloide kippt von der Bank.*

# Ingeborg Drewitz

## Und ich weiß, daß ich damit nicht allein stehe . . .

Dank-Rede anläßlich der Verleihung
der Carl-von-Ossietzky-Medaille am 14. Dezember 1980

Unvergeßlich ist mir ein Gespräch mit meiner Mutter im Februar 1945; die Ostfront seit Januar ständig zu hören, die Luftangriffe unvermindert, die Lebensmittelversorgung miserabel, die Nachrichten von der großen Flucht, das geballte Elend nur noch mit Apathie zu ertragen, die Menschenlandschaft Berlin eine Elendslandschaft. Und sie fragt: Kannst du das glauben, was sie von den Gasöfen sagen? Das *können* doch Menschen nicht tun! (Und sie war keine, die die Augen zugehalten hatte. Ihre jüdischen Freunde waren emigriert, sie hatte geholfen, wo sie konnte, sie hatte sich nicht mit den Nazis eingelassen.)

Ich weiß noch, daß ich sehr zögernd antwortete: *Vorstellen* kann ich mir's auch nicht.

Vorstellen. Glauben. Wörter, die die ungenaue Information bezeugen. Wir wissen heute, daß damit Politik gemacht werden kann, nicht nur faschistische Politik. Ich weiß seit damals, daß ich mich nicht mehr mit ungenauer Information habe zufriedengeben wollen. Und weiß doch auch, wieviel an Ungenauigkeit uns, auch mich, bis heute bestimmen und daß es unmöglich ist, das zu ändern in der stündlichen Flut von Informationen, die der einzelne nicht einmal aufzunehmen, geschweige zu sortieren fähig ist. Weiß, wie leicht wir darauf mit Apathie, mit Gleichgültigkeit zu reagieren versucht sind, auch ich. Und daß ein Aufpicken von Einzelheiten, ein Herausfiltern von Teil-Zusammenhängen dem legendären Versuch des Kindes gleicht, das das Meer mit einem Becher ausschöpfen will.

Und doch, wie klein ist der Schritt von der Ratlosigkeit, in die uns diese Situation täglich von neuem bringt, zur Negation von Verantwortung. Denn wer kann schon verantworten, was er nicht genau weiß? Nicht übersehen kann?

Das Gespräch mit meiner Mutter, das Nicht-Vorstellbare, wie es sich uns Deutschen 1945 in seiner ganzen Brutalität enthüllte, sind für mich – und ich denke, für viele meiner Generation, die wir damit zu leben hatten, daß im Namen von uns Deutschen der Völkermord perfektioniert und ideologisch verfochten worden war – seit damals, als wir gerade begannen, Erwachsene zu sein, *Triebkraft und Unruhe* gewesen. Wir mußten allerdings sehr schnell lernen, wie wenig wir vermochten, nicht nur, als wir das schwierige Geschäft der Demokratie zu lernen hatten; nicht nur, als wir die Spannung im Konflikt zwischen den Großmächten auszuhalten lernen mußten; nicht nur, als wir die Ungebrochenheit reaktionärer Kräfte in der Bundesrepublik entdecken und uns gegen sie wehren mußten; nicht nur angesichts der Konfliktlage in der Welt, die in fast anderthalb hundert Kriegen seit 1945 immer wieder aufgebrochen ist und aufbricht; nicht nur angesichts der Entwicklung der Waffen, der Versehrung der Erdoberfläche, der Hungerkatastrophen, der Folterregime, der chemischen Verseuchung der Atemluft; nicht nur –nicht nur. Wir mußten begreifen, daß wir noch an unserem Arbeitsplatz in Konflikte und das Elend anderer Regionen verstrickt waren und sind.

War uns aber die Ausflucht ins Zusehen, ins Treibenlassen gestattet? Ist sie's? Die Generation unserer Kinder hat uns in den Jahren der Jugendrevolte angefragt, hat uns als Generation angeklagt. Wie haben wir reagiert? Konnten wir reagieren? Rannen uns nicht die Jahre wie Sand aus der Eieruhr und wollten wir unsere Ruhe haben? Und wie reagieren wir auf die zehn Jahre jüngere Nachkriegsgeneration mit ihrer ratlosen Geschäftigkeit und ihrem Ausscheren? Leisten wir uns ihre Angst? Ihre Untergangsstimmung? Es ist leicht und ist sicher auch falsch zu sagen, daß alles so nicht hätte kommen müssen, weil es industrielle und historische Entwicklungen verkürzt, die Krisen des Nachkolonialismus in der Dritten Welt verniedlicht. Es ist nicht leicht zu fragen: Was können wir tun? und das nicht bloß rhetorisch zu meinen. Denn obgleich für uns alle deutlich ist, daß die Konzeption für das Zusammenleben der Völker grundsätzlich überdacht werden muß und wir, wenn auch selektiv informiert, jede Brutalität für denkbar, ja, für real halten müssen, haben wir doch, jeder einzelne an seinem Platz, kaum die Möglichkeit einzugreifen und haben uns die Philosophen dieses Jahrhunderts die Analysen verfügbar gemacht, *die Prophetie, den Zukunftsentwurf jedoch ausgespart,* von Ernst Bloch abgesehen, der die Permanenz der Hoffnung historisch nachgewiesen und die wechselnden Utopien auf die ur-christliche Konstante zurückzuführen vermocht hat, die radikale Chancengleichheit also als denkbar, als immer anzupeilendes Ziel benannt hat.

Antrieb, Zielvorstellung und dazwischen eingehängt das tägliche Leben.

Das Gespräch im Februar 1945, noch abwehrend, schaudernd auch: Das können doch Menschen nicht tun.

Die denkbare radikale Chancengleichheit für die nicht mehr vorstellbaren Menschen-Milliarden.

Und dazwischen die täglichen, die kleinen Möglichkeiten, das unvorstellbar Wirkliche zu verhindern, das vorstellbare Unwirkliche, die Utopie nicht aus den Augen zu verlieren.

Ein Balanceakt zwischen dem, was ist, und dem, was sein könnte. Ich versuche ihn fast täglich. Und ich weiß, daß es nicht wenige sind, die ihn täglich versuchen. Ein Balanceakt, der einen nicht ans Ziel gelangen läßt und von dem, was ist, nur ein paar Millimeter weit wegkommen läßt. Ein bescheidener Versuch, ich weiß es. Unser aller Ungeduld rührt daher, daß wir nur so wenig vorankommen auf das angepeilte Ziel zu. Daß wir auf der Stelle treten, zurückgeworfen werden, ermüden, verhöhnt werden.

Was aber wäre, wenn wir den Balanceakt nicht versuchen würden? Wenn wir in der Bundesrepublik die Grundrechte nicht immer von neuem einfordern würden, uns nicht um die Scheiternden und Gescheiterten kümmern würden, nach- und neofaschistische Entwicklungen nicht aufzeigen würden, negative Auswirkungen der Politik und der Wirtschaft nicht beachten würden, Rechtsbeugungen übersehen würden, wenn wir nicht Stellung nehmen, Demokratie nicht beim Wort nehmen würden? Was wäre, wenn wir das Drogenelend, die Aussteiger, die sozial Benachteiligten, die Unterprivilegierten nicht beachten würden? Wenn wir unmotivierten Haß, tägliche Pression einfach hinnehmen würden? Was wäre, wenn wir Lügen Lügen sein lassen würden, falsche Aussagen nicht widerlegen, manipulative Informationen, propagandistische Schönfärberei hinnehmen würden?

Frage nach Frage ließe sich so aufreihen. Jede meint uns, braucht unsere Antwort, unser Verhalten. Und jedem wird einfallen, wo er nicht geantwortet, nicht reagiert hat, weil er müde war, keine Zeit hatte, keine rechte Lust, weil er nicht durchschaut hat, worum es ging, oder auch, weil er ja damit nichts strukturell verändert, die Angst nicht unwirksam macht, das Rüstungspotential hier wie dort nicht mindert, das Elend in der Welt nicht verringert, ja nicht einmal seinen faschistisch daherredenden Nachbarn eines Besseren überzeugt.

Ich denke, ein solches Eingeständnis ist so ehrlich wie die vielen kleinen Balanceakte, das millimeterweise Vorankommen auf das zu, was sein könnte. Denn gäbe es den Zweifel nicht, hätte auch das Gegen-den-Zweifel-Anleben nicht die Funktion der Selbstbehauptung, nicht die leidenschaftliche Wärme der Tat. Die Spannung zwischen Reflexion und Aktivität ist es, die die Starre der Anpassung aufbricht.

Vielleicht ist damit umschrieben, was mich immer wieder antreibt, mich zu engagieren – und ich weiß, daß das oft genug mit einem leisen Vorwurf in der Stimme angemerkt wird: Aber mich macht Gleichgültigkeit zornig, Nichthinsehen traurig. Ich versuche hinzusehen. Ich versuche zuzuhören. Ich versuche, dem Gescheiterten Mut zu machen und sein Recht so ernst zu nehmen wie meines. Ich versuche, nichts zu beschönigen, nicht mit den Wölfen zu heulen. Ich versuche, die Erwartungshaltung der ganz Jungen zu bekräftigen und wenn einer keinen Ausweg mehr sieht, zu ihm zu halten. Und ich weiß und erfahre es immer wieder, daß die Versuche, Mitmensch zu sein, fehlschlagen, weil meine Kraft nicht ausgereicht hat, meine Geduld zu kurz gewesen ist. Aber wenn eine junge Frau, ein junger Mann nach Jahren des Berufsverbots endlich eingestellt ist, wenn einer nach 15, 16 Haft-Jahren sich draußen zurechtfindet, wenn es gelingt, den Haß gegen eine Gruppe aufzubrechen, weil die Ursache des Hasses erkennbar geworden ist, wenn es möglich geworden ist, den Irrwitz eines Gesetzes, einer Verordnung, einer Maßnahme aufzudecken, so ist das Selbstverständliche gelungen.

Ich denke an das Gespräch mit meiner Mutter im Februar '45 zurück, an das Grauen vor dem unmenschlichen Möglichen, an unser beider Ausweichen in eine nicht mehr gültige Wunschvorstellung vom Menschen: »*Vorstellen* kann ich mir's auch nicht.«

Seither weiß ich, daß ich mir alles vorstellen können und doch die damals nicht mehr gültige Wunschvorstellung vom Menschen, die seither immer gefährdete Wunschvorstellung vom Menschen *dagegenhalten* muß. Wir sind alle der Logik des Leninschen Satzes »Vertrauen ist gut, Kontrolle ist besser« verfallen. Der Raster der Kontrollen liegt unserer Wirklichkeit auf, das Mißtrauen, das den verbissenen Egoismus fördert, das uns Selbstzensur üben läßt, uns staatshörig macht, anstatt den Staat als unsere Sache anzusehen. Ich möchte den Satz verändert für mich in Anspruch nehmen: »Kontrolle ist gut, Information ist besser, Vertrauen ist am besten.«

Und ich weiß, daß ich damit nicht allein stehe, sondern nur einem heftigen Bedürfnis gerade in der jungen Generation, aber doch auch unter den Älteren, Ausdruck gebe. Die große Zahl sehr aktiver Initiativen, die sich der verborgenen und halbverborgenen Mängel unserer Gesellschaft annehmen, ihnen Öffentlichkeit schaffen, die sich der Randgruppen unserer Gesellschaft annehmen, die sich für die emanzipatorischen Bemühungen in der Dritten Welt einsetzen, das Elend, den Hunger, die Seuchen hier öffentlich machen, hier Hilfsgruppen aufbauen, die jungen und älteren Bürger unseres Landes, die sich für die Inhaftierten, Gefolterten überall in der Welt einsetzen, die Initiativen, die auf die Opfer von Mißlichkeiten unserer Rechtsprechung hinweisen, die das Grundgesetz beim Wort nehmen, die nüchtern auf das Vernichtungspotential hinweisen, das in der Welt vorrätig ist und ständig vermehrt wird, sind keine Versammlungen von Narren, nehmen die Aufgabe ernst, das Gewissen unserer Gesellschaft zu sein. Handeln an Ort und Stelle und jetzt. Handeln, weil sie nicht aufgehört haben zu hoffen, daß mitmenschlich leben chancengleich leben heißt: weil sie nicht aufgehört haben zu hoffen, daß die Utopie der Bergpredigt, die Erwartung von 1789 und 1848 und 1919 (in Deutschland), die Utopie, dank der Lateinamerika lebt, Südafrika nicht zur Ruhe kommt, die in den Slums, den Favelas, in den Gulags, in den Steppen und Sümpfen, über die die Milizen herrschen, überleben wird. Handeln an Ort und Stelle und jetzt, weil sie nicht aufgehört haben zu hoffen, die Flucht in den Selbstmord, die Flucht in die faszinierend schwingenden Träume, die die Drogen schenken und nehmen, die Flucht in die enge Zufriedenheit von Sonntag zu Sonntag und Urlaub zu Urlaub, die Flucht in den widerspruchslosen Gehorsam der Angepaßten, die Flucht in den befohlenen kollektiven Haß zu überdauern.

Wo immer einer von uns – vielleicht ich – mit denen zusammenkommt, die so noch zu hoffen fähig und willens sind, ist die Spannung zwischen dem, was ist, und dem, was sein könnte, nicht erloschen.

Kaum würde ich meiner Mutter heute noch antworten: »*Vorstellen* kann ich mir's auch nicht.« Aber weil es so ist, weil Menschen so verfügbar geworden sind, müssen wir nach den Menschen suchen, die nicht verfügbar sind, die mit uns neu anzufangen versuchen, immer wieder.

# Friedrich Dürrenmatt

## Prokrustes

Im Landstrich Korydallos lebten ebenso viele Riesen wie normal gewachsene Menschen, wobei es naturgemäß dazu kam, daß die großgewachsenen Menschen, die Riesen also, die kleineren Menschen unterjochten. Da Korydallos in der Nähe Attikas liegt, wehte aus Athen ein Hauch von Vernunft herüber und inspirierte den Riesen Polypemon, der ein besonders großer Riese, ein Gigant war, zum Nachdenken. Wochenlang lief er grübelnd in der Gegend herum, die Ungleichheit der Menschen beschäftigte ihn. Darauf nannte er sich Prokrustes, der Strecker, und baute zwei Betten, eines für die Riesen und eines für die Nicht-Riesen. In das Bett für Nicht-Riesen legte er die Riesen und hackte ihnen die Beine ab, so daß die Riesen ins Bett für Nicht-Riesen paßten, und die Nicht-Riesen legte er in das Bett für Riesen und streckte sie, bis sie diesem Bett entsprachen. Pallas Athene, von deren Atem der Hauch der Vernunft bis Korydallos geweht war, fühlte sich verantwortlich und begab sich zu Prokrustes. Sie fragte ihn, was er da treibe. »Ich handle gemäß deiner Vernunft, Göttin«, antwortete der Gigant, »deren Anhauch mein Denken in Bewegung gesetzt hat. Ich began, mir über die Ungleichheit der Menschen Gedanken zu machen. Sie ist ungerecht. Ich erkannte allmählich, daß die Gerechtigkeit verlangt, daß alle Menschen gleich sind. Das ist vernünftig. Nun gibt es in Korydallos Riesen und Nicht-Riesen, wobei die Riesen die Nicht-Riesen unterjochen. Die Menschen hier sind also in zweifacher Weise ungleich: in ihrem Wesen und in ihrem Tun. Das ist unvernünftig. Nun hätte ich die Riesen allein zu Nicht-Riesen machen können, indem ich ihnen die Beine abgeschlagen hätte, aber damit hätte ich wiederum ein neues Unrecht geschaffen: Krüppel-Nicht-Riesen und Nicht-Riesen, wobei nun diese die zu Krüppeln gewordenen Riesen unterjocht hätten. Auch unvernünftig. Gehe ich aber gegen die Nicht-Riesen vor, zerre ich sie zu Krüppel-Riesen auseinander, schaffe ich eine neue Ungleichheit: als Krüppel-Riesen sind sie ebenso den Riesen ausgeliefert, wie sie es als Nicht-Riesen waren. Wieder unvernünftig. Darum gibt es nur eine Möglichkeit für mich, die Gerechtigkeit, die Gleichheit aller Menschen herzustellen: Die Riesen haben das Recht, Nicht-Rie-

sen, und die Nicht-Riesen das Recht, Riesen zu sein. Danach
handle ich. Den Riesen hacke ich die Beine ab, sie werden so klein
wie die Nicht-Riesen, die Nicht-Riesen strecke ich zur Größe der
Riesen aus. Daß durch diese Operation – überleben sie sie – beide
zu Krüppeln werden, macht beide gleich, und sterben sie infolge
der Operation, sind sie einander auch gleich, macht doch der Tod
alle gleich. Ist das nicht vernünftig?« Kopfschüttelnd kehrte Pallas
Athene nach Athen zurück: Die Argumentation des Prokrustes
hatte ihr die Sprache verschlagen. Es war das erste Mal, daß sie als
Göttin eine ideologische Rede vernommen hatte, und sie fand keine
Entgegnung. Prokrustes, durch das Schweigen der Göttin von der
Richtigkeit seiner Deduktionen überzeugt, folterte weiter. Denen,
die er folterte, erklärte er immer wieder, es geschehe im Namen der
Gerechtigkeit: Der Riese habe nun einmal das Recht, ein Nicht-
Riese zu sein und umgekehrt. Der Landstrich Korydallos wurde
zur Hölle, erfüllt vom Schreien der Gemarterten, das in ganz Griechenland zu hören war. Die Götter hielten sich verlegen die Ohren
zu. Sie fanden auf die Argumentation des Prokrustes auch keine
Antwort. Besonders die Flüche waren gräßlich zu hören. So stellten
sie schließlich den Ton des Fernsehers ab – als Götter waren sie
technisch den Menschen weit voraus –, um die Gebete und die
Hilferufe, aber auch das Geschrei und die Flüche aus Korydallos
nicht mehr zu hören; wobei sie freilich vom Rest der Erde auch
nichts mehr hörten; aber was machte das, sie griffen ohnehin nicht
mehr in die Geschichte ein. Und so verfluchten denn die Riesen
und Nicht-Riesen den Prokrustes, während er sie folterte, und die
Krüppel-Riesen und die Krüppel-Nicht-Riesen verfluchten ihn; ja
sogar aus den Gräbern derer, welche die grausame Prozedur nicht
überstanden hatten, ertönten Flüche. Weil aber Prokrustes, der
sich als Wohltäter fühlte und überhaupt ein sensibler Gigant war,
nicht begriff, warum er verflucht wurde, dachte er, es liege an seiner Methode, er schaffte für seine Betten besonders gute Matratzen
an. Dann, als die Korydallier weiterheulten und fluchten, versuchte
er, die Gefolterten auf eine andere Weise zu beschwichtigen, waren
sie doch offenbar nicht von der göttlichen Vernunft erleuchtet wie
er. So redete Prokrustes denn auf seine Opfer ein, es sei heldenhaft,
in dem für sie bestimmten Bett zu leiden, sei es doch aus Hölzern
verfertigt, die alle im Lande wüchsen – eine nicht minder irrationale, jetzt aber patriotische Begründung seiner Folterungen. Und
wirklich, einige Riesen und einige Nicht-Riesen legten sich diesmal
freiwillig hin. Überhaupt nahm das Fluchen mit der Zeit ab. Wie
der Mensch für seine Taten Begründungen erfindet, erfindet er
auch für seine Leiden Trost. Einige Krüppel-Riesen und Krüppel-

Nicht-Riesen redeten sich ein, sie seien für eine bessere Zukunft gefoltert worden; wenigstens ihre Nachkommen würden nicht mehr gefoltert werden, weil die Riesinnen mit der Zeit durch die evolutionäre Anpassung Krüppel-Nicht-Riesen und die Nicht-Riesinnen Krüppel-Riesen gebären würden, so daß Prokrustes überhaupt nicht mehr zu foltern brauche. Andere freuten sich gar darauf zu sterben, da es, wie sie hofften, im Jenseits keine Folter mehr gebe. Die Irrationalität der Folterungen und ihrer Begründungen trieb die Gefolterten, um die Folter zu ertragen, ebenso ins Irrationale. Nur einige wenige der gefolterten Riesen und Nicht-Riesen beharrten darauf, das Folterbett und die Folter seien ein Unsinn. Diese haßte Prokrustes am meisten, war er doch empört darüber, daß sie nicht einsehen wollten, daß er nicht aus Lust folterte, sondern aus geschichtlicher Notwendigkeit. Er glaubte mit der Zeit, da er, um das Stöhnen und Schreien nicht mehr zu hören, sich immer neue Begründungen seiner Folterei ausgedacht hatte, die Geschichte könne nur einen Sinn haben, wenn sie fortschreite, und dieser Fortschritt bestehe darin, daß sie immer gerechter werde, und gerechter werde die Geschichte nur, wenn sie sich von der Ungleichheit der Menschen zu deren Gleichheit hin entwickle. Als aber der junge Theseus von Troizen nach Athen wanderte, um dort, als Sohn des Aigeus, König zu werden, weshalb er die Politik von einem praktikablen Gesichtspunkt aus neu überdachte, kam er auch nach Korydallos. Theseus hörte sich verwundert die Ideologie des Prokrustes an. »Du mußt zugeben, daß ich vernünftig handle«, sagte Prokrustes stolz, »selbst Pallas Athene wußte mir nichts zu erwidern.« »Du handelst ebenso unvernünftig wie Pityokamptes, der Tannenbieger, der die Wanderer zerreißt, indem er sie an die Spitzen zweier niedergebogener Tannen bindet und diese dann zurückschnellen läßt«, antwortete Theseus. »Der einzige Unterschied zwischen Pityokamptes und dir besteht darin, daß jener sich nicht einbildet, er müsse im Namen der Gerechtigkeit die Menschen zerreißen. Er tut es aus reiner Lust an der Grausamkeit.« »Pityokamptes ist mein Sohn«, sagte Prokrustes nachdenklich. »Ich habe ihn getötet«, gestand Theseus ruhig. »Du hast gerecht gehandelt«, meinte Prokrustes nach langem Nachdenken, »auch wenn Pityokamptes mein Sohn war. Aus reiner Lust an der Grausamkeit darf man nicht töten.« Doch als Prokrustes Theseus dankbar die Hand schütteln wollte, warf dieser den Giganten mit einer solchen Wucht auf das kleinere Bett, daß die Erde erzitterte. »Du Narr«, sagte er und hielt Prokrustes, der ihn mit großen Augen verwundert anstarrte, nieder. »Allzuwenig bist du vom Hauch der Vernunft gestreift worden. Die Menschen sind nicht gleich, gäbe es doch sonst keine Riesen und keine Nicht-Riesen, sondern nur Riesen oder nur Nicht-Riesen. Und weil die Menschen nicht gleich sind, die einen größer, die anderen kleiner, hat jeder Riese das Recht, ein Riese, und jeder Nicht-Riese das Recht, ein Nicht-Riese zu sein. Gleich sind beide nur vor dem Gesetz. Hättest du dieses Gesetz eingeführt und verhütet, daß die Riesen die Nicht-Riesen unterjocht hätten, oder, was auch der Fall hätte sein können, daß die Riesen von den Nicht-Riesen mißbraucht worden wären, so hättest du deinen Korydalliern die unsinnige Folter erspart.« Und damit schlug Theseus dem Prokrustes zuerst die Beine und, weil dieser ja als Gigant ein besonders großer Riese war, auch den Kopf ab, der noch im Hinunterkugeln murmelte: »Ich bin doch nur gerecht gewesen.« Und dann sagte der Kopf noch, als er auf seinen Halsstummel zu stehen kam, bevor er seine großen Augen schloß: »Ich habe keinem Menschen jemals etwas zuleide getan.« Dann wanderte Theseus nach Athen weiter zu seinem Vater Aigeus. Leider war Theseus nicht nur ein Held, sondern auch vergeßlich. So hatte er schon bei Prokrustes vergessen, daß er nicht nur dessen Sohn Pityokamptes getötet, sondern auch dessen Enkelin Perigune geschwängert hatte. Er vergaß einfach alles. Sein Taschentuch war voller Knoten, es nützte nichts. Als er von Kreta heimkehrte, vergaß er auf der Insel Naxos Ariadne, die ihn aus dem Labyrinth gerettet hatte, und dann vergaß er, das weiße Segel aufzuziehen, so daß sich sein Vater ins Meer stürzte, weil er glaubte, Theseus sei im Labyrinth vom Minotaurus getötet worden. Dann wurde Theseus König. Leider hatte er auch seine kluge Rede an Prokrustes vergessen: Nicht daß er ein besonders schlechter König geworden wäre – er zählt in der Skala der Könige zu den eher besseren –, aber unter ihm waren dennoch nicht alle gleich vor dem Gesetz, sondern einige gleicher als andere. Dazu kam, daß Theseus auch als Ehemann vergeßlich war: Seine Liebschaften, schreibt Robert von Ranke-Graves, brachten die Athener so häufig in Verlegenheit, daß sie erst Generationen nach seinem Tode seine wahre Bedeutung erkannten.

# Axel Eggebrecht

## Aktiver Frieden[1]

### 1.

Der Friede muß erkämpft werden.

Nichts wird uns Menschen geschenkt. Alles müssen wir strebend und kämpfend erringen, auch das Natürlichste. Selbst den Frieden, Ja, ihn erst recht, obwohl ein Verlangen danach uns eingeboren ist; obwohl er das Selbstverständliche zu sein scheint.

Der Friede muß erkämpft werden.

Diese bittere dialektische Wahrheit haben fünftausend Jahre Geschichte uns unabweislich gelehrt. Und in den letzten drei Jahrzehnten wurden sie uns schmerzhafter denn je eingebleut und eingebrannt.

Der Friede muß erkämpft werden.

### 2.

Und der Friede kann errungen werden.

»Immer gab es Krieg; also wird es ihn auch immer geben!« So flüstern die Verzagten. So murmeln die Lauen. So klagen die Mattherzigen. So seufzen die Ängstlichen. So reden die Bequemen daher. So rufen die Handfesten. So brüllen die plumpen Gewalttäter. Und so klügeln die Kundigen. So beweisen zum Schein die überklugen Betrachter, die Geschichtsmystiker, die ewig Gestrigen.

Sie irren. Alle. Goethe antwortet ihnen: »Was ist gestern? Gestern ist nichts!«

Der Friede kann errungen werden.

### 3.

Denn wer einen allgemeinen und dauernden Frieden, den »Ewigen Frieden« Immanuel Kants, für unerreichbar hält, der hätte einst auch sagen müssen: Sklaverei wird immer sein! (Und sie ist abgeschafft, trotz verspäteten Rückfällen.)

Folter ist unentbehrlich! (Doch sie ist heute verpönt, wie sich gerade gegenüber manchen Rückschlägen erweist.) Wer den Frieden für eine Utopie hält, der hätte einst behaupten müssen (und das ist

---

[1] Dieser Text wurde im Jahre 1948 zum erstenmal veröffentlicht.

behauptet worden!)): Seuchen sind gottgewollt und ewig. Immer wird im Kindbett die Hälfte aller Geborenen zugrunde gehen. Bis ans Ende aller Tage werden Pest, Cholera, Lepra, Malaria und Tuberkulose uns in ihren Krallen halten. Aber alle diese Übel sind bekämpft, gemindert, auf einen Bruchteil ihrer Wirkung eingeschränkt worden. Manche sind schon fast von der Erde verschwunden. Wenn sie noch nicht völlig ausgerottet wurden, dann nur deshalb: weil ihre Reste im Schatten des einen, des schlimmsten Übels fortgedeihen – des Kriegs.

4.

Aber halt! Heißt es nicht: »Der Krieg ist der Vater aller Dinge?«

Das ist ein Wort des altgriechischen Denkers Heraklit. Kaum ein Zitat wird so gern, so oft, so unbekümmert gebraucht. Und es ist doch nichts als eine Verdrehung, eine bösartige Mißdeutung, eine infame Lüge. Heraklit meint den Krieg der Geister. Den Streit der Meinungen. Den fruchtbaren Gegensatz, aus welchem Neues entspringt, Entwicklung, Besserung, Fortschritt. Also genau das Gegenteil von dem, was die ewiggestrigen Verfechter des Kriegs behaupten.

Heraklit hat auch gesagt: »Alles fließt!« Das heißt: wir streben voran. Nichts ist uns Menschen unabänderlich. Wir wollen weiter.

5.

Es ist ganz und gar nichts mit dem sogenannten frisch-fröhlichen Krieg, der alles belebt, anfacht und befeuert. Ein kluger Mann hat einmal gefragt, weshalb wir eigentlich immer vom frisch-fröhlichen Krieg sprächen – und nie von einer frisch-fröhlichen Cholera-Epidemie. Er hat recht.

Der Krieg ist die letzte, die größte, die schlimmste der Seuchen. Er muß ausgetilgt werden, gleich allen anderen Epidemien.

6.

Warum aber erscheint den meisten der Krieg immer noch so natürlich, so selbstverständlich?

Aus zwei Gründen, glaube ich.

Einmal ist der Krieg so entsetzlich bequem. Die meisten Menschen haben ein träges Herz. Es ist für sie leichter zu töten, als zu erschaffen. Im Kriege wird alles Planen und Wirken unnötig. Es ist (in doppeltem Sinne) so grauenhaft einfach, sich »fallen zu lassen«.

Dazu kommt, daß es dem machtlosen einzelnen (zumal dem Deutschen) auf unklare Art schmeichelt, wenn er sich dunklen Mächten zum Fraße vorgeworfen fühlt. Da spielt irgendein Erbteil

aus weit vergangenen Vorzeiten mit. Ein abergläubischer, selbst-
vernichtender Spuk. Aber die Gespenster sterben, eines nach dem
anderen. Weshalb nicht endlich auch dieses?

7.
Zum zweiten ist der Krieg scheinbar das Element der Aktivität, des
Muts, der Jugend.

Aber gerade dies ist eine schreckliche Täuschung, nicht unähn-
lich jener, die jahrtausendelang annahm, die Sonne drehe sich um
die Erde.

Genau bedacht ist der Krieg nicht ein Ergebnis des Muts, sondern der allgemeinen Feigheit. Denn es ist passiv, verzichtend und
greisenhaft, das Leben geringzuachten und es leichtfertig aufzugeben. Wer lebend für das große, das herrliche, das einmalige Leben
wirkt, ist ein Kämpfer. Wer es aufgibt, wer unnütz stirbt oder läß-
lich tötet, ist ein Verräter.

Nicht der »Pazifist« ist ein Schwächling: der »Bellezist«, der
Kriegsgläubige ist es!

8.
Es gilt, den Kampf für den Frieden als die wichtigste und edelste
Aufgabe der Menschheit zu erkennen. Und: danach zu handeln.

Wir müssen den Frieden endlich in einem neuen, tätigen, aktiven Sinn auffassen. Nicht der Krieg – der Friede ist der natürliche
Zustand. Ewiger Friede ist kein blutloses Hirngespinst, kein blasser
Traum; sondern ein gegenständliches Ziel, zum Greifen nahe,
wenn wir nur wollen.

Jede Forderung der Moral, jede Lehre der Ethik kann ihre Erfüllung nur im Frieden erhoffen. Und zwar nicht in jenem lässigen,
zeitweisen und zufälligen Frieden, den wir bis heute so nennen.
Nicht in den angstvollen Zwischenzeiten zwischen Kriegen. Sondern im erkämpften, dauernden, ewigen Frieden. Erst wenn er
herrscht, werden wir erfahren, was er vermag.

9.
Der Mensch ist nicht gut, wie wir Illusionisten noch nach dem Ersten Weltkrieg glaubten. Aber es ist ihm eingeboren, besser werden
zu wollen. Das ist das Geheimnis der Geschichte. Jede Ordnung in
der Welt hat dieses Streben zur Voraussetzung. Sie bändigt den
Egoismus des einzelnen, gewiß oft auch durch Furcht, tiefer aber
noch durch Hoffnung.

Durch die Hoffnung nämlich, daß die anarchische Gier nach
Macht und Genuß sich dem hohen allgemeinen Sinn und Ziel un-
terordne: dem Leben.

Daher wird es zur Pflicht jedes einzelnen, für den Frieden zu wirken. Er kann dafür sogar viel mehr tun, als alle Verbände, Bewegungen und Parteien. Er vermag es, darin höchste Klugheit und höchsten Mut zu beweisen. Der stürmische Tatendrang der Jugend findet hier seine schönsten Abenteuer. Die Kraft reifer Frauen und Männer wird hier ihre stolzesten Siege erringen. Die weise Erfahrung der Alten wird sich mit ihnen vereinen im glorreichen Kampf gegen den Tod, für das Leben. Wehrt sich nicht jedermann gegen Krankheit? Sucht nicht jeder, Unfällen zu entgehen?

Krieg aber ist die schlimmste Krankheit und der furchtbarste Unfall, der uns treffen kann, in einem.

Sollte das uralte Heldengeschlecht der Menschen nicht endlich auch mit diesem Urfeind, diesem Lindwurm fertig werden, der uns den Weg zu höherer Vollendung sperrt?

10.

Süß und ehrenvoll sei es, für das Vaterland zu sterben. So sagten die Römer. Dann wurde die halbe Welt ihr Vaterland.

Heute ist die ganze Welt unsere Heimat. Noch ist uns das nur halb bewußt. Aber einmal, bald schon, wird jeder ganz davon durchdrungen sein. Und wissen:

Süß und ehrenvoll ist es, für das tätige Dasein auf diesem Stern, unserem großen Vaterland, zu wirken und zu leben.

# Gisela Elsner

## Die Schattenspender

Es war wohl nur teilweise der Alkohol, hauptsächlich jedoch die Sonne, in der die Gesellschaft, auch wenn hin und wieder ein Tisch unter der lianenüberdachten Terrasse frei wurde, sitzen blieb, die zumal die Gesichter der Herren Lüßl und Ockelmann inzwischen so dunkelrot gefärbt hatte, daß Frau Ockelmann besorgt und, während sie sonst einen eher hausbackenen Eindruck machte, mit einemmal ganz Dame, eine Handvoll Schattenspender bestellte.

Der junge Gösch neigte bereits zur Ansicht, es handle sich bei diesem Ausdruck um ein Modewort für Sonnenschirme – man nennt das also Schattenspender in den Tropen, sagte er sich –, als der rings um den künstlichen Teich servierende Missionar nach einem Blick auf die Sonne, die längst nicht mehr senkrecht stand, zur allgemeinen Verblüffung – nur einer Minderheit unter den weitgereisten Touristen, die Ockelmanns natürlich inbegriffen, war diese vor kurzem erst eingeführte Neuheit bekannt – eine Handvoll zwar magerer, aber hochgewachsener alter Männer heranführte und mit der Frage: Front oder Rücken – die Gesichter stören nicht, meinte Frau Ockelmann – dicht nebeneinander in Tischnähe eine Art lebende Mauer bilden ließ. Erst als die schmalen Schatten dieser mageren Männer wuchsen, rückten sie weiter und weiter ab.

Zweifellos gehörte, und deshalb sprach Frau Ockelmann wohl auch ein wenig affektiert – das Aufsehen, das sie nun einmal erregt hatte, machte ihr arg zu schaffen –, ein gerüttelt Maß an Mut dazu, sich einer solchen, kaum erprobten Neuheit vor aller Augen zu bedienen. Während der mal ein wenig mehr nach rechts, mal ein wenig mehr nach links rutschende Schatten dieser lebenden Mauer voll auf die ganze, leicht angeheiterte Gesellschaft fiel, mühte nicht nur sie sich, so zu tun, als ob nichts sei. Auch Ockelmann redete, obwohl gerade ihm, zumal seit er im Schatten saß, der Schweiß ausbrach, weil kein einziger Tourist in der Sonne den Mut aufbrachte, es den schicken Ockelmanns dermaßen offenkundig nachzutun, weiter auf Lüßl ein, der sich ein gelegentliches Schielen auf die Mauer dieser alten, ausgedienten Träger und Treiber, für die noch kein Tarif feststand – man gab, was man für gut hielt –, ebensowenig verkneifen konnte wie Glaubrecht oder der junge Gösch.

Stören Sie die Gesichter, erkundigte sich Frau Ockelmann, die mit dem Rücken zu den Schattenspendern saß, ein wenig gefaßter, als sie merkte, daß das allgemeine Interesse der Touristen, die auf ihren Reisen durch aller Herren Länder noch ganz andere Verwendungsmöglichkeiten von Menschen kennengelernt hatten, so rasch, wie es aufgekommen war, wieder abklang.

Keineswegs, behauptete Lüßl nicht ganz wahrheitsgetreu. Denn er mußte sich offensichtlich zwingen, diese Schattenspender zu übersehen.

Sollen sie uns nicht lieber doch den Rücken zukehren, fragte Frau Ockelmann.

Es ist eine Sache von Sekunden, sagte Herr Ockelmann.

Ich will ja nicht sagen, daß sie schlecht sind, sagte Frau Ockelmann und in ihrer Bemühung, diese Schattenspender gerecht einzustufen, drehte sie sich sogar eigens nach ihnen um, aber gut kann man sie weißgott nur dann nennen, wenn man sie so wenig bemerkt wie einen Busch oder einen Baum.

Es ist, wie gesagt, eine Sache von Sekunden, wiederholte Herr Ockelmann, der, so schien es dem jungen Gösch zumindest, einerseits fürchtete, durch eine Umstellung der Schattenspender von neuem die allgemeine Aufmerksamkeit zu erregen, der aber andererseits seine wenig fesselnde Schilderung des Herstellungsprozesses dessen, was er millionenfach und mit Erfolg vertrieb, sonst hätte er sich schwerlich eine solche Reise leisten können, beenden wollte. Schließlich hatte er, Ockelmann, sich auch die ebenso wenig fesselnde Schilderung des Herstellungsprozesses dessen, was Lüßl millionenfach und mit Erfolg vertrieb, angehört, und zwar von A bis Z.

Während Ockelmann, und das mußte man ihm lassen: er wußte, wann er ankam und wann nicht, die Schilderung des Prozesses, durch den nichts anderes als ein winziges Werkzeugbestandteil entstand, gerafft zu Ende brachte, erhob sich seine Frau, der, wie sie später den Herren anvertraute, das Ganze zum Hals heraushing, und verschwand nach der an einen Missionar gerichteten Frage: wo man denn mal eben könne, im Hauptgebäude dieser zum Restaurant umfunktionierten Missionsstation.

Als sie zurückkam, lachend – man hatte ihr nicht etwa den Weg zur Toilette, sondern den Weg zur Kapelle gewiesen –, gestand Herr Ockelmann seinen Bekannten und wohl auch den beiden Landsleuten, die seit einer Weile schon am Nebentisch, lächelnd, wenn Herr Ockelmann, er fing fast jeden Satz so an: Sie werden lachen, meinte, mithörten, daß er zwar den Herstellungsprozeß beherrsche, daß er indes heute noch nicht wisse, wozu das, was er da herstelle, dieses winzige Werkzeugbestandteil tatsächlich diene.

Der Betrieb lief so reibungslos, rief er, daß ich nur hinterm Schreibtisch meines Vaters Platz zu nehmen brauchte.

Er übertreibt, sagte Frau Ockelmann, ein wenig affektiert wiederum, weil ihr keineswegs entging, welches Interesse die Schilderung ihres Ehemannes weniger am eigenen Tisch als vielmehr am Nebentisch erweckte, wo, wie gesagt, die beiden Landsleute lächelnd, wann immer auch ihr Mann: Sie werden lachen, sagte, saßen, sich die Ausläufer der allmählich wachsenden Schatten der Kahlgeschorenen, offenbar erst kürzlich entlausten Schattenspender kostenlos zugute kommen ließen und liebendgern diese fünf Mann – auf einen Schlag, sagte sich Lüßl, ihnen nun demonstrativ den Rücken zukehrend, so leicht möchte man es auch mal haben – kennengelernt hätten.

Ich übertreibe nicht, behauptete Herr Ockelmann, und er öffnete sich Jagdrock und Hemd, so daß ein goldenes Amulett auf den grauen Haarbüscheln auf seiner unregelmäßig rotgebrannten, eher fleckigen Brust sichtbar wurde.

Ungefähr weiß er schon, wozu das Ding verwendet wird, behauptete Frau Ockelmann, der die Koketterie ihres Ehemanns diesbezüglich ebenso sehr zum Hals herauszuhängen schien wie die detaillierte Schilderung des Herstellungsprozesses, und dann fügte sie hinzu: anfangs, als er jung war und die ganze Firma von einem Tag zum anderen von seinem Vater übernehmen mußte, hat er aus Protest nicht wissen wollen und heute wagt er es nicht mehr, danach zu fragen.

Ich mache mich bei meinen Kunden lächerlich, sagte Herr Ockelmann, und lachend öffnete er das Amulett, das eben das, was er, blindlings, so schien es zumindest, und dennoch millionenfach herstellte, enthielt: einen winzig kleinen Widerhaken.

Komisch, nicht wahr, sagte er.

Was soll das denn sein, fragte Lüßl.

Das, sagte Frau Ockelmann, so lauthals lachend, daß die beiden Landsleute am Nebentisch nicht umhinkonnten, mitzulachen, fragt er ja Sie.

# Bernt Engelmann

## Ein deutscher Radikaler: Johann Jacoby

Wenn zur Radikalität auch der Wille gehört, einer als vernunftwidrig und rückschrittlich erkannten Diktatur Widerstand zu leisten, so müssen die deutschen Juden als die frühesten Radikalen gelten. Und wenn der Feudalismus vom Bürgertum bekämpft und schließlich überwunden wurde, so waren unter den Juden zweifellos die ersten Bürger hierzulande, die sich nicht dem Joch der mit den Feudalherren verbündeten christlichen Amtskirche beugten und lieber harte Bedrückung, oftmals den Tod, auf sich nahmen, als sich »bekehren« zu lassen.

Das Paradebeispiel für den erstaunlichen Wandel, den das deutsche Judentum binnen weniger Jahrzehnte vollzogen hatte, ist der Königsberger Arzt Johann Jacoby. Am 1. Mai 1805 in Königsberg geboren, erhielt er seinen Familiennamen erst 1812, als den Juden im Königreich Preußen die – nach dem Sturz Napoléons schon bald wieder eingeschränkten – staatsbürgerlichen Rechte zumindest formell zugestanden wurden und sie sich registrieren lassen mußten; zuvor hatte er Jonas ben Gerson geheißen. Nach dem Besuch des Gymnasiums und der Universität seiner Heimatstadt ließ sich Jacoby dort Ende 1828 als Arzt nieder. Er hatte bald eine erfolgreiche Praxis und begann früh damit, sich auch politisch zu engagieren. »Wie ich selbst Jude und Deutscher zugleich bin, so kann mir der Jude nicht frei werden ohne den Deutschen und der Deutsche nicht ohne den Juden«, schrieb er einige Jahre später seinem Freund Alexander Küntzel, »wie ich mich selbst nicht trennen kann, ebensowenig vermag ich in mir die Freiheit des einen von der des anderen zu trennen.«

Deutschland sei ein großes Gefängnis, heißt es weiter in diesem aufschlußreichen Brief, und darin schmachteten alle Deutschen, ob Juden oder Christen, nur habe man die Juden noch besonders gefesselt. »Ich gestehe Dir ein«, erläuterte Jacoby seinen Standpunkt weiter, »es wäre mir lieb, meine Fesseln zu brechen und gleich Euch wenigstens in dem Gefängnis mich bewegen zu können. Mit solcher Gleichstellung wäre aber immer noch wenig gewonnen; ob das Gefängnis weiter oder enger, die Fesseln schwerer oder leichter, ist nur ein geringer Unterschied für den, der nicht etwa nach der Bequemlichkeit, sondern nach Freiheit sich sehnt. Diese Freiheit aber kann nicht dem einzelnen zuteil werden; nur wir *alle* erlangen sie, oder *keiner* von uns: denn ein und derselbe Feind und aus gleicher Ursache hält uns gefangen, und nur allein die *Zerstörung* des Gefängnisses kann uns zum Ziel führen!«

Mit so klar und überzeugend formulierten radikalen Ansichten wurde Dr. Jacoby bald zum Wortführer der Königsberger Liberalen und zum Mittelpunkt eines politischen Zirkels, in dem sich gebildete Bürger – Beamte, Offiziere, Kaufleute, Gelehrte, aber auch Handwerksmeister, zum Teil Christen, zum Teil Juden – zusammengefunden hatten. Und Mitte Februar 1841 – im Herbst des Vorjahres war Friedrich Wilhelm IV., von dem sich das liberale Bürgertum eine wesentliche Verbesserung der unerträglichen Verhältnisse versprochen hatte, König von Preußen geworden und hatte sehr rasch die an seine Thronbesteigung geknüpften Hoffnungen enttäuscht – trat Johann Jacoby mit einer Schrift an die breite Öffentlichkeit, die ihn mit einem Schlage in ganz Deutschland, ja selbst in den Nachbarländern, berühmt machte.

Die Broschüre, die ohne Verfasserangabe erschien, trug den unverfänglichen Titel: *Vier Fragen beantwortet von einem Ostpreußen.* Darin hatte Jacoby mit noch nie dagewesener Schärfe und Eindringlichkeit die Forderung nach einer freiheitlich-demokratischen Verfassung erläutert und begründet. Die Sprache der Ereignisse, hieß es einleitend, sei gleich vernehmlich für jeden, doch nicht immer und jedem verständlich. Deshalb müsse der Publizist sie sinngetreu und für jedermann begreifbar in die Sprache des Volkes übersetzen. Es folgten die vier Fragen: »Was wünschten die Stände?« »Was berechtigt sie?« »Welcher Bescheid ward ihnen?« »Was bleibt ihnen zu tun übrig?«, und auf jede dieser Fragen gab der Verfasser eine klare Antwort.

Er wies nach, daß die »gesetzmäßige Teilnahme der selbständigen Bürger an den Angelegenheiten des Staates« durch bloße Ständevertretungen nicht gewährleistet sei; nur durch ein gewähltes Parlament könnte der Beamtenwillkür Einhalt geboten werden. Die bisherige »politische Nichtigkeit« der Staatsbürger müsse durch Öffentlichkeit der Verwaltung und Justiz, durch parlamentarische Kontrolle der Regierung und der Beamtengewalt sowie durch Fortfall aller Zensur behoben werden. Die Berechtigung dieses Verlangens liege in dem »Bewußtsein eigener Mündigkeit«, aber auch in »gesetzlich erfolgter Mündigsprechung«, nämlich durch die königliche Verordnung über die zu bildende Volksrepräsentation vom 22. Mai 1815. Statt der Ausführung dieser Verordnung und der Einlösung des damals vom König gegebenen Versprechens sei bislang in dieser Richtung gar nichts geschehen, ja, im Gegenteil, von da an gab es nur noch »polizeiliche Verhaftungen, Inquisitionen wegen demagogischer Umtriebe und – die Karlsbader Beschlüsse; Zensuredikte unterdrückten die öffentliche Stimme, und das freie Wort verhallte in Gefängnissen.«

Auf die dritte Frage, welchen Bescheid die Stände erhalten hätten, gab Jacoby zur Antwort: »Anerkennung ihrer treuen Gesinnung, Abweisung der gestellten Anträge und tröstende Eindeutung auf einen künftigen unbestimmten Ersatz«, und er fügte hinzu, daß damit die volle gesetzliche Geltung der Verordnung vom 22. Mai 1815 nicht aufgehoben sei; die Stände hätten daher das Recht, ja die Pflicht, darauf zu beharren, daß das damals gegebene Versprechen einer liberalen Verfassung endlich zu erfüllen sei.

Auf die vierte und letzte Frage, was der Ständeversammlung zu tun übrigbliebe, lautete die Antwort kurz und knapp: »Das, was bisher als Gunst erbeten, nunmehr als erwiesenes Recht in Anspruch zu nehmen.«

Jacobys *Vier Fragen*, die bei Georg Wigand in Leipzig, einem radikalen Demokraten und »Erzrepublikaner«, mit falscher Verlagsangabe – »Heinrich Hoff in Mannheim« – gedruckt und mit viel Geschick und gebotener Eile verbreitet wurden, erregten ungeheures Aufsehen. »Weder vorher noch nachher hat eine politische Flugschrift sich in Deutschland einer auch nur entfernt ähnlichen, blitzartigen Wirkung rühmen können«, bemerkt dazu Edmund Silberner, Jacobys verdienstvoller Biograph und Herausgeber seines Briefwechsels. »Der Eindruck seiner Schrift war überwältigend in allen deutschen Staaten: Man bewunderte den Mut ihres Verfassers und freute sich über seine Tat.«

Um so entrüsteter waren Hof und Regierung in Berlin. Friedrich Wilhelm IV. befahl, es nicht bei dem Verbot der Broschüre – das ohnehin zu spät kam, denn die Polizei konnte nur noch wenige der vielen tausend Exemplare beschlagnahmen – bewenden zu lassen, sondern den anonymen Verfasser schnellstens zu ermitteln und gegen ihn Anklage zu erheben.

Doch eine Suche nach dem dreisten Anonymen erwies sich rasch als überflüssig: Schon eine Woche nach Beginn der Auslieferung in Leipzig, am 23. Februar 1841, übersandte Dr. Jacoby selbst dem König ein Exemplar seiner *Vier Fragen* und bekannte sich offen als deren Verfasser! Man stelle sich vor: Ein unbekannter kleiner Untertan aus der Provinz, zumal einer aus Ostpreußen, das man am Berliner Hof verächtlich als »Halbasien« bezeichnete, und gar – das war der Gipfel! – ein Jude, »ein Beschnittener«, wie Seine Majestät sich auszudrücken beliebte, hatte es gewagt, den König von Preußen, seinen allergnädigsten Herrn, mit einem Pamphlet dreist herauszufordern und sich dann auch noch mit unüberbietbarer Unverschämtheit als dessen Verfasser zu bekennen! Friedrich Wilhelm IV. schäumte vor Wut. Entgegen dem Rat einiger besonnener Beamter befahl er, »den Juden«, diesen »frechen Empörer«, unverzüglich vor Gericht zu stellen. Er und die Regierung wagten es allerdings nicht, Jacoby nun auch sofort in Untersuchungshaft nehmen zu lassen; der »kleine Jude« war über Nacht eine solche Berühmtheit geworden, daß es dem Ansehen des Königs sehr geschadet hätte, wären seine Rachegelüste allzu deutlich geworden.

Der Prozeß gegen Dr. Johann Jacoby »wegen Aufreizung zu Unzufriedenheit und unehrerbietigen Tadels der Regierung, Majestätsbeleidigung und versuchten Hochverrats« zog sich fast zwei Jahre lang hin; es gab anfangs viele, bis zu acht Stunden dauernde Verhöre, alsdann Kompetenzstreitigkeiten zwischen dem Berliner Kammergericht und dem – für Hochverratssachen nicht zuständigen – Königsberger Oberlandesgericht, schließlich ein Urteil in erster Instanz, das Jacoby von der gefährlichsten Anschuldigung, der des Hochverrats, zwar freisprach, ihn aber wegen Majestätsbeleidigung, auch wegen »frechen, unehrerbietigen Tadels, Verspottung der Landesgesetze und Erregung von Mißvergnügen« mit zweieinhalb Jahren Festungshaft bestrafte sowie mit Ausbürgerung, nämlich mit »Verlust des Rechtes, die preußische Nationalkokarde zu tragen«. Doch in zweiter und letzter Instanz sprach der Vereinigte Senat des Kammergerichts unter Vorsitz des Chefpräsidenten v. Grolmann, der als ein korrekter und vom Hof nicht beeinflußbarer Mann bekannt war, Dr. Jacoby einstimmig in allen Punkten frei. Dieser kaum erhoffte Ausgang des Prozesses wurde überall in Deutschland, vor allem natürlich in Königsberg, bejubelt und als ein bedeutender Fortschritt im Kampf gegen die Reaktion gefeiert. Der von Gesinnungsfreunden gehegte Plan, Jacoby mit einer aus kostbarem Metall gefertigten »Bürgerkrone«, für die die Geldmittel schon gesammelt worden waren, die Anerkennung des Volkes auszudrücken, wurde nun fallengelassen; dies entsprach Jacobys Wunsch und seiner Bitte, den Sieg der guten Sache nicht durch eine solche Verleihung zu einem rein persönlichen Erfolg zu machen.

Übrigens, in den zwei Jahren, die sein Prozeß dauerte, verfaßte Dr. Jacoby, der seine Verteidigung selbst führte, zwei Rechtfertigungsschriften, worin er die in den *Vier Fragen* entwickelten Gedanken noch vertiefte. Auch diese Aufsätze wurden gedruckt und fanden weite Verbreitung, belebten die öffentliche Diskussion und sorgten dafür, daß der preußische Verfassungskampf, den der kleine jüdische Arzt von Königsberg aus eingeleitet hatte, nicht abflaute, sondern schließlich zu der – zum Unglück des deutschen Volks gescheiterten – demokratischen Revolution von 1848/49 führte.

Der Fall von Rastatt am 23. Juli 1849 bedeutete das Ende der Revolution. Viele der tapfersten Kämpfer für die Einheit und Freiheit Deutschlands wurden auf Befehl des konterrevolutionären Oberbefehlshabers, des »Kartätschenprinzen« (und späteren ersten Kaisers) Wilhelm von Preußen, in den Festungsgräben füsiliert oder starben als Gefangene in den feuchten Kasematten von Rastatt an Typhus.

Die Konsequenz, die viele demokratisch gesinnte Deutsche aus der Niederlage von 1849 zogen, war die Auswanderung, vorwiegend nach Amerika, und die – häufig endgültige – Abkehr von der Heimat und ihrer politischen Entwicklung. Eine noch größere Anzahl von ursprünglichen Sympathisanten der Revolution fügte sich nach dem Fall von Rastatt seufzend ins offenbar Unvermeidliche und machte, dem Beispiel der Besitzbürger folgend, ihren Frieden mit den alten Mächten. Sie trösteten sich damit, daß die Reaktion ja nicht alle Zugeständnisse, die sie den Liberalen hatte machen müssen, wieder zurücknehmen könnte.

Und schließlich gab es noch eine zunächst recht kleine Minderheit, die – gleich, ob im Exil oder als Verfemte in Deutschland – den revolutionären Idealen treu blieb und den Kampf nicht aufgab. Zu diesen wenigen gehörte Johann Jacoby, der nach der Auflösung des Rumpfparlaments von Stuttgart aus zunächst in die Schweiz gegangen war, dann aber, entgegen dem Rat seiner Freunde, die Rückreise nach Königsberg angetreten hatte, obwohl – oder richtiger, wie Jacoby selbst es sah: *weil* – ihn dort ein Hochverratsprozeß erwartete.

»Glaubt nicht, daß ich leichtsinnig handle!« schrieb er vor seiner Abreise an seine in Königsberg lebenden Schwestern. »Ich kenne die Macht und den bösen Willen der Regierung, vor der der Unschuldigste nicht sicher ist; ich kenne die politische Apathie des Volkes, die jedes Unrecht ruhig hinnehmen wird; ich weiß, was mir zu Hause bevorsteht und daß ein günstiger Umschwung der Dinge noch nicht so bald zu erwarten ist. Dennoch kann ich nicht anders handeln . . . Solange meine Mitbürger in den Fesseln des Absolutismus schmachten, solange viele meiner früheren Genossen – gerade durch mein Wort und Beispiel zum politischen Wirken angeregt – dafür im Kerker büßen, würde ich auch im freien Auslande keinen frohen Augenblick haben; mit meinen Gedanken würde ich doch immer in der Heimat sein: das Ausland wäre mir nur ein größeres Gefängnis, in welchem ich – unzufrieden mit mir selbst – körperlich und geistig verkommen müßte.

Ihr schreibt, daß in Preußen die Gewalt jetzt ohne Scheu tun könne, was ihr Vorteil bringt, denn alles schweige aus Furcht. Ich glaube es wohl; allein diese allgemeine Entmutigung ist für mich nur eine um so dringendere Aufforderung zur Rückkehr . . . Mögen überweise Egoisten mich einen ›Schwärmer‹ heißen oder ›Märtyrersucht‹ mir als Motiv unterlegen – je mächtiger die Willkürherrschaft, je allgemeiner die Furcht vor derselben, um so mehr fühle ich die Verpflichtung in mir, mit dem Beispiele des Mutes voranzugehen und der Gewalt mein gutes Recht entgegenzustellen . . .«

Am 20. Oktober 1849 traf Jacoby in seiner Heimatstadt ein, meldete sich bei Gericht und wurde sofort in Untersuchungshaft genommen.

Das Verfahren, bei dem ihm im Falle einer Verurteilung wegen Hochverrats die »härteste und schreckhafteste Leibes- und Lebensstrafe«, nämlich »Schleifung zur Richtstätte, Rädern von unten auf und öffentliche Ausstellung des zerschmetterten Leichnams« gedroht hätte, zog sich unter stärkster öffentlicher Anteilnahme bis zum 8. Dezember 1849 hin. Jacobys zahlreiche Freunde und Sympathisanten fürchteten, daß die preußische Regierung an ihm ein Exempel statuieren würde. War er nicht der Verfasser der *Vier Fragen*, und hatte er damit nicht den Kampf eröffnet? Schlimmer noch: Ein Jahr zuvor, am 2. November 1848, unmittelbar nach dem Fall von Wien, war Jacoby mit einer Deputation von fünfundzwanzig Abgeordneten aller Parteien bei Friedrich Wilhelm IV. gewesen, um den König über die Lage zu unterrichten und vor reaktionären Maßnahmen zu warnen. Die sehr ungnädige Majestät hatte die Herren kurz empfangen, sich deren Adresse vorlesen lassen und sich dann angeschickt, den Saal wortlos zu verlassen, als Johann Jacoby vorgetreten war und den König gefragt hatte, ob er sich nicht von den Volksvertretern über die Lage unterrichten lassen wolle; dies sei doch der eigentliche Zweck der Audienz. Auf das schroffe »Nein!« des Königs hin hatte der Abgeordnete Dr. Jacoby dann einen Satz auszusprechen gewagt, der, weil er den Nagel auf den Kopf traf, im ganzen Land die Runde machte und zum geflügelten Wort wurde: »Das ist das Unglück der Könige, daß sie die Wahrheit nicht hören wollen!«

Dies und manches andere, was Jacoby im letzten Jahr gesagt und getan hatte, war den Reaktionären noch in böser Erinnerung, auch der große Fackelzug, den die Berliner Linke zu Ehren Jacobys veranstaltet hatte, während die regierungsnahe *Neue Preußische Zeitung* – kurz *Kreuzzeitung* genannt, weil sie ein Eisernes Kreuz im Titel trug – über den »frechen Juden« hergefallen war, der es gewagt hatte, den König in dessen eigenem Haus zu beleidigen.

Nun war der »freche Jude« und »radikale Rote« endlich da, wo er nach Meinung der Reaktionäre längst hingehörte: im Gefängnis, und die Anklageschrift gegen ihn kam einem Befehl der Regierung gleich, die beleidigte Majestät zu rächen. Da nützte es wenig, daß der Königsberger Arbeiterverein dem Inhaftierten seine brüderliche Verbundenheit ausdrückte und ihm schrieb: »Eine traurige Zeit ist über unser armes deutsches Vaterland hereingebrochen; das verratene Volk sucht seine Kämpfer und Freunde vergebens in dem Lichte des Tages; es findet sie nur im Dunkel der Kerker.«

Dennoch geschah das Wunder, daß die Geschworenen mit acht gegen vier Stimmen den Angeklagten, der sich unerschrocken zu den ihm zur Last gelegten Tatbeständen bekannte, der Regierung aber das Recht abgesprochen hatte, ihn dafür zu bestrafen, in allen Punkten freisprachen. Jacoby blieb jedoch unter Polizeiaufsicht, wenngleich weiter in engem Kontakt mit seinen Gesinnungsfreunden daheim und im Exil.

# Hans Magnus Enzensberger

## Vorschlag zur Strafrechtsreform[1]

Wegen staatsgefährdender Störung in Tateinheit mit schwerem
Forstwiderstand wird bestraft

wer Gegenstände zur Verschönerung öffentlicher Wege böswillig
    verschleiert
wer eine Frau zur Gestattung des Beischlafs verleitet oder einen an-
    dern Irrtum in ihr erregt
wer die Überwachung von Fernmeldeanlagen stört
wer vorsätzlich Süßstoff herstellt

wer den Gebrauch gewisser Beteuerungsformeln unterläßt
wer ohne Erlaubnis der zuständigen Behörde an Syphilis gelitten
    hat
wer auf einer Wasserstraße Gegenstände hinlegt
wer länger als drei volle Kalendertage abwesend ist

wer auf einem Eisenbahnhofe mittels Abschneidens ein wichtiges
    Glied einer Amtsperson verringert
wer es unternimmt Luftfahrer auszubilden
wer Witwenkassen errichtet
wer Orden in verkleinerter Form trägt

wer nach gewissenhafter Prüfung die Obrigkeit verächtlich macht
wer an einer Zusammenrottung teilnimmt
wer von den Reisewegen abweicht
wer eine Tatsache behauptet

wer ein männliches Tier zur Besamung verwendet
wer sich kein Unterkommen verschafft hat
wer Befehle böswillig abreißt
wer die Schlagkraft gefährdet

[1] Der Text ist eine Montage aus dem Strafgesetzbuch, 32. Auflage.

wer ein Zeichen der Hoheit beschädigt
wer sich dem Müßiggang hingibt
wer Einrichtungen beschimpft
wer seine Richtung ändern will

wer sich mit Wort und Tat auflehnt
wer einen Haufen bildet
wer Widerstand leistet
wer sich nicht unverzüglich entfernt

wer ohne Vorwissen der Behörde oder seines Vorteils wegen oder
vorsätzlich oder als Landstreicher oder um unzüchtigen Verkehr
herbeizuführen oder mittelst arglistiger Verschweigung oder gegen
Entgelt oder wissentlich oder durch Drohung mit einem empfindli-
chen Übel oder gröblich oder grobfahrlässig oder fahrlässig oder
böswillig oder ungebührlicherweise oder auf Grund von Rechtsvor-
schriften oder ganz oder teilweise oder an besuchten Orten oder
unter Benutzung des Leichtsinns oder nach sorgfältiger Abwägung
oder mit gemeiner Gefahr oder durch Verbreitung von Schallauf-
nahmen oder auf die vorbezeichnete Weise oder unbefugt oder öffentlich oder durch Machenschaften oder vor einer Menschenmenge oder in einer Sitte und Anstand verletzenden Weise oder in
der Absicht den Bestand der Bundesrepublik Deutschland zu be-
einträchtigen oder mutwillig oder nach der dritten Aufforderung
oder als Rädelsführer oder Hintermann oder in der Absicht Auf-
züge zu sprengen oder wider besseres Wissen oder mit vereinten
Kräften oder zur Befriedigung des Geschlechtstriebs oder als Deutscher oder auf andere Weise

eine Handlung herbeiführt oder abwendet
oder vornimmt oder unterläßt
oder verursacht oder erschwert
oder betreibt oder verhindert
oder unternimmt oder verübt oder bewirkt oder begeht
oder befördert *oder* beeinträchtigt
oder befördert *und* beeinträchtigt
oder befördert *und nicht* beeinträchtigt
oder beeinträchtigt *und nicht* befördert
oder *weder* befördert *noch* beeinträchtigt.

Das Nähere regelt die Bundesregierung.

# Rainer Erler

## Der Commander

### I.

Er hatte den Wunsch, sich zurückzulehnen und die Augen zu schließen. Ein Gefühl wohliger Erschöpfung durchströmte ihn, Geborgenheit, Wärme – als eine vertraute Stimme in sein Bewußtsein drang: »Hallo, Commander . . .!«

»Hallo, Doktor.«

»Wie fühlen Sie sich?«

Der Commander zögerte mit einer Antwort. Es war sinnlos zu lügen. Jede Empfindung, jeden einzelnen seiner Gedanken zeichneten sie auf: flackernde Kurven der Oszillogramme, ein Bündel sich überschneidender Linien auf den endlosen Papierfahnen unter den Schreibstiften der Polygraphen. Dechiffriert wanderte schließlich jede intime Regung seiner grauen Zellen, jede Idee, jede Berechnung, jeder noch so geheime Wunsch analysiert und aufgeschlüsselt in Form unendlicher Zahlenkolonnen über die Monitore des Kontrollraums in die Speicher des zentralen Rechners. Festgehalten für die Ewigkeiten und jederzeit abrufbar.

Wozu also diese ständige Fragerei nach seinem Befinden? Konvention? Relikte eines überflüssig gewordenen Beschwichtigungs-Rituals?

Der Doktor kam seiner Antwort zuvor: »Sie sind müde, Commander. Doch! Wir sehen es hier. Es ist zwei Uhr früh Bordzeit. Sie hatten einen anstrengenden Tag, und morgen warten schwierige Aufgaben auf Sie!«

›Schwierige Aufgaben . . .‹ Es wäre passend, dachte er, jetzt skeptisch zu lächeln und den Kopf zu wiegen. Sorgsam abgeschirmt von jeder Form kosmischer Katastrophen, war das Lösen dieser täglich wiederkehrenden ›schwierigen Aufgaben‹ für ihn zur reizlosen Routine geworden.

»Wir schalten jetzt ab, Commander!« fuhr die Stimme fort. »Bitte, versuchen Sie zu schlafen.«

»Ich werde mich bemühen . . .«

»Ja, tun Sie das. Und halten Sie sich an unsere Abmachungen! Gute Nacht, Commander!«

»Gute Nacht!«

## 2.

Die Stimme hatte sich ausgeblendet. Jede Beziehung zur Außenwelt war plötzlich verschluckt von einem allesumfassenden, nachtschwarzen Schweigen. Sofern sie sich auch an die Abmachungen hielten, war er jetzt wirklich allein, unbeobachtet, unkontrolliert – aber auch hermetisch abgeschirmt, abgeschnitten von jeder Information.

Das Summen der Triebwerke, die sein Raumschiff auf einer exakt berechneten Bahn durch das All katapultierten, war ebenso verstummt wie die Flut sonst pausenlos eintreffender Impulse, Signale und Daten: Bahn-Koordinaten, Funktions-Parameter, die Rückmeldungen von über zehntausend Meßstellen des telemetrischen Systems.

Er war der Commander. Es war sein Schiff. Es flog den Kurs, den er berechnete und bestimmte. Aber wer, zum Teufel, bestimmte und berechnete den Kurs, kontrollierte den Ablauf der Funktionen, wenn er schlief? Wenn sie abgeschaltet hatten? Auf welche idiotische Abmachung hatte er sich da eingelassen mit diesen Leuten, die alle nur sein Bestes wollten?

Er war nicht erschöpft! Er war nicht müde! Er war niemals müde. Trotz dieses totalen Blackouts im Intercom- und Informationssystem war er durchaus in der Lage, Bahndaten und Koordinaten zu extrapolieren und weiterzurechnen. Er brauchte keinen Zugang zum Terminal des zentralen Steuercomputers. Um das Schiff auf Kurs zu halten, dazu hatte er seinen Kopf. Bei ihm gab es keine Unklarheiten oder Abweichungen. Er machte keine Fehler! Er flog lange genug. Und in wenigen Stunden, um 7.45.33 – früh um sieben Uhr fünfundvierzig Minuten und dreiunddreißig Sekunden, um es im Klartext zu sagen –, würde er einen gedachten Punkt überschreiten und damit das Zentralgestirn zum einhundertsten Mal umrundet haben. Es gab keinen in der ganzen Flotte mit seinen Erfahrungen und seinem ›Know-how‹. Ja, und mit seinem scharfen, analytischen Verstand! Er hatte große Lust, einen Wettkampf gegen sich selbst zu wagen: Schach. Ein Simultanturnier gleichzeitig auf drei oder vier Brettern mit stets wechselnden Rollen: Weiß und Schwarz und Weiß, Angriff, Verteidigung. Ein Spiel ausschließlich in Gedanken. Bis diese verdammte Nacht endlich vorüber war und sie sich wieder bei ihm meldeten und die ganze Flut an Informationen und Impulsen, an Problemen und Pannen und Rotlicht-Funktionen wieder über ihn hereinbrach.

Aber genau das war gegen die Abmachung. Wenn sie ihn hintergingen, dann wollten sie auf ihren Kontrollmonitoren während dieser einseitig verordneten Ruhepause nichts anderes sehen als die

regelmäßigen ›Alpha-Wellen‹ seines Gehirnstrompotentials: kreative Entspannung. Aber nicht das bizarre Zickzackmuster geistiger
Hochleistungsakrobatik.


3.
»Schlafen – schlafen – vielleicht auch träumen?« Hamlets Monolog
als lächerlicher Einfall einer schlaflosen Nacht. Auf einer Reise
durchs All. Der Commander versuchte, an ein befreiendes Lachen
zu denken, um seine überreizten Gehirnaktivitäten zu deprogram-
mieren. Dann ließ er die bewährten Übungen folgen: Selbst-
hypnose durch Traumgebilde, harmonische Formen und Farben.
Ein tiefblaues Universum, das sich im Fluchtpunkt verjüngt, erfüllt
von einer gedämpften Kadenz elektronischer Töne. Dann der
Countdown: Gigantische Zahlensymbole, Zinnober vor diesem ko-
baltblauen Grund, laufen langsam und rhythmisch ineinanderflie-
ßend von 99 gegen Null. Reduzierung imaginärer Werte auf das
absolute Nichts. Die Null als Symbol einer endzeitlichen Auflösung. Der geschlossene Ring als das Ungreifbare, Harmonische,
Vollendete. Eine Kreisbahn im Universum. Die Kreisbahnen dehn-
ten sich zu Ellipsen. Bahndaten sickerten in sein dämmerndes Bewußtsein wie aufgestörte Insekten, bösartig, aggressiv, mobilisier-
ten ruhende Kapazitäten. Abstrakte Koordinaten formten sich zu
vorstellbaren grafischen Mustern und bündelten sich schließlich
im Raster des Raums zu einer spiralig gekrümmten Linie: seine
Bahn um die Sonne.
Er war hellwach innerhalb von Sekunden, verfolgte fasziniert
das Wachsen dieser Linie, die sich rasch und zielstrebig weiter-
schob, grell leuchtend in die samtschwarze Unendlichkeit mit ihren
Milliarden unerreichbarer Gestirne.
Der gedachte Kurs zerschnitt einen gedachten Punkt. Irgendwo
im unermeßlichen Raum und doch greifbar nah. Scheinbar willkür-
lich, zufällig, schicksalhaft. Aber letzten Endes korrekt auf Bruch-
teile von Bogensekunden errechnet. Nur noch wenige Stunden, Minuten, Sekunden vor ihm. Exakt auf seinem Kurs. Um 7.45.33.
Die freundlichen Betreuer in ihrem Kontrollraum würden es
nicht weiter zur Kenntnis nehmen, würden ahnungslos bleiben.
Denn er hatte nicht die Absicht, es zu erwähnen oder auch nur
daran zu denken.
Trotzdem: Das geheime Wissen von diesem Augenblick gab ihm
ein gutes und stolzes Gefühl.
Rilke – nein, nicht wörtlich, aber sinnvoll auf seine Situation hier
übertragen: ». . . durchs Universum meine Kreise zieh'n. Den letzten werd' ich nicht vollenden. Aber versuchen werd' ich ihn! . . .«

4.

Was schleppt man in so einem Gehirn doch herum an Empfindungen, Zitaten, Bildern und Ballast. Erlebtes, Erfahrenes, Gedachtes. Archiviert, abgeheftet, gestapelt nach dem abstrusen System einer fremden, bisweilen schwer zu durchschauenden Ordnung. Ersehntes und Ertastetes. Farben, Gerüche. Faulendes Laub und feuchte Erde. Das Geräusch fallender Tropfen auf ein Blätterdach. Ein grüner Dom über den schlanken, grauen Säulen der Buchen.

Ein Flug über Bergwälder im Herbst. Leuchtendes Kupfer und Gold über dem rostigen Grund der Erde. Bleigraue Felsen tauchen aus dem Dunst, und das Tal liegt im Nebel.

Ein Wintertag, klar wie ein Kristall. Glitzernder Firn mit Millionen aufflammender Prismen. Und die Sonne steht tief und rot und riesig über dem Horizont.

Sturmgepeitschter Gischt umfängt ihn in der Brandung. Grün schimmernde Wogen verschlingen ihn, tragen ihn fort, schwerelos, schwebend wie im Traum. Ohne Bedrohung, ohne Kälte und Angst. Gedachtes Erleben. Reine Imagination. Unbelastet durch die zerstörerische oder gar tödliche Konsequenz des lebendigen Lebens.

Ein isoliertes Gehirn. Losgelöst von allen Bedürfnissen eines anfälligen Körpers. Diesen Zustand hatte der Commander erreicht. Wohlversorgt und integriert in ein technisches System, das er kontrollierte und beherrschte. Selbständig und unabhängig. Die absolute Freiheit des Geistes.

Der Commander war in die Reihen der Unsterblichen eingegangen. Sein Bewußtsein existierte über den physischen Tod eines vergänglichen Körpers hinaus. Er fühlte sich mit allen Atomen dieser Unendlichkeit verbunden, durchpulst von jeder Sekunde einer Ewigkeit. Was bedeutete da schon der Verzicht auf einen Organismus mit seinen begrenzten Möglichkeiten!

Haß, Schmerz, Liebe und Lust. Der Commander hatte in einem reichen Leben alle diese Erfahrungen gemacht. Seine Empfindungen waren in unbegrenzter Zahl in seinem Gehirn eingespeichert und abrufbar. Neue Fiktionen, zusammengebaut aus den Partikeln der Erinnerung, beliebig zu ergänzen und zu erweitern aus dem unerschöpflichen Reservoir der Imagination, verbanden sich ihm zu neuen, gewaltigen Möglichkeiten, zu einem grenzenlosen Spiel der Phantasie.

5.

Sie stürmten aus dem Wasser, hetzten nackt über den weiten Strand, lachend, atemlos. Ihre Hände fanden sich. Festhalten! Nicht mehr loslassen! Nie mehr! Nie mehr in diesem Leben!

Sie umklammerten sich. Ließen sich in den heißen Sand fallen. Die Küsse schmeckten salzig und nach Tang. Und nach einem ungebändigten Begehren.

Sie preßten die Lippen aufeinander und atmeten den Atem des anderen, bis sie beide fast erstickten. Seine Hände tasteten über den nassen, sandigen Leib des Mädchens, über die harten Knospen ihrer Brüste, die feuchten Haare ihres Schoßes. Zart, zaghaft, mit all den Hemmungen seiner sechzehn Jahre.

Aber bevor noch dieser Knabe im heißen Sand eine Erfüllung seiner Liebesbemühungen fand, durchzuckte den Commander eine geradezu unendliche Verzweiflung. Ein Phantom-Schmerz peinigte jede Faser seines nicht mehr vorhandenen Körpers.

Quälende Sehnsucht durchflutete ihn, krampfte seine Brust zusammen, nahm ihm den Atem. Eingekapselt in diesem fliegenden Sarg eines Untoten, festgezurrt auf dem Kommandostand einer absurden Maschinerie, deren Kopf er zu sein glaubte, überfiel ihn ein noch nie erlebter, unstillbarer Durst nach der Realität.

Einmal noch die Hand ausstrecken, mit den Fingerspitzen die braune, sandige Haut dieses Mädchens berühren. Den Atem spüren. Den wirklichen Atem eines lebendigen Menschen. Seinem Blick begegnen. Seine Zuneigung erfahren. Umarmt werden und geliebt.

Einmal noch. Ein allerletztes Mal, meinetwegen. Und dann für den Rest einer Ewigkeit eingesperrt bleiben in diese Folterkammer der Phantasie.

6.

Wir bringen das alles in Ordnung, hatte der Doktor ihm zugeflüstert auf dem Weg in den Operationssaal mit seinen grellweißen Lampen und dem blaugrünen Mummenschanz der dienstbaren Geister. Dann begann der Commander zu zählen, während durch Schläuche und Kanülen Lethe, der Trank des Vergessens, in seine Adern tropfte. Aber er vergaß nichts.

Der Countdown lief von 99 gegen Null, Zinnober vor kobaltblauem Grund. Einstieg in ein Ritual, Reduzierung aller Werte auf das absolute Nichts. Die Null als Symbol einer endzeitlichen Auflösung. Verwandlung, Geburt eines Commanders.

Als sein Bewußtsein wieder zu arbeiten anfing, war er bereits auf der Reise.

Auf welcher Reise? War nicht auch der Flug durchs All eine Illusion? Ein Spiel der Phantasie, das sie ihm vorgaukelten? Gab es irgendwelche Beweise außer den eingespielten Daten und der Stimme aus dem Kontrollraum? War sein Raumschiff, das sich in wenigen Stunden, Minuten, Sekunden – um 7.45.33 – zum einhundersten Mal um die Sonne bewegte, überhaupt existent? Der Kommandostand nur ein Simulator? Eine Testapparatur für einen körperlosen Kopf? Beschäftigungstherapie für ein isoliertes, nutzloses Bewußtsein, das nun als wichtiges Glied einer wissenschaftlichen Mission seinen Sinn zu erhalten schien?

Existierte er überhaupt noch in Form eines organischen Gehirns? Oder hatte man alle seine Erinnerungen und Empfindungen in die weniger anfälligen Speicher eines Computers überführt? War seine Genialität inzwischen das Wechselspiel von Mikroprozessoren? Seine Sensibilität und seine Kritikfähigkeit ein Irrtum? Ein peinlicher, peinigender Fehler in der Konstruktion?

»Guten Morgen, Commander! Ich hoffe, Sie hatten eine gute Nacht . . .«

Mit der vertrauten Stimme brach auch das Vibrieren der Außenwelt wieder in seine Isolation.

»Hallo, Commander! Antworten Sie! Wie fühlen Sie sich?«

# Ludwig Fels

## Die Sünden der Armut

I

Überall war November.

Seine Lederjacke wurde in Nebel und Nässe glitschig, die einge-
stanzten Nieten beschlugen sich und rosteten an den Rändern. Es
war die einzige Jacke, die er besaß. Sie war seine zweite Haut. In ihr
verbrachte er die meiste Zeit. Mit ihr unterschied er sich beträcht-
lich von den anderen; durch sie bekam er breitere Schultern und
schmalere Hüften.

Die alten Leute dachten an den Tod und baten insgeheim um
Schonung. Ihre Kinder und Enkel beschäftigten sich mit dem eigenen Leben. Kein Mensch ging ohne zwingende Gründe aus dem
Haus. Das Wetter auf den Straßen hielt sie in der Wohnung. Nur
der Junge streunte von früh bis spät durch die vertraute Umgebung, als gelte es, Niedagewesenes zu entdecken. Manchmal spie-
gelte sich sein Gesicht in fahlen Fensterscheiben. Dann zweifelte er
daran, ob die Blässe eine Hautfarbe ist. Was er sah, gab ihm ein
krankes Gefühl.

Wochenlang hatte es ununterbrochen geregnet. Das Hochwasser
war über die Schwellen der Stadtrandhäuser geflutet und in die
Keller geflossen. Ersoffene Maulwürfe schaukelten in der braun-
grünen Brühe. Bitter stank das faulende Gras; scharf roch es nach
gärendem Schlamm. Durch den beizenden Dunst schlichen ver-
mummte Gestalten mit verschnürten Säcken, aus denen das dünne
Maunzen neugeborener Kätzchen drang. Ziegelsteine machten die
Last schwer. Die Katzen warfen ihre Jungen im Frühling und im
Herbst, während die Regenfälle den Fluß anschwellen ließen; nach
einem dumpfen Klatschen gingen die leisen Schreie im Hochwasser
unter. An manchen Tagen strandeten Flöße aus übereinanderge-
schichteten Gartenzäunen an den nahen Schutthalden. Kleine Jungen krempelten die Hosenbeine hoch. Mädels schürzten ihre
Röcke. Gemeinsam kicherten sie über verbeultes Nachtgeschirr,
wateten in Gummistiefeln am Ufer entlang.

Er war zur Barackensiedlung unterwegs. Von den Polacken, die
dort lebten und sich selbst so nannten, kannte er einige; manchmal
gaben sie Schnaps aus und taten sehr stolz, im Rausch immer

wieder beteuernd, er sei der beste aller Deutschen in der Stadt. Oder sie sagten einfach: Du bist unser Freund, Ernst, du gehörst zu uns. Ein paar von ihnen traf er auf der Brücke; sie winkten sich zu. Der Fluß wogte gegen die Pfeiler. Ihm war, als hocke er in einer Nußschale, so wälzten sich die Wassermassen seinen Blicken entgegen.

Er erreichte die vergrasten Gärten. An sich überkreuzenden Wäscheleinen baumelten riesige Schlüpfer. Er lehnte sich gegen die Betonpfosten, die an den Zaunecken ins Pflaster gerammt waren. Frauen in Plastikschleppen rührten in dampfenden Zubern. Es waren geplagte Wesen; sie äußerten ihre Verachtung, indem sie ihn nicht beachteten. Nur eines der Weiber sagte abfällig, der Krauterbursche stromert. Schwitzend wrangen sie kuheutergroße Büstenhalter aus und klemmten sie hinter tropfende Bettlaken. Der Junge bildete sich ein, die Brüste könnten sich wie Glocken bewegen und zärtliche Klapse verteilen. Er wünschte sich, unter ihrer wärmenden Fülle zu liegen.

Etwas abseits erstreckte sich das Gelände des Verladebahnhofs. Von seinem Platz aus erkannte der Junge eine Männerhorde, die gerade dabei war, mit Flüchen und Lockungen Elefanten aus abgestellten Waggons zu treiben. Einer der dunklen Riesen trompetete auf der Rampe, rollte seinen Rüssel in die fremde Luft und schien seinem Signal nachzulauschen. An den Säulenbeinen der Tiere klirrten Fußschellen; dicke Kettenstränge rutschten scheppernd hinter den tappenden Schritten her. Mist klebte an den Eisenringen. Die Treibermannschaft fuchtelte mit Stöcken und Latten, an die Widerhaken und Stachel angeschraubt waren. Der ganze Haufen kam ihm wie aus einem Abenteuerbuch entsprungen vor.

Das Bild gefiel ihm.

Dschungel und Savannen entstanden in seinem Kopf, sein Hirn erfand wilde Raubtiere; in der Phantasie nahm er an Expeditionen und Safaris teil.

Einem der vorbeizockelnden Dickhäuter ragte ein mächtiger, schleimig zuckender Pfahl aus dem hintersten Bauchteil heraus. Bei seinem Anblick hielten die waschenden Frauen kurz inne. Mit grimmiger Lüsternheit betrachteten sie den wippenden Knüppel und lachten schadenfroh, die Maße schätzend und vergleichend, offensichtlich erregt.

Der Junge rannte neben den Gleisen davon. Distelstauden moderten zwischen Schotterbrocken. Aus den Dunstschwaden kroch in der Ferne eine Güterzugschlange. Ihr warnender Pfiff erschreckte ihn. Er hüpfte die Böschung hinab; seine Stiefelabsätze gruben Furchen.

Für einen Augenblick wünschte er sich, in dieser Geschwindig-keit ans Ende der Welt laufen zu können.

2

Der Junge mochte seine Gegend nicht. In einem Kaff mit ungefähr siebentausend Bürgern findet das Leben nicht statt. Es gab keine Ereignisse, die wirklich zählten. Man arbeitete, verdiente und wirt-schaftete, bedauerte je nach Jahreszeit und Wetterlage Hitze oder Kälte, erzählte der Nachbarschaft streng vertraulich, unter dem Siegel der Verschwiegenheit von Krankheiten, die einen befallen, und Schicksalsschlägen, die einen getroffen hatten, tratschte über Standesamtsnachrichten und ließ den lieben Gott einen braven Mann sein. Man fügte sich eben. Man vermied Ansichten, die ge-gen überlieferte Bräuche und Sitten verstießen, man hatte sich an Gebote und Verbote gewöhnt. Man übte sich in Scheinpflichten. Man war bieder bis zur Erschöpfung und fühlte sich als ein wahr-haft vorbildliches Geschöpf.

Der Junge kannte fast alle Leute namentlich. Er wußte, daß die Reichen, von denen es wenige gab, der Meinung waren, sie seien die Klügeren. Bei jeder Heimatveranstaltung trafen sie sich und ge-nossen es, daß sie wenigstens hier am Ort bekannt waren. Besonders beliebt waren sie nicht. Sie brüsteten sich bei Ansprachen und Tischreden, soffen kübelweise Sekt, bestellten und bezahlten Frei-bierrunden. Nach ihren gönnerhaften Einlagen erhob sich aber das Volk von seinen Plätzen und prostete den Herrschaften dankend zu. Die Honoratioren impften die Leute mit Untertänigkeit. In den Hinterzimmern der Festsäle beichteten sie sich dann ihre Ge-schäfte.

Ein Hund ging mitten auf der Straße. Wenn die Autos hupten, wedelte er mit der Rute. Der Junge hatte plötzlich das Gefühl, durch eine bewölkte Höhle zu schweben.

# Erich Fried

## Fünfundzwanzig Jahre nach Bertolt Brechts Tod

Die folgenden Verse entstanden im Herbst 1981 (Brecht war am 14. 8. 1956 gestorben). Das Gedicht besteht aus zwei Teilen. Der erste, DIE WARNUNG, spielt auf »die Stumme Kattrin« in Brechts Antikriegsstück »Mutter Courage und ihre Kinder« an. Die stumme Tochter der Marketenderin Courage hat in einem Bauernhof vor der Stadt den Soldaten, die die Stadt im Schlaf überfallen und plündern wollen, die Trommel weggenommen, ist aufs Dach des Bauernhofs gestiegen und trommelt, um die Städter zu warnen. Sie wird vom Dach geschossen, aber die Stadt ist aufgewacht und gerettet.

Der zweite Teil bezieht sich auf Brechts Gedicht AN DIE NACHGEBORENEN, entstanden kurz vor Ausbruch des 2. Weltkriegs, aus dem Gedicht wird auch mehrfach zitiert.

## I. Die Warnung

Von allen Dächern trommeln die Stummen Kattrinen
ihre Warnung vor dem Krieg in die schlafenden Städte
und überall bringen schon die Soldaten ihre
Kugelbüchsen in Anschlag und drohen ihnen und schießen
und die Kattrinen trommeln und trommeln solang bis sie fallen,
  und trommeln
nicht um ihr Leben, nein, um das Leben der Städte
Aber die Städte hören sie nicht. – Vielleicht
wacht einer auf oder eine, aber die andern
heißen sie stillschweigen, wolln sich nicht stören lassen
in ihrem Schlaf – und, richtig, das laute Trommeln
verstummt. Die Stadt schickt sich an, weiterzuschlafen: Der Krieg
*kann* ja nicht wahr sein

## II. Zur Zeit der Nachgeborenen

»Dabei wissen wir doch«
hast du gesagt
»Auch der Haß gegen die Niedrigkeit
Verzerrt die Züge.
Auch der Zorn über das Unrecht
Macht die Stimme heiser. Ach, wir
Die wir den Boden bereiten wollten für Freundlichkeit
Konnten selber nicht freundlich sein«

Das hast du gesagt zu den Nachgeborenen.
Nun schweigst du. Und der Zorn über das Unrecht
macht die Stimmen einiger immer noch heiser.
Die meisten aber sind heute nicht einmal zornig
sondern haben sich gewöhnt an das alte und neue Unrecht
hier, da und dort, und auch an das strenge Recht
das die Ungerechten einander sprechen.

Und die, denen der Haß gegen die Niedrigkeit
die Züge verzerrt hat, sitzen dort und da hinter Mauern
daß keiner sie sehen kann, denn die Niedrigkeit
hat in vielerlei Ländern als Obrigkeit Hoheitsrechte
und die Unteren ducken sich oder sind so enttäuscht
von fehlgegangenen Versuchen, sich zu befreien
daß sie vielleicht keine Kraft mehr haben zu hassen
Und manche halten das für Freundlichkeit

»Wirklich, ich lebe in finsteren Zeiten«
hast du gesagt.
Die Zeiten sind anders geworden, aber im ganzen
sind sie nicht heller geworden seit deinen Versen
und die Gefahr ist größer als damals
denn nur die Waffen
und nicht die von ihnen geführten Menschen sind
stärker geworden
und es stimmt noch, was du von ihnen gesagt hast:
»Nachzudenken, woher sie kommen und
Wohin sie gehen, sind sie
An den schönen Abenden
Zu erschöpft.«

Und weil das alles noch stimmt, können dich heute
die Nachgeborenen leicht verstehen, ja, besser
als dir lieb wäre, obwohl doch gerade du
gerne verständlich warst, aber ich glaube
du hast vielleicht bis zuletzt gehofft, daß sich vieles
verändern wird, so rasch, daß der Mensch einer neuen Zeit
dich nicht verstehen wird, ohne die alte Zeit zu studieren.

Aber weil man dich noch versteht
können einige von dir lernen
wie man die Hoffnung am Leben erhält und gleich dir
mit List und Geduld und Empörung weiter den Boden bereitet
für Freundlichkeit
daß der Mensch dem Menschen ein Helfer sei

# Uwe Friesel

## Elternabend
## oder
## Der lange Marsch durch die Institutionen

Man ist als Lehrer allerhand gewöhnt, glauben Sie mir. Daß 16jäh-
rige in der Pause die Toiletten abmontieren und Becken für Becken
in den Korridor werfen oder im Fahrradkeller die Reifen zerschneiden, gehört fast schon zum guten Ton. Jedenfalls hier, in der Großstadt. Wenn Sie mich fragen: die Kehrseite des Wirtschaftswunders. Wo soviel Schrott produziert und unter die Leute gebracht
wird, warum nicht auch mal auf diese Weise? Mit dem Hinweis auf
»Steuergelder« und »Eigentum der Allgemeinheit« ernten Sie da
nur Hohn. Da stellt sich einer vor Ihnen hin und sagt: »Was sollen
wir denn nun nicht antasten – Allgemeineigentum oder Privateigentum?« Und macht Ihnen klar, die Fahrradreifen sind Selbsthilfe
angesichts der schrecklichen Unfälle auf dem Schulweg, und die
Klobecken sind ebenfalls Selbsthilfe, weil ohne Brille, weil unhy-
gienisch, nicht zumutbar. »Weil da kein Arsch drauf kacken kann.«
Riesengelächter. Sie verbitten sich den Ton, da lädt er Sie ein, mal
mit in die Sporthalle zu kommen, wo »Ihr lieber Kollege Heydzuck
noch ganz andere Töne anschlägt«.

Und hier fängt die Sache an, wirklich zum Problem zu werden.
Mir jedenfalls fällt es schwer, automatisch für einen Kollegen Partei zu ergreifen, aus übergeordneten Gründen der Gesamtdisziplin
oder wie immer solche Prinzipien genannt werden, nur weil er zum
Lehrkörper gehört. Der ganze »Disziplin«-Begriff ist ja doch frag-
würdig. »Autorität« lasse ich mir noch gefallen. Es gibt Sachautori-
tät, wo der Schüler schlicht anerkennen muß, hier hat der Alte einfach mehr auf dem Kasten. Punkt. Da kommt die Disziplin von
ganz alleine. Das ist jedenfalls meine Erfahrung. Ich weiß nicht, ob
es Ihnen auch so geht, als Eltern. Aber ich könnte mir denken, daß
auch Sie nicht kurzfristig Gehorsam erzwingen, sondern langfristig
Einsicht erzeugen wollen? Dafür gibt es Belege. Es ist bekannt, daß
körperliche Züchtigungen, mit dem Rohrstock oder in Form von
Ohrfeigen, in letzter Zeit nachgelassen haben. Im schulischen Bereich sind sie ja längst verboten, und das ist auch gut so.

Nein, das glaube ich eben nicht. Daß eine anständige Tracht

Prügel denen schon die Klobecken und die Fahrradreifen austreiben würde. Das glaube ich nicht.

Wissen Sie, ich glaube, die jungen Menschen heute sind viel sensibler, als man das angesichts dieser Zerstörungswut vermutet. Die könnte sogar ein Ausdruck davon sein, dialektisch gesehen. Lassen Sie mich ausreden. Nein nein, ich verliere nicht den Faden, ich komme darauf zurück. Danke.

Was ich mit der »Kehrseite des Wirtschaftswunders« meinte? Na ja, also wenn die Eltern ohne erkennbaren Grund ihren alten Kühlschrank völlig intakt auf die Straße stellen und einen neuen kaufen, der genau denselben Dienst versieht; wenn sie ihr Auto nach zwei Jahren umtauschen gegen ein anderes, das auch nur fährt; wenn sie – also gut, gut. Privatsache. Na ja.

Kehren wir zurück zu dem Kollegen Heydzuck. Der macht da einen Drill, nicht wahr, einen ganz gewöhnlichen Militärdrill. »Willst du da oben verhungern, auf dem Reck? Sieh zu, daß du in die Biege kommst. Sonst bricht dir noch was ab.« Oder: »Also hopp, zehn Liegestütz. Damit der Hintern mal 'n bißchen dünner wird.« Oder: »Quatschen kannste in Gegenwartskunde, da wird sowieso nur Unsinn verzapft.« Und dergleichen mehr.

Ich finde das überhaupt nicht herzerfrischend. Ich finde das ordinär und brutal. Nein, das ist auch keine Diffamierung eines Kollegen. Ich habe wohlweislich den Namen geändert. Es gibt an unserer Schule nicht nur den einen Sportlehrer, sondern mehrere. Ich habe das nur als Beispiel erwähnt.

Außerdem, um nicht mißverstanden zu werden: Dieser Kollege ist noch als 16jähriger eingezogen worden. Zur Verteidigung Berlins. Ja genau, im Alter Ihres Sohnes. Und sowenig ich diese Sprücheklopferei, dieses Unteroffiziersgehabe ausstehen kann, so begreife ich doch, daß dieser Mann mit den Jungen anders nicht zurechtkommt. Das sitzt drin in ihm. Das ist sein Begriff von Disziplin, von Manneszucht.

Ja, daran mangelt es bisweilen. Ja. Aber doch nicht an dieser speziellen Komponente, oder?

Also gut, ich werde mich bemühen, von jetzt ab deutsch zu sprechen und keine Fremdwörter mehr zu gebrauchen.

Zur Sache. Vor einer Woche ist folgendes passiert. Der Kollege Freibauer, so alt wie ich und wie die meisten von Ihnen, Geschichtslehrer, geht den Korridor im dritten Stock entlang. Es ist große Pause. In der großen Pause dürfen die Schüler im dritten Stock, das sind die neunten Klassen, oben bleiben und, soweit die Erlaubnis der Eltern vorliegt, rauchen. Damit wollen wir verhindern, daß dies unten auf dem Schulhof geschieht. Weil sonst die

Kleineren davon sofort die Erlaubnis ableiten, ebenfalls zu rauchen, und das kann ja nicht unser Ziel sein. Es wird sowieso schon zuviel geraucht, getrunken, gefixt. Ja, Rauschgift. Ob auch in der Schule, das entzieht sich meiner Kenntnis. Ich habe aber schon Schüler dieser Klasse auf privaten Parties Joints rauchen sehen. Natürlich ist Hasch ein Rauschgift. Privatsache? Also, da würde ich sagen, das ist nun allerdings von öffentlichem Interesse. Da wäre mal ein neuer Begriff von Disziplin zu diskutieren.

Wollen wir jetzt nicht drüber streiten. Richtig. Man kann es auch als Privatsache betrachten, gewiß.

Der Kollege Freibauer geht also den Korridor entlang, da bläst ihm einer dieser Jungen, dieser Halbstarken, Zigarettenrauch ins Gesicht. Er sitzt im Fenster, wartet ab, bis der Kollege vorbeikommt, um ihm dann gezielt Rauch ins Gesicht zu blasen. Ein Dummer-Jungen-Streich, ja. Ich bin noch nicht am Ende. Ich fasse mich ja kurz. Wie Herr Freibauer den Schüler zur Rede stellen will, bauen sich drei auf, in Reihe, und heben den Arm zum Hitlergruß. Der Kollege Freibauer sieht erst jetzt, daß alle drei Koppel und Schulterriemen umgeschnallt tragen und völlig schwarz gekleidet sind. Eine Art Phantasieuniform, aber mit Runenzeichen am Koppelschloß, verstehen Sie? Wie, eine runterhauen? Ich fürchte, da würde der Kollege jeden Prozeß verlieren. Außerdem trennen ihn Welten vom Kollegen Heydzuck. Der hätte vielleicht die richtige Einstellung. Ja, zu dem Gruß. Auch zu der Ohrfeige, vermutlich.

Ich weiß, Sie haben wenig Zeit. Aber es handelt sich um Schüler dieser Klasse. Warum soll ich sie denn nun gleich mit Namen nennen? Namen tun nichts zur Sache. Ich will Ihnen erst mal das Problem schildern.

Das Problem? Sehr einfach. Das Problem liegt darin, daß der Vater von Herrn Freibauer in Neuengamme bei Hamburg umgebracht wurde. Ermordet. Im KZ Neuengamme bei Hamburg. Wo heute das Mahnmal steht. Ja, von der SS ermordet. Und das wußten diese drei Schüler, denn Freibauer hat im Frühjahr eine Klassenfahrt mit ihnen dorthin gemacht. Natürlich gibt es auch andere Ziele für Klassenfahrten, das weiß ich. Es war die erste Fahrt einer Klasse dieser Schule nach Neuengamme, und wie Sie sich erinnern, hatte sich eine Mehrheit der Eltern der Abschlußklasse für eine solche Besichtigung ausgesprochen; der Kollege Freibauer hatte das ja alles sehr umsichtig vorbereitet.

Ja, was noch? Durch den Direktor befragt, sagten diese Schüler aus, der Lehrer Freibauer müsse wohl unter Halluzinationen leiden – also Einbildungen, Wahnvorstellungen. Sie hätten sich nur das

Haar aus der Stirn gewischt und den Zigarettenrauch vertrieben, um besser sehen zu können.

Der Kollege Freibauer hat sich vorgestern versetzen lassen, meine Damen und Herren. An eine andere Schule. Schön, überempfindlich. Vielleicht bin ich ja auch überempfindlich. Oder nervös, von mir aus auch nervös. Tatsache ist, daß wir keinen Ersatz für Herrn Freibauer haben. Damit fällt das wichtige Fach Geschichte vorerst wieder mal unter den Tisch. Ob sie da vorher sowieso nichts gelernt haben, kann ich nicht beurteilen; ich möchte es aber eigentlich nicht so sehen. Aber das Problem stellt sich für Sie, als die Eltern, und für uns, als die Lehrer dieser Kinder, ganz akut: Was tun wir dagegen?


## Väter und Söhne

Da hängen sie nun       Holocaust-Heroes
         mit Herzinfarkt und
         Fettsucht und
         sprachlos
in den hydraulischen TV-Sesseln

Da hängen sie nun      Scheiß-Psychologie
hat nicht funktioniert     die Verdrängung
das quillt alles wieder vor
     unter Verbundglas
       Acrylfarben
       Aktendeckeln
       Edelstahl
das dampft aus den Quarzzifferblättern
        den Lochkarten Magnetbändern
        durch die Ritzen der Archive
        alles wieder vor!

(Wer hätte das vermutet
die Mörder unter uns
    trotz Neckermann und Nato
    Datenschutz und Bundesgerichtshof
alle noch da     irgendwie
auch ein paar Juden     kaum glaublich
    Kommunisten     Zigeuner
Irre   irgendwie)

Ihr Söhne seid ihr auch gute
Vorwärtsverteidiger      der Feind steht
links und nicht im eignen Haus
habt ihr auch
        eure Zungen im Zaum
        im Kopf
die freiheitlich demokratische
zweifelsfrei      alle Fragen
zweifelsfrei

Oder habt ihr etwa Fragen
Habt ihr endlich
Fragen?


## Friedensbombe

Jüngst hat der Abgeordnete Marx
Vertreter des Volkes
nicht Mitverfasser des Manifestes
                sondern
Militärexperte der CDU
            die Neutronenbombe
eine Friedensbombe genannt

    Nach seiner Meinung
    kann man den Frieden
    auch herbeibomben

Dieser Herr Marx
    im Gegensatz zu jenem
    Christdemokrat
ist ein Schreibtischtäter

Friedensbombe

Er vergewaltigt die Sprache
um seine Todesbotschaft
                als Verheißung
erscheinen zu lassen

Friedensbombe

Er will uns die Hölle
                auf Erden
schmackhaft machen

Friedensbombe

Er führte die Deutschen
    am liebsten doch noch
goldenen Zeiten entgegen
    mehr als drei Jahrzehnte
seit dem letzten Mal

Friedensbombe

    Wir sollen glauben
    diesmal sei es
ein Osterspaziergang

# Christian Geissler

## Von den Einsamkeiten des Widerstands

nachdenkend
den vorsprung

in den gärten west
berlins sonderausführung
in neun millimeter
aus der bücher getricks
entfangen endlich
von uns
springt einer

frauen und männer
allein
im frühlicht
brennender brücken
verfeuert
die hoffnung
aufs überleben

kriech ich noch immer flußaufwärts
blindlings nach übergängen
(diuranais 14–5–80)[1]

*Zur Vorgeschichte des nachstehenden Textes: Leo Kantfisch, ein Hamburger Polizist, lernt in den ersten Nazijahren sein/unser Klasseninteresse, also die Wendung seiner Waffe aufs richtige Ziel. Aber Richtigkeiten können auch einsam machen.*

Einmal lief er nach Stadtpark zum Schwimmen, Spielwiese, Käfer und Ball, schön alles Mädchen und Männer, Kinder, Nivea und Apfelsaft, »Frieden, langsam, es geht wieder aufwärts«, warum lag denn er nicht auch satt, er mochte die Leute gern, er war doch genau so von hier und wie die. Aber er sah den mißachteten Gruß, nicht mißachtet, noch schlimmer, verlacht. Er hatte Transportbe-

---

[1] Am 14. 5. 70 wurde Andreas Baader in Westberlin beim Bücherlesen von bewaffneten Genossen aus der Gefangenschaft befreit.

gleitung gemacht, Grüne Minna von FU nach UG, »Politischer, kurzen Prozeß, falls was ist«. Grindelhof hatten sie Stopp, der Knastwagen windet sich durch, lauter Tiefbauer halbnackt am Schaufelstiel, und starren den Dienstwagen an. Ohne sich umzuwenden, konnte Leo in einem Innenspiegel den Gefangenen hinter sich sehen. Der hob die Kette Stück hoch und zeigte nach draußen die Faust, grüßt euch, Genossen, die Fäuste bereit, und Leo hatte gesehen, wie die Tiefbauer, die in der Nähe standen, lachten und auf das Fensterchen zeigten, wohl auch die Hand mal aufhoben, aber nur so, »guck mal, der Affe, der spielt sogar jetzt noch verrückt!«, und die Handbewegung, die jeder kennt, die dreckige, müde, verächtliche Hand, »mach mal kein Scheiß hier, hör auf«. Leo tat so, als sei ihm was hintergerutscht, drehte sich um und grüßte ins Gitter. Fiete bückte sich über die Kette, öffnete zögernd die Faust, tastete mit den Fingern nach Fingern, zeigte die leeren Hände. Der Wagen kam wieder flott. Wer aber war gefangen. Draußen die an der Schaufel? Oder im Handeisen der?

Leo lag Stadtpark zwischen den Leuten, mochte die gern, alles schön warme Haut, aber wer macht die so zahm, so zuversichtlich am Strick. Erst gestern war er Kolonne begegnet, Ausschläger Weg Richtung Veddel, paar hundert Gleichschritt mit Hacke und Spaten, arme Klamotten und Blick voraus, da laufen zwei Dicke, der Spitzentrupp, Messer am Gürtel und Jägerschritt, schick alles blank in Schlachtersack, irgendwo erster Spatenstich, und endlich alles geregelt, Arbeit und Essen und Dach überm Kopf, und die Richtung wird dir gesagt, und für Schwimmwiese Volkspreiskarten.

Aber die toten Kollegen.

Aber die hinter den Mauern.

Aber wer ruhig im Knast mitläuft, dem sind die im Knast schon normal, und wer nicht sein eigenes Leben will, der hat auch nicht Schreck vor Toten, denn »sterben müssen wir alle ja mal«, alles schon elend verwandt: Wecken, das ist der Brummer um fünf. Aufschluß, da kaust du von Mutti das Brot. Arbeit, da bist du schon froh, sonst drehst durch. Arbeitsbelohnung, das kennst du ja auch, hast du verdient, und mehr nicht. Freistunde, wenn du mal rumhuschst für Bier. Hofgang, das ist dein Dreh durch den Park, sonntags, paar Schluck frische Luft. Und Einschluß, wenn Mutti die Betten aufschlägt. Und Licht aus, das muß sowieso. Und die Sonderfälle genau doch: Sonntagsbesuch mit Tischtuch und Reden, wenn Erwin mit seinem Schwager mal kommt. Ausführung, wenn du Kino hast. Hausstrafen, wenn du nicht artig warst, Vorwarnung,

Lohnabzug, Kündigung. Und Bunker, wenn du dich schnappen läßt, paß besser auf, »paß bloß auf!«

Klar hast du bißchen mehr Spielraum, hier draußen, Biersorten, Mädchen, paar Umwegminuten, bloß am Ende doch jeden Tag Einschluß. Und denkst lebenslang, geht auch anders. Gehst aber lieber nie anders. Und außerdem, was denn, so Spielknast mit Bier und Blumen und netten Mädchen, wer weiß, das machen die auch noch mal bald, und dann? Will jeder im Knast am liebsten? Ich nicht. Aber die vielleicht. Er sah sich um. Und sah, daß alle sich freuten, und wollten auch morgen wohl einfach nur hier sein, weitermachen wie jetzt, der weiße Vater wird wissen. Und wenn du hier kommst und holst sie raus, und die schreien und rufen: nee komm, laß nach, ich bleib lieber hier in der Grütze! – und nieten dich um, was dann?

Dann ist auch gut.

Dann will ich nicht leben.

Ach und trotzdem, ein Scheiß, aber ist nun mal so, er wollte am liebsten so sein wie die.

Das hatte er wütend mal miterlebt, an sich selbst. Er hatte, erst paar Monat her, mitten in Hatz und Blut und Tamtam, Großfahndung gegen Genossen, für Schlosser, weil das das Sicherste war, Material an Treff überbracht, bei Menck die Gegend, alles finster und naß, »du stehst Punkt neunfünf vor Zooschaufenster und hast das Papier in der Hand, ganz klein, und wenn einer hinter dir stehen bleibt und sagt ›in Sibirien gibts keine Kolibris‹, dann sagst du ›bald aber Kohlengruben‹ und gibst ihm das Material nach hinten, und drehst dich auf keinen Fall um, ist besser, du kennst den nie«. Das hatte auch alles gut geklappt. Aber er hatte auch Angst gehabt. Alles so leise Jagd überall, kannst du nie sicher mal sicher sein, und wenn sie dich kriegen, Kopf ab. Er zählte noch die paar Takte bis fünfzehn und ging dann bis Hauptbahnhof Altona. Und da, wo das Licht war und Uhrzeit und amtlich und Leute liefen und Mädchen lachten und Hunde pinkelten, alles erlaubt, da war das mit ihm dann passiert, da hatte er sich so wohl gefühlt, plötzlich als wenn du nach Haus kommst, die Treppen hoch, und riecht schon dunkel nach Kuchen. Er wollte so sein wie die. Aber was denn, wie was? Kuchen, gegen den liebsten Hunger? Alles erlaubt, wenn du tust, was die sagen? Lachen, wenn du dich nicht mehr wehrst? Lieber gefangen fürs Leben, als die Hände frei gegen den Tod? Und das war ihm jetzt wie zu Haus? Sehnsucht nach Umkehr und Rückkehr. Wie tief hatten sie ihm das eingestreichelt und vorgesungen und untergejubelt, daß er jetzt sein wollte lieber wie tot, als endlich mein Liebstes, mein Recht, unser Leben.

Er wollte am liebsten so sein wie alle, aber nicht so, nicht verrückt.

*Als Herr Moritz, ein Polizeikamerad von Leo, der im Staatsinteresse Streikbrecher schützen hilft, von einem jungen Kommunisten erschossen wird, hat Leo Angst und schwere Gedanken; muß er die Polizistenwitwe zur pompösen Staatsbeerdigung führen.*

Und Leo ganz vorn am Grab, eng streng, die dürre Witwe am Arm, ich hatt einen Kameraden im Ohr, und Presseblitz durch die Augen geschossen, »Sie waren der beste Freund des Ermordeten, werden Sie ihm Genugtuung finden?«, »ich werde mit Ihnen nicht reden«. Nur Kommandorede des Kommandeurs, »für die Menschen in dieser Stadt«, von Treue, Musik und Gartenhausfrieden, von tagtäglich kleinem Dienst, für aber das Große und Ganze, und der Pastor nölt frech was von deutscher Frau, Gattin, die uns ihren lieben Mann, Mutter, die uns ihre Söhne geopfert, »gefallen den Fronttod nach außen und innen gegen den Ansturm neidischen Feinds«, Mutterkuchen des Herrn, Brüllrede aus der Macht, schmatzend Worte und Tränen, Bullengejammer von Herrschaftsgroschen, kann dir die Hand nicht geben, derweil ich eben lad, lädt aber niemand hier durch gegen Pest. Leo wünscht schwarzen Blitz.

Es hätte im Eilbektal ebenso ihn treffen können. Und er kam sich auch vor wie tot. Er ließ sich einen Tag Urlaub geben, Bummelzug, vierter Klasse, Sierksrade, Fußweg für Eimer und Brombeerkannen, finster nur weg ins Duvenseemoor, dort soll es ja Waffen geben.

Aber Waffen gegen den Tod, das Leben ist nämlich kein Dreck, sonst hätte ich ja nicht meinen Haß, weißgott, ich hasse Gewalt, nur haben sie mich dann ja schon, nur hätten sie dann ja mich, wie sie uns brauchen, denn alles nützen sie schlau nur für sich, mein Glück, damit ich dran häng, meine Klugheit, damit ich mir Fluchtwege such, meinen Frieden, damit ich nichts unternehm, meine Liebe, damit ich erschreck, meinen Schreck, damit ich gehorch, meinen Haß auf Gewalt, daß ihnen die ihre bleibt, meine Angst vor dem Tod, daß ich endlich mal jetzt aus ihren Pfoten Stück Leben nehm, das fremde, den Sack, und nicht meins, aus all unsern Händen, ich selbst. Solange sind sie geschützt vor uns. Unsre Angst vor dem Tod ist ihr sicherstes Land. Aber dennoch, ich hasse Gewalt.

Aber dennoch, was heißt denn das schon?

Er grub unters Gras, in Haselbuschboden, sein Messer fuhr vorsichtig tief, mal sehn, wieviel ich da rausschaufeln kann, ohne die Wurzeln zu kappen. Die Drahtwürmer, Larven und Tausendfüßler sah er sich neugierig an. Die lebten wahrscheinlich von Wurzeln. Und sag mal, wovon leb denn ich?

Hat denn jemand gesagt, daß du lebst? Das willst du erst noch, aber hast du noch nicht, noch nie, nur unter Gewalt – unter der Angst und Kränkung des Vaters, unter dem Hungerbückpuckel der Mutter, unter den Stricken am Lernstuhl für Pietsch, unter dem Schatten der Gitterstäbe am Baumkamp, im Zoo, in der Schupokaserne, unterm Lügen von Meier, unterm Lächeln von Schwalm, unter Atsches besoffener Mörderwut – unter Waffengewalt du selbst?

Ich sag ja, ich hasse Gewalt.

Aber denn was für Gewalt?

Ihren dauernden Tod gegen uns, ihr Todesdrohen als Herrschaft gegen Vater und Mutter und mich und alle, Arbeitstod, Hohntod, Hungertod, Lerntod, Ordnungstod, Wuttod – weißgott, ich hab gegen das Haß! Ich wer? Ich selbst. Denn ich hab gegen das nur mich selbst, mein einziges Leben gegen all diesen Tod, sonst hab ich noch gar kein Leben, erst vollkommen nur gegen die, wir, jetzt!

Und morgen bist du dann tot wie Herr Moritz.

Und jetzt sind wir aber nicht tot. Und das Leben ist nämlich kein Dreck, sondern jedenfalls unsre Gewalt, unsre Waffe gegen den Tod. Und die fürchten sie schlimmer als alles.

*Aber wissen, was los ist, kann dir irgendwann schreckliche Angst machen, wenn du nicht wirklich auch tust, was du weißt.*

Er fühlte sich manchmal auch krank, das gab es sonst bei ihm noch nie. Morgens beim Wecken suchte er wirr, wo er sei. Auf Kreuzungen in der Stadt, alles flott Leben und Treiben und Leiden, und quer sein Weg, kein Weg, da mußte er schnell von dort weg, er fand, die Häuser im Kreuzungsviereck, die hohen wilden bewohnten Häuser bebten zerrend und schwankten, wankend strotzende Mauern, unwirklich alles wirklich, und die Wirklichkeit ihm desto furchtbarer fern, je länger er zögert, sie anzugreifen, »wo ist einer, der hier nicht mitlügt? Ich kenn mich sonst selbst bald nicht mehr!« Dabei gings ihm doch nur wie jedem, der sich, wo er steht und hinsieht, wiedererkennen will, »wie bin ich denn sonst, und wer, und wo, das lügt mich noch alles mal blind, verdammt!«

Aber zum Reden war keiner mehr da.

Er redete schon vor sich hin.

Obgleich ihnen streng verboten war, im Knastgelände zu fotografieren, er fing jetzt geschickt damit an, er wußte noch gar nicht, warum, er hielt sich das nur genau fest.

(hohenhalz, 1975)

wir alle du auch

deinen kopf aufrichten
gegen das kraut der verwirrung dein wort
aussprechen damit
du behältst wie du heißt
deinen namen schreiben gegen
die niederzureißende wand dein ding
gegens unding

auch allein

(esens 12-10-79)

# Albrecht Goes

## Das Wagnis

Nicht den Fels zu erschüttern vermag ich, wie Orpheus vermochte,
Aber ich wage das Wort, wie das Wort er gewagt.
Steine schweigen, ich weiß. Doch, wenn ein Herz ich bewegte,
Wär ich, bewegt ich ein Herz, nicht von des Orpheus Geschlecht?

## Tübingen, 1928

Im halben Licht des Nachmittages
Flußaufwärts rudernd und allein –
Du Spiegelglanz der Silberweide,
Ihr vielvertrauten Häuserreihn,

Mein Fenster dort, Torhof und Leben,
Sturmweg der Nächte, Jahr um Jahr.
Sind zwei im Boot: der, der ich wurde,
Und jener Andre, der ich war?

Wie, wenn ich jetzt die Ruder schweige?
Lautlos schier treibt es mich zurück.
O grüner Strom versunk'ner Jahre,
Lichtschatten du und Wolkenglück,

Und du, aus Wassers Tiefe steigend,
Du groß Erinnerungsgewalt –
Nein. Heute. Hier. Ich seh' des Daseins
Unwiderrufliche Gestalt,

Die Stunde seh' ich, wie sie Träume
Wegweht und wie sie Wünsche stillt,
Seh' das Erreicht', das Unerreichte,
Und, fern von fern: das letzte Bild.

# Das Wort

Ich liebe dich. Es ist das alte Wort –
Wer wars, ders sprach zum allerersten Mal,
Das Wort der Lust, das Quellwort süßer Qual?
Und wie geschahs, daß durch die Zeiten fort

Es weiterdrang? Wer, sag, wer trugs zu dir,
Beladen so von vieler Schicksalsfracht,
Flamme des Tages und Musik der Nacht
Und Übermacht – ach! über dir und mir?

Das alte Wort. Und doch, da ich dirs jetzt
Zusage, ists, als sei es nie zuvor
Berührt von Lippen, zitternd, heiß und schwer.

Wort, neugeschaffen, rein und unverletzt
Für diesen Mund nur und für dieses Ohr:
Hör mich, o du! Ich liebe dich so sehr.


# Die Langverstoßne

*Synagoge, Straßburger Münster, Seitenportal*

Im Abendschatten hört erschrockne Seele,
Dies Bild betrachtend, ein geheimes Lied:
Die Langverstoßne ist die Sehrgeliebte,
Die Blickverhüllte, siehe, die Betrübte:
Sie wartet und sie weiß. Sie ist's, die sieht.


# Motette

*›denn in ihrem Frieden wird euch*
*Frieden sein.‹*
*Jeremia 29,7*
*übersetzt von Martin Buber*

Liegen ungebunden auf der Erde
Fremde, Feindschaft und der schwarze Streit.
Mächte suchen Macht, und Macht will Beute,
Und wer mag, wird unrecht Gut gewinnen.
Du nicht, du. Es sollen diese Siege
Dir nicht Siege sein.

Such ihn nicht, den Schlaf des Ganz-Vergessens,
Träum ihn nicht, den fahlen Traum Vorbei.
Wohl, die Tür ist offen – und es winken
Die Befreiten dir, die Frühentfernten.
Steh! Kehr um! Es sollen ihre Schatten
Dir nicht Schatten sein.

Wags, zu wachen! Sprich den Unerlösten
Deinen Gruß nur zu, nur dies: ich weiß.
Liebe findet. Und die alten Zeichen
– Himmelswolke, Herzschlag des Vertrauens,
Blaues Waldgebirg und Kinderlachen –
Dein sind sie – und sieh: in ihrem Frieden
Wird dein Frieden sein.


## Die unablösbare Kette

Als wir im Thujabaum schaukelten einst,
Weißt du noch, Bruder,
Und die Mutter rief unsere Namen hinauf
In den Baumwipfel, Bruder,
Dachte sie wohl, daß Streit uns erwarte,
Denn auch sie, die Tapf're,
Wußte zu streiten –
Süß war, mild noch und nahe der
Apfelbaumduft um Jakobi,
Bitter des Nußbaums Arom.
Tisch und Bank war bereit,
Vieles lernen die Knaben:
Sprachen und Länder und Zeit
Und den pythagoreischen Lehrsatz.
Einen Lehrsatz noch nicht:
NUSSBAUMHOLZ IST GUT FÜR GEWEHRSCHÄFTE.

Später dann, die Platanenallee –
Und wir führten die Nachen,
Ausruhend jetzt, in das grüne
Dunkel am Hölderlinturm.
Euere Stimmen waren mit uns:
Rahel, Susanne –
Eure Namen:
Rahel, Susanne –

Heiter dir, Bruder, – doch mir
Bang und flüsternd geliebt.
Schöne, vorläufige Namen. Und
Keiner hatte uns wissen lassen
DEN DEFINITIVEN SAMMELNAMEN ANNE FRANK.

Aber jetzt, wenn das Quittenbaumlaub
Noch im Novemberlicht uns
Seligkeit gaukelt und Glück,
Unschuld der Kreatur –
Wem gehört diese letzte
Die vergessene Frucht
Dort in der Krone?
Rahel, Susanne, Bruder im Thujabaum –
Jetzt freilich würgt am Halse sogleich die
Unablösbare Kette:
BAUMFRUCHT FRUCHTKERN KERNHAUS
BLAUSÄURE AUSCHWITZ.


## Olévano, Blick auf Latium

Nun endlich, ganz zuletzt, auch dies begreifen:
Daß es ein Ganzes ist, dies: da zu sein.
Vorbei die Angst des Werks, die Lebensgeißel,
– Sag: Schreibtisch, Satzbau, Gleichnis und Gedicht,
Geschichte, Szene – sag: ich will, ich muß –
Nur noch: ich bin. Ich bin wie dieses Land,
Ein endlich Ding, doch voll Unendlichkeit.
Dein Teil bin ich, du Latium der Liebe,
Dein ander Ich, du Oleanderbaum.
Dies Mittagslicht: in mir geht's auf und unter,
In mir wird Abend, groß und schattenblau.
Dann kommt die Nacht. Ich bin noch, der ich bin:
Der Mann aus Deutschland, dunkel, denkensschwer,
Nun aber Kreatur und heimgekehrt,
Und die Zypresse wird mich Bruder nennen.

# Günter Grass

## Die dritte Brust

Ilsebill salzte nach. Bevor gezeugt wurde, gab es Hammelschulter zu Bohnen und Birnen, weil Anfang Oktober. Beim Essen noch, mit vollem Mund sagte sie: »Wolln wir nun gleich ins Bett oder willst du mir vorher erzählen, wie unsre Geschichte wann wo begann?«

Ich, das bin ich jederzeit. Und auch Ilsebill war von Anfang an da. Gegen Ende der Jungsteinzeit erinnere ich unseren ersten Streit: rund zweitausend Jahre vor der Fleischwerdung des Herrn, als das Rohe und Gekochte in Mythen geschieden wurde. Und wie wir uns heute, bevor es Hammel zu Bohnen und Birnen gab, über ihre und meine Kinder mit immer kürzeren Wörtern stritten, so zankten wir uns im Sumpfland der Weichselmündung nach neolithischer Wortwahl, über meinen Anspruch auf mindestens drei ihrer neun Gören. Doch ich verlor. So fleißig meine Zunge turnte und Urlaute in Reihe brachte, es gelang mir nicht, das schöne Wort Vater zu bilden; nur Mutter war möglich. Damals hieß Ilsebill Aua. Auch ich hieß anders. Doch Ilsebill will nicht Aua gewesen sein.

Ich hatte die Hammelschulter mit halben Knoblauchzehen gespickt und die in Butter gedünsteten Birnen zwischen grüne gesottene Brechbohnen gebettet. Auch wenn Ilsebill mit noch vollem Mund sagte, das könne prompt anschlagen oder klappen, weil sie, wie der Arzt ihr geraten habe, die Pillen ins Klo geschmissen hätte, hörte ich dennoch, daß das Bett zuerst recht haben sollte und die neolithische Köchin danach.

Also legten wir uns, wie wir uns jederzeit umarmt umbeint haben. Mal ich, mal sie oben. Gleichberechtigt, auch wenn Ilsebill meint, das Vorrecht der Männer, einzudringen, werde kaum ausgeglichen durch das weibliche Kümmerrecht, Einlaß zu verweigern. Doch weil wir in Liebe zeugten, waren unsere Gefühle so allumfassend, daß ihnen im erweiterten Raum, außer der Zeit und ihrem Ticktack, also aller irdischen Bettschwere enthoben, eine ätherische Nebenzeugung gelang; wie zum Ausgleich drängte ihr Gefühl stößig in mein Gefühl: doppelt waren wir tüchtig.

Es hat wohl, vor Hammel mit Birnen und Bohnen, Ilsebills Fischsuppe, aus dem Sud bis zum Zerfall gekochter Dorschköpfe gewonnen, jene fördernde Kraft gehabt, mit der die Köchinnen in mir, wann immer sie zeitweilten, zum Wochenbett einluden; denn es klappte, schlug an, aus Zufall, mit Absicht und ohne weitere Zutat. Kaum war ich – wie ausgestoßen – wieder draußen, sagte Ilsebill ohne grundsätzlichen Zweifel: »Na, diesmal wird es ein Junge.«

Das Bohnenkraut nicht vergessen. Mit Salzkartoffeln oder historisch mit Hirse. Wie immer bei Hammelfleisch ist es ratsam, von angewärmten Tellern zu essen. Trotzdem war unser Kuß, wenn ich das noch verraten darf, talgbelegt. In der Fischsuppe, die Ilsebill mit Kapern und Dill grün gemacht hatte, schwammen Dorschaugen weiß und bedeuteten Glück.

Nachdem es geklappt haben mochte, rauchten wir im Bett unter einer Decke jeder seine Vorstellung von Zigarette. (Ich lief, die Zeit treppab, davon.) Ilsebill sagte: »Übrigens brauchen wir endlich eine Geschirrspülmaschine.«

Bevor sie über umgekehrte Rollenverteilung weitere Spekulationen anstellen konnte – »Ich möchte dich mal schwanger erleben!« – erzählte ich ihr von Aua und ihren drei Brüsten.

Glaub mir, Ilsebill: sie hatte drei. Die Natur schafft das. Ehrlich: drei Stück. Doch hatte nicht sie allein. Alle hatten so viel. Und wenn ich mich genau erinnere, hießen steinzeitlich alle so: Aua Aua Aua. Und wir hießen allemann Edek. Zum Verwechseln. Und auch die Auas waren sich gleich. Eins zwei drei. Weiter konnten wir anfangs nicht zählen. Nein, nicht tiefer, nicht höher: dazwischengebettet. Und zwar waren sie alle drei gleich groß und hügelten landschaftlich. Mit drei beginnt die Mehrzahl. Die Vielfalt, die Reihe, Kette, der Mythos beginnt. Trotzdem mußt du jetzt nicht Komplexe kriegen. Wir hatten später welche. In unserer Nachbarschaft, östlich des Flusses, soll Potrimp, der neben Pikoll und Perkun Pruzzengott wurde, drei Hoden gehabt haben. Ja, du hast recht: drei Brüste sind mehr, oder sehen nach mehr, immer mehr aus, bedeuten Überfluß, künden Verschwendung an, versichern auf ewig Sättigung, sind aber, genau besehen, abnorm – doch immerhin denkbar.

Klar. Mußt du sagen: Männliche Wunschprojektion! Mag ja sein, daß das anatomisch nicht möglich ist. Damals aber, als die Mythen noch Schatten warfen, hatte Aua drei Stück. Und es stimmt schon, oft fehlt heute die dritte. Ich meine, es fehlt irgendwas. Na, das Dritte. Sei doch nicht gleich so gereizt. Jadoch ja. Ich werde bestimmt keinen Kult daraus machen. Natürlich sind zwei genug. Du kannst schon glauben, Ilsebill, daß mir das reicht im Prinzip. Bin doch kein Narr und lauf einer Zahl nach. Jetzt, wo es ohne Pille und dank deiner Fischsuppe sicher geklappt hat, wo du schwanger bist und deine zwei bald mehr als Auas drei wiegen werden, bin ich zufrieden und wie ohne Wunsch.

Die dritte war immer die übrige. Im Grunde nur eine Laune der launischen Natur. Unnütz wie der Blinddarm. Überhaupt frage ich mich, was diese Brustbezogenheit eigentlich soll? Diese typisch männliche Tittomanie? Dieser Schrei nach der Ur-Super-Nährmutter? Schön, Aua war Göttin später und ließ sich ihre drei Zitzen in handgroßen Lehmidolen bestätigen. Aber andere Göttinnen – zum Beispiel die indische Kali – hatten vier und mehr Arme. Das machte noch praktischen Sinn. Die griechischen Muttergöttinnen – Demeter, Hera – waren hingegen normal bestückt und hielten trotzdem während Jahrtausenden ihren Laden zusammen. Allerdings habe ich Götter abgebildet gesehen, die hatten ein drittes Auge, und zwar auf der Stirn. Möchte ich nicht geschenkt haben.

Wie überhaupt die Zahl drei mehr verspricht, als sie hält. Mit ihren drei Dingern hat Aua so übertrieben, wie die Amazonen mit einer einzigen Brust untertrieben haben. Weshalb heute die Feministinnen immer ins andere Extrem fallen. Nun krieg doch nicht gleich schlechte Laune. Bin ja für die Manzis. Und glaub mir, Ilsebill, zwei reichen wirklich. Bestätigt dir jeder Arzt. Und unser Kindchen wird, wenn es kein Junge ist, bestimmt mit zwei genug haben. Was heißt hier: Aha! Sind nun mal so verrückt, die Männer, und gibbern nach immer mehr Brust. Dabei haben alle Köchinnen, mit denen ich zeitweilte, wie du nur links rechts was gehabt: Mestwina zwei, Agnes zwei, Amanda Woyke zwei, Sophie Rotzoll hatte zwei rührende Mokkatäßchen voll. Und die kochende Äbtissin Margarete Rusch hat mit ihren zwei allerdings enormen Titten den reichen Patrizier Eberhard Ferber im Bett erstickt. Also bleiben wir auf dem Teppich. Das Ganze ist mehr ein Traum. Nicht Wunschtraum! Fang doch nicht immer gleich Streit an. Wird doch wohl noch erlaubt sein, ein bißchen zu träumen. Oder?

Einfach lächerlich, diese Eifersucht auf alles und nichts. Wo kämen wir hin, wie müßten wir verarmen ohne Entwürfe und Utopie! Dann dürfte ich nicht mehr mit Blei auf weißem Papier dreimal die Linie ausschwingen lassen. Dann müßte die Kunst nur immer Ja und Jawoll sagen. Ich bitte dich, Ilsebill, sei mal ein wenig vernünftig. Nenne das Ganze eine Idee, aus deren Widerspruch der weiblichen Brust die fehlende Dimension, so etwas wie eine Überbrust erwachsen soll. Du mußt das dialektisch begreifen. Denk mal an die römische Wölfin. An Ausdrücke wie: Busen der Natur. Und was die Zahl betrifft, an den dreieinigen Gott. Oder an die drei Wünsche im Märchen. Wieso ertappt? Ich wünsche mir doch? Meinst du? So. Meinst du?

Also gut. Zugegeben: wenn ich ins Leere greife, meine ich immer die dritte Brust. Geht mir bestimmt nicht alleine so. Muß doch

Gründe dafür geben, daß wir Männer so brustversessen und wie zu früh abgestillt sind. Es muß an euch liegen. Es könnte an euch liegen. Weil ihr das wichtig, zu wichtig nehmt, ob sie hängen, immer ein bißchen mehr hängen. Laß sie doch hängen, verdammt noch mal! Nein. Deine nicht. Aber sie werden, bestimmt, mit der Zeit. Amandas hingen. Lenas Brüste hingen schon früh. Und doch habe ich sie geliebt und geliebt und geliebt. Es muß ja nicht immer das bißchen mehr oder weniger Brust sein. Zum Beispiel könnte ich deinen Arsch samt Grübchen genauso schön finden. Und zwar auf keinen Fall dreigeteilt. Oder was anderes Rundes. Jetzt, wo dein Bauch sich bald kugeln wird und Begriff ist für alles, was Platz hat. Vielleicht haben wir nur vergessen, daß es noch mehr gibt. Was Drittes. Auch sonst, auch politisch, als Möglichkeit.

Aua, jedenfalls, hatte drei. Meine dreibrüstige Aua. Und auch du hattest eine mehr, damals im Neolithikum. Denk mal zurück, Ilsebill: wie es anfing mit uns.

Auch wenn die Vermutung handlich ist, sie alle, die Köchinnen in mir (neun oder elf) seien nichts als ein draller Komplex und üblicher Fall extremer Mutterbindung, reif für die Couch und kaum geeignet, in Küchengeschichten Zeit aufzuheben, muß ich dennoch auf dem Recht meiner Untermieterinnen bestehen: sie wollen raus alle neun oder elf und von Anfang an namentlich da sein: weil sie zu lange nur alteingesessene Insassen oder Komplex sein durften und ohne Namen geschichtslos geblieben sind; weil sie zu oft nur stumm duldend und selten beredt – ich sage: dennoch beherrschend – Ilsebill meint: ausgebeutet und unterdrückt – für Pfeffersäcke und Deutschherren, für Äbte und Inspektoren, nur immer für Männer in Rüstung und Kutte, in Pluderhosen, gamaschengewickelt, für Männer gestiefelt oder mit schnalzenden Hosenträgern gekocht und was sonst noch getan haben; und weil sie sich rächen wollen, an jedermann rächen wollen: endlich außer mir – oder wie Ilsebill sagt: emanzipiert.

Sollen sie doch! Sollen sie doch uns alle und auch den Koch in ihnen – das werde wohl ich sein – zu Männchen machen. Aus mittlerweile verbrauchten Pappis könnten sie einen Mann entwerfen, der, unbeleckt von Vorrecht und Macht, klebrig neu wäre; denn ohne ihn geht es nicht.

»Geht es leider noch nicht!« sagte Ilsebill, als wir ihre Fischsuppe löffelten. Und nach der Hammelschulter zu Bohnen und Birnen gab sie mir neun Monate Zeit, meine Köchinnen auszutragen. Gleichberechtigt sind uns Fristen gesetzt. Was immer ich vorgekocht habe; die Köchin in mir salzt nach.

# Martin Gregor-Dellin

## Die Unmöglichkeit von Filmaufnahmen

Für einen Spielfilm aus dem wahren Leben von Schauspielern hatten der Drehbuchautor Pechstein und der Regisseur Fink eine Szene vorgesehen, in der ein Darsteller durch eine momentane, nervöse Abgelenktheit eine Einstellung, einen sogenannten Take, völlig verpatzte und umwarf. Fink und Pechstein fanden das ungemein wirklichkeitsnah, und so sollte es gespielt werden.

Alles im Studio war vorbereitet. Der Schauspieler Mangold, der die Rolle des augenblicklich Verwirrten übernommen hatte, wurde vor einer aufgebauten Häuserwand von der strengen Roxane Vennloh im Reitanzug erwartet. Mangold sollte, um die Ecke biegend, vor ihr stehenbleiben, aber den Wortwechsel nicht beginnen, das Weitere nicht ausführen, sondern sich plötzlich zur Kamera wenden und erklären: Er könne jetzt unmöglich spielen, er sei von dem Dachstuhlbrand zu Haus derartig durcheinandergebracht, daß er nicht fähig sei, sich auf irgend etwas zu konzentrieren! Im Drehbuch hatte statt Dachstuhlbrand ursprünglich Wasserrohrbruch gestanden, aber das Wort Wasserrohrbruch hatte dem Regisseur nicht gefallen, es war ein schwer aussprechbares Wort, außerdem sei der Dachstuhlbrand als Grund der Ablenkung, der Erregung und des nachwirkenden Schocks glaubwürdiger – und auf Glaubwürdigkeit komme eben alles an. Der Schauspieler solle einfach in die Kamera und dann unruhig zum Regisseur blicken, dann hatte Roxane Vennloh ihre unnachahmliche Handbewegung auszuführen, ein kurzes, schneidendes Abwinken, und auf einem Fuß umzukehren, wobei ihr kleines, festes Hinterteil vorsprang, als blase jemand vor Empörung die Backen auf.

Soweit das Drehbuch. Ein bißchen improvisierte Verwirrung war dem Schauspieler Mangold überlassen. Aber der kam nicht. Er verspätete sich rätselhafterweise bei der Aufnahme. Alles wartete. Es trieb Roxanes Ungeduld, die ihren Körper spannte, derart auf die Spitze, daß man für ihre Selbstbeherrschung fürchtete. Fink hatte noch nicht zu seinem sprichwörtlichen Brüllen angesetzt, Pechstein saß ratlos hinter ihm, als der Schauspieler Mangold endlich doch ins Studio stürmte, bis zur Kamera lief, dann aber nur mit einem kurzen, abwesenden Blick die Person streifte, wegen der er eigentlich gekommen war, und sich in ziemlicher Erregung an den Regisseur wandte: »Ich – kann nicht spielen!« brachte er stockend heraus. »Ich – habe meine Frau überfahren! Verlangen Sie jetzt von mir nichts! Ich bin unfähig.« Er hatte die Augen aufgerissen, seine Hände zitterten. »Was soll denn das?« murmelte Pechstein und sah ins Drehbuch. Verzweifelt fuhr Mangold fort: »Glauben Sie mir doch! Rückwärts, beim Herausfahren aus der Garage habe ich sie überfahren, sie liegt schwerverletzt im Krankenhaus!« Hier nun kam die schneidende Bewegung der Vennloh, sie machte auf einem Fuß kehrt, ihr Gesäß sprang hervor. Schnitt. Die Szene war gestorben.

»Sind Sie wahnsinnig?« zischte Fink den Schauspieler an. »Wer hat Ihnen denn das eingeflüstert?« Aber Mangold wiederholte nur: »Es ist wahr, glauben Sie mir, ich habe meine Frau überfahren. Machen Sie, was Sie wollen, aber spielen kann ich jetzt nicht.« Er senkte den Kopf und ging zur Seite. Roxane Vennloh kam mit kleinen, stechenden Schritten zurück, sie bereitete sich auf die Wiederholung vor. Aber Fink wehrte ab. Der Kameramann sagte: »Wir haben alles im Kasten.« Mangold setzte sich seitwärts in die Kulissen und stützte den Kopf in die Hände. Augenblicklich verstand Fink alles und dachte sogleich weiter. Pechstein klappte das Drehbuch zu. »Offenbar ist dies ein Fall momentaner Ablenkung, wie wir ihn vorgesehen haben.« Er war geneigt, auf seine Version zu verzichten. Regisseur Fink schüttelte den Kopf, machte sich klein und blickte durch die Häuserwand in die Zukunft. »Unmöglich. Das nimmt uns keiner ab. Wenn er wenigstens gesagt hätte: Mein Vater ist heute morgen gestorben. Das wäre noch gegangen. Aber die Frau überfahren – nein, das geht wirklich nicht. Wir können das so nicht lassen. Mein Vater ist heute morgen gestorben – gut. Aber dies! Ich sage Ihnen, das Publikum hat ein feines Gefühl für Echtheit. Es läßt sich nicht betrügen. Und so ein unvorhergesehener Take ruiniert uns den ganzen Streifen.« Fink brach die Arbeit ab. Die Vennloh kehrte beleidigt um und verschwand. Zum Schluß saß nur noch der Schauspieler Mangold in den Kulissen und schien vergessen zu haben, wo er sich befand. »Was werden Sie jetzt tun?« fragte Pechstein den Regisseur. Fink trat nah an ihn heran und antwortete: »Wir müssen uns einen anderen Darsteller suchen, um die Unmöglichkeit der Filmaufnahme zu beweisen.«

# Max von der Grün

## Rom

Der Landgerichtsrat Dagobert Mora überquerte gedankenlos die
Via Tarutti und er schimpfte vor sich hin, auf die Hitze, auf das
laute Leben der Römer, auf den verwirrenden Verkehr. Sein Lang-
haardackel, den er an der Leine führte, trottete müde neben ihm,
der Dackel sah manchmal zu seinem Herrn hoch, als ob er ihm Vor-
würfe machen wolle wegen des langen Spazierwegs in dieser Hitze.
Plötzlich stand Mora vor einem Kiosk, der auch deutsche Zeitungen ausgelegt hatte, er kauft sich den ›Spiegel‹ und die ›Quick‹,
blätterte gelangweilt, las flüchtig die Überschriften, wischte sich
mehrmals Gesicht und Nacken vom Schweiß frei und dachte, daß
es für Hund und Herrn ein Wahnsinn war, im Juli nach Rom zu
fahren.

Mora war ein sportlicher Mann, nicht mehr ganz jung, sechzig,
aber wer es nicht wußte, schätzte ihn auf Anfang Fünfzig, er war
nach der neuesten Herrensommermode gekleidet und braunge-
brannt. Als er von Düsseldorf ohne Familie abgefahren war, wußte
er noch, warum er nach Rom wollte, jetzt, da er schon vierzehn
Tage durch die Stadt wanderte, kam ihm seine Reise blödsinnig
vor, und er fragte sich jeden Morgen nach unruhig durchschlafener
Nacht, warum er hierher gefahren war. Gut, Rom war Rom, er
kannte die Stadt wie seine Westentasche, nun aber verfluchte er sie.
Ich werde vor Ablauf meines Urlaubs noch abreisen, mir für vierzehn Tage im Gebirge eine Pension suchen, sagte er laut zu seinem
Hund. Der Hund reagierte nicht auf die Worte seines Herrn, er
trottete teilnahmslos unter der brütenden Hitze neben Mora her,
der einige hundert Meter die Via Tarutti hinaufschlenderte und vor
einem Haus stehenblieb, das sich als Hotel auswies. Lange betrachtete er die Vorderfront des Hauses, die wie jede andere aussah:
Herabgelassene und unten schräggestellte Rolladen. Nichts Besonderes war an dem Haus, und doch war ihm, als habe er mit diesem
Haus schon einmal zu tun gehabt. Er kannte Rom, er war auch in
den letzten Jahren mehrmals durch die Via Tarutti gekommen, er
hatte, ohne Zweifel, dieses Haus gesehen, aber heute sah er es erst
richtig, und das Haus war wie alle anderen in dieser Straße oder
auch so anders.

Purzel, dieses Hotel wäre für uns richtig, sagte er zu seinem Hund, aber der lag schon ausgestreckt im Schatten der Häuserfront und schlappte weit die Zunge heraus. Ich weiß, du hast Durst, aber du bist selbst schuld, du wolltest dort unten aus dem Brunnen nicht saufen. Vielleicht bekommen wir hier Wasser für dich. Ich werde mir morgen eine Thermosflasche kaufen und sie mit kaltem Wasser füllen, damit du immer was zu saufen hast. Der Hund keuchte nur.

Es war Mora, als bekomme er einen Schlag über den Kopf. Da stand Sigillo mit einer weißen Schürze umgetan, Sigillo stand vor ihm unter dem Sonnenfang und sah auf die Straße. Mora fror – er sah Sigillo.

Ja, Sigillo. Das war er, es gab in Moras Gedächtnis kein zweites Gesicht. Dick war Sigillo geworden, sehr dick. Aber sein Gesicht hatte sich nicht verändert, und es wird sich nie verändern, und wenn er hundert Jahre werden sollte. Ich hätte sein Gesicht auch erkannt, wäre er unter Tausenden über die Königsallee gelaufen oder die Breite Straße, oder wenn er auf einer Bank an den Rheinpromenaden gesessen hätte. Er ist ein Gezeichneter – und die behalten ihr Gesicht. Für Mora war Sigillo nur ein Gesicht, sonst nichts.

Obwohl Mora fließend Italienisch sprach, sagte er zu deutsch: Könnten Sie vielleicht meinem Hund etwas Wasser geben? Da unten ist zwar ein Brunnen, aber der Hund will da nicht saufen, er hat Angst vor den Fontänen.

Aber sicher, kommen Sie rein, sagte Sigillo.

Mein Gott, er spricht noch besser deutsch als damals, wahrscheinlich hat er viele deutsche Gäste.

Angenehm kühl war es in der Vorhalle, und Mora ließ sich erschöpft in einen Korbsessel fallen, der Hund lief Sigillo nach, als wüßte er, daß er nun Wasser bekommt.

Es ist alles so italienisch hier, dachte Mora, nicht wie in diesen modernen Häusern, die alle einander gleichen, eine harmonische Verschmelzung von Kunst und Kitsch, wo man hinsieht, das können die Italiener mit der linken Hand, wir Deutsche nehmen alles viel zu ernst, die Kunst und den Kitsch.

Der Hund leckte noch seine Schnauze, als er diesmal vor Sigillo aus einem Nebenraum kam, und der dicke Italiener rieb sich die Hände und lachte und sagte zu Mora, daß der Hund – wie heißt er doch? Purzel? Oh, ein echter deutscher Name – zwei volle Schüsseln Wasser ausgetrunken habe. Gutes, römisches Wasser. Nicht zu kalt. Ja, ihr Wasser hier in Rom ist gut. Aber trotzdem, mir geben Sie doch lieber einen Campari.

Campari ist auch gut, sagte Sigillo und verschwand hinter einer winzigen Theke, die wie eingezwängt aus einer Ecke des fünfeckigen Raumes leuchtete. Fünfeckiger Raum, komisch, ich habe mich schon über diesen Raum gewundert, irgendwie hat hier ein Architekt Flausen realisiert, aber das ist nur bei denen möglich.

Wann war das eigentlich? Vierundvierzig? Oder dreiundvierzig? Zwanzig Jahre jetzt. Mein Gott, wie die Zeit vergeht. Sigillo ist zwanzig Jahre älter geworden, und nach meinem Urteil von damals hätte er zwanzig Jahre tot sein müssen. Zwanzig Jahre. Ob da auch die Knochen verfaulen? Das ist verschieden. Aber Sigillo entkam, es entkamen damals viele, niemand wußte wie. Wir wußten Sigillos Adresse, Via Tarutti 62, aber wir fanden ihn dort nicht, es war auch dumm von uns, in seiner Wohnung nachzuforschen. Sigillo blieb verschwunden, immerhin standen die Amerikaner vor der Tür – vor Rom. War das dreiundvierzig? Oder vierundvierzig? Verdammt, man hat die Geschichte mitgemacht und weiß nicht einmal mehr die Jahre auseinander zu halten. So schnell geht das. Die Kinder lernen die Jahreszahlen jetzt in der Schule, aber wir, die wir diese Jahre gelebt und gemacht haben, wissen sie nicht mehr.

Der Campari war kalt, und Sigillo hatte zwei Stückchen Zitrone beigegeben, in Düsseldorf, dachte er, bekommt man nur ein Stück Zitrone. Diese Italiener kennen kein Maß, nicht einmal dann, wenn es gegen ihren Geldbeutel geht, sie sind maßlos, deshalb kommen sie auch zu nichts.

Anscheinend hatte Sigillo Zeit, er setzte sich zu Mora, streichelte den Hund und sagte in fast akzentfreiem Deutsch: Ein schönes Tier ist das, wirklich, ein schönes Tier. Bürsten Sie ihn jeden Tag?

Ja, täglich, fast immer eine halbe Stunde. Man muß Zeit haben, hält man sich so ein Tier.

Jaja, das stimmt. Ich hatte im Krieg auch einmal einen Hund, damals, als die Deutschen unsere Verbündeten waren und unsere Besatzer. Einen, na, wie sagt man doch in deutsch, ach ja, Dalmatiner. Ein schönes Tier.

Ja, ein schönes Tier, sagte Mora.

Wie bitte? fragte Sigillo und er sah Mora gespannt an.

Was? Ach ich meinte, Dalmatiner sind schöne Tiere.

Ja, dachte Mora, beinahe hätte ich mich verplappert. Aber es war tatsächlich ein schönes Tier, bei Sigillos Festnahme wurde er erschossen, er war nicht von dem Mann zu trennen. Gott ja, ich gebe zu, eine Kurzschlußhandlung des Feldwebels, ja, aber was hätten wir machen sollen, der Schuß hinter das Ohr des Tieres war die beste Lösung und hat uns manchen Ärger erspart. Der Feldwebel hat geweint, er war ein Hundenarr.

Ist er gestorben, der Hund? fragte Mora.

Ja, er ist gestorben, und er war noch nicht alt, vier Jahre. Die besten Jahre für einen Hund. Sigillo sah durch die Drehtür auf die Straße.

Was fehlte Ihrem Hund denn?

Dem Hund? Sigillo lachte kurz. Ach wissen Sie, die Zeit, wie soll ich das sagen, na eben die Zeit.

Haben Sie wieder einen Hund, jetzt? fragte Mora.

Nein, seit damals nicht mehr. Es gibt ja auch Männer, wenn denen die Frau stirbt, dann heiraten sie nicht mehr.

Hahahaha, das soll vorkommen, polterte Mora.

Der Landgerichtsrat Mora überlegte angestrengt, warum er Sigillo damals zum Tode verurteilt hatte, er wußte zwar, daß es mit Diebstahl zusammenhing, erinnerte sich aber nicht mehr, was es war.

Ich war nie verheiratet, sagte Sigillo, ich hatte immer Hunde, die genügten mir, die sind so anhänglich, die betrügen nicht, denen kann man am Schwanz ablesen, was sie wollen oder was sie ausgefressen haben.

Da haben Sie recht, sagte Mora.

Sigillo ging noch einmal hinter die Theke, brachte wieder ein Glas Campari und stellte es vor Mora hin. Von mir, sagte er, weil Sie auch so für Hunde sind.

Aber, ich bitte Sie, das kann ich doch nicht annehmen.

Menschen mit Hunden sind meine Freunde, sagte Sigillo und er lächelte Mora an. Nur nicht ablehnen, lassen Sie nur, mir gefällt es so.

Mora entsann sich, daß Sigillo drei Tage geweint hatte über den Verlust des Tieres. Zwei Männer mußten ihn zu den Vernehmungen schleppen und später auch noch zu der Verhandlung. Sie mußten ihn festhalten, wenn er den Feldwebel sah, der seinen Hund erschoß.

Wie hieß Ihr Hund eigentlich? fragte Mora.

Meiner? Tampi hieß er. Ein schöner Hund, so schön gefleckt, so einmalig gemustert, er hatte am Hals schwarze Tupfer, die wie Fünfecke aussahen. Und laufen konnte er, wie ein Windhund, vielleicht schneller. Er wollte immer nur laufen, mein Hund war immer in Bewegung, er wurde nie müde. Ja, sagte Mora, das soll es geben.

Es war dumm von dem Feldwebel, den Hund einfach zu erschießen. Aber was sollten wir mit dem Hund tun, wir konnten ihn nirgendwo lassen und ihn mit Sigillo in eine Zelle sperren, das war gegen die Vorschrift. Der Hund hätte sich auch nicht an andere Menschen gewöhnt, und er hätte sich gewöhnen müssen, auf Diebstahl von Heeresgut stand nun mal Erschießen, das stand fest. Ja, und Sigillo wurde auf frischer Tat ertappt, er leugnete nicht, er sagte nur, als er abgeführt wurde: Hunger, Hunde. Jetzt wußte Mora plötzlich wieder, was Sigillo gestohlen hatte. Zwei große westfälische Schinken, die für das Offizierskasino bestimmt waren. Ja, ganz deutlich sah er wieder alles vor sich, und Sigillo behauptete damals, nicht für sich, sondern für seinen Hund Tampi – was mag wohl der Name bedeuten – habe er die Schinken gestohlen und für den Hund seines Freundes. Das glaubte zwar kein Mensch, aber was nutzte es, gestohlen war gestohlen, ob für sich oder für Hunde. Und was war das für ein Witz damals, für einen Hund oder für zwei Hunde zwei westfälische Schinken zu stehlen, zwei weltberühmte westfälische Schinken. Die Offiziere waren richtig beleidigt. Sie lachten zwar, aber sie waren beleidigt. Und die Schinken waren für die Offiziersmesse.

Frißt Ihr Hund viel? fragte Sigillo.

Nicht viel, zweihundertfünfzig Gramm am Tage, manchmal nicht einmal das. Er ist ausgewachsen und ausgefüttert, und hier in Rom, in dieser Hitze frißt er noch weniger. Er macht mir etwas Sorge, er säuft zu viel.

Macht nichts, bei Hunden reguliert sich das von selbst. Wir Menschen essen ja auch nicht so viel bei der Hitze.

Das stimmt allerdings. Sagen Sie, Sie sind auch nicht mehr ganz jung, waren Sie im Krieg?

Im Krieg? fragte Sigillo. Im Krieg waren wir alle.

Ich meine, ob Sie beim Militär waren?

Beim Militär waren wir auch alle.

Jaja, sagte Mora, fragt sich nur, auf welcher Seite.

Ja, auf welcher Seite, das ist natürlich wichtig, aber man stand doch immer auf der falschen Seite, weil es im Krieg keine richtige Seite gibt.

Krieg ist Krieg. Sigillo stand auf und ließ den Hund in den Raum, aus dem er schon einmal mit dem Hund gekommen war. Kurze Zeit später kam er wieder und sagte Mora, der Hund habe wieder getrunken, nun muß es aber genug sein, bald werde er wahrscheinlich ein Bächlein machen müssen. Der meldet sich schon, wenn er muß, sagte Mora. Er steht dann meist auf den Hinterbeinen, macht Männchen oder er legt sich auf meine Füße, dann weiß ich Bescheid.

Mein Tampi, wenn der mußte, der hat immer geheult zum Steinerweichen.

Ja, das tut meiner auch, aber nur wenn er spazierengehen will.

Hunde haben alle ihre Eigenarten, wie die Menschen, sagte Sigillo, jeder eine andere, noch unterschiedlicher als bei Menschen.

Haben Sie den Krieg gut überstanden? fragte Mora. Ich meine, sind Sie nicht verwundet worden, haben nichts, wie man bei uns sagt, mitbekommen?

Es ist alles normal gelaufen, sagte Sigillo, wie eben im Krieg alles normal laufen kann. Er stützte sich mit der linken Hand auf den Tisch und sah auf Mora herab, der hastig seinen Campari austrank. Mora sah dann noch interessiert die Halle an und lutschte das zweite Stückchen Zitrone aus.

Darf ich Ihnen ebenfalls einen Campari ausgeben? fragte Mora.

O nein, ich trinke tagsüber nichts.

Das ist vernünftig, sagte Mora so nebenbei.

Das war eine böse Zeit damals, sagte Sigillo und streichelte wieder den Hund, der vor Wohlbehagen grunzte.

Was ist das nur mit meinem Purzel, dachte Mora, er läßt sich sonst von niemandem anfassen, nimmt von niemand Wasser oder Futter, aber dieser dicke Sigillo, der nach deutschem Gesetz und nach meinem Willen tot sein müßte, darf mit dem Hund alles machen, und der Hund läßt sich alles gefallen. Nun läßt sich mein Hund von einem lebenden Toten streicheln. Wie sich doch die Zeiten ändern, und man kann nichts dafür oder dagegen tun. Heute ist ein verwirrender Tag. Ich lande in der Via Tarutti, hatte den Straßennamen völlig vergessen, wußte nur ein Erlebnis, kannte nur ein Gesicht, obwohl ich seit zehn Jahren nach Rom fahre, immer zu einer anderen Zeit. Und ich war in den letzten zehn Jahren nie in dieser Straße, obwohl Keats' Haus in der Nähe ist. Dann war ich plötzlich hier, und ich weiß nicht, wie ich hierher geraten bin, es lag auch nicht an den deutschen Zeitungen, die ich am Kiosk kaufte, ich las, daß wieder ein Prozeß gegen meine Zeit in Frankfurt eröffnet wurde. Und dann stand ich plötzlich vor der Nummer zweiundsechzig. Wer mich wohl da hin geführt hat? Der Hund? Der Hund bekam Wasser, und der Herr aus Nummer zweiundsechzig mag Hunde und Menschen, die Hunde halten. Das ist ein verwirrender Tag, und ich trinke aus der Hand eines Toten Campari, und der Campari schmeckt gut, besser als in Düsseldorf, und der Mann aus Nummer zweiundsechzig erinnert sich an nichts, er meint nur, daß man immer auf der falschen Seite gestanden hat, damit hat er nicht einmal so unrecht. Der Mann aus Nummer zweiundsechzig erinnert sich an nichts, nicht an die Zeit, nicht an den Feldwebel und nicht an den Richter, nur an seinen Hund, der am Hals fünfeckige schwarze Flecken hatte. Nun ist Sigillo ein geachteter römischer Bürger und bewirtet Deutsche, die ihm das Geld bringen. Eigentlich müßte er tot sein, ein anderer würde das Hotel bewirtschaften, vielleicht auch kein anderer, was tut das schon, nun aber lebt er, und er könnte sich entsinnen und besinnen, und das könnte für mich gefährlich werden. Gottlob aber gibt es Menschen, die vergessen und die sogar vergessen wollen – wer weiß das zu unterscheiden. Wenn man es sich genau überlegt, es war doch etwas zu hart, das Gesetz damals, zwei gestohlene Schinken hätten keinen Kopf kosten sollen, aber mein Gott, Gesetz war Gesetz, Krieg war Krieg und Schinken war Heeresgut und Heeresgut war Volksgut und Volksgut war die Grundlage des Sieges. Wer Heeresgut, also Volksgut stahl, stahl den Sieg. Gesiegt hatten der Schinken und Sigillo, er setzte sich mit dem Schinken über unser Gesetz hinweg und damit über unseren Sieg. Er siegte über mein Urteil und damit über die Zeit . . .

Der Landgerichtsrat Mora bemerkte erst jetzt, und mit Schrecken, daß Sigillo ihn all die Zeit aufmerksam betrachtet hatte.

Wie wenn ein Truppenführer seine Karte studiert, so studiert er in meinem Gesicht, und das darf nicht sein. Wer Gesichter studiert, erforscht die Zeit.

Sie haben ein sehr deutsches Gesicht, sagte Sigillo.

Ein deutsches Gesicht? fragte Mora.

Ach, nicht so sehr ein deutsches, ein preußisches Gesicht.

Ein preußisches? Ja, gibt es denn das? Dann müßten Sie ein italienisches Gesicht haben – und das wäre wohl etwas zu viel gesagt.

Sie haben das, sagte Sigillo, was wir uns hier unter einem preußischen Gesicht vorstellen, deshalb kommen Sie mir auch so bekannt vor. Viele Deutsche kommen mir bekannt vor.

Vielleicht sind wir uns schon einmal begegnet, sagte Mora, ich bin viel in Rom, die letzten zehn Jahre war ich jedes Jahr vier Wochen hier, immer zu einer anderen Jahreszeit. Nun bin ich zum ersten Male im heißen Sommer hier.

Das kann schlecht sein, ich bin seit zwanzig Jahren nicht aus meinem Haus herausgekommen. Auch der Hund kommt mir so bekannt vor, sagte Sigillo und lächelte.

Das mag sein, der Hund ist nun wirklich deutsch, und Mora lachte und Sigillo lachte mit.

Wer weiß, wo man sich schon einmal begegnet ist, wer weiß, jeder begegnet jedem einmal in seinem Leben. Aber was tut's, es liegt vielleicht an dem Hund. Ich denke immer, man müßte sich schon einmal begegnet sein, wenn der andere einen Hund hat.

Ja, sagte Mora und stand auf, Hunde machen vertraulich.

Wollen Sie schon gehen? Sie können getrost noch etwas länger im Schatten meiner Halle bleiben und sich ausruhen, mich müssen Sie allerdings entschuldigen, ich habe zu tun.

Nein nein, ich darf nicht zu spät in mein Hotel kommen. Ich

danke Ihnen, daß Sie meinem Hund Wasser gegeben haben, ich danke auch für den Campari.

Aber ich bitte Sie!

Auf der Straße flimmerte die Hitze, der Hund an Moras Seite schlappte wieder die Zunge heraus und sah sich mehrmals um, aber Sigillo stand nicht unter der Tür Nummer zweiundsechzig in der Via Tarutti in Rom. Er hatte zu tun.

# Peter Härtling

## Drei Kalendergeschichten aus meinem Land

### I  Der Frierende

Wahrscheinlich friert er seit seiner Geburt. Er hat sich anständig verhalten, hat die Hände aus den Taschen nehmen, bei Tische aufrecht sitzen, hat die Leistungen aller Väter, die gekämpft und gearbeitet haben, würdigen müssen. Es war ihm aufgetragen, allen Vätern in seinem Vater Respekt zu erweisen und an dem Mann in sich selbst zu arbeiten. Aber er war schlaff und weich; lernte und leistete wenig; träumte; wich den väterlichen Forderungen aus. Aus ihm werde nichts. Aber auch gar nichts. So beschloß er, nichts zu werden. Um ihn herum wimmelte es von ungeschlagenen Schlägen, und er durfte das Leben nicht anders sehn als ein Kampffeld. Die Stimme seines Vaters zerstörte seinen Schlaf. Er nahm Mittel, ihr zu entfliehen.

Mit achtzehn verließ er das Haus. Das Schweigen der Mutter ging ihm eine Weile nach. Er fand Unterschlupf in Wohngruppen, hielt es nirgendwo lange aus. Es wurde ihm vorgeworfen, er sei nicht fähig, auf andere einzugehen, sich zu binden. Stundenlang hockte er in Ecken, die Arme vor der Brust, starrte vor sich hin. Er sagte von sich selbst, es könne in ihm unheimlich leer sein. Manchmal nahm er Arbeiten an, half aus, doch nie auf Dauer.

Zufällig lernte er einen jungen Mann kennen, der ihn mit zu sich nach Haus nahm. In dessen Familie fühlte er sich wohl. Es hatte den Anschein, als müsse er nicht mehr frieren. Die Eltern seines Freundes boten ihm an zu bleiben. Er richtete sich ein. Keiner erwartete von ihm, daß er gleich nach einem Beruf suche, lerne. Es lachte ihn auch niemand aus, als er zu spielen begann wie ein Kind, die Tage mit Albernheiten verbrachte. Es wunderte ihn jedoch, daß die Leere in ihm sich nicht allmählich auffüllte und daß in seinen Träumen die Stimme seines Vaters immer drängender und lauter wurde.

Er betäubte sich mit Rauschgift.

Als er in einer Nacht spät nach Hause kam, fühlte er sich besonders leicht und waghalsig. Er beschloß, mit dem Auto der Pflegeeltern nach Amsterdam zu fahren und dort einige Tage zu verbringen. Immer wieder war ihm von der schönen Freiheit dieser Stadt erzählt worden. Er ging ins Haus, suchte nach einer Axt, trat in das Schlafzimmer der Pflegeeltern, schlug erst auf den Mann, dann auf die Frau ein. Als er sie bluten sah, wimmern hörte, fror ihn wieder. Er legte die Axt auf einen Stuhl und rief die Polizei an. Er wisse nicht, weshalb er dies getan habe, doch vorher sei ihm richtig lustig zumute gewesen.

Er weinte und war überrascht darüber. Sein Vater, hörte er im Gefängnis, wolle mit all dem nichts zu tun haben. Die Pflegemutter sagte vor dem Gericht für ihn aus. Er wurde zu fünf Jahren Jugendstrafe verurteilt.

## II  Die Fragenden

In Buchenwald wurden die drei jungen Männer vor eine Landkarte geführt, auf der alle Konzentrationslager mit ihren »Nebenstellen« aufgeführt waren. Verblüfft fanden sie auch den Namen ihrer Heimatgemeinde, W. Davon wußten sie nichts, hatten sie nie etwas gehört. Heimgekehrt, erkundigten sie sich zaghaft auf dem Magistrat, ob es in W. oder in dessen Umgebung während der Hitlerzeit ein Lager gegeben habe. Dies könne nicht sein. Nein. Davon müßte man wissen. Da die drei Jungen Kommunisten waren, hielt man sich eher noch mehr zurück.

Sie blieben hartnäckig, fragten weiter, vor allem die älteren Bürger der Stadt. Niemand konnte sich erinnern. Schweigen oder Unwillen waren die Antworten, die sie bekamen. Da sie in ihrer Stadt wohl nichts erfahren würden und das Schweigen sie schmerzte, wendeten sie sich an Archive, auch im Ausland. Sie bekamen rascher Auskunft, als sie erwartet hatten.

Sie lasen, daß ein Konzentrationslager in einem der Stadt nahen Waldstück bestanden habe. Daß in diesem Lager 1600 ungarische Jüdinnen gefangen gehalten worden seien. Daß diese Frauen für eine Firma auf dem Flughafen hätten arbeiten müssen. Sie erfuhren auch, daß mindestens sechs Frauen von der Wachmannschaft zu Tode gequält worden seien. Als sie dies alles wußten, vor sich liegen hatten, schwarz auf weiß, als die Vergangenheit ihrer Eltern sichtbar wurde in Dokumenten, von Mörderhänden abgegriffenen Papieren, als die Stadt zu flüstern begann, noch nicht mehr, fingen die jungen Männer im Wald an zu graben. Sie stießen bald auf die Fundamente der gesprengten Baracken, fanden Helme, Werkzeuge. Jeden Abend saßen sie zusammen, schrieben auf, sammelten, zeichneten den Grundriß des Lagers.

Plötzlich begannen einige Bürger doch zu sprechen. Das Schweigen redete: Warum sie an diese alten Geschichten rührten. Das gehe sie nichts an. Sie sollten die Hände davonlassen. Sie beschmutzten mit dieser Wühlerei das Ansehen ihrer Gemeinde. Das Waldstück gehöre gar nicht zu W., sondern zu Z. Aber sie hörten auch, es habe vor einigen Jahren eine alte Frau nach dem Lager gefragt, nach einer Gedenkstätte, an der sie Blumen niederlegen wolle. Sie erhielten, nachdem ihre Suche bekannt geworden war, Briefe aus allen Himmelsrichtungen. Aus Israel meldeten sich Überlebende. Die jungen Männer sparten und fuhren hin, um die Frauen zu befragen. Einer von ihnen berichtete, er habe, weil der Schmerz für ihn so übermächtig geworden sei, das Tonband abstellen müssen. Er ersetzte das Schweigen seiner Väter durch seines.

Sie entdeckten die Gräber der sechs ermordeten Frauen. Nicht auf dem Friedhof in W., sondern auf einem Friedhof in dem dreißig Kilometer entfernten O.

Da sie nun das schreckliche Schweigen begriffen hatten, da sie genau und unerbittlich nacherzählen konnten, was geschehen war, legten sie Wert darauf, daß ein Stein mit einer Inschrift an die verleugnete Stätte erinnere. Wieder wehrten sich die Stimmen. Dann müßten auch die Opfer des Kommunismus. Wenn überhaupt. Warum überhaupt? Ihre Geduld setzte sich durch. Den Stein wird es geben.

III   Der Beständige

Wenn G. seinen Zorn durch die Kirche bellte, wenn er mit der Faust auf die Brüstung der Kanzel schlug und sein mächtiger, ungefüger Schädel rot anlief, fühlte ich mich wohl, wurde es mir warm. Er war Pfarrer in N. und dabeigewesen, als meine Mutter drei Tage lang an Tabletten starb. Er hatte mich und meine Schwester nicht herumgestoßen wie die anderen Erwachsenen, uns auch nicht angesprochen, er hatte sich schweigend neben uns gesetzt. Mit seiner siebenköpfigen Familie wohnte er nicht im Dekanat, sondern beengt in einer Wohnung an der Peripherie. Im Konfirmandenunterricht stritt ich mit ihm über seinen Gott, bestand auf dessen Abwesenheit, und er ließ mir meinen Unglauben. Ich müsse selber mit mir zurechtkommen, müsse selber die Leere und Kälte dieser Welt ertragen. Er nahm mich so ernst wie sonst keiner. Obwohl er ein wenig verwachsen war, sein Bein nachschleppte, wagte es niemand, ihn zu verspotten. Uns erschien er groß, ein schwarzer, Wärme speiender Zyklop.

Als ich vom Tod meines Vaters erfuhr, nahm er mich an seine Brust, schlang seine Arme um mich und hielt mich fest, bis sich das verbissene Schluchzen in Weinen löste.

1947 verließ er N. Nach dreißig Jahren traf ich ihn wieder, erkannte ihn gleich. Er war nicht mehr so groß, aber alles, was er mir als Kind bedeutete, hatte sich in seinen Augen gesammelt. In wenigen Sätzen erzählte er mir sein Leben, eine Geschichte neben meiner, die ich nicht wissen, nicht teilen konnte, die dennoch zu meiner gehört. Er sei lange Stadtpfarrer in C. gewesen. Die Predigt sei ihm noch immer das Wichtigste. Doch genügt habe ihm diese Arbeit auf die Dauer nicht. So habe er die Telefonseelsorge in S. aufgebaut, einige Jahre vor seiner vorzeitigen Pensionierung. Da habe er unmittelbar helfen können. Ich fragte mich, ob er die jammernden, verlassenen, hilflosen Stimmen gegen seine Brust gedrückt habe, wie meinen Kinderkopf. Ich habe mich auch viel um die Jungen gekümmert, sagte er; ich hab sie zu verstehen versucht, nach all dem Schweigen. Er sagte: Aber ich hab auch manchmal mit der Hand auf den Tisch gehaun, ungeduldig, und fügte hinzu: Das ist vorbei. Ich hab gelernt. Sein ältester Sohn sei, erzählte er, einer von den Extremisten. Er habe es schwer im Beruf. Es werde ihm schwergemacht. Aber, sagte er, ich fahre so oft wie möglich zu ihm nach N., und wir reden miteinander. So hat er jemanden.

Ich merkte, als er sich verabschiedete, sich schwerfällig durch die Tür schob, wie sehr ich mir seine Nähe wünschte.

# Peter Hamm

## Pasolini in Venedig

Venedig, dafür hatte er nur Verachtung
übrig, wie ein deutscher Intellektueller
für Rothenburg ob der Tauber –
nichts einen Blick wert!
In Mestre, gleich neben dem Bahnhof,
wo Tag und Nacht Züge rangieren,
in einem Hotel, abweisend und aufreizend
wie aus einem neorealistischen Film,
war er abgestiegen, demonstrativ
in der Arbeitervorstadt, *zu* demonstrativ
wie das meiste, was er jetzt tat
– oder unterließ. Längst vermochte er
nicht mehr, seine Emotion und die Sache,
der sie galt, auseinanderzuhalten.

Es war Mitternacht und gleißend hell
ausgeleuchtet die leere Hotelhalle
für unsere Kamera, die ihn,
solange sie lief, nicht bedrohte, die
ihm erlaubte, sich zu verbergen hinter
Literatur- und Faschismus-Theorien –.
Doch ganz nah von uns versank in Nacht
Friaul, die Höhle der Kindheit,
aus der ein vernichtender Duft
bis hierher drang in die Eloquenz
der Croce- und Gramsci-Statements.

Nirgendwo ist Sicherheit vor dem,
was vergangen ist. Frühlings Erwachen
in Casarsa für den Sohn Susannas,
der vorherbestimmten Mutter Gottes,
die sich verweigert dem Offizier auf Urlaub,
die vor den Gerüchten nach Rom flieht,
dorthin, wo es übergeht in Baracken,
zwischen denen der Ruf der Lumpensammler

auch nachts nicht verstummt, zu den
ausgeschlachteten Omnibussen mit Reklamen
für ein Leben voll unnützer Bedürfnisse,
deren Macht sie alle unterschätzen,
die jetzt noch elend arm wie Kater
aus dem Kolosseum einander umstreichen,
noch nicht geködert von Schule
und Fernsehen und ein bißchen sogar
stolz auf ihre Ohnmacht.

Über all das sprachen wir nicht
in der Nacht vor dem Prozeß
und unter der sicheren Umzäunung
der Scheinwerfer. Wegen Obszönität angeklagt,
sollte am nächsten Tag auf der Insel
das Verfahren gegen ihn eröffnet werden,
*auf fremdem Territorium,* so fremd,
daß er mich, den zufälligen Mann
aus dem Norden, wegen einer Trattoria
für die Prozeßpause konsultierte.

Doch auch über Essensgewohnheiten
zu reden, bedeutete schon Entblößung,
führte unmerklich ins Reich anderer Wünsche,
unabweisbarer. Irgendwo wartete auch
in Mestre eine Piazza dei Cinquecento
mit ihren ragazzi di vita, für 1000 Lire
bereit zur Fahrt an die Lagune (statt
nach Ostia), die Aura ihrer Allmacht
(ihnen selbst weder bewußt noch verfügbar)
breitete sich aus zwischen Kübelpflanzen
und den von Vertretern zersessenen Polstern
wie ein Geruch, vermischte sich
mit jenem Duft aus dem nahen,
unerreichbaren Casarsa.

Daß das Verbotene das Heilige ist
und der Wüstling den Heiligen jedenfalls
nähersteht als ein Mensch ohne Verlangen,
wie hätte Susanne mit ihrer Angst
wagen können, dies auch nur zu denken!
Daß der Sohn, unfähig so früh zu Bett
zu gehen wie die Nachbarn und immer
geheimnisvoll mit Büchern im Bunde,

die Welt nicht anders als sie sah: sakral
und außerhalb des historischen Bewußtseins,
daß er, der keine Ähnlichkeit hatte
mit ihnen außer im Dialekt, dennoch
in ihrem bäuerlichen Universum
sich aufgehoben fühlte, wohl wissend,
daß alles, was ein Bourgeois tut,
immer nur falsch sein kann, wie hätte sie,
von Getuschel und Gerüchten verfolgt,
ihm dieses bewahren können?

In Rom, in der Lage des Enterbten,
war Diebesgut ja alles. Die KPI,
allzu sauber und allzu begierig danach,
akzeptiert zu werden, konnte so wenig
darüber hinwegtäuschen wie die uralte,
ihre Hände immer in Unschuld waschende Räuberin auf dem Stuhl
von St. Peter.
Unbefleckt war einzig das Ungeborene
und der Traum davon in einem Klang,
auf einem Blatt Papier oder auf einer Leinwand,
doch der Traum sogar starb allmählich aus,
starb aus wie die Glühwürmchen.

Wann eigentlich hatte die Entzauberung
begonnen, seit wann war es unmöglich,
ein *ursprünglicher Dichter* zu sein,
wann hatte die Falle der Vermittlungen
hinter ihm zugeschlagen, geräuschlos,
und noch seinen Haß gegen sich selbst
attraktiv gemacht für die Bourgeoisie
und verkäuflich wie alles andere?
Seit wann ließ sich nur noch mit Tieren
etwas Bedeutsames besprechen oder
mit sehr fernen Toten?

Lange schon waren die Scheinwerfer gelöscht,
die Kabel weggeräumt und die Gläser,
Arm in Arm mit seinem unsichtbaren Dämon
hatte er sich entfernt, wer weiß wohin –.
Zu den verschmutzten Hotelfenstern
schaute einer herein, der bleich
und geduldig seiner harrte:
der Tag des Gerichts.

# Margarete Hannsmann

## Landschaft

Aber es werden Menschen kommen
denen das zeitauf zeitab
der Fabriken gleichgültig ist
sie wollen nicht nur in den Supermärkten
einkaufen aber sie fragen nach dem
Millionen Jahre alten Wind
ob ihr noch Vögel
Fische
Füchse
Sumpfdotterblumen
aufgehoben habt
wenn anderswo
alle Wälder zerstückelt sind
alle Städte über die Ränder getreten
alle Täler überquellen vom Müll
könnt ihr noch Wetterbuchen liefern?
einen unbegradigten Fluß?
Mulden ohne schwelenden Abfall?
Hänge ohne Betongeschwüre?
Seitentäler ohne Gewinn?
habt ihr noch immer nicht genug
Einkaufszentren in Wiesen gestreut
Möbelmärkte zwischen Skabiosen
nicht genug Skilifte ohne Schnee
Nachschubstraßen für Brot und Spiele
Panzerschneisen hügelentlang
wenn ihr die Schafe aussterben laßt
stirbt der Wacholder
Silberdisteln
bald wird man diese Namen aussprechen
wie Joringel Jorinde als Kind
zu den Ammoniten im Steinbruch
wird man wie nach Eleusis gehn
eure Geschichtslosigkeit war ein Windschatten
abseits

der Erosion des Jahrtausends
könnt ihr denen die zu euch kommen
eine Wacholderstunde anbieten
erdalterlang
falls ihr den Augenblick
euren
nicht betoniert

## An die Gemeinderäte

Kann ja sein euch hängt das ewige Grün zum Hals raus
daß ihr lieber alles so glatt betoniert
wie eure neuen Wohngebiete
Alpträume
Citykomplexe
Weltstadtimage
mit besonders günstigem Industrieklima
zur Raumkategorie der Verdichtungsbreite gehörend
Natur ist da um verbraucht zu werden
je mehr
desto
als Erinnerung an die vertriebenen
Pflanzen und Tiere gibt's Straßennamen
und die Landschaftsgestalter werden nicht ruhn
bis eure Wiesen Vorgärten sind
eure Wacholderheiden Parks
bis sie die Wälder und Felsen im Griff haben
bis die Täler in Zwangsjacken stecken
organisiert
kommerzialisiert
trotzdem bitte ich
wehret den Planspielern
eh sie den letzten Rest
eurer Geschichte ausverkaufen
werden Enkel aus den verkarsteten Betonwüsten
aufbrechen
von weit her zu euch kommen
ein Stück Wacholderheide suchen
eine von keinem Bau unterbrochene
Hügellinie gegen den Himmel
dann wird ein fast unverdorbener Fluß
dem das Mäandern noch nicht vergangen ist
kostbar sein wie der Brunnen zu Nürnberg
oder der Aachener Dom.

# Ökologie

Fisch ohne WASSER ohne Fisch
Vogel ohne LUFT ohne Vogel
Holz ohne FEUER ohne Holz
Mensch ohne ERDE ohne Mensch


# Mandje! Mandje! Timpe Te!

Wer das Zelt und das Boot und den Wohnwagen
abbezahlt hat und ein Häuschen im Grünen
will ein zweites Häuschen am Meer
im Gebirge
warum soll er nicht
wollen was die anderen wollen
jedem sein Recht auf Sehnsucht und Gier
nach dem Recht auf Arbeit
Freizeit-
Sonne-
Schnee-
konsum
was dazugehört
Lustgewinn
einen Swimming-pool
die geweckten Bedürfnisse
machen sich selbständig
uralte Märchen
werden zu neuen Wirklichkeiten
je mehr wir haben wollen desto
mehr bekommen wir
damit die anderen noch mehr kriegen
zeigt man uns hügelauf hügelab
neue Heimaten
von Jahr zu Jahr
grauer
wiesenlos
Wälder
Seen
Flußufer
längst zu Höchstpreisen versteigert
eingezäunt elektrisch geladen
schon beginnen sie Berge zu kaufen

wer sich nicht ranhält kommt zu spät
was bezahlt ist gehört nicht mehr allen
wird abstrakt
bis man davorsteht
ausgesperrt
von den letzten noch unbetretenen
Stränden
Buchten
Reservaten
künftiger Project-Management-Teams
und plötzlich sieht was abzusehn war: die Folgen
(denn seht da war es noch nicht Nacht)
zwischen den enger und enger werdenden
Maschen des über die Erde geworfenen
Netzes
die Topographie des Sterbens:
zugebaut eingeebnet zersiedelt
Landschaften Länder
Küsten
die Meere
unter dem Abfall
der Gewalt
Oel
Beton
die erstickenden Blumen
Bäume Vögel der letzte Wal
Buschmann Indianer man wird uns die ersten
sterbenden Säuglinge in Brooklyn
oder Gelsenkirchen zeigen
und wir werden es genauso hinnehmen
wie alles bisher
daß Natur
dazu da sei überwunden zu werden
bis sie als Privileg übrigbleibt
für die über denen unter der Erde
die sich ja längst im Umformungsprozeß befinden
Mutation ist ein geduldiges Wort.


# Insel Rügen

I
Ausgekratzt: Deutscher Schulatlas
Namen wie Hiddensee

Ernst Moritz Arndt
als ich ein Kind war
CDF

II
Nirgendwo sein Postkartenbild
einer der sagt: hier stand er
malte
aber ich fand die weißen Zacken
steil hinab wie vor zweihundert Jahren
ein wenig abgenützter
mürber
dafür Buchen blank vom Wind
und im gekräuselten Meer die zwei Segel
als wäre damals
auf dem Königsstuhl
Zäune
Stacheldraht
Radartürme
NVA-Objekt
Fotografieren verboten

Über ein Habichtskraut gebeugt
tu ichs dem Alten nach hoch oben
mich festhaltend
bevor ich stürze
in die Mitte des Schulbuchbilds
Deutschland
Fotografieren verboten
Caspar David Friedrich-Objekt


## Heinrich in Quedlinburg

Finkenherd
ach ja da saß er
Vogelsteller
sie setzten ihm
– es hält der Troß
vorm Herzog plötzlich an –
die erste deutsche Krone auf
936
empor-
stolpernd über das Kopfsteinpflaster
steht man vor seinem Grab

Der verhuschte Pfarrer
seine Schlüssel
in die gewaltigen Schlösser steckend
sagt unerwartet fest daß es hallt
in der hochgewölbten Apsis:
Der andere Heinrich benützte
tausend Jahre danach dieses Datum
dort ließ er das Hakenkreuz ein
SS-Standarten
die Fahnen der Mörder
ringsum
brach ab
stieß eine Tür auf
den eisernen Laden
ins Dämmerlicht starrend
tausendjährigen Wintern ausgesetzt

Ich gedachte
aller Mathilden
ihrer Herrschaft
über die Königsgewänder
verneigte mich
vor dem brechenden Gewebe
den nachgebenden Fäden
aufgehängt
an den Mauern
welche Verknüpfungen
zwischen Äbtissinnen
ihren Beginen
und jenem Männerbund
was für Webstühle
zwischen Heinrich und Heinrich
einem der Deutschland
gründete und
einem der es zerstört hat


Bielefeld

Sind Sie gegen den Fortschritt?
in Bielefeld
schrie ich mein Gedicht vergeblich
in die Schulklasse

Straßen und Straßen
das überm Land sich zusammenziehende
Netz durch dessen Maschen sie atmen
ihnen gefällts

Überm Autogetös
steh ich am Fenster
unter mir
Schaufenster Transistorgeräte Taschenrechner
vom Bäckerladen
trennt mich die Planke
kein Übergang

Da sah ich die Frau
über die hüfthohe Planke steigen
und Kinder
alle brachen
das Gebot
um Brot zu holen
wie eh und je

da war ich getröstet
im Bunker am Ulmenwall


## Filderherbst

Noch einmal liegen auf der Erde
runde und spitze Köpfe weiß
ausgeschält zwischen grünen Blättern

Frauen über Stauden gebückt in Röcken
nehmen noch einmal mit uralten
Bewegungen Kartoffeln heraus
die sie im Frühjahr legten

im Gestank der Auspuffgase
straßenentlang unter niedergehenden
startenden Düsenjets

schon ein Baggermaul
neben sich
die Reste der Ernte

beiseitezuschieben
am Horizont Planierraupen-Aufmarsch

Rentabilität
Profit

unser betoniertes Leben
unser betonierter Tod

muß gemischt gepumpt transportiert werden
ausgeteilt gemanagt verwaltet

neue Fabriken
Arbeitsplätze
neue Straßen ihn zu uns
uns zu ihm zu bringen

Beton

auch das allerletzte Kraut
auch die allerletzten Kartoffeln
vollends zuzudecken
die wir essen wollten
wenn einst der große Hunger kommt

# Ludwig Harig

## Körperbau und menschliche Natur
### Ein Beitrag zum Geist der Utopie

Vielgestaltig ist der Körperbau, und doch, wie einfach ist die menschliche Natur. Es gibt Dünne und Dicke, Lange und Kurze, Blasse und Rote, Gerade und Krumme, es gibt Glatzköpfe und Schiefmäuler, Silberblicke und Himmelfahrtsnasen, Klumpfüße und Schweißfüße, Triefaugen und Zahnlücken, es gibt Reiterbeine und Knieradler, Wolfsrachen und Hasenscharten, Vogelscheuchen und Spinatwachteln, Hühnerbrüste, ja ganze Suppenhühner, es gibt den Silen mit den Pferde- und König Midas mit den Eselsohren, Daumesdick und Rumpelstilzchen, Zwerg Nase und König Drosselbart. Nun steht es niemand zu, über körperliche Gebrechen zu spotten, wie das die Königstochter aus dem Märchen getan hatte, auch wenn er, wie diese, für einen unbedachten Augenblick sein Wunschbild von der Schönheit nicht verletzen möchte, ein verzeihlicher utopischer Zug. Die Königstochter sah den zu Dicken als zu dick, den zu Kurzen als zu kurz, den zu Blassen als zu blaß, den zu Roten als zu rot, den zu Krummen als zu krumm und den Drosselbärtigen als drosselbärtig an, ohne Ansehen des Ranges und des Standes, wo doch Könige und Herzöge, Fürsten und Grafen, Freiherrn und Edle gekommen waren.

Folglich hätte dieser utopische Blick, der nur die Schönheit im Auge gehabt hatte, ein Erkennungsmerkmal für eine bessere Zukunft sein können, wenn nicht die Beschaffenheit der Natur gewesen wäre. So vielgestaltig der Körperbau auch immer sein mag, die Einfachheit der menschlichen Natur läßt schließlich alle Widersprüche in eins zusammenfallen. Denn als nun die Königstochter den schönen Wald, die grüne Wiese und die große Stadt gesehen hatte, da wären ihr der Dicke und der Kurze, der Blasse und der Rote ebenso recht gewesen, wie ihr am Ende ja auch der König mit dem Drosselbart gut genug gewesen war.

Indem nämlich die Königstochter den schönen Wald, die grüne Wiese und die große Stadt, die allesamt dem König Drosselbart gehörten, gesehen, aber nicht zum Brautgeschenk bekommen hatte, weil sie den drosselbärtigen Mann obendrein hätte mit in Kauf nehmen müssen, und nun darben sollte, da sagte sie: »Ach, hätt ich doch genommen den König Drosselbart.« So war die gewünschte Schönheit, ein utopisches und folglich gar kein weibliches Verlangen, angesichts des Waldes, der Wiese und der Stadt augenblicklich von der Begehrlichkeit nach dem Besitz, einem durchaus weiblichen Zug, verdrängt worden; und der Königstochter wäre nun lieber der Spatz in der Hand als die Taube auf dem Dach gewesen.

Nun entspricht dieser Satz »Besser den Spatz in der Hand als die Taube auf dem Dach«, eine Erkenntnis, die durch die Frau in die Welt gekommen ist, der Grundbeschaffenheit der weiblichen Natur, so wie der Satz »Besser die Taube auf dem Dach als den Spatz in der Hand« der männlichen Natur entsprechen würde. »Besser die Taube auf dem Dach als den Spatz in der Hand« ist nämlich ein durch und durch männlicher Satz und zeigt den anmutigen Geist der Utopie, während »Besser den Spatz in der Hand als die Taube auf dem Dach« ein weiblicher Satz und ein untrügliches Kennzeichen des Sicherheitsbedürfnisses ist.

Die Königstochter griff nach dem König Drosselbart und hatte sogleich den Spatz in der Hand. Aber die Tatsache des Spatzen in der Hand und der Taube auf dem Dach ist durch eine umgekehrte Werthaltigkeit gekennzeichnet. Was für die Königstochter Vorteil und Nachteil, das waren für den König Drosselbart Wunsch und Verzicht. Der für die Königstochter vorteilhaftere Spatz in der Hand und die für die Königstochter nachteiligere Taube auf dem Dach verwandelten sich für den König Drosselbart in die wünschenswertere Taube auf dem Dach und den verzichtenswerten Spatzen in der Hand. Der König Drosselbart begehrte die schöne Königstochter, die Königstochter aber begehrte den schönen Wald, die grüne Wiese und die große Stadt des Königs Drosselbart. Aber eigentümlicherweise verwandelt sich der für jede Frau vorteilhaftere Spatz nicht in ein habhaftes, sondern in ein flüchtiges, die für die Frau nachteiligere Taube dagegen nicht in ein flüchtiges, sondern in ein habhaftes Wesen. Spatz und Taube folgen dem utopischen Zug des Mannes, denn dieser will des Spatzen nicht habhaft werden, sondern ihm nachschauen, die flüchtige Taube jedoch, die er nur anschauen will, fliegt gebraten der Frau ins offene Maul.

Und so schaut der König Drosselbart angesichts der schönen Königstochter den Spatzen nach, der Königstochter jedoch flogen die gebratenen Tauben ins Maul, aber nicht angesichts des Königs, sondern angesichts seines Waldes, seiner Wiese und seiner großen Stadt. Solange nämlich der Mann die Taube auf dem Dach hat, schaut er nicht der Taube, sondern den Spatzen nach, während der Frau, die den Spatz in der Hand hat, nicht der Spatz, sondern die gebratene Taube ins Maul fliegt. Erst dann, wenn der Mann die

Taube endlich einmal in der Hand hätte, und wenn der Spatz aus der Hand der Frau aufs Dach geflogen wäre, dann würde sich die Einfachheit der menschlichen Natur in eine doppelt verkehrte Vielgestaltigkeit verwandelt haben und sich als zukunftsträchtig für die Sicherheitsbedürftigkeit und sich als sicherheitsbedürftig für die Zukunftsträchtigkeit auswirken.

Aber der Königstochter, mit dem Spatz in der Hand, flogen die gebratenen Tauben unentwegt weiter ins Maul, und sie zeigte sich nach wie vor als das sicherheitsbesessene Wesen, unverwandelt. Der König Drosselbart dagegen, mit der Taube auf dem Dach, schaute den Spatzen nach, ganz utopische Natur, und ging durch alle Verwandlungen hindurch. Er machte sich zum braven Spielmann und zum wilden Husar, er würde auf den Händen gehen und mit den Füßen klatschen, nur um die schöne Königstochter auf gefällige Weise zu lehren, daß es nicht auf die Dicke und nicht auf die Kürze, nicht auf die Blässe und nicht auf die Röte, nicht auf die Krummheit und nicht auf die Drosselbärtigkeit, daß es nicht auf den schönen Wald, nicht auf die grüne Wiese und nicht auf die große Stadt, sondern daß es einzig und allein auf die rechte Freude ankommt.

Die Königstochter, mit dem Spatz in der Hand und den gebratenen Tauben im Maul, sagte sicherheitshalber: »Ich habe großes Unrecht gehabt«, denn sie wußte, was sie besaß. Der König Drosselbart aber, mit der Taube auf dem Dach und dem Blick nach den Spatzen, sagte ganz utopisch: »Die bösen Tage sind vorüber.« Er konnte nicht wissen, was ihm bevorstand.

# Geno Hartlaub

## Das Gärtchen des Kommandanten

Manche hielten ihn für verrückt, unseren Kommandanten. Im Vorjahr, als es auf den Frühling zuging, hatte er sich von Häftlingen einen Garten vor der Verwaltungsbaracke anlegen lassen. Es sollte ein Gärtchen werden mit grünem Zaun, mit Stiefmütterchen, Phlox und einer Hecke von wilden Rosen, genauso eines, wie es der Kommandant bei Frau und Kindern daheim zurückgelassen hatte. Ein kleiner Jude aus Minsk, der Zimmermann war, mußte aus Bretterabfällen und Birkenstämmen ein Borkenhäuschen errichten, wie man sie an Aussichtspunkten im deutschen Wald findet. Irgendwo hatte der Kommandant eine Schaukelbank mit einem Markisendach aufgetrieben, die zwischen Rosenhecke und Zaun, wo niemand Einsicht hatte, aufgestellt wurde.

Der Sommer war heiß und trocken. Bienen umschwärmten die Rosen, ein paar Vögel verirrten sich bis zum kiesbestreuten Platz vor der Schaukelbank und pickten die Körner auf, die der Kommandant ihnen streute, es gab sogar vereinzelte Schmetterlinge. Unseren Kommandanten bekamen wir nur noch selten zu sehen. Er war mit Gartenarbeiten beschäftigt. Er scheute sich nicht, mit eigener Hand Unkraut zu jäten und die wilden Triebe der Rosen abzuschneiden. Das sei seine Morgengymnastik, erklärte er dem Scharführer, der ihn zum Appell holen wollte. Bei der Arbeit trug er eine Gärtnerschürze überm offenen Hemd und den zu eng gewordenen Uniformhosen, eine Hausfrauenschürze, deren Schleife auf seinem dicken Hinterteil prangte. In der Dämmerung konnte man ihn mit einer Gießkanne beim Sprengen neu gesetzter Salatpflanzen sehen, wobei er halblaut vor sich hin murmelte und seinen Lieblingsblumen Kosenamen gab.

Etwas Seltsames ging vor mit unserem Kommandanten. Vor unseren Augen schien sich der furchteinflößende Alte, der noch vor Jahresfrist wahllos Schläge, Stiefeltritte und Peitschenhiebe ausgeteilt hatte, in ein fettes, geschwätziges altes Weib zu verwandeln. Nur noch selten zeigte er sich, rotverbrannt und sommersprossig vom vielen Sonnenbaden, auf der Schreibstube, um rasch ein paar Unterschriften zu leisten. Sein blondes Haar war verblichen, fast weiß, er sprach mit hoher, leicht krähender Stimme. Die Nachmittage verdämmerte er auf der Schaukelbank unter dem Markisendach. Zum Abendessen ließ er sich von einem der Küchenbullen fette, scharf zubereitete Speisen servieren, Leckerbissen, die er mit zwei Fingern vom Teller hob und in den Mund schob. Seitdem er das Rauchen aufgegeben hatte, war er auch auf Süßigkeiten versessen. Er naschte von der Schokolade, die für Soldaten im Einsatz bestimmt war.

Wir lebten im Lager in einer Männerwelt mit ihrem bitteren Rudelgeruch. Wir waren an Hunger und Mißhandlungen gewöhnt und hatten fast schon vergessen, wie Frauen sind. Nichts konnte anstößiger und widerwärtiger auf uns wirken als unser Kommandant mit seinen verspäteten Gärtnerfreuden. Wer konnte wissen, was der verrückte Alte an den schwülen Nachmittagen, während er auf der Gartenbank hin- und herschaukelte, ausheckte? Es soll nichts Grausameres geben als dicke Frauen, die sich keine Bewegung machen und ihre Tage in Haus und Garten wie hinter Haremsmauern zubringen.

Eines Morgens, früh, kurz vor dem Abmarsch der ersten Arbeitskolonne, erschien der Kommandant überraschend vor der Front der zum Appell angetretenen Häftlinge. Obgleich es noch dämmerte, war es schon wieder schwül. Wochenlang hatte es nicht geregnet, ein schwacher Morgenwind trieb Staubwolken vom Sandboden auf. Die beiden Unterführer hatten den Appell bereits abgehalten, doch der Kommandant ließ noch einmal die Nummern aufrufen und abzählen. Dann zog er ein Blatt Papier hervor und machte Notizen. Durch die Reihen der Häftlinge lief ein Zittern. In diesen Tagen kreisten im Lager Gerüchte von neuen Abtransporten in den Osten.

»Gärtner raustreten«, brüllte der Kommandant. Nichts rührte sich, niemand machte eine Bewegung, keiner trat vor, sogar die beiden Unterführer standen wie erstarrt in strammer Haltung da. Wenn sonst Fachkräfte angefordert wurden, meldeten sich immer mehr Häftlinge, als man brauchen konnte. Doch irgend etwas am Auftreten des Kommandanten wirkte verdächtig, so daß die alten Lagerinsassen sich zurückhielten. Erst als einer der Unterführer den Befehl wiederholte, traten, wie auf stille Vereinbarung, im gleichen Augenblick ein Dutzend Männer vor. Der Kommandant sah sie prüfend an. Es waren fast alles jüngere Leute, denen die Lagerkost nicht die letzte Muskelkraft aus den Armen gesogen hatte. Nur ein alter war dabei, ein Wichtelmann mit schrumpliger Lederhaut, der man die jahrelange Arbeit bei Wind und Wetter im Freien ansah – vielleicht der einzige echte Gärtner unter denen, die sich zum Einsatz gemeldet hatten.

Mit einer Viertelstunde Verspätung rückte die Arbeitskolonne aus. Die zwölf Gärtner blieben zur besonderen Verfügung des Kommandanten zurück, der sie jedoch vorerst nicht zu brauchen schien. Da keine weiteren Befehle ergingen, verbrachten sie den Tag auf den Pritschen der heißen und ungelüfteten Baracken. Erst als die Sonne hinter der Eskaladierwand des ehemaligen Exerzierplatzes versank, holte der Scharführer die Männer zum Kommandanten. Im Garten war der Rasen grün, die Luft wurde frisch gehalten durch einen Wassersprenger, der die Pflanzen und Blumen von früh bis spät berieselte. Nach einer Weile gab der Kommandant das Schaukeln auf der Gartenbank auf, stellte die Füße in den Schaftstiefeln auf den Boden und erhob sich mühsam. Er zeigte sich freundlich und aufgeräumt wie noch nie. Er klatschte in die Hände: »Alles mal herhören, Leute!«

Ein Ton wie auf einem Kameradschaftsabend, einem Betriebsfest, er scheint vergessen zu haben, wen er vor sich hat . . . Für den Abend erwartet der Kommandant Besuch, Gäste von auswärts, für die er in dem bescheidenen Rahmen, den die Kriegszeit gestattet, ein Sommerfest mit Lampions, Bowle und belegten Brötchen veranstalten will. Angenehme Arbeit gibt es für die zwölf Auserwählten. Sie müssen Stühle herbeischleppen, Tischlein decken, Lampions im Gebüsch aufhängen. Zu Ordonnanzdiensten sind sie angestellt, die sonst die Mannschaften aus der Küchenbaracke verrichten. Damit sie für die Gäste nicht gleich als Häftlinge kenntlich sind, müssen sie sich eine groteske Verkleidung gefallen lassen. Über den Sträflingskitteln tragen sie weiße Schürzen von der Seuchenstation, Krankenpflegerschürzen, frisch gewaschen und gestärkt, auf den Köpfen Gärtnerhüte aus Stroh, die ihre Gesichter noch blasser erscheinen lassen, weshalb ihnen der Kommandant mit eigener Hand je ein rotes Röslein ansteckt. Noch immer ist er guter Laune. Er tänzelt umher, nimmt mit weiblichem Ordnungssinn die letzten Korrekturen am Anzug der Hilfsordonnanzen vor, kichert hinter der hohlen Hand und zupft die Papiertischdecken auf den Tischen zurecht.

Es wird neun, es wird zehn, die Bowle im großen Kübel beginnt warm zu werden, die Kerzen der Lampions sind schon heruntergebrannt, auf den Sandwichplatten schmilzt die Butter. Da endlich ertönt am Lagereingang das Waldhornsignal der Luxuslimousine, das man sogar unter den Häftlingen kennt. Es ist das Zeichen, mit dem der Vorgesetzte des Kommandanten seine Blitzvisiten anmeldet. Die beiden Wachposten präsentieren das Gewehr, zwei Unterführer stürzen zum Wagenschlag. Fünf schwarze stumme Gestalten in Dienstuniform bewegen sich über die versengte Lagerwiese zum

Gärtchen des Kommandanten. Sind es die Gäste, die der Herr des Hauses erwartet hat? Man weiß es nicht, man wird es nie mehr erfahren. Als die Herren die Festbeleuchtung und die weißgedeckten Tischlein im Sommergarten entdecken, blicken sie sich kurz und belustigt an. Sie sind keine Spielverderber. Schließlich ist es spät am Abend, und so lassen sie sich an den Tischen nieder, die Beine hoch übereinandergeschlagen, die Arme lässig über die Stuhllehnen gelegt. Sie amüsieren sich über die Vogelscheuchengestalten der zwölf Bediensteten, lassen sich Bowle einschenken, trinken, lachen und machen Witze.

Gleich nach dem Empfang der Gäste hat sich der Kommandant zurückgezogen mit seinem Hausfrauenlächeln, so als halte er noch eine Überraschung bereit. Der Sturmbannführer, dem seine über der Stirn zusammengewachsenen Augenbrauen ein finsteres Aussehen geben, ist schon etwas angetrunken – nach einem langen heißen Diensttag wirkt der Alkohol auf ihn schnell –, da erscheint der Kommandant, in der Tür zum Borkenhäuschen. Nein, er ist's nicht. Das muß die Frau des Kommandanten sein, die ihre Gäste mit weinerlicher Stimme und liebend ausgebreiteten Armen willkommen heißt. Die Hausfrau trägt einen verrutschten Kranz von Kornblumen, Margeriten und Mohn im verblichenen Blondhaar. Ihr Gesicht ist gepudert und geschminkt. Um den aufgequollenen Leib hat sie ein Tuch gewickelt, in dem die Zwölf die falsche Brokatdecke vom Ruhebett des Kommandanten wiedererkennen. Doch der Rock reicht nur knapp über die Knie, unter seinem Saum schauen die Lederschäfte der Stiefel hervor, die der Herr über Leben und Tod von tausend Häftlingen nur selten ablegt.

Er oder sie bleibt in der Theaterpose des Willkommens im Türrahmen stehen. Noch immer hängt das süßliche Lächeln um die Lippen. Keiner der Gäste rafft sich aus der Lähmung des Schreckens und des Staunens auf. Vielleicht haben sie für heut ihren Vorrat an Tatkraft verbraucht und wollen sich die Ruhe am Feierabend nicht stören lassen. Niemand unterbricht den blumengeschmückten Kommandanten, als er für seine Gäste ein Gedicht aufsagt, nur ein paar Verse, in denen die linde Sommernacht, der Mond und das Lied der Nachtigallen vorkommen, dann läßt ihn sein Gedächtnis im Stich, er bricht ab, glotzt vor sich hin, läßt die Arme sinken und bricht in ein hysterisches Schluchzen aus. Erst jetzt – als habe er die Vorstellung nicht früher stören wollen – gibt der Vorgesetzte des Kommandanten seinen Begleitern das Zeichen zum Eingreifen. Ohne Eile schreiten sie auf den im Türrahmen zusammengesunkenen Fleischberg zu.

Im Morgengrauen, noch vor dem Appell, wurde der Kommandant in einem Unfallwagen fortgeschafft. Ein paar Tage später zog sein Nachfolger in die Verwaltungsbaracke ein. Er war kein Naturfreund und befahl, den Garten dem Erdboden gleichzumachen. Die zwölf Männer verlud man in einen Sammeltransport nach Osten, ins schwarze Schweigen des Landes, aus dem kein Häftling je wiederkehrt. Im Lager verbreitete sich das Gerücht, der Kommandant sei nach kurzem Zwangsaufenthalt in der geschlossenen Abteilung einer Klinik unter nicht ganz geklärten Umständen gestorben.

# Gert Heidenreich

## Die Prozedur

Ja. Freilich. Wo wir aufwuchsen, war Freiheit. Blitzblank und rhetorisch und ziemlich importiert. »Du hast es gut«, sagte Vati, »wenn du uns lieb hast, weißt du, daß du es gut hast.«

»Ihr habt es gut«, sprachen die Väter im Chor, und sie hatten recht. Die Stunde Null war eine gute Stunde, nur daß es sie nicht gab, wußte Vati nicht. »Wenn ihr erlebt hättet, was wir erlebt haben, als wir so alt waren wie ihr«, sangen die Lehrer zu einer deutschen Melodie. Und recht hatten sie: wir haben nichts mitgemacht. Wörtlich: wir vom Jahrgang 44, mitgemacht haben wir nichts.

Die Lehrer tauchten auf, mitten in der Stunde Null, die es nicht gab, aber sie waren da, blitzblank, rhetorisch, kamen zurück aus dem, was sie mitgemacht hatten, nur dabei waren sie nicht, aber was sagt das, Johannes jedenfalls bestand darauf, daß er nicht dabei war, als er es mitmachte, nun freilich, wer kann schon wählen, was gewählt wird, Johannes jedenfalls nicht, Johannes jedenfalls sagte: »Ihr habt es gut. Wir hatten keine Wahl.« Das war einzusehen, schon darum wollten wir Johannes nicht enttäuschen, darum, und weil er große braune Augen hatte, die waren feucht und treu und verträumt wie Volkslied.

Unsere Aufgabe hieß: Schlesien, alte deutsche Heimat. DIN A4 Bilder Texte Stellungnahmen nicht über dreißig Seiten abzugeben vor Weihnachten. Johannes hatte uns gern, da gab es keinen Zweifel, Vertrauen gegen Vertrauen, Lehrer sind so, gute Noten gegen gute Leistungen, das ist ein sauberes Geschäft.

Johannes hatte wenig Fleisch an seinem kleinen Kopf. Ich stellte mir die Form seines Schädels vor, wie er ausgelöst und freigekocht auf dem Schreibtisch meines Vaters stünde, dafür konnte ich nichts, das waren solche Träume, in denen ich seine Augen unter dem Kopfkissen versteckte und nachdenken mußte, was wohl aus mir geworden wäre, wenn meine Eltern sich nicht kennengelernt hätten: mich wegdenken, keinen Halt finden auf den großen platten Pupillen von Johannes.

Über dem flachen Fleisch spannte sich eine dünne, feingeäderte Haut, wie man sie sonst nur bei Leuten auf dem Land findet, die an der frischen Luft alt werden. Johannes bekam leicht einen roten Kopf. Davor hatte er Angst.

Ratibor lag nach dem Spruch von Genf und vor dem zweiten deutschen Krieg hart an der Grenze, erinnerte sich Johannes für uns, ja freilich, die deutsche Bevölkerung hatte Ärger mit den polnischen Aufständischen, die während der Abstimmungszeit ihr Unwesen trieben, und wir sammelten Bilder von Schlesien, wo wir nicht dabei waren, vor allem von Ratibor, dort hatten wir nichts mitgemacht, aber dort war Johannes geboren. Ich fand unter alten Fotos meiner Eltern ein Bild von der Mariensäule und klebte es ein, das wurde dann die Titelseite meiner Arbeit: alte deutsche Heimat, verloren, vorbei, nicht dabeigewesen, 1956 waren wir Quarta und wollten Johannes nicht enttäuschen.

An einem Montag kam er ins Klassenzimmer.
An einem Montag kommt er ins Klassenzimmer, neu für uns, neu für Deutsch, Sozialkunde, Geschichte, läuft, ohne uns anzusehen, zur Tafel und schreibt mit großen Buchstaben Dr. Jot Punkt Henschel auf die stumpfe grüne Fläche, dreht sich zu uns um, »So heiße ich«, sagt er. Wir sehen seine großen feuchten Augen. Einer räuspert sich. »Um diese Jahreszeiten hat man keine Erkältungen mehr, Fenster schließen«, antwortet ihm Doktor Jot Punkt Henschel, wir bemerken, daß er kleiner ist als die meisten von uns, darum müssen wir in den folgenden Stunden bereits sitzen, wenn er hereinkommt. DIN A4 groß sein Notenheft, in dem eine kaum zu durchschauende Anordnung von Spalten und Feldern einem verschlüsselten Wertungssystem Raum gibt. Jede mündliche Leistung wird nach vier verschiedenen Kriterien beurteilt, deren Kennziffern sich in dem üblichen Spielraum von eins bis sechs mit roter oder blauer Tinte eintragen lassen. Johannes verbringt einen großen Teil der Stunde mit Notengebung, hält uns in Spannung, sieht uns lange an, ja freilich seine braunen Tieraugen, zärtlicher Blick, Volkslied, senkt den Kopf, greift nach dem Federhalter mit roter Tinte. Will eine Ziffer einschreiben, hält inne, lächelt, legt den Federhalter weg, nimmt den blauen und trägt nun die Note umständlich ein. Johannes hatte Angst, er könnte nicht gerecht sein, die Zeiten hatten sich geändert, oft meinte er, nichts sei endgültig, alles sei wettzumachen, sagte er, oder auch, daß jeder sich reinwaschen könne von einem Makel, so nannte er die Note fünf, oder von einer Sünde, das war seine Bezeichnung für sechs.

Wenn man es erzählt, ist es nicht mehr wahr.
Wenn man es erzählt, ist es nicht mehr wahr, keiner glaubt es, keiner hat Grund dazu und überhaupt, wen interessiert heute noch, daß Johannes Henschel Angst hatte. Schreckliche Angst.

Er hat Angst, wir könnten nicht genug Angst haben vor ihm. Er hat Angst vor seinen Kollegen, die größer sind als er und nicht so dünnhäutig und nicht aus Schlesien, die hatten nichts mitgemacht, die hatten noch eine Heimat. Er hat Angst um die Ostgebiete. Er hat Angst, beim Rauchen ertappt zu werden von seiner starken Frau, die oft unangemeldet am Vormittag ins Lehrerzimmer tritt, angeblich um ihm sein zweites Frühstück zu bringen. Aus Angst tut es Johannes seinen Schülern gleich und raucht auf der Toilette. Johannes hat Angst beim Betreten des Klassenzimmers, darum kommt er im Stechschritt herein. Johannes hat Angst, Kreide könnte fehlen, darum trägt er stets drei Stücke weißer Kreide in einem alten Metallkästchen für Buntstifte bei sich.

Man hätte Mitleid haben können mit ihm, aber wir hatten nichts mitgemacht, wie sollten wir da ein Fingerspitzengefühl entwickeln, außerdem war Johannes unerbittlich, was man kaum vermutet hätte bei seinen freundlichen braunen Tieraugen. Nur wenn es galt, einen Makel oder eine Sünde wettzumachen, bot er seine Hilfe an. Er unterzog den Schüler zum Ausgleich für das Leistungsversagen einer Prozedur, die er mit großer Perfektion und deutlicher Freude darüber ausführte, daß Lehrer und Schüler gemeinsam in der Lage waren, Makel oder Sünde solidarisch aus dem Notenheft DIN A4 zu tilgen.

Die Prozedur:
Die Prozedur: mit Daumen und Zeigefinger greift Johannes die kurzgeschnittenen Schläfenhaare des Versagers über dem Ohr und dreht das Bündel dicht an der Haut im Uhrzeigersinn. Um dem Schmerz zu entgehen, legt der Schüler seinen Kopf so weit es geht in den Nacken zurück und bietet dem über ihn gebeugten Johannes sein Gesicht. Die Zeiten haben sich geändert, aber Johannes dreht so weit, bis sein Arm sich sperrt. Dann hält er diese, auch für ihn selbst schmerzliche Stellung drei Sekunden zur Tilgung eines Makels, zehn Sekunden zur Tilgung einer Sünde ein. Er blickt dabei starr auf den Mund des Schülers, denn die Vereinbarung besagt, daß man die Prozedur abbrechen kann, indem man leise »Au« sagt, wodurch natürlich der Tilgungseffekt entfällt.

Ich hatte Reden ausgeschnitten, Reden von Gomulka, der nach vier Jahren Haft gerade wieder erster Sekretär des ZK geworden war, polnische Reden über die endgültige Grenze an Oder und Neiße, das klebte ich ein, das war Material, das strich ich durch, wir alle vom Jahrgang 44 strichen das durch und schrieben darüber NEIN, manchmal auch NIE, schräg darüber und rot, denn wir hatten unsere Lehrer gern.

Nach den Weihnachtsferien bekamen wir unsere Arbeiten zurück. Johannes konnte stolz auf uns sein. Wir hatten herausgefunden, daß Beuthen in Oberschlesien nach dem Beschluß des Völkerbundrates in Genf das »äußerste Bollwerk des Deutschtums im Südosten« war, daß im niederschlesischen Sprottau der Dichter Heinrich Laube im Jahre 1806 das Licht der Welt erblickte und daß im stillen Frieden des Tales um Bad Reinerz einst Felix Mendelssohn-Bartholdy Eichendorffs Preislied auf den deutschen Wald vertont hat. Johannes strahlte, als er uns die Mappen zurückgab. Es hätte eine fröhliche Stunde werden können.

Doch bei dem letzten Heft DIN A4, der Arbeit des Jörg Schindel, fällt die Fröhlichkeit aus dem dünnhäutigen Gesicht von Johannes, die Tieraugen werden eng und menschlich, er furcht die kleine Stirn, formt seinen Mund zum Hundeafter, spricht leise aus, was wir fürchten, das Wort Sünde.

Jörg erklärt sich zur Prozedur bereit.

Johannes weist darauf hin, daß es sich nicht um eine mündliche Leistung, sondern um eine schriftliche Arbeit handelt.

Jörg bietet zwanzig Sekunden statt der üblichen zehn.

Johannes zögert. Johannes denkt nach.

Jörg reizt auf dreißig.

Als Johannes die Schläfenhaare zu drehen begann, war es still im Klassenzimmer.

Wir hörten, daß Jörg leise und gegen seinen Willen »Au« sagte.

Aber Johannes hielt sich nicht an die Abmachung.
Aber Johannes hielt sich nicht an die Abmachung. Jörg schrie, doch Johannes drehte weiter, wir verstanden nicht, wir haben nichts mitgemacht, wir sind in Freiheit aufgewachsen, wir halten uns an Versprechen, jetzt sind wir dabei, jetzt reißt sich Jörg los und stößt Johannes vor die Brust und Dr. Henschel stolpert rückwärts und fällt über eine Tasche, die im Weg steht.

Johannes hatte große braune Augen. Jörg schrie »Schlesier!«, und als Dr. Henschel sich aufrichten wollte, traf ihn ein Tritt an den Unterkiefer. Er schlug mit dem Hinterkopf auf den Boden.

Wir kommen aus unseren Bänken, treten zögernd, spielerisch, spüren dem Gegenschlag am Fuß nach, holen Schwung, sind dabei, machen mit, so ist es gut, Jungs, ein Gefühl müßt ihr kriegen dafür und immer dicht am Fuß dicht am Fuß sage ich nun gib schon mal rüber die andern stehen schon längst frei.

Jörg schrie noch immer mit überkippender Stimme »Schlesier, Schlesier!«, und dann fiel ein Stuhl auf Johannes, dann blutete irgendwas in dem dünnhäutigen Gesicht, dann griffen wir in die

Haare und drehten und er schrie und wir hörten nicht auf, dann entdeckten wir die Instrumente.

Füllfedern stechen zu. Geschichtsbücher bringen Lippen zum Platzen. Die braunen Augen sind groß. Lineale pfeifen schmalkantig gegen den Kehlkopf und schneiden den Hilfeschrei ab. Zirkelspitzen zeichnen Dornenspuren in die Stirn. Gleichschenklige Dreiecke treffen den aufgerissenen Mund. Johannes wehrt sich nicht. Tieraugen wehren sich nicht gegen die Zirkel. Lineale wie Messer. Kreidestücke im Mund. Das macht eine sanfte Stimme. Aber er schreit nicht. Aber er bewegt sich nicht. Aber er ist eine kleine Puppe. Aber dann verkündet plötzlich der Lautsprecher über der Tafel, Durchsage an alle Klassen, daß Schüler gesucht werden, um Ehrenwache zu halten mit Fackeln am Grabmal des unbekannten Soldaten gegenüber der Schule.

Als der Lautsprecher zu rauschen begann, erschrak Johannes und brach die Prozedur ab. Jörg Schindel hatte »Au« gesagt. Die Sünde war nicht getilgt. Zwei von uns meldeten sich für die Ehrenwache.

Wir blieben auf unseren Stühlen.

Wir wollten Johannes nicht enttäuschen.

Wir haben zugesehn.

Wir haben nichts getan. Nicht mitgemacht.

Nichts unternommen. Nicht dabeigewesen.

Wir vom Jahrgang 44 haben das Klassenziel erreicht.

# Günter Herburger

## Klassentreffen

Die Abc-Schützen unserer Schule von 1939, dem Jahr, als der Weltkrieg begann, haben sich nach über eine Generation wiedergefunden, herbeigerufen durch Kettenbriefe, mündliche Überredungskünste und dringende Botenberichte. Damals waren wir ängstlich gewesen, mit zum Teil kaum gefüllten Bonbontüten im Arm, nun zitterten wir wieder und tranken heimlich, bevor wir uns sahen, Magenbitter und Wermut.

Fünf kamen auf Rädern, einige mit der Eisenbahn, eine ließ sich von ihrem Mann in einer Sportmaschine einfliegen, einer war viele Tage auf einem Pferd mit Hilfe von einem Pfund Kompaßkarten über Waldwege und Sträßchen minderster Ordnung unterwegs gewesen. Der Rest wohnte noch in der Gegend unseres Graslandes, dessen Kuckucksnelken, wogende Schafgarben, Brennesseln und gefiederte Löwenzahnköpfe uns Erwachsenen bis zur Brust reichten.

Erst nach Anbruch der Dunkelheit wagten wir uns vor die Wälle der kleinen Stadt und sammelten uns hinter dem Friedhof. Einige umarmten sich, viele kannten sich nicht mehr, steckten die Gesichter zusammen und forschten nach vertrauten Zügen. Zwei schwankten bereits. Der eine hieß Bickel, damals der Ärmste, aus dem Barackenlager Weidach stammend, das es immer noch gab; der andere war mein Freund Joselfranz, nun reich geworden nebst Bärtchen und Übergewicht. Bickel sagte mir gleich, daß er mich oft im Leiterwagen in die Schule gezogen habe, ich hätte noch aus der Flasche getrunken. Es stimmte, ich erinnerte mich.

Als die Glühwürmchen in der warmen Düsternis zu tanzen anfingen, marschierten wir schweigend hinter ihnen her, eine lang auseinandergezogene Schleife ehemaliger Schülerinnen und Schüler, die sich durch die wuchernde Fruchtbarkeit Bahn brachen. Zwei stattliche Frauen hatten Mühe, da sie Abendkleider trugen, mitzuhalten, schließlich rafften sie ihre Roben und verknoteten sie vor dem Bauch.

Elisabeth hatte eingeladen. Nach der alten Ziegelei und einem Birkenhain, in dem noch das Denkmal des Erfinders aller gebräuchlichen Fieberthermometer stand, einem Bürger namens

Öhrle, gelangten wir zum Hochmoor, wo sich Elisabeths Wirtschaft befand, dem verschwiegenen, nur Auserlesenen bekannten Bau tief im Torf. Es ging über viele Treppen hinab.

Leise Musik von Fideln und gestopften Trompeten erklang beim Empfang, aber die Instrumentalisten sahen wir nicht, vielleicht waren Heuschrecken und junge Frösche am Werk. Elisabeths kreisrunde Backen flammten vor Eifer, während sie jeden von uns mit Handschlag laut beim Namen begrüßte, so daß wir uns nicht mehr voreinander genieren mußten.

Es dauerte, bis wir alle an den eng stehenden Tischen Platz fanden, außerdem gaben die Beine einer Bank in dem lockeren Torfboden nach, und mir tropfte aus einem Wagenrad, das an der niedrigen Decke hing, eine schief stehende Kerze heißes Wachs auf den Kopf. Gelächter und Tröstungen, dann konnte endlich Egon, Jodler und Akkordeonspieler, seine Rede von Zetteln ablesen.

Zwei waren gestorben: Richard an Herzschlag in einem Gletscherfluß; Balthasar, der schon als Kind auf Händen gehen konnte, in einer Papierfabrik, wo er von einer Trommel erfaßt und zermalmt worden war; und zwei wurden vermißt, Reomir auf einer Pilgerfahrt, und Elli die Zwiebel hatte sich zum letzten Mal laut einem Polizeiprotokoll an einem Sylvestermorgen auf dem Scheitelpunkt der Queralpenstraße gezeigt, gekleidet trotz Kälte in einen Schlafanzug und dieser soll auch noch durchsichtig gewesen sein. Asche und Erbarmen, aber wir mußten lernen, daß unsere Flüchtigkeit zunahm.

Gunther, früher hektisch im Gesicht und gebeugt von Asthmaanfällen, konnte nicht anreisen, da er sich als Chefkoch eines Touristenhotels an der Elfenbeinküste unentbehrlich dünkte, doch er hatte seine Freundin geschickt, und erst jetzt bemerkten wir, daß unter uns ein Gast weilte, der, als er sich erhob, mit seiner Frisur an den Leuchter stieß, eine wunderbare Mohrin, umflossen von leichten Tüchern und versehen mit Ohrringen aus klimpernden Goldplättchen. Sie nannte sich Atlantique und überreichte uns ein geschnitztes Wurzelmännchen, das Gunther täuschend ähnlich sah mit weißer Mütze aus Gips. Nur kurz lähmendes Erstaunen, denn die selbst erzeugte Magie, nach der wir alle begehrten, hielt uns schon in Bann.

Zuletzt zitierte Egon einen Brief von Helga, die vor zwanzig Jahren Nonne geworden und seitdem glücklich war. Sie wünschte Gedeih und eine erleuchtete Nacht, was Egon zu einem seiner kunstvollen Jodler hinriß, der in einer langen, feuchten Kadenz per Kopfstimme endete.

Das Buffet wurde freigegeben, ein Turm aus Tiegeln, Schalen

und Platten, überhäuft mit unüblichen Speisen wie pochierten Wachteleiern, Forellen in Gelee, Meringen süßsauer, gespickter Damhirschlende, von apokryphen Pilzen geschwärztem Marmorauflauf, Tunken aus Holunder und Pfefferklee, Pestalozzispaghetti und einem in seiner rosarot jämmerlich strahlenden Pracht gekochtem Schweinskopf mit Petersiliestengeln im ergebenen Maul, ein Mahnmal, an das sich zunächst niemand wagte, obwohl Elisabeth zum Beweis der Eßbarkeit federleicht mit einem Löffel eine Portion aus dem Fleisch hob.

Die geheimere Überraschung war, daß Direktor Freitag, damals Leiter der düsteren Backsteinschule, vor dem wir alle gebebt hatten, uns schweigend die Getränke einschenkte, leichten Weißwein, Pils oder einen schaumig gelben Saft, der ein wenig bitter schmeckte und, von ihm feierlich verkündet, die Waage halte zwischen Vogelbeere und Ampfer.

Der beinige Greis ging gebückt, sonst hätte er an den Kerzen gestreift, während seine Tochter Isolde starr in der Ecke saß und nicht mehr leiblich die Größte war, womit sie einst in der Klasse getrumpft hatte.

Alle aßen, als wären sie ausgehungert, obschon viele in den letzten vierzig Jahren dick geworden waren. Sie nahmen Nachschlag, dann aber tranken sie nur noch. Ich entschied mich für ein Gemisch aus Saft und Wein, ein schwefliges Gebräu, das unaufhaltsam im Kopf schwoll.

Katzen-Eugen, Bäckerssohn und nun Versicherungskaufmann in Garmisch-Partenkirchen, sprühte sich Medizin in die Nasenlöcher, weil er an einer Sommerallergie litt, doch für uns war dies nichts Neues, was er mehrfach zu hören bekam, wenngleich er inzwischen zwei Kinder, zwei Hunde, eine Frau aus Norddeutschland und ein Landhaus im paspelierten Blockwartstil besaß. Schon immer hatte er sich bei Unregelmäßigkeiten in Krankheitsereignisse geflüchtet, zum Beispiel jede Woche anfangs der Turnstunden. Entweder bekam er Herzbeklemmung oder ein Schultergelenk kugelte bei der ersten Welle am Trapez aus. Bickel rief vollgetankt mutig, nichts gehe verloren, es gebe noch Gerechtigkeit! Er, aus der Schmach der Weidach, dem viermal der Kopf kahlgeschoren worden war, weil behauptet wurde, er habe Läuse, bringe als Oberpostinspektor seit vielen Jahren Lehrlingen Wissen bei! Man müsse sich vorstellen, wohin es einer bringen könne, der früher sich nichts zu sagen traute. Auf der Stelle vermöchte er zu sterben, bevor die Nacht vorbei sei. Er lag über dem Tisch, atmete schwer, das Kinn mit menorcastischer Leckerei beschmiert, also Mayonnaise. Zwei Frauen beklopften seinen Rücken, streichelten ihn, schließlich richtete er sich wieder auf und verzehrte ein zart getupftes Wachtelei.

Joselfranz, der Bauunternehmer, dessen Vater sich nach dem Krieg in einer Hütte aus Liebeskummer mit Hilfe einer Mauserpistole umgebracht hatte, zerbrach, ohne zu bluten, ein Kelchglas in der Hand, das ihm Direktor Freitag gefüllt hatte, und schrie, er habe schon immer gewußt, daß Bauch und Kopf zusammengehörten! Mit zweiundachtzig werde er im Auto an einem Baum zerschellen, vorher kenne er keinen Halt!

Plötzlich gewahrte ich in meiner durchgeisterten Benommenheit am Rande eines Tischchens Lina, meine erste, kindliche Liebe, als ich noch nicht zwischen Zeit und Grausamkeit unterscheiden konnte. Sie war hager geworden, hatte einen Bubikopf, die Tochter eines Schiffschaukelbesitzers und, wie mir jemand zuflüsterte, war sie mit ihren aufwendigen Utensilien noch immer zu Maiseligkeiten, Gewerkschaftsfesten und Dorffeiern unterwegs, alle Wochen Planken, Streben und Konsolen auf- und abbauend. Einen der Hilfsarbeiter, der am längsten bei ihr geblieben war, hatte sie geheiratet.

An den Bohlen des im Moor versenkten Gasthauses lehnte Helma, meine zweite Liebe, die ich, schon sehr viel später, einmal zu küssen gewagt hatte. Es war im Indianerdachboden von Dieter Unkauf gewesen, spätnachts. Ich fühlte wieder, wie schwierig es vonstatten ging, bis wir in die richtige Lage kamen, damit unsere Lippen sich trafen. Speichel, zu weit entblößte Zähne und ein gräßliches Zittern behinderten uns.

Endlich fingen wir zu wechseln an, keinen hielt es mehr an seinem Platz in dem engen Raum. Zwei fielen hin; Egon, der Jodler, verlor seinen Edelweißhut, dessen gedörrte Naturschutzblumen unter Schuhen endgültig ihre Pracht verloren.

Jemand fragte in der Stille, als wir uns aus Sehnsucht oder auch Argwohn neu gruppiert hatten, wo Magnus Jäger sei?

Ich duckte mich, denn jener war mein Feind gewesen, hatte mir mit einem Stein im Schulhof auf den Kopf geschlagen, weil ich von einem neuen Lehrer, der Fremdsprachen beherrschte, ausersehen worden war, in der großen Pause manchmal ein, zwei Zigaretten teuerster Pfennigwährung aus dem Café gegenüber des Rathauses zu holen.

Magnus wohne, hieß es, in Canada, sei Mitglied einer Jazzkapelle geworden, zusammen mit seinem Sohn, habe Saal- und Open-air-Kundschaft bis hinunter nach Kalifornien.

Meine wichtigste Liebe, die kugelrunde Philomena, zerrte an mir. Ich solle mich setzen und schnell atmen, wie der Goldhamster ihrer ältesten Tochter, dann fände ich wieder Beherrschung, sagte sie.

Nun aber die Arme um den Hals gelegt, der sich unter einge-
brannten Dauerwellen verbarg. Philomena hatte über zehn Jahre
in der Hühnerbatterie des ansässigen Fürsten, deren Gestank über
den Friedhof wehte, doch der Gemeinderat konnte sich nicht ent-
schließen, diese Belästigung zu verbieten, für fünf Mark brutto in
der Stunde, da es auf dem Land wenig Arbeit gab, im Akkord Eier
sortiert. Eines Tages war sie mit einer Axt in der Hand in das ade-
lige Büro gegangen und hatte gedroht, sie schlage alles entzwei.

Jetzt fühle sie sich wohl, sagte sie, sei Gobelinzeichnerin geworden in der alten Spinnerei der Familie Springer.

Ich versuchte, in Andacht Handwerk und Phantasie vereint vor
mir schweben sehend, Philomena zu küssen, was mißlang.

Sie erklärte, daß ihre neue Arbeit viel Verschiedenheit beinhalte.
Sie müsse durch Schablonen ein auf zwei oder zwei auf drei Meter
große Gewirke bemalen. Die Farben würden von der Firma gestellt.

Ich fragte, welche Bilder?

Sie antwortete stolz, es seien alte Meister, Rembrandt van Rijn,
Koggen, Fasanenstilleben und Blumensträuße, im Großhandel ko-
steten die Stücke einhundert Mark.

Donnernd tat sich der Eingang des Torfgelasses auf, an dem eine
nachsichtig blinzelnde Fledermaus hing, faul gespreizt ihrer
Stunde gegenwärtig, und herein traten die Gebrüder Rettenmeyer,
die wir überhaupt nicht erwartet, aus unserem Gedächtnis vertrieben hatten, die wichtigsten Auswanderer und Verschollenen, Neu-
bürger der Deutschen Demokratischen Republik.

Elisabeth, die Herbergsmutter, fragte nach einem Stichwort, einer Form von Ausweis.

Die ein- oder zweieiigen Zwillinge oder nur Brüder, deren
Haare noch blonder geworden waren mit weißen Strähnen über
den Scheiteln, steckten Fackeln in ihre Münder und spieen feurige
Fontänen aus, immer behender, so daß die Mehrzahl der Klasse in
Deckung ging, als könnte unsere Moosfestung in Brand gesetzt
werden.

Lehrer Freitag, der Gläser putzte, Betrunkene zurechtrückte und
gravitätisch Erbrochenes in einem immensen Scheuerlappen auf-
fing, sagte zu den Gebrüdern, sie sollten Platz nehmen. Bowle lö-
sche auch Petroleumdurst.

Die Zwillinge oder genetischen Teufel, die es verstanden hatten,
in einem anderen Teil des Landes, der von uns noch immer mißachtet wurde, an Fertigkeit zu gewinnen, ließen sich nieder. Einer
von ihnen, nicht weit von mir, fing zu weinen an und sagte, der
Weg hierher sei unnötig kompliziert gewesen. Bier her, Sekt, belegte Brote!

Philomena und Joselfranz, wichtigste Kinderliebe und immerwährender Freund, verlangten, ich müsse schnell ein Gedicht machen, das sei mein Beruf.

Wohlan, sagte ich, an die unreinen Trochäen und Hexameter auf dem Fußballplatz denkend, die damals unsere Schüsse zum Tor begleiteten und im Jubel beim Prall des Balls ins Netz zerstoben, Schuld könne kein Verzicht sein, noch seien wir nicht allein. Es flatterten die Fahnen im Anblick der Vergänglichkeit. Die Last der Märchen, die Kraft der Mädchen, Farne, die größer gerieten als wir, widerstünden dem giftigen Wind, auch Elli die Zwiebel kehre zurück, unser letztes, verlassenes Kind.

Kein Beifall, eher Erschöpfung in einer Pause, da Gedichte nur einzusammeln vermögen, doch ihre Machtlosigkeit sickert auf Dauer durch Mauern, überwindet viele Schranken.

Dieter Unkauf sprang erregt auf und verkündete in das allgemeine Schweigen hinein, im Hintergrund begleitet von einem Chor nächtlicher Käfer und Insekten, unsere Rührung sei falsch. Im technischen Zeitalter müsse man sich den Tatsachen stellen, wobei er vergaß, deren Eigenschaften zu benennen. Sein blinder Vater habe ihn dazu verurteilt, Braumeister zu werden, aber nach zehn Jahren sei er wieder zur Schule gegangen, eine schreckliche Mühe. Nun arbeite er als Ingenieur in der Versuchsabteilung eines Werks für Mikroprozessoren. Er lasse sich von den Künsten der Gebrüder Rettenmeyer nicht blenden. Es komme wenig auf Idealismus an, allein materielle Wirklichkeit von Ideen bestimme unser Leben.

Einige nickten eifrig, andere hatten nicht begriffen. Direktor Freitag reichte dem Techniker auf einem silbernen Löffel eine geschmorte Tomate und sagte, dies sei Balsam für knirschende Entzauberung.

Elisabeth, schon immer im Bunde mit der Natur, klatschte in die Hände und verkündete, nach Mitternacht gebe sich der Staatszirkus des Hochmoors die Ehre.

Von der Decke der eingegrabenen Schenke ließen sich Spinnen herab, die atemberaubend geschwind Netze zu weben begannen, so daß wir schon bald eingehüllt waren. Die Gespinste ängstigten nicht. Jeder achtete darauf, die artistische Vielfalt der klebrigen Fäden, ihre Entschlossenheit und wohltuende Virulenz, nicht zu zerstören. Winzige Verknüpfungen glänzten im Kerzenlicht. An Ausbuchtungen wie Köpfen, Schultern und Armen überlagerten sich hunderttausendhafte Verflechtungen, leise surrend, als stünden sie unter Strom, und wenn ich daran dachte, daß im Verhältnis zu ihrer Geringfügigkeit sich viele Meterkilogramme an Spannung in ihnen verbargen, wurde ich noch vorsichtiger unbeweglich. Wir sa-

ßen und staunten, Kokonschüler, für die Vergänglichkeit keine
Rolle mehr spielte.

Ausgerechnet Wilfried Angele, ein schwerer Mann und Lebens-
mittelhändler, der seinen Laden in einem Patrizierhaus alle fünf
Jahre umbaute, raunte glucksend vor Glück und zum Gespenst ge-
worden unter dem nebelgrauen Dunst der Verworrenheit, in dieser
Haltung wolle er bleiben: Asche den Kassenbons, einen Tritt dem
Kirchenchor, dem er aus Politik beigetreten sei, einfacheres Sorti-
ment den Tiefkühltruhen und nur noch zehn Fertigpackungen den
Regalen!

Elisabeth und Lehrer Freitag lehnten mumienstolz nebeneinander.

Apfel Scheirian, der erst Ende des Kriegs in unserer Klasse aufgetaucht war und schon damals kaum mehr Haare hatte, die er, wie
behauptet wurde unter Eltern, in einem Lager verloren habe, bekam ein Gesicht wie ein Lampion. Philomena schlief neben mir, zurückgelehnt auf der niedrigen Bank und wahrscheinlich noch einmal Eier nach Größe sortierend, diesmal jedoch waren sie aus Gold
und Diamanten und gehörten ihr.

Atlantique, die Mohrin und Gunthers Geliebte von der Elfenbeinküste, regte sich, zerriß aber keinen der hauchfeinen Stränge.
Mit angefeuchtetem Finger gelang es ihr, bei der und jenem einen
kleinen, blauen Klecks auf der Stirn anzubringen, als wolle sie
durch Stammeszeichen die Zukunft beschwören.

Lautlos überströmt erinnerte ich mich an Joachim von Gott-
schalk, der nur ein paar Monate bei uns mitgemacht hatte, ein jüdischer Hugenotte aus Berlin. Seine Frisur war ganz anders gewesen,
länger und über die Ohren hängend. Bei jeder Antwort warf er mit
einer einzigen Kopfbewegung seine Tolle über die Stirn zurück.
Klassenkameradinnen schimpften, er sei Gymnasiast gewesen,
doch zurückgesetzt worden. Eines Tages kam er nicht wieder, war
tot. Seine Eltern, nie gesehen und Untermieter in einem Bauernhof, hatten sich und ihm, ausgestreckt auf Matratzen, die Pulsadern
aufgeschnitten.

Das Ruhen und Verzagen in der Vergangenheit wurde von Kassandra Maria Schmidt unterbrochen, Erbin eines Uhrengeschäfts.
Sie trug eines der Abendkleider, das sie wie die andere, Mela Hofer, Inhaberin einer Gärtnerei, beim Gang durch den Wildwuchs
der Wiesen hochgerafft hatte. Kassandra Maria fragte, wo Nepomuk Glötzinger bleibe?

Das Eingesponnensein schmolz, die Spinnen zogen sich zwischen die Fugen der Balken zurück, und Joselfranz sagte, wir müßten aufbrechen, bevor es tage, er habe noch etwas in petto.

Unverräterisch, daß er regional sprachlich auf Höhe verweilte, denn im Allgäu, dem letzten Zwickel Schwabens, wo die Zwei- und Dreitausender Vorarlbergs und die ersten Schweizer Schroffen wie Mädelegabel und Säntis, geschart um das Rheintal, aufragen, kommt es darauf an, Selbstverständnis nicht mit Tourismus zu verwechseln.

Erst neulich, schien uns, hatten wir ein Seitenheer Napoleons, das vom Bodensee zu uns vordringen wollte, in die Flucht geschlagen. Huintzen, Stecken mit dreifachen Gabeln im Stamm, auf denen Gras zum Trocknen der Juni-Mahd hing, wiesen in der Frühe französische Söldner ab, die glaubten, sie träfen auf Übermacht.

Wir verließen Elisabeths Murmelgasthaus, stampften durch Moorwasser, über Wurzelstränge im Torf, schälten Rinde von jungen Birken und kauten die bitteren Fasern gleich Cola-Indianern.

Auf den stillgelegten Geleisen zwischen Isny und Kempten, wichtigen Orten der Literatur, versammelten wir uns auf einer wartenden Draisine, erfunden von Forstmeister Karl Freiherr von Drais, 1785–1851, ein erlesenes Gefährt, Vorläufer der Schienenbahn.

Eifriges Pumpen am Schwengel, der über eine Welle, keine Kette, die Hinterräder in Schwung brachte. Der Gegenwind peitschte unsere Gesichter, zusammengefallene Stationen flogen vorbei, und in Kurven der rostigen Strecke pfiff der freie Wagen, als bejubelte er seinen Anteil der industriellen Revolution aus dem vorigen Jahrhundert.

Mitten im nassen Grün bremste Joselfranz mit einer Schaufel stürmisch als Fährmann. Algiger Schotter und spitze Bruchstücke des Blechblatts schwirrten um unsere Köpfe.

Nicht weit vom Damm stand erhaben ein kleiner Wolkenkratzer. Joselfranz besaß einen Allesschlüssel für das noble Altersheim, das, wie er sagte, sein letztes Werk sei, verlustabgeschrieben.

Auf Zehenspitzen gingen wir durch Korridore voll schlüpfrig geblümtem Belag, so daß wir uns gegenseitig stützen mußten. Apfel Scheirian jedoch fiel zu Boden. An seiner rechten Schläfe wuchs eine schwarze Stelle in einer gewölbten Ader unter der Haut, drohendes Pfröpfchen frühen Tods.

Joselfranz sagte, zu weiß lackierten Türen deutend, da wohne seine zweite Mutter, hier ein Onkel, dort eine Erbtante im größten Zimmer mit Dusche und Kochnische, und an einer Biegung forderte er uns heraus, dieses Appartement habe er für seine Frau bauen lassen. Er lachte und hustete erstickt. Wir hielten ihm den Mund zu, damit niemand erwachte.

In einem Lift, geräumig wie der Lastenaufzug eines Krankenhauses, fuhren wir zur Erde zurück, die uns mit Tau und kalten Nebelschwaden empfing. Joselfranz riß sein gewürfeltes Hemd auf und ließ es als Segel aus der Hose wehen, während er vorausging, laut singend von Elfen und Zwergen in Goldbergwerken.

Wilfried Angele, der Lebensmittelhändler, hob taumelnd das herabgefallene Ende eines Kabels aus einem Starkstrommast auf und schob es in den Mund. Nichts geschah, weder elektrisches Feuer noch Verschmorung.

In der noch schweigenden Stadt rauften wir, im Blumenbeet des Marktplatzes watend, Buschrosen, Floxe, Schwertlilien und Siegwurze aus, und mit einem umfangreichen Strauß, den zwei tragen mußten, sind wir zum letzten Gehöft des Gemeinwesens gegangen, das übriggeblieben war und Nepomuk Glötzinger gehörte, dem Scheusten von uns.

Joselfranz legte an der Seite des Hauses, zum zweiten Stock hinauf, eine Leiter an, die nicht mehr gegen Holzschindeln, sondern neuzeitliche Verkleidungsmaterial klopfte, Resopal oder Duroflex, mit dem die ältesten Gebäude verkleidet wurden gegen Verwitterung trotz Verdikte des Denkmalschutzes.

Wir wollten alle dort oben sein, doch Joselfranz blieb der Erste. Nepomuk Glötzinger blickte furchtsam verschlafen aus dem Fenster und sagte, er komme herunter. Vorher nahm er noch den mächtigen Strauß in Empfang, den er kaum zu sich hineinziehen konnte.

Und träumerisch wie wir, stellte er uns ein, teilte jedem im Stall eine Kuh zu, die wir bedienen sollten, obwohl es eine Melkanlage gab. Einige lachten, andere murrten, Atlantique, die schöne Mohrin, glitt in Mistfladen aus. Die Gebrüder Rettenmeyer raisonierten, daß diese Art der Viehhaltung völlig veraltet sei.

Schließlich legten wir die müden Stirnen an die feuchten Flanken der Rinder und versuchten, Zitzen zu malträtieren. Ich wußte, da mein früh verstorbener Vater Tierarzt gewesen war, weshalb möglichst oben, vor den Euterzapfen, angepackt werden mußte, damit ein Strählchen frei wurde, das über das Gesicht spritzte oder klingend in den Eimer schoß.

Später lagen wir alle in der Scheune, und Nepomuk deckte uns mit Heubüscheln zu. Unsere Milchbärte verschorften, Mäuse trippelten über uns hinweg, heimwärts in ihre Löcher. Die Sonne brannte auf das Dach, und ein Kuckuck, weit weg, wiederholte immer leiser seine Rufe, bis auch sie erstarben.

# Stephan Hermlin

## Erich M.

An Erich M., mit dem ich befreundet gewesen war, hatte ich sicherlich seit sieben Jahren nicht mehr gedacht; vor sieben Jahren hatte ich ihn zum letztenmal gesehen und ihn dann schnell vergessen. Er war der jüngste Sohn einer Arbeiterfamilie, in deren Wohnküche ich so oft wie möglich saß. Ich verbrachte damals viel Zeit in Berliner Wohnküchen, ich begegnete neuen Menschen, die mich einschüchterten, obwohl sie nicht unfreundlich waren; sie waren für mich voller Geheimnisse, wenn sie auch nur von alltäglichen Dingen sprachen. Erichs Vater hatte bei Spartakus gekämpft, er sprach selten, sah erschöpft aus und hatte es, wie Erich sagte, auf der Lunge. Die beiden Brüder Erichs arbeiteten als Spezialisten in der Sowjetunion, bei Elektrosawod. Es war die Epoche des ersten Fünfjahresplans, ich betrachtete mit stummer Begeisterung in illustrierten Zeitschriften die Bilder der neuen Städte, die Le Corbusier und Ernst May bauten; jede Woche las ich die von Karl Radek geleitete, auf schlechtem Papier gedruckte, doch in gutem Deutsch geschriebene »Moskauer Rundschau«. Wenn Erichs Brüder gelegentlich einen Urlaub in Berlin verbrachten, beredete ich sie, meine Gruppe zu besuchen. Wie schön waren diese Abende, auf die man sich schon lange vorher freute, die man kaum erwarten konnte, wo jeder jeden freudig begrüßte. Fast alle meine Kameraden waren junge Arbeitslose, viele der Jungen und Mädchen waren aus der Berufsschule zum Arbeitsamt gekommen, das sie nicht mehr loswurden, vor dem sie herumlungerten, das ihnen keine Stelle vermitteln konnte.

Ich war eine Weile ein Außenseiter gewesen; die Blicke, die mich trafen, waren mißtrauisch oder ironisch. Dann hatte ich mich bewährt, es war die Zeit eines latenten Bürgerkriegs, und ich war SA-Leuten und Polizisten nicht aus dem Wege gegangen. Es waren übrigens nicht Straßen- und Saalschlachten, die ich fürchtete. Viel mehr beunruhigte mich die sogenannte Haus- und Hofagitation, das Klingeln an fremden Türen, die Notwendigkeit, mit Leuten, die man nie zuvor gesehen hatte, ein Gespräch zu beginnen. Ich hatte gegen die Angst, die mir solche Begegnungen verursachten, anzukämpfen und zwang sie mühselig nieder, doch erwachte sie stets von neuem. Meine Freunde wußten nichts davon. Sie hatten mich beobachtet und behandelten mich nun als einen der Ihren. Wenn Erichs Brüder zu uns kamen, kannte unsere begeisterte Neugier keine Grenzen. Wir wurden nicht müde, ihnen Fragen zu stellen. Sie berichteten vom Moskauer Alltag, von ungeheuren Arbeitsleistungen, von Not und Entbehrungen, ohne Furcht, Mängel beim Namen zu nennen. Sie erläuterten Zahlen: ihre Pläne und Gegenpläne, ihre Lebensmittelrationen. Not und Hunger vermochten nicht, die Sowjetunion in unseren Augen herabzusetzen; sie waren das Erbe der Vergangenheit, einer korrupten Gesellschaft, von Krieg und aufgezwungenem Bürgerkrieg. Auch bei uns gab es jetzt Hunger. Er war das Ergebnis der Völlerei der Wenigen. Dort bereitete ein Land, das keine Arbeitslosen kannte, den Überfluß für alle vor. Es gab dort Wohnungsnot, aber schon waren jene Städte im Bau, die ich in meinen Träumen und später in einem Gedicht die weißen Städte nannte, weil ich sie weiß und vollkommen auf den Fotografien in »UdSSR im Bau« und in der »Arbeiter-Illustrierten« sah; bei uns gab es genug Wohnungen; aber täglich wurden Hunderte exmittiert, weil sie die Mieten nicht mehr bezahlen konnten. Wir lachten über die Berichte von der russischen Not in den bürgerlichen Zeitungen; es war ein freies Lachen, denn wir wußten, daß es da drüben schnell aufwärts gehen würde, während bei uns der Kapitalismus am Ende war.

Es war Anfang Februar, nur wenige Tage nach der Machtergreifung Hitlers, als ich, durch eine Nebenstraße der Kaiserallee gehend, Trommeln und Gesang hörte. Ich blieb stehen und erblickte nach wenigen Sekunden ein Fähnlein Hitlerjugend, das singend in meine Straße einschwenkte. In dem zweifelhaften Deutsch mancher Soldatenlieder hieß es da:

Daß das Vaterland nicht untergeh',
Drum starben stürmend sie bei La Bassée.

Das Lied hatte ich nie zuvor gehört. Melodie und Text blieben mir fest im Gedächtnis, wenn auch Jahr um Jahr verging, und ebenso das rasche Schwenken der linken Flügelmänner um die Ecke, und der Flügelmann in der zweiten Reihe, laut singend, im braunen Hemd und die braune Mütze auf dem Kopf, war mein Freund Erich M. Er sah mich und wurde blutrot, und gleichzeitig fühlte ich, daß ich erblaßte. Er sah gerade vor sich hin. Nur ein paar Stunden oder Tage hatten genügt, ihn so zu verwandeln. Ich war siebzehn Jahre alt und begriff es nicht, aber ich lernte es begreifen, als er schon lange an mir vorbeigezogen war. Er war der erste, zahllose sah ich folgen. Unbezähmbar ist der Drang, bei den Stärkeren zu sein. Auf wie vielen Schlachtfeldern hatten die von der Niederlage Bedrohten die Fahne gewechselt.

Es waren sieben Jahre und einige Monate nach dieser Straßenszene vergangen, als ich plötzlich an Erich M. dachte, der mir, wie ich schon sagte, gänzlich aus dem Sinn gekommen war. Es war Nacht, und wir lagen in einem Hohlweg, nachdem wir die letzten Tage hindurch fast immer und in wechselnden Richtungen marschiert waren. Wir wußten nicht mehr genau, wo wir uns befanden, unserer Einheit hatten sich versprengte Soldaten, auch Zivilisten angeschlossen, die so plötzlich verschwanden, wie sie aufgetaucht waren. Wir lauschten auf Panzergeräusche, die in diesen Tagen unverhofft nicht weit von uns hörbar geworden waren, am Tag war der Himmel voll von ihren Flugzeugen, wir hörten ferne Bombardements, eine Staffel Morane-Maschinen flüchteten vor ein paar Messerschmitts, der Krieg löste uns, er löste sich selber auf, bevor wir ihn wirklich zur Kenntnis genommen hatten. In einem leeren Dorf sah ich mit leerem Blick ein Plakat an einer Mauer: »Nous vaincrons, parce que nous sommes les plus forts.« Deutsche Panzerkolonnen konnten von überallher auftauchen, manche, so hieß es, stießen aus dem tiefen Süden vor. Der Hauptstoß der Deutschen kam nicht mehr aus dem Norden. Sie griffen von Mézières und aus dem Wald von Mormal her an, also aus östlicher Richtung. Sie stießen zur Küste vor, sie trennten die britischen von den französischen Truppen. Ich sah die Sterne am Himmel, das runde Licht einer Taschenlampe auf einer Karte nicht weit von mir. Die Stimmen einiger Offiziere murmelten beharrlich in meiner Nähe, es war wie in der Kindheit, als ich Gespräche von Erwachsenen um mich her liebte, Gespräche, die ich nicht verstand und nicht verstehen wollte, deren Klang ich liebte und deren Sinn mir gleichgültig war. Aus dem unverständlichen Gespräch bahnte sich nur ein Satz den Weg durch meine Erschöpfung. »Sie haben Lens genommen«, sagte jemand, »Béthune und La Bassée.« Eine ungeheure Gleichförmigkeit der Geschichte wurde sichtbar, alle zwanzig Jahre fielen die gleichen, sonst nie genannten Namen, immer wieder zeigten sich die gleichen Verhängnisse wie Schübe von Geröllmassen, Dörfer und kleine Städte schienen nur dazusein, um erobert zu werden, um verlorenzugehen, und leidend lebten die Menschen ihren künftigen Leiden entgegen.

## 1. Mai

Man hatte den 1. Mai zum Staatsfeiertag erklärt, er hieß jetzt »Tag der Arbeit«. Ich sah die Berliner Arbeiter zum Tempelhofer Feld ziehen, hunderttausende. Ihre Parteien waren aufgelöst, ihre gewählten Führer eingekerkert oder tot oder auf der Flucht, ihre Gewerkschaftshäuser geplündert und besetzt, am Straßenrand stehend sah ich sie vorbeiziehen, sie waren jetzt Gefolgschaft, die Unternehmer, die an ihrer Spitze gingen, hießen Betriebsführer, die neuen Namen entsprachen, sagte man, alten germanischen Ordnungen, und sie alle, die vorüberzogen, wurden Volksgemeinschaft genannt, denn die neue Regierung hatte erklärt, es gebe keine Klassen mehr. Sie war gegen jüdischen Marxismus und raffendes Kapital, jedoch für die schaffenden deutschen Unternehmer Krupp und Röchling. Die Arbeiter marschierten unter einer hellen, kaum wärmenden Maisonne, um sie her erhob sich ein unsichtbares Rom, ich glaubte, die Feldherren zu erblicken, von denen wir in der Schule lasen, wie sie besiegte Völker durch ihre Hauptstadt geführt hatten. Die Arbeiter sahen aus wie immer, nur ein wissendes Auge gewahrte kaum bemerkbare Veränderungen an ihnen, ihrer Kleidung, ihren Gesten, ihrer Haltung. Immer noch waren sie schlecht genährt, trugen sie verbrauchte, saubere Anzüge, und jene Schiffermützen, die damals ein allgemeines äußeres Kennzeichen ihrer Klasse waren. Diese Mützen waren mit einem unauffälligen Riemen, meist aus schwarzem Lack, verziert, der von vielen durch einen Lederriemen mit Schnallen ersetzt worden war. Sozialdemokraten und Kommunisten trugen diese Art von Riemen an ihren Mützen, die Nationalsozialisten einen anderen, in der Mitte geteilten.

Es war dieser winzige Unterschied, der einem plötzlich ins Auge sprang, und der banale Umstand, daß mehr als je zuvor den geteilten Riemen an der Mütze trugen, enthielt die verhängnisvolle Botschaft von einer verlorenen Schlacht und dem, was ihr zu folgen pflegt: Scham, Lethargie, erzwungene oder gesuchte Anpassung. In den Taschen der Geschlagenen steckten die Zeitungen des Regimes: sie konnten darin nicht nur die Beschimpfungen und den triumphierenden Hohn der Sieger finden, sondern auch die unter geheuchelter Anteilnahme verborgene Aufforderung zum Verrat: »So weit haben eure Führer euch gebracht. Sie selber sitzen sicher in Paris und Moskau.« Der Gedanke, geschmäht und belogen zu werden, mischte sich in das Bewußtsein der Ohnmacht und Sprachlosigkeit; ein Hauch von Fäulnis wehte über die mit Lautsprechern und Blaskapellen brüllende Stadt. Furchtbar spürte ich einen Augenblick lang diese Fäulnis in mir selbst: wie ein Nordlicht der Zersetzung wogte in mir der Wunsch, unter den Marschierenden zu sein, mich mit ihnen treiben zu lassen, von der gleichen Macht getrieben zu werden, die sie beherrschte. Etwas in mir widersprach dem Versucher. Schon formten die Münder der Vorbeiziehenden, die noch vor ein paar Monaten das alte Spartakuslied angestimmt hatten, die neuen Worte auf die vertraute Melodie. Konnten die Herrschenden nicht recht haben, weil sie gesiegt hatten . . .

# Richard Hey

## Heimat deine Sterne

Das sang ein triefäugiger Baß in den Wunschkonzerten der Nazi-Zeit. Den deutschen Soldaten, die unter fremden Sternbildern in Rußland und Afrika töteten und krepierten, wurde es ins Ohr geblasen, den Frauen und Kindern in den Luftschutzkellern unter dem Schutt ihrer Heime, den Blockwarten und KZ-Bewachern, damit sie alle wußten, wofür sie ihre schwere Pflicht erfüllten, durchhielten, draufgingen und draufgehen ließen. Heimat, das war Volk, Reich, Führer.

So hieß es, als ich Luftwaffenhelfer war und versuchte, amerikanische Bomber über Frankfurt abzuschießen. Der Qualm der brennenden Stadt verdeckte die Sterne über ihr. Seitdem sehe ich mir die Leute an, die von Heimat reden. Bergbauern und Nordseefischer, deren Familien seit Generationen am selben Ort leben, benutzen das Wort selten. Wer singt »dor is mine Heimat, dor bün ick to Huus«, ist meistens nicht aus der Gegend. In Vorträgen (»Erwandere dir deine Heimat«) sind Gräser und Steine gemeint, Reste von Römern oder anderen Leuten, die früher mal da waren, »man achte auf das für diese Gegend typische Walmdach«, und wenn es hochkommt, ist von Infrastruktur die Rede oder von Bismarck, der in der nahen Kreisstadt übernachtet hat.

Auf politischen Versammlungen bemühen sich Redner nach wie vor, den Raum zwischen den Symbolen ihrer Partei am Rednerpult und dem Sternbild über ihnen mit dem Wort Heimat zu füllen. In den fünfziger Jahren hat es sogenannte Heimatfilme gegeben, die alles mögliche zeigten, nur nicht, wie die Leute, die zu sehen waren, wirklich lebten. Filme, die zeigten, wie Leute in einer bestimmten Landschaft wirklich leben, werden nicht Heimatfilme genannt. Zwar haben in letzter Zeit Deutsche, Österreicher und Schweizer hervorragende Filme gemacht, die das materielle Elend und die Härte des Lebens von Bauern schildern, und sie fassen ihre Filme auch als Heimatfilme auf. Aber im üblichen Wortgebrauch ist Heimat, wie Vaterland, eine überwiegend metaphysische Angelegenheit geblieben. Und Gräser, Steine, Meer und Bismarck dienen weniger der Beschreibung als der Verklärung.

Um die Zeit, in der »Heimat, deine Sterne« im Radio gesungen wurde, las ich zum ersten Male die Ballade von Archibald Douglas, der nichts wollte, als die Luft im Vaterland zu atmen, und plötzlich hatte ich Schuld- und Neidgefühle, weil ich zur Teilnahme an dieser Verklärung nicht fähig schien. Oder ich las, jemand, der ausgewandert war nach Amerika oder Australien, kehrte am Ende seines Lebens als reicher Mann in sein karges Heimatdorf zurück, um da zu sterben. Ich wollte auch so ein Heimatdorf haben, das einen beschützt, selbst in der Fremde, selbst wenn man reich wird, das einem Kraft gibt, selbst zum Sterben.

Später hörte ich von Juden, die im Ersten Weltkrieg das Eiserne Kreuz erhalten hatten; sie waren sicher, der Führer werde sie in Frieden lassen, da sie ja die Heimat verteidigt hatten. Aber es ging ihnen nicht wie Archibald Douglas, der Führer sagte nicht: »Der ist in tiefster Seele treu, der die Heimat so liebt wie du«, und er ritt mit den Juden nicht nach Linlithgow, um dort zu fischen und zu jagen, froh als wie in alter Zeit, sondern nach Auschwitz und Theresienstadt. Wo man Heimat staatlich verklärt, füllen sich Gefängnisse und Friedhöfe. Und zu jedem, der auf seine Heimat pocht, gehört ein anderer, der deshalb ins Exil muß.

Aber für die Verklärung von Heimat haben auch die zu zahlen, die sie sich verklären lassen. Wahrscheinlich hat das Verklären schon früh angefangen. Laut Wörterbuch steckt in Heimat »Grundbesitz, Anwesen«. Wer was besaß, mußte darauf achten, daß andere, die für ihn schufteten, ihm nicht an den Besitz wollten. Er mußte ihnen klarmachen, was alles sie ja schon gemeinsam mit ihm besaßen: Die Schönheit der Sonnenaufgänge hinter den Bergen oder über dem Meer, das Wogen der reifen Weizenfelder, die Linie der sanften Hügel in der Dämmerung, Tanz unter der Linde, Gesang von Amsel, Nachtigall und Lerche, nicht zu vergessen die gemeinsame Religion, der gemeinsame Dialekt, die gemeinsamen Sitten und Gebräuche. Die sahen natürlich immer eine Bevorzugung derjenigen vor, die wirklich die Heimat besaßen. Sie hatten gut preisen und verklären, da sie satt waren.

Die sonst noch in der so gefeierten Heimat hausten, was sollten sie groß von ihr reden. Sie hatten für sie zu sterben, wenn es angeordnet wurde, und bis dahin waren sie in der Regel krank, unterernährt, geschunden. Besonders die Frauen. In der patriarchalischen Heimat, deren umflorte Beschwörung heute wieder so beliebt ist, hatten sie keine, nur den Platz, den ihnen Kirche und Obrigkeit zuwiesen. Später waren es dann die Fabrikherren, die den Arbeitern sagten: Seht, das ist doch auch eure Fabrik, wir sitzen doch alle im selben Boot. (Aber das bißchen Mitbestimmung, das sie inzwischen den Arbeitern zugestehen mußten, würden sie doch lieber wieder abschaffen.)

Die Fabrik als Heimat. Den entwurzelten Kleinstädtern und Bauernkindern, die im vorigen Jahrhundert in die Industriestädte zogen, um dort für Hungerlöhne zwölf bis vierzehn Stunden am Tag zu malochen, blieb nichts anderes übrig, als es so zu sehen. Die Hinterhoflöcher, in denen sie hausten, waren kein Zuhause. Und nur wenige werden sich den Komfort erlaubt haben, als Wracks in ihr früheres Heimatdorf zurückzukehren, um da zu sterben. Heimat hat mit Vergangenheit nichts zu tun. Wer sich an eine Heimat erinnert, hat sie nicht mehr.

Im Lebensbericht einer Arbeiterin, die als junges Mädchen während des Ersten Weltkriegs von einer Munitionsfabrik zur andern »vershanghait« wurde, von Hamburg nach Leverkusen, lese ich, daß sie Hunger, Kälte, Ausbeutung, Schikanen, Trennung von Familienangehörigen nur ausgehalten hat, weil sie Mitglied der SPD-Jugendorganisation war und später Mitglied der KPD. Was jeder braucht, um zu leben und zu überleben, muß ja nicht nur geographisch zu finden sein. Es läßt sich auch vereinbaren, schaffen. Heimat, sagt Bloch, ist das, was erst noch werden soll.

Im Moment machen Grüne, Alternative und andere Jugendgruppierungen einen neuen Versuch, Heimat herzustellen, zum Beispiel in Gorleben, in Zürich, in jedem zum Abbruch vorgesehenen Haus, das sie besetzen und instandsetzen. Die Polizei, die sie schlägt und vertreibt, schlägt und vertreibt Jugendliche aus ihrer Heimat. Sie tut das im Auftrag einer Gesellschaft, die zutiefst zukunftsfeindlich geworden ist, weil sie, mit Recht, fürchtet, keiner Zukunft mehr gewachsen zu sein, und daher nicht erträgt, daß ihre Kinder Heimat jenseits ihrer Zeit und Begriffswelt suchen.

Ich mag zwar den Hirsebrei nicht, den die Alternativen propagieren. Und ich glaube auch nicht, daß unsere Zivilisation jemals wieder einen quasi techniklosen Zustand erreichen wird, es sei denn als Folge einer atomaren Superkatastrophe. Einen weitgehend techniklosen Zustand anstreben zu wollen, würde bedeuten, Heimat in der vortechnischen Vergangenheit zu suchen. Es wäre die rückwärts gewendete, sentimentale Utopie von Heimat.

Aber ich halte es für wichtig, daß eine nicht unbeträchtliche Anzahl von Leuten dabei ist, andere Modelle des Zusammenlebens von Mensch und Natur auszuprobieren. Die bisher üblichen erweisen sich ja als unbrauchbar. Und vielleicht ist die Hoffnung erlaubt, daß diese Heimathersteller der Hirsebreiverklärung entgehen, daß die Konzentrierung auf kleine Einheiten, auf bisher vernachlässigtes Regionales nicht notwendig zur Abkehr von der Welt führt, sondern im Gegenteil zur Verstärkung der Einsicht, daß kein Hälmchen auf dem biologisch gedüngten Beet wachsen wird, wenn es dem Nachbarn sechstausend Kilometer entfernt nicht gefällt. Daß es keine metaphysisch behüteten und behütenden Heimatdörfer mehr gibt, trotz Schützenverein, Kriegerdenkmal und Wallfahrtskirche. Auch der einsamste Einödbauer wird erreicht vom Satellitenfernsehen, von Hubschraubern, radioaktiv strahlenden Wolken. Autobahnbrücken werden neben seinem Gehöft aus dem Felsen gesprengt, das angrenzende Grundstück gehört einem Konzern von einem andern Kontinent.

Vielleicht also können uns Grüne und Alternative, auch wenn sie an ihren Widersprüchen scheitern sollten, lehren, mehr Mut zu haben. Den Mut beispielsweise sich zu verhalten, wie international miteinander verflochtene Konzerne oder Kapitalseigner sich eben schon lange verhalten, die den gesamten Planeten als Operationsfeld benutzen.

Der Planet als Heimat. Die Leute im Iran, in Afghanistan, die Einwohner von Soweto und El Salvador haben andere Sorgen. Und wenn es schon einem Berliner aus Charlottenburg schwerfällt, die Türken in den Kreuzberger Abbruchhäusern als Nachbarn zu akzeptieren, wie sollten wir da begreifen, daß in Indien, China, Kambodscha, Eritrea, Kurdistan, Nicaragua nur Nachbarn wohnen, deren Ängste und Hoffnungen von unseren Ängsten und Hoffnungen nicht zu trennen sind? Können andererseits die Leute in Teheran, in Irkutsk, in Denver mit den Ängsten und Hoffnungen, die jemand in Berlin oder Neapel hat, irgendwas anfangen?

Trotzdem, wenn ich mir überlege, was Heimat jetzt für mich ist, ich wüßte nur Professor Habers winzige bläulich schimmernde, birnenförmig verzerrte Kugel, auf der sämtliche Rassen, Kulturen und Gesellschaftssysteme durchs Weltall rasen. Ich sehe Fotos von Gary Davis vor mir, der sich vor dreißig Jahren selbst einen Weltbürgerpaß ausgestellt hatte und im Schlafsack vor dem Gebäude der Vereinten Nationen kampierte. Es war leicht, über den Spinner zu lachen; es war leicht, dem Propheten zuzustimmen. Beides kostete nichts. Inzwischen haben Hunger, Elend, Bedrohungen jeder Art für die Bewohner des Planeten zugenommen. Und einige wenige Leute an den Schalthebeln veralteter atomgepanzerter Machtstrukturen in West und Ost können aus Angst, Hochmut, Hilflosigkeit uns samt unsern Nachbarn den Planeten um die Ohren fliegen lassen. Bis die Lichtblitze der Explosionen die Sterne erreichen, die über unserer bisherigen Heimat standen, vergehen dann Tausende von Jahren. So lange wie wohl auch das Leben brauchen wird, um auf dem verseuchten Klumpen, der um die Sonne torkelt, wieder halbwegs brauchbare Programme zu entwickeln.

# Stefan Heym

## Der Tod des Reb Joshua

Weiß keiner die Wahrheit außer mir selber, und außer dem Rabbi, doch der ist tot all die vielen Jahre, und die Toten reden nicht.

Es war dieser Tag aber von einer Schönheit wie selten; die Erde, noch feucht von den Winterregen, roch nach der Krume des Akkers, die Lilien standen in ihrer Pracht, und der Himmel war noch nicht verblaßt durch das Gleißen des Sommers, sondern wölbte sich tiefblau über der Stadt und dem Tempel. Ein Tag zum Leben und nicht zum Sterben; aber es war der Tag vor dem Vorabend des Sabbath, und was vollbracht werden sollte, mußte heute getan sein, denn am siebten Tag hatte GOtt geruht, und keine Hand in Israel darf sich rühren an diesem Tag.

Darum die Hast. Darum das Hin und Her zwischen dem Haus des Kaiphas und dem Haus des Herodes und dem Haus des Pilatus, und die plötzliche Volksbefragung, welcher soll leben und welcher soll gerichtet sein, der Guerillero, der Barrabas, oder dieser verrückte König der Juden; darum die eiligen Konferenzen der Rechtsgelehrten, hier ging es um Zuständigkeiten, wer spricht das Urteil, wer vollstreckt es, um nationale und religiöse Belange, hie Priesterschaft, hie Tetrarch, hie Besatzungsmacht, und dazu die Störrigkeit des Reb Joshua, wohl auch sein völliges Unverständnis für weltliche Vorgänge, er sah nur seine Berufung auf den Platz zur Rechten von GOtt, zugleich aber war sein Herz voller Ahnung und Angst. Und darum die Hetzjagd den Berg hinauf, die der Menge so geringe Gelegenheit bot, die Schau zu genießen. Ein Kauz, der sich selber als König bezeichnet und das eigne Kreuz schleppen muß, welch schöne Möglichkeit für Witze aller Art, hier kann der Humor des Volkes sich straflos austoben und Stoff für Gespräche liefern an vielen Abenden, aber nein, kaum taucht dieser Mensch auf, keuchend und Blut schwitzend, getrieben von den Stockschlägen der Eskorte, da ist er schon vorbeigetaumelt, und nur dort, wo er in die Knie sinkt wie ein überbürdeter Lasttesel, kann man ein höhnisches Hosannah! rufen, oder ein Heil dem König! oder: Wie willst du uns erlösen, du Sohn GOttes, kannst dir doch selber nicht helfen!

Da war mir leid um dich, Reb Joshua, trotz deines großen Wahns, und das Herz zog sich mir zusammen in der Brust, da ich dich auf mich zukommen sah mit dem Kreuz auf deinem Rücken. Und ich sah deinen Blick, da du mich erkanntest vor meinem Hause, und wie deine rissigen Lippen zitterten und du zu sprechen suchtest, doch brachtest du nur ein heiseres Flüstern zustande. Und ich ging zu dir hin und sagte: Wie du siehst, bin ich bei dir in deiner schweren Stunde.

Er nickte und sprach mit Mühe: Du hast gesagt, daß ich werde ausruhen dürfen bei dir.

Ich aber neigte mich nieder zu ihm, denn er stand tief gebückt unter seiner Last, und ich sagte: Ich habe ein Schwert GOttes bei mir unter meinem Kleide, und ich will es ziehen für dich, und all deine Spötter und deine Feinde und alles Kriegsvolk werden zu Tode erschrecken und fliehen vor seinem feurigen Glanz.

Er schwieg.

Du aber, Reb Joshua, sprach ich weiter, wirst das Kreuz von dir werfen und dich aufrichten von deiner Last, und das Volk Israel wirst du um dich scharen und es führen, wie denn geschrieben steht, dein ist der Kampf, o Fürst, und dein der Sieg, o König.

Er jedoch schüttelte den dornengekrönten Kopf und antwortete mir: Lasse dein Schwert in der Scheide. Soll ich den Kelch nicht trinken, den mir mein Vater gegeben hat? Aber ich möchte mich ausruhen im Schatten deines Tores, denn ich bin zum Sterben matt. Da ergriff mich der Zorn ob so viel Starrsinns, und ich stieß ihn von mir und rief: Pack dich, du Narr! Glaubst du, den da oben kümmert's, wenn sie dir die Nägel treiben werden durch deine Hände und Füße und dich stückweise absterben lassen am Kreuz? Er hat doch die Menschen gemacht, wie sie sind, und da willst du sie wandeln durch deinen armseligen Tod?

Und ich sehe noch, als wär's heute, das Gesicht des Rabbi, wie es fahl wird unter den Blutstropfen, und höre ihn sagen: Der Menschensohn geht, wie geschrieben steht nach dem Wort des Propheten, du aber wirst bleiben und meiner harren, bis ich wiederkehre.

Danach ging er weiter und entschwand um die Ecke, wo der Weg hinführt nach Golgatha, und mit ihm alles Volk, das lärmte und umherhüpfte, als bekämen sie's bezahlt von einem wirklichen König. Und dann war eine große Stille, und das Licht lag auf den Blättern meines Weinstocks, der sich über den Säulenvorbau rankte, und die Schatten der Blätter zitterten auf den Steinen des Hofes, und ich saß und gedachte des Rabbi, der nun sterbend am Kreuz hing, und seiner Worte, die er zu mir gesprochen, und der Vergeblichkeit allen Bemühens.

Da kam Judas Iskariot und stand vor mir mit dem Beutel in der Hand und sagte zu mir: Du bist doch der, der den Kopf an die Brust des Rabbi legte bei dem Abendmahl, da dieser uns teilhaben ließ an seinem Leib und seinem Blute.

Und du bist der, sagte ich, der mir einen Silberling schuldet von den dreißig, die er für seinen Verrat erhielt.

Verrat, sagte Judas, ist ein garstiges Wort. Ich aber habe nur gehandelt nach dem, was sein sollte, und nach des Rabbis eigenem Wunsch, denn sagte er nicht zu uns, daß er sein Blut vergießen müsse für viele zur Vergebung ihrer Sünden, und darauf zu mir, ich möge, was ich zu tun hätte, bald tun? Also habe ich nur getan, wie's bestimmt war, und nach seinem Willen; du jedoch hast ihn von deiner Tür gewiesen, wie er nur ein wenig ausruhen wollte von seinen Mühen, darum hast in Wahrheit du ihn verraten und nicht ich.

Das ist mir eine bequeme Denkart, erwiderte ich, wo einer meint, was er tut, sei wohlgetan, nur weil er ein Werkzeug ist und ein Spielding in der Hand eines Höheren. Aber schon dein Vorvater Adam wurde mit Verbannung bestraft und mußte arbeiten gehen, nur weil er den Apfel fraß, obwohl's ihm vorbestimmt war, daß er ihn fressen sollte, denn wieso hätte GOtt ihm den Apfel sonst vor die Nase gehängt und die Schlange geschaffen und das Weib Eva? Das ist so ein Spiel, das GOtt treibt mit den Menschen, daß sie entscheiden sollen über Gut und Böse und dennoch nicht anders können, als wie's ihnen vorbestimmt, so daß du, obzwar zum Verräter geboren, dennoch ein Verräter wirst aus eigenem Willen und darum nicht anders kannst als hingehen zu dem Baum, der oberhalb meines Hauses steht, und dich daran aufhängen. Ich aber bin Geist vom Geiste GOttes; ich handle absolut und ohne Wertung, brauche daher keinen, der sein Blut hergibt für Sünden, die ich gar nicht begehen kann. Und jetzt gib mir den Silberling, den du mir schuldest.

Da erschrak Judas Iskariot und gab mir hastig den silbernen Denar, den ich gefordert, und lief davon. Nach einer Weile aber, da es auf die sechste Stunde ging, kehrte er zurück und sagte, die andern neunundzwanzig habe er zum Tempel getragen und den Priestern hingeworfen; diese jedoch hätten's nicht nehmen wollen, da es Blutgeld wäre. Darauf wandte er sich um und ging hinauf zu dem Baum, der oberhalb meines Hauses steht, und nahm einen Strick, wie die Eseltreiber benutzen, und erhängte sich.

Ich aber sah, daß der Himmel sich verdunkelte, und ein eisiger Wind hob sich von den Bergen. Und es kamen Leute gelaufen, die schrien, der große Vorhang im Tempel sei in zwei Teile zerrissen als wie von einer riesigen Hand, und die ganze Stadt sei voller Angst vor der Strafe GOttes

Da wußte ich, daß der arme Reb Joshua tot war, und ich verhüllte mein Haupt und weinte um ihn.

# Rolf Hochhuth

## Blätter aus einem Geschichtsatlas

### Reiche

Beginn wie Ende: »Von der Karte streichen!«
Doch jede Waffe wird zum Bumerang.
Anschlag, »Preemptive strike« – Griff in die Speichen.
Heilschreie erst – dann Sturz vom Felsenhang.

Staatsmänner planen ohne Fragezeichen.
Empfang im Schloß – Flucht durch den Notausgang.
Marsfelder heute – morgen Krieger-Bleichen.
Auf jedes Kampflied folgt ein Grabgesang.

Sprecht nicht verächtlich von versunkenen Reichen:
Geschichte ist, was jedem Volk mißlang.
Aufstieg wie Fall ein Knüppeldamm von Leichen,
Ordensband gestern – morgen schon der Strang.


### Tempel

Äcker, fast fruchtlos, der Pflug
lockert nur mühsam sie auf.
Kein Haus, weder Straße noch Grabmal
sind geblieben – ein Tempel allein,
dem mit den Betern auch Gott starb,
behaust nur von Sandwind
bezeichnet die Stadt noch: Segesta

Geh weiter auch du – eh' sie dich
ansteckt, die Schwermut:
sie brütet auf entleerten Altären.
Wo Markt war, Theater und City,
sind Dünen. Wo Menschen lebten,
ist – nichts. Oder du – momentan;
auch so lange nur wie dein Schatten.

Ein Rad dreht sich

> Der Stand des Wissens um 1820 rechtfertigte noch den
> Glauben an etwas Absolutes ›hinter‹ den einmaligen indivi-
> duellen historischen Ereignissen. Indessen sehen wir heute
> Indien und China und Mexiko mit ihren erstorbenen Kul-
> turen … Es ist ein *rein faustisches Bedürfnis,* ein überindivi-
> duelles Element anzunehmen, das sich trotz aller histori-
> schen Niedergänge einem Ziel zu bewegt.          *Spengler*

Verstumme auch du
wie die Stufen hier stumm sind
– nichtssagend, was wem geschah,
der über sie hinschritt,
Städter, neun Generationen einer City,
die in Erd- und Kriegsbeben unterging:
Selinunt.

Die hier lebten ebenbürtig
dem imperialen Karthago
wie Wilhelms Deutschland dem England Edwards
– sich wechselseitig bereichernd
bis nur dreihundert Jahre
nach ihrer Gründung der Handelspartner
sie wegstrich.

Zu Hilfe geholt
von den Segestern, die den Selinuntern
den Weg sperrten zum Tyrrhenischen Meer,
verkaufte Karthago 409
jene Bewohner als Sklaven,
die es nicht ermordet hatte
bei Erstürmung der Stadt.

Karthagische Tottreter
– ahnte ihrer einer bei der Schleifung
des Gegners: daß er die Vernichtung
seiner Heimat hier probe?
Ehe Stalins Genickschuß ihn wegwarf,
sagte ein polnischer General,
als Warschau vor Hitler kapitulierte:

»Ein Rad dreht sich.«
Das sah für sein Rom Scipio voraus,
als er auf Befehl
des Senats das Verbrechen beging,
Karthago, das besiegte,
wegzutilgen . . . verbrannte Erde.
Geschichte holt jeden ein.


Konjunkturkuli

Fünfundzwanzigtausend Kilometer
jeden Monat, jeden Monat,
aber keiner, keiner führt nach Haus!
Die Türkei, dem Touropa-Netz nicht angeschlossen,
einmal nur im Jahr seh' ich sie wieder,
jährlich einmal meine Frau, die Kinder.

Speisewagen-Kellner, doch kassieren
darf ich nur, wenn ich mein Wägelchen
mit Getränken durch den D-Zug schiebe.
Eine Glaswand trennt uns von den Deutschen,
die uns »diese Leute« nennen,
»Läuse im Gepäck« und »Hammelfresser«.

Gruppen-Wohnung, keine Einzelzimmer.
Volksbad-Dusche weit im andern Stadtteil.
Gibt man uns für mehr Geld eine Wohnung,
die ein Deutscher nicht mehr nimmt,
gibt man uns für weniger Geld auch Arbeit,
die ein Deutscher nicht mehr macht.

Wer bemißt, wann ein Beamter
»angemessen« sagt zur Wohnung,
die ich »nachzuweisen« hätte,
wenn er mir erlauben sollte,
meine Kinder nachzuholen,
die hier keine Schule fänden?

Ohne Ende unsre Trennung –
doch ihr Ende wär' noch schlimmer:
keine Arbeit! Freizeit? Schlafen,
Wäsche, Briefe, Kartenspielen.
Hunde dürfen wir nicht halten,
denn ein Hund hält keinen Hund.

Manchmal muß ich mir ein Mädchen
kaufen – doch bezahlte Frauen
wecken Trauer nur um meine,
die in Anatolien hinwelkt –
Und wie alt ist jetzt mein Vater!
Ob ich den noch einmal sehe? –


Dreihundert Jahre: die neunte Welle

*»Früherer Kaiser*
*rauhe Geschlechter,*
*wie ihre Geschosse*
*sind sie verflogen.«*
Mao Tse-tung: Schnee

      1913: die Romanows feiern,
      seit dreihundert Jahren regieren sie Rußland.
      Vier Jahre später: der Zar ist erschossen,
      verscharrt samt Familie.
      Was blieb: auf amerikanischem Wodka
      ein Etikett namens Romanow

Namen, Taten – nicht einmal mehr Rauch.
Gäste nur in Schlössern, ohne Spuren.
Der ich's reime, der du's liest: wir auch
– höchstenfalls als Schachfiguren
Staaten ausgehändigt zum Verbrauch-,
sind im Reigen der Kulturen
nur ein Lidschlag unterm Todeshauch.

      Dreihundert Jahre dauern
      auch in China vier Dynastien:
      von 618 bis 906 die Tang.
      Die Sung von 961 bis 1278.
      Die Ming von 1368 bis 1644.

      1912 treten die Mandschu ab
      mit des Kaisers zweijährigem Neffen Pu Yi.
      Einheitsgekleidet und willig,
      ein Untertan Mao Tse-tungs,
      stirbt er als Gärtner.

König, Bauer – beide, nach dem Spiel,
werden abgelegt im gleichen Kasten.
Nur ein Ende hat die Fahrt, kein Ziel,
ob der Segler auch mit vollen Masten
wieder einläuft oder kiel-
oben als ein Wrack die Lasten
abwarf und im Sturm zerfiel.

> 974 gibt Otto II. Österreich
> den Babenbergern. 1246 sind die erloschen.
> Die Merowinger beginnen 430 den Aufstieg.
> 751 steckt den letzten ins Kloster
> der Vater Karls des Großen, dessen Sippe
> 687 die Macht an sich riß.
> 987 verjagt den letzten Nachkommen Karls
> aus Frankreich Capet. Auch die Medici:
> 1434 wird Cosimo Herr in Florenz
> 1737 stirbt dort der letzte seines Geschlechts.

Städte, Staaten – ach, wie rasch Ruinen,
welche scharfe Axt führt doch die Zeit.
Du wie ich nur Schwellen unter Schienen
auf dem Irrweg in Verlorenheit.
Denk an die Verbrannten – vor Kaminen.
Sieh auf andere, die eingereiht
– schlangestehen vor Guillotinen!

> 1619: Habsburgs steirische Linie
> gelangt in Wien zur Alleinherrschaft.
> 1919: Rückkehr der Sippe in die Schweiz.
> Ein Zürcher Juwelier zerschneidet den Florentiner,
> um ihn vermarktbar zu machen.
> Karl und Zita raubten Vitrine 13 leer
> in der Schatzkammer der Hofburg,
> ehe sie Wien verließen.

Opfer, Mörder – fragt noch wer, warum?
Staaten steigen auf, um – abzusteigen.
Sinn? – wieso: ein Pandämonium!
Nur der Rasenmäher kann uns zeigen,
wie Geschichte endet; gräserstumm
wie ein Massengrab – in Schweigen.
Umbra fui – nihil sum.

1618: der Herrschaft Berlins
wird Ostpreußen untertänig.
1918: Wilhelm der Letzte von Preußen
verläßt Schlüters Berliner Schloß,
das dreißig Jahre später geschleift wird.
Die Teller aus seinem »Silbernen Saal«
wird der Enkel des Kaisers verhökern:
dem Sohn jenes Feldwebels,
der in Persien 1925
ein Kaiserhaus gründete.

Generationen wie Wellen: erlerne am Meer
die Kategorien von Ebbe und Flut.
Der Kamm jeder neunten schwillt höher als der
Kamm der acht ersten – bricht ab dann und ruht,
befreit vom Zwange zur Wiederkehr . . .
Neun Generationen ermüden das Blut,
das sind dreihundert Jahre: dann sinkt der Speer.


Weiße Mäuse oder
Politik als Ursache ihrer Notwendigkeit

Aus Piranesis Carceri stammt das Gehäuse
des Tretrads in den Zoo-Geschäften:
Modell der Politik – wie weiße Mäuse
sich folge-»richtig« auf dem Rad entkräften.

Die Mäuse – scheinbar – haben keine Wahl,
hilflos dem Rad zu folgen, seinem Drehen . . .
In Wahrheit wird der Motor ihrer Qual,
auch ihrer Lust: das Rad, dem sie nicht widerstehen

Doch nur bewegt, weil sie es selber treiben!
*Kann,* wer den Tiger reitet, nie herab?

*Will* nicht der ›Mann der Tat‹ im Tretrad bleiben?
So setzt auch die Chemie Produkte ab

An denen In- und Umwelt so erkranken,
daß man Chemie benötigt, sie zu dämpfen.
Oh, Herren, die ihre Jobs dem Zwang verdanken,
die Folgen ihrer »Taten« zu bekämpfen!

Johann Georg Elser

Unauffällig liquidieren, beim nächsten Luftangriff:
Gestapo-Brief vor Kriegsende nach Dachau.
Im Krematorium des KZ's wird Elser
– geboren 1903 in Hermaringen –
vermutlich stranguliert, vielleicht erschossen:
die Zeugen, jetzt pensionsberechtigt, schweigen,
da sie die Mörder sind . . .

Elf Monate vor Hitlers Weltkrieg
geht Elser, Sprengstoff zu entwenden,
als Hilfsarbeiter in den Steinbruch:
*ein* Deutscher ist so konsequent wie Hitler.
Gefoltert ein Jahr später, verhör-zermürbt
– er glaubt, Gott habe seine Tat verworfen –
nennt Elser ungebeugt nur *ein* Motiv:

Friede oder – Hitler! Ein Teil totalitärer Zeiten,
so viel vereinsamter als der des Mythos,
wie Hitlers Volk den Zwingherrn *liebt,*
der in Europa fünfzigmal mehr Menschen,
als es bei Kriegsbeginn in München gibt,
in Gräber wirft, auf Aschenhalden,
dreihunderttausend vor die Fische . . .

Vier Wochen früher als die Wehrmacht losbricht,
bricht Elser aus der Säule, die den Saal stützt,
(hier hetzt der Führer jedes Jahr die Mitbanditen auf)
die ersten Steine für die Pulverkammer.
Kniet fünfunddreißig Nächte vor der Säule
– ein Bluterguß im Knie wird ihn verraten.
Die Taschenlampe abgeschirmt; Schutt, Steine

Trägt er in einem Köfferchen zur Isar.
Sechs Tage vor der Explosion
Uhrwerke, Zünder abzustimmen:
die Polizei glaubt nicht, daß er das konnte,
bevor er die Maschine nachgebaut hat.
So oft er – vierzigmal – zum Tatort schleicht,
betritt er Kirchen, das beruhigt ihn . . .

Der Schwabe war nach sieben Dorfschuljahren
der prüfungsbeste Tischler-Lehrling.
Musiziert in Vereinen, spielt vier Instrumente,
beliebt bei Frauen, ehelos – Verwandte
schimpfen ihn rechtsversessen; Politik
ist ihm nur Kampf um Recht; wählt stets KP
»Ein Arbeiter«, erklärt er den Verhörern

»Muß Euer Feind sein!« – hat für Tat und Leben
im Monat weniger als hundert Mark; noch zehn
am Tage, als er in die Schweiz will.
Die Schwester schenkt ihm dreißig.
Damit reist er zurück nach München,
um seine Uhren nachzuprüfen . . . In Konstanz,
schon in Haft, hört er im Radio Adolf Hitler

Den Saal zu früh verlassen – elf Minuten!
Acht Nazis tot, fünf Dutzend sind verwundet . . .
Nach drei Jahrzehnten nennt sein Heimatdorf
nach Johann Georg Elser eine Straße
– doch keine deutsche Stadt, nicht eine.
Dies Volk liebt zwar die Freiheit – doch nicht jene,
die starben, um es zu befreien.


Aufruf

Bürger, streift ab für die Dauer eines Lidschlags die Angst.
Einmal seid stark für die Einsicht:
die Heimsuchung kommt nicht von Gott,
Eure falsche Ruhe ruft sie herauf.

Zieht ab vom Glauben, was Illusion war: ewig daure
die Langmut Gottes. Seine Geduld ist verbraucht.
Wer zählt die Söhne, die er gesandt hat,
sein Antlitz den Menschen zu zeigen.

*

Wir haben ihn nicht erkannt im bettelnden Kind,
nicht in der Greisin, die tot nur entdeckt wird,
weil sie dem Lichtableser nicht aufmacht.
Haben seine Not nicht erfaßt im Angstschrei des jungen Piloten,
den man vom Himmel schoß, bevor er gelebt hat.

Bürger, die Ihr keine Hand rührt für den Nachbarn,
den die Polizei nächtlich verschleppte:
warum *Euch* bergen aus dem verschütteten Keller?
Wie oft, Ihr Zeugen staatlich gelenkter Erpressung,
habt Ihr wegsehend nur die Straße gemieden?

Sind wir erst selbst umstellt, wird dem Maß unsrer Feigheit
das Unheil entsprechen, das uns wegreißt aus unsrer Praxis.
Die Erde, uns allen mit gleichen Rechten geschenkt,
soll sie Feld sein und der Grund unsres Hauses
– oder nur unser Grab?

*

Gleichgültig liefert nun Gott uns der letzten Versuchung aus:
er tritt seine Allmacht ab an den Menschen.
*Wir* sind jetzt die Herren der Apokalypse, der Tod unser Knecht.
Die Schleusen zur Sintflut bedienen jetzt wir.

Setzt Zeichen, entgiftet das Gas.
Schlaft nicht auf Bomben, entschärft sie. Und schützt
auch den Mächtigen vor der Macht, bewacht ihn.
Betet nicht, wachet, damit Ihr in Anfechtung fallet.

# Geschichtsatlas

Jahre, »Taten« – an den Wind verloren.
In den Wind gearbeitet! – klagt Salomo.
Hekatomben hat Geschichte weggeschoren,
wüstgelegt, genarrt, von nirgendwo
und um nichts nach nirgends deportiert.

Brüder, Vettern, Kinder, Eltern
wie Benzin auf »Vormarsch«-Straßen
querweltein verbraucht, auf Feldern
an der Rollbahn abgeworfen – oder fraßen
Feuer oder Fische oder Straßen ihren Leib?

Zum Beispiel die M.s am Markt, Friseur,
politikfremd veropfert – jeder hat sie gekannt.
Ich meine die M.s aus La Tranche-sur-Mer,
du meinst die aus Kiew – wie fliegenden Sand
hat der Kriegswind sie ins Nichts verschleudert.

Und der du's liest und der ich's schreibe:
wo wirft *uns* die Politik auf Abraumhalden?
Bomber kreisen – eine Bleibe
ist kein Haus mehr, längst verwalten
sie die Völker per Computerbank.

Du bist auch mit allen Steckbrief-Daten,
Reisen, Steuern, Leberflecken
längst gespeichert – vorgeladen,
kann kein Wald, kein Raum dich mehr verstecken,
wenn der Staat, gesichtslos, nach dir greift.

# Gerd E. Hoffmann

## Von den Slums, der Gleichgültigkeit und einer fast restlosen Abfallverwertung

Das, was wir Slums nennen, macht den Besucher, obgleich er ständig mit Sprache umgeht, erst einmal sprachlos. Was seine Augen sehen, ist allein von den Dimensionen her so ungewohnt und maßlos, daß die Formel »unvorstellbare Armut« nicht greift. Denn, was unvorstellbar ist, kann mich nicht wirklich treffen und betroffen machen. Die erste Empfindung ist deshalb eher ein großes Erstaunen. Es vertieft sich später vor allem unter zwei Gesichtspunkten. Der Besucher fühlt sich beschämt, weil es ihm so viel besser geht, es ihm jedoch gleichzeitig unmöglich ist, mehr als ein paar Almosen zu geben, die aber sein Gewissen nicht beruhigen. Folglich politisiert er das Problem und erwartet Hilfe von staatlichen und anderen Organisationen.

Beschäftigt sich der Besucher etwas eingehender mit diesen Fragen, stößt er schnell auf Sachverhalte und Empfindungen, die sich zu einer »komplexen Hilflosigkeit« verdichten. Damit ist die Erkenntnis gemeint: Selbst mit einem gigantischen sozialen Hilfsprogramm – und es gibt kleinere Beispiele dafür – ist das Gesamtproblem in kurzer Zeit, womit schon zwei Jahrzehnte gemeint sind, nicht zu lösen.

Unsere Sprache – so fürchte ich – reicht nicht aus, um das, was die Augen in den Großstädten des Subkontinents Indien davon sehen, so zu beschreiben, daß allein durch das Lesen der Beschreibung ein genau zutreffendes Bild entsteht. Dennoch soll dies versucht werden, um wenigstens eine vage Vorstellung zu erzeugen.

Trennen wir uns zuerst von den gewohnten Vorstellungen. Wir verstehen unter Slums in Europa wie in den USA bestimmte Stadtgebiete, in denen Arme, Asoziale, Kinderreiche, unterprivilegierte nationale Minderheiten und kleine Gangster leben. Es handelt sich also durchweg um relativ fest abgegrenzte Gebiete oder ganze Stadtteile, die nach Einbruch der Dunkelheit zu betreten gefährlich ist. Selbst auf die Favellas in Rio de Janeiro trifft dies zu.

In den Millionen-Städten Indiens ist das anders. Nur New Delhi scheint eine Ausnahme zu sein, weil dort mit Gewalt die Slums aus dem Stadtbild herausgedrängt wurden. In den anderen Großstädten leben rund dreißig Prozent der Bevölkerung in sogenannten Slum-Areas, Slum-Stellen, verteilt über die ganze Stadt. Besonders deutlich wurde das dem Besucher in Madras und Calcutta.

An den Mauern öffentlicher Parks wie an denen privater Villen werden aus Holzstangen, Brettern, Wellblechstücken, Tuchfetzen Zwischenwände und Dächer errichtet. In diesen kleinen Behausungen, »jhuggis« oder »huts« genannt, leben ganze Familien. Sie überleben nur, weil auf diese Weise stets Wasserstellen in der Nähe sind, weil außerdem der Abfall der Wohlhabenderen den Slumbewohnern die Chance bietet, ihre Nahrung aufzubessern. Im Müll finden sie ferner Materialien für den eigenen Gebrauch oder zum Verkauf, seien es leere Flaschen, angestoßenes Geschirr, beschädigtes Handwerkszeug, aussortierte Wäsche oder Möbelstücke, Packpapier, Drahtenden – kurz alles, was irgendwie zu irgendwas brauchbar sein könnte.

Es ist erstaunlich, was Kinder und Erwachsene im Zuge dieser fast restlosen Abfallverwertung an einer Straßenecke oder auch in einem notdürftigen kleinen Verkaufsstand alles anbieten und für ein paar Paise auch verkaufen.

Ein weiterer Grund, sich in der Nähe von Bessergestellten wenigstens einen Schlafplatz zu sichern, ist die Hoffnung auf irgendwelche Hilfsarbeiten. Viele verdingen sich zum Tragen bei Einkäufen oder leben eine Woche lang von dem Lohn, den sie für das Rasenmähen von einem Villenbesitzer erhalten. Gut gestellt ist schon derjenige, der die Stelle eines Sweepers, eines Reinmachjungen, ergattert und dafür im Monat zwischen 30 und 100 Rupies erhält.

Es gibt eine ganze Hierachie, die von der totalen Armut bis zur relativen Armut reicht. Wer eine Kochstelle besitzt und den anderen Armen einfache »Curries« anbieten kann, wer in einem Lehmbackofen »Nan« herstellt und verkauft, wer eine ausrangierte, handbetriebene Fruchtpresse sein eigen nennt, den Job für das Auspressen von Zuckerrohr (in der Saison) erhält oder gar Miteigentümer einer von ihm selbst gezogenen Riksha, einer Menschen-Riksha, geworden ist, allen diesen Menschen geht es schon etwas besser, sie sind genauer gesagt etwas weniger arm. Überdies gilt für sie noch das Gesetz des physisch oder psychisch Stärkeren. Kein soziales Netz im europäischen Sinne fängt die Schwächeren im Notfall auf. Häufig haben diese Menschen keine »Adresse«, das heißt, sie sind weder bei einer Behörde gemeldet und registriert noch bei einer privaten Institution.

Wer in seinem Reisegepäck aus Europa Vorstellungen von Bürgerinitiativen, von Sozialarbeitern, von Basisarbeit mitbringt, stößt in der Praxis indischer Millionenstädte vor allem auf eins: eine erschreckende, ernüchternde Gleichgültigkeit, und zwar bei den Slumbewohnern selbst ebenso wie bei den Wohlhabenderen rundum.

Bei beiden Gruppen mag die Gewohnheit eine zentrale Rolle spielen. Den Slumbewohnern dürfte überdies die Kraft zu politischen Aktivitäten fehlen, weil der Kampf ums tägliche Überleben alle Kräfte aufbraucht. Bei den Wohlhabenderen wird die Gleichgültigkeit auch durch die Erfahrung verstärkt, daß der Zustrom aus den Dörfern in die Städte nicht nachläßt. Kaum ist eine Familie sozial etwas aufgestiegen, übernehmen neuangekommene Menschen den Schlafplatz oder die Hütte oder sie siedeln sich noch zusätzlich an. Der Hauptgrund für das uns Unvorstellbare, Unbegreifbare aber dürfte im sozio-kulturellen Hintergrund zu suchen sein, gekennzeichnet durch das Kastenwesen und den Hinduismus. Wer einerseits über Jahrhunderte durch die Geburt gegebene Privilegien gewohnt ist, wer andererseits an eine Wiedergeburt glaubt, der betrachtet und empfindet Not und Armut sowie die verschiedenen Lebenssituationen wahrscheinlich anders als der durch das Christentum geprägte Europäer.

Vermutlich bewirkt gerade die Religion des Hinduismus auch ein weiteres Phänomen. Selbst bei Slumbewohnern fällt auf, wie fröhlich diese Menschen sein können, wie bereit zur Kommunikation, selbst wenn diese sich auf Mimik und Gestik beschränken muß. Es fällt die Abwesenheit dessen auf, was wir Neid nennen. Es fällt auf das Vorhandensein einer fast stolzen Bescheidenheit und Anspruchslosigkeit, die nicht nur dem Besucher, sondern auch europäisch geschulten Indern auf die Nerven geht und das Gefühl der Hilflosigkeit noch vertieft.

Begriffe wie »Bildungsdefizit« oder »das kleine Glück« drängen sich uns in diesem Zusammenhang auf. Wir, die wir dazu neigen, den sozialen Status und Menschlichkeit in Geldbeträgen zu messen, fühlen uns genarrt von denjenigen, die nahezu nichts besitzen und dennoch erklären: »Wir brauchen nichts, Lord Shiva sorgt für uns.«

Läßt sich derart formulierte Geborgenheit, wie sie mir mehrfach begegnete, überhaupt mit der Beglückung durch materielle Güter vergleichen? Wenn ich Vishnu Sharma hieße, würde ich solche Fragen kaum stellen. Wahrscheinlich würde ich ähnlich gelassen reagieren wie zahlreiche bessergestellte Inder, mit denen ich über die Slums sprach. Vielleicht wäre ich sogar ähnlich stolz auf die Leistungen meiner Institution und der Regierung von Tamil Nadu, wie es Rechtsanwalt Ramabadran in Madras war. Ramabadran leitet dort das »Tamil Nadu Slum Clearance Board«. Madras ist die Hauptstadt dieses südindischen Staates, hat ungefähr vier Millionen Einwohner, ist also etwa gleich groß wie Italiens Hauptstadt Rom. Jedoch dreißig Prozent der Einwohner von Madras, das heißt etwa 1,2 Millionen Menschen, was wiederum der Einwohnerzahl von München nahekommt, leben in Slums.

Im November 1979 gab es in Madras 1464 registrierte Slum-Areas, Slum-Stellen. In ihnen wohnten 195 000 Familien. Durch das »Slum Clearance Board« wurden bisher Wohnungen für rund 30 000 Familien gebaut. Diese Wohnungen sind mit elektrischem Strom, Wasser und Kanalisation versehen. Pro Wohnung wurden vom »Board« rund 10 000 Rupies ausgegeben. Mr. Ramabadran meinte, die dort wohnenden Menschen seien jetzt glücklich – »they are happy«. Die meisten dieser Wohnungen befinden sich in sechs-bis achtgeschossigen Häusern, die an unseren einfachen sozialen Wohnungsbau erinnern. Sie selbst sind klein, etwa 45 Quadratmeter für eine in der Regel sechsköpfige Familie.

Zumindest nicht alle Bewohner dieser Häuser schienen glücklich. Eine Mutter, die gerade von der im Hof liegenden Pumpe Wasser holte, erklärte ihr Unbehagen auf für uns seltsame Weise. Sie wohne mit ihrer Familie im vierten Stock. Ständig würde sie anderen Menschen auf den Köpfen herumlaufen und andere liefen auf ihren Köpfen. Das sei einfach schlimm. Ich konnte meine Verwunderung nicht verbergen. Die Frau im bunten Sari sah an der Häuserfront hoch: »In unserem Dorf haben wir nur Häuser, die auf der Erde gebaut sind mit einem Dach über dem großen Raum. Nur die Vögel und der Monsunregen gingen über unsere Köpfe.«

Hier begegnen wir einem Stück kultureller Identität, die durch Hilfsmaßnahmen im europäischen Stil angetastet wird und auch verlorengehen kann. Die Slumbewohner, die ja meistens keine Schulbildung haben, spüren offenbar intuitiv diese Veränderungen. Nicht wenige Familien haben sich geweigert, in diese Wohnblöcke einzuziehen. Viele möchten lieber bescheidener wohnen, in Häusern, die sie gewohnt sind.

Mr. Ramabadran bestätigte, diese Tendenz nehme zu. Immer mehr Slumbewohner würden sich lieber ihr eigenes, eingeschossiges Haus mit Schilfdach bauen und so ein Stück Dorf in die Stadt bringen. Das »Board« gibt für solche Häuser 1300 Rupies zum Kauf des Baumaterials. Von der Institution werden zwischen den Häusern nur die Wege plattiert, eine einfache Kanalisation angelegt und Stromleitungen zu den Häusern geführt. Außerdem erhält jede Gruppe von etwa 60 Häusern eine kleine Vorschule.

Beim Besuch einer dieser Mustersiedlungen fiel es mir leicht, zu begreifen, warum die Menschen sich im Tropenklima in ihren niedrigen Lehmhäusern mit dem Satteldach aus Schilf wohler fühlen als in den Mietshäusern. Diese Häuser sind für sie nicht nur gewohnt, sondern auch angemessener – und kosten die Behörde erheblich weniger Geld, erfordern allerdings mehr Bauland. Wieder war es eine Mutter, sie wusch gerade ihr drittes Kind, die Auskunft gab: »Wir wohnen gern hier. Mein Mann hat eine Fahrradriksha und verdient pro Tag sieben bis acht Rupies. Auch er würde niemals in einen großen Steinkasten ziehen.«

Die Vorschule war zwar ein Steingebäude, aber ebenfalls nur eingeschossig gebaut. Statt der Glasfenster hat sie ein Raster bausteingroßer Öffnungen in den Wänden, um Licht und Luft in den etwa 40 Quadratmeter großen Raum einzulassen. Hier werden die drei- bis fünfjährigen Kinder der Siedlung von einer Art Sozialhelferin und jeweils einigen Müttern betreut, die sich dabei abwechseln.

An den Wänden des Vorschulraumes waren bildhafte Darstellungen aus dem Alltag und der Umwelt angebracht. Die Kinder lernen so beispielsweise etwas über Sauberkeit, über die Behandlung kleiner Verletzungen oder über Pflanzen und Vögel der Region. Das Lehrmaterial war einfach, aber mit viel pädagogischem Einfühlungsvermögen aufbereitet, veranlaßte die Kinder, von sich aus Fragen zu stellen. Gewissermaßen nebenbei machte die Vorschule die Kinder mit dem Leben in einem Steingebäude sowie einer in das Spielen eingebetteten Lernsituation vertraut.

Überdies werden die Familien dieser Siedlung auch nicht finanziell überfordert. Sie haben pro Monat an die Verwaltung nur 15 Rupies für das Haus, den Strom, das Wasser zu zahlen. Diese gelungene Art der Slumbereinigung schien mir allerdings noch eher die Ausnahme als die Regel zu sein. Unmittelbar neben der Mustersiedlung lag ein Slum im dörflichen Stil. Die Abwässer suchen sich ihren Weg über den Lehmboden zwischen den Hütten. Doch die Bewohner, so wurde erklärt, lehnen jede Hilfe durch das »Board« ab. Sie wären keineswegs neidisch auf ihre Nachbarn und hätten keinerlei Ehrgeiz, durch Eigenhilfe ihr Los zu verbessern. Als ich den schwäbischen Sinnspruch »schaffe, schaffe, Häusle baue« zitierte, rief das selbst bei den gebildeten Mitarbeitern des »Board« ungläubiges Erstaunen hervor: »Denken und handeln wirklich die meisten Menschen bei Ihnen so?«

Der geringen Eigenaktivität der Slumbewohner will man jetzt in Madras mit Verwaltungsmaßnahmen begegnen. Nach einer neuen Verfügung dürfen keine neuen Slum-Areas mehr entstehen, notfalls sollen sie beseitigt werden. Mr. Ramabadran hofft, sofern das

»Board« die Unterstützung der Regierung erhalte, das Slum-Problem etwa bis 1990 »im Griff« zu haben.

Auch diese Aussage ist mit indischen Maßstäben zu messen. Niemand rechnet ernsthaft damit, die Neubildung von Slums ganz zu verhindern oder alle Slums zu beseitigen. Es wäre schon viel erreicht, wenn im Laufe der nächsten Jahre von den 195 000 Familien, die in Slums leben, gut die Hälfte besser untergebracht wäre und gleichzeitig durch den Ausbau eines elementaren Bildungswesens auch die allgemeinen Bedingungen verbessert würden.

Man wird jedoch daran zweifeln dürfen, ob diese Aktivitäten für eine Slumbereinigung mit gleichem Nachdruck für alle oder auch nur die meisten Großstädte des Subkontinents zutreffen. Ähnliches wurde mir nur von Hyderabad bekannt, während in Calcutta – trotz einer kommunistischen Stadtverwaltung – nicht einmal einigermaßen zuverlässige Zahlen über die Slumbewohner zu erfahren waren.

Unseren Begleitern in Calcutta schien es eher peinlich, uns durch Slum-Areas zu fahren. In einem Fall machten wir sogar einen Umweg von mehreren Kilometern, um eine besonders trostlose Straße auf dem Rückweg nicht ein zweites Mal zu durchfahren. Beinahe inoffiziell bekamen wir doch noch etwas mehr zu sehen, beispielsweise jenes ausgedehnte Slum-Gebiet in der Nähe des eindrucksvollen Viktoria Memorials. Dort leben seit Jahren zahlreiche Flüchtlinge aus Bangladesh. Allerdings waren wir eindringlich gebeten worden, zu dieser Fahrt keinen Fotoapparat mitzunehmen.

Der Besucher gerät hier ständig in Gewissenskonflikte. Einerseits fühlt er sich gehemmt, die Armut auch noch in Bildern festzuhalten. Hinzu kommt eine gewisse Furcht vor Angriffen durch die Slumbewohner. Andererseits wird von ihm erwartet, möglichst viel von seinen Eindrücken weiterzugeben, weil er von Berufs wegen zu den »Multiplikatoren« gehört. Nur, wie gesagt, für diese Thematik scheint mir die Sprache allein nicht hinreichend die Wirklichkeit zu vermitteln.

# Otto Jägersberg

## Herr Jesu

Am heiligen Abend
laden wir einen Nachbarn
den das Jahr über
unauffällig lebenden
Herrn Jesu
zum Festmahl

Ein bescheidener Esser
trinkt grad
drei Schlückchen Wein
redet dafür aber
flaschenweis

Begebenheiten
aus einem langen
Streunerleben
mit naiven Schlußfolgerungen
für die Kinder
ganz lehrreich

Bevor er
richtig loslegt
wider Besitz und Handel
übers Familienleben herzieht
und die Anarchie verherrlicht
drehn wir den Kindern
die Weihnachtssendung
im Fernsehen an

Wir gönnen
dem einsamen Mann
seine Reden
einmal im Jahr

Weil er kein Ende findet
machen wir noch mal den Baum an
er singt zwar nicht mit
wir denken
es rührt ihn
doch

# Urs Jaeggi

## Wendland

Ich möchte nicht mehr Ich sagen, gerade weil ich immer Ich sage.

Ich kann gut verstehen, daß man die Blätter eines Baumes streicheln möchte. Oder das Licht sehen im Fenster an einem Oktobermorgen, beim Aufwachen. Oder aufs Wasser blicken, ruhig und beteiligt.

Das Dorf 1004. Gorleben. Gortod

Das Wort Wendland gefiel ihm nicht gleich, es klang zu nordisch, zu streng und zu kultisch, auf jeden Fall fremd. Gorleben soll
Gorleben muß
das dunkle Deutsche.

Ein Widerstandsdorf, eine Widerstandsstadt, phantastisch und phantasievoll: ein kurzer, real realistischer Traum.

Die lachende Sonne mit der Faust; das gefiel mir.

Vom 3. Mai an hielten die Besetzer im Landkreis Lüchow-Dannenberg in Niedersachsen den vorgesehenen Bohrplatz 33 Tage lang besetzt. Die Besetzer schrieben: Wir stellen mit dieser Besetzung konkrete Forderungen, die wir erfüllt haben wollen. Stoppt die Bohrungen, denn nach internationalen Grundsätzen für ein Atommüllager für hochaktiven Abfall ist Gorleben bereits jetzt nicht geeignet. Festlegung eines verbindlichen deutschen Kriterienkatalogs! Kritische Öffentlichkeit! Bewertung aller Bohrergebnisse! Abzug der Gorleben Sondereinheiten!

Die Besetzer sangen: Wir woll'n keine Polizisten – wir wollen keine Staatsgewalt. Bullenterror, Bürokraten – Eure Herzen, die sind kalt.

Hey cops, schmeißt die Knüppel weg . . .

Sie sitzen und stehen herum. Die eine Hand wischt übers Haar, wieder und wieder, der Redner redet jetzt ganz sicher. Seine Gesten sind deutlich, Bedeutung signalisierend; Einsichten, Thesen, die Worte werden, im Rhythmus des Körpers, betont, die Hand fährt beschwörend über die Tischkante, dann endlich, nach einer langen Redezeit, ein Stocken, ein Versprecher . . . Es ist nicht anders als in anderen Diskussionsrunden auch. Es sind mehr Frauen da, und Kinder. Und es gibt doch tatsächlich auch hier Kurzgeschorene und Bürstenstachlige, in der Mitte die knallrote Haarsträhne, oder orange oder blau, die Lederjacke vollgespickt mit Sicherheitsnadeln, und neben dem Typen ein Mädchen mit einem großen Strohkorb, es näht und näht aus dem Korb heraus und in den Korb hinein, ihre Hände bewegen sich flink, die Lippen murmeln zwei links, eins rechts oder was weiß ich, jedenfalls so ähnlich.

Die Lust, etwas zu schaffen und etwas zu erfahren. Entzücken, Neugier, Überraschung. Schock und Irritation.

## Leben und Liebe

Die Bäuerin, L. W., sagt, die vier Wochen auf dem Platz hätten in ihr so viele Gefühle aufgewühlt, zum Beispiel habe sie vorher Angst gehabt, von irgend jemandem angefaßt zu werden oder jemanden anzufassen. Auf dem Platz dagegen habe sie dauernd das Gefühl gehabt, sie müsse die Leute in den Arm nehmen, und sie habe das auch gemacht, es sei wunderschön gewesen. Dieses Gefühl auszudrücken, habe sie vorher nicht mehr gekannt, diese Situation sei auch bei den Gorlebenfrauen ähnlich gewesen, man habe das Gefühl gehabt, es gehe bei allen über das hinaus, was die gmeinsame Aktion wolle, es sei wirklich so gewesen, daß man sich eigentlich geliebt habe und das habe, ihrer Meinung nach, die Stärke ausgemacht. Wir haben, sagt sie, in dem Dorf vier Wochen lang versucht, anders zu leben, zum Beispiel in der Küche. Vier Wochen konnten mehrere hundert Leute ohne elektrische Küchengeräte versorgt werden.[1]

## Gewalt und Haß

Bei der Räumung wurde ich auf der ganzen Strecke von einem Polizisten zum andern gestoßen, sagt sie, man hat mich laufend geschlagen und getreten. Zu einem Polizisten, der sie an den Haaren gezogen habe, habe sie gesagt, er solle sich doch ein bißchen benehmen, sie könnte seine Mutter sein, und der Polizist habe ihr geantwortet, ein solches Schwein als Mutter würde er vergiften. Bösartig und haßerfüllt habe er das gesagt, so daß sie seine Bemerkung zunächst gar nicht verstanden habe, nicht habe verstehen wollen.

Irgendwann explodiert alles!

Auf sich Hören, wirklich Hören, sich Hineinversetzen.

Irgendwie hatte ich Angst davor, ausgeschlossen zu sein, obwohl ich wußte, daß den anderen etwas an mir liegt. Ich gehe vielleicht zu verlangend vor, aber Angst ist Kraft. Erst Resignation wäre das Ende.

---

[1] Dieses und die folgenden Zitate sind, z. T. modifiziert, dem Band: Republik Freies Wendland. Eine Dokumentation, Verlag Zweitausendeins, Frankfurt a. M. 1980, entnommen.

Eine Explosion, die man genauso verklären wird wie 1968.

Gemeinsam diskutieren, gemeinsam kochen, singen und tanzen. Ein eigener Kinderspielplatz, ein Haus für Frauen, ein eigener Sender.

Essen, Trinken, Singen, Rauchen, Schlafen, Streicheln; gemeinsam den Unsicheren auflockern, die Kreativen kreativ machen, diejenigen, die noch nie wirklich etwas mit der Hand selbst gemacht haben, handwerklich aktivieren. Häuser bauen nach eigenen Vorstellungen, Holz schleppen, zersägen und aufschichten. Außer dem von Ingenieur-Studenten entworfenen Freundschaftshaus gab es keine exakten Baupläne: jeder nach seiner Phantasie. Runde Holzhäuser, deren Inneres das Sitzen und Diskutieren um eine Feuerstelle ermöglicht, Rundhäuser auf vier Stützen und Kegeldächer, unregelmäßige Dreiecke, Vierecke, Mehrecke. Der krumme Wuchs der verwendeten Baumstrünke, das zusammengetragene Brandholz, Stroh, Teerpappe, Altbaufenster. Leere Flaschen. Nichts paßte zusammen und dadurch alles.

FÜR UTOPIE IST ES NIE ZU FRÜH

Wir haben uns verändert – wir sind stärker geworden.

Ein alter Mann am Lautsprecher sagte, er sei hier, weil er nicht, wie nach Hitler, von seinen Kindern gefragt werden wolle: Und wo wart ihr? Was habt ihr getan?

OHNE DAMPF KEIN KAMPF

*Teetrinken*; Ironisches und Ernstes, Spielerisches, Verspieltes – aber eben: immer mit der Aufforderung, mitzumachen, sich etwas selbst ausdenken, die eigenen Probleme darzustellen, eigene Nöte und Ängste auszudrücken.

Zwei Polizeibeamte sagten, sie hätten bei ihrem ersten Einsatz in Trebel in einer Bauernstube an einem großen Tisch gesessen. Ein kleiner Fernseher auf dem Zigarettenautomaten habe Fußball gezeigt, es hätten alles jüngere Leute, Mädchen und Jungen, im Lokal gesessen; im Kollegenkreis habe man über die Platzbesetzer Äußerungen fallengelassen wie Chaoten, Berufsdemonstranten, Spinner und arme Irre. Die Bildzeitung habe in einem Bericht, in dem sie die 1004-Besetzung als eine »makabre Mischung aus Pfadfinderspiel und Guerillakrieg« bezeichnete, ihren Lesern und der Polizei suggeriert, daß die Platzbesetzer oben in der Kirche »heißes Wachs für die Bullen« hätten, daß »Steine als Wurfgeschosse und Molotowcocktails säuberlich aufgestapelt bereit« lägen. Auch er, sagt der Polizist, habe solche Nachrichten zunächst geglaubt. Der Größere, Kräftigere nickt bei dieser Aussage. Jawohl, auch er habe es so gesehen.

Der kleinere Polizist sagt: Psychoterror. Wir wickelten Stacheldrahtrollen ab und legten diese rund um das Gelände. Der Draht wurde an eingerammten Holzpfählen festgemacht ... Eine Riesenmenge Polizisten wurden im Dorf zusammengezogen, sie rückten Zentimeter um Zentimeter vor. Hinter ihnen walzten die Bulldozer alles nieder ... Restlos. Abends wurden die beiden großen Türme geräumt, ein Beamter stieg auf das Dach des einen Turmes und sägte mit einer Motorsäge den Fahnenmast samt Fahne ab. Beides schmiß er gekonnt nach unten. Die Sonne in Gorleben ist untergegangen. Ein Riesentag war zu Ende. Die Besetzer auf 1004 haben gewechselt. Der Aufwand heute war groß.

»Ist der Verhältnismäßigkeitsgrundsatz bei diesem Großeinsatz beachtet worden?« fragte der ältere, kräftigere Polizist. »Ist der Verhältnismäßigkeitsgrundsatz beachtet worden?«

HURRA, WIR HABEN VERLOREN. HURRA, WIR HATTEN RECHT

*Auf zum Widerstand, dieses Land ist unser Land,*
*Wendland, nimm dein Schicksal in die Hand ...*
Wir saßen zusammen, diskutierten. In der letzten Zeit haben wir unheimlich viel gesungen und geredet. Das Verhalten bei einer möglichen und erwarteten Räumung ist im Sprecherrat hunderttausendmal diskutiert worden; die Frage: bleiben alle gewaltfrei? Wird es Leute geben, die doch Steine schmeißen oder so was?

... IMMER NÄHER AN DIE REALITÄT KOMMEN
Im ersten Planspiel zur Einübung des Widerstandes gegen die Platzräumung sind die zirka 70 Polizisten mit Creme markiert, die um die Augen herum aufgetragen wurde; die zirka 40 Besetzer kennzeichnen ihr Gesicht mit Tesakreppstreifen.

*Realistisch:* die Inszenierung. Es gab Wut und zerrissene Hemden auf beiden Seiten, Knüppel wurden verwendet; es war nach einer Weile kaum noch klar, daß es sich um ein Planspiel handelte. Realistisch, so die Bewertung, waren Angst und Aggression bei den Demonstranten, die Aggressionssteigerung bei der »Polizei« bei Gegenwehr, die Uneinigkeit über die Vorgehensweise auf der Seite der Besetzer. Bei der Eskalation ließen sich alle leicht mitreißen, konkrete Einzelabsprachen für die Räumung konnten nicht getroffen werden.

*Unrealistisch:* das günstige Zahlenverhältnis für die Demonstranten, die leichte Verwirrbarkeit der Polizei, ihre Schlaffheit, das Nichtabsperren des Geländes usw.

*Verbesserungsvorschläge* nach dem Planspiel: Kontakte zur Polizei; Leute mit Helmen sollen sich unter den Besetzern verteilen und nicht als ›Helm-Front‹ auftreten; beim Wehren nicht dem Spieltrieb folgen, sondern abschätzen, wieweit man sich in der realen Situation wehren will und kann. Sollen bei Verhaftungen zwei oder mehrere mitgehen; wann ist beim Rausgerissenwerden der Widerstand aufzugeben und wie wird dies den anderen mitgeteilt? In der Realität brauchen wir neutrale Beobachter, zum Beispiel Pastoren aus dem Landkreis, wir brauchen die größtmögliche Unterstützung aus der Bevölkerung, und wir brauchen ein Konzept zum Abtransport von Sachen, Hunden, Kindern und Unterstützern . . .

SPINNER UND IDEOLOGEN?

Eine ergreifende Geschichte, zu ergreifend?

Der Hunger darauf, mit anderen zusammenzusein, mit Genossen, Gleichgesinnten und Gleichgestimmten. Ich lese:

> WENN MILITANT SEIN
>
> HEISST DASS ICH ALLE
>
> MÖGLICHKEITEN NUTZE,
>
> DASS ICH JEDEN SCHRITT
>
> TUE, UM EIN FÜR ALLE
>
> MAL DIE NATÜRLICHE
>
> LEBENSWEISE WIEDER EINZUFÜHREN
>
> WENN DAS MILITANT IST, DANN
>
> BITTE ICH VATER SONNE
>
> UND MUTTER ERDE
>
> DASS SIE MIR LEBEN
>
> UND STÄRKE GEBEN
>
> UM VON ALLEN DER
>
> MILITANTESTE ZU SEIN . . .

Klar, die Besetzer hatten recht, die Öffentlichkeit aufmerksam zu machen auf staatlich geplante, aber ungesicherte Vorhaben der Atomkraftverwertung und Atommüllbeseitigung. Nach Brokdorf, Wyhl, Gösgen u. a. Brennpunkten nichts Neues; neu die kurzfristig geglückte Verwirklichung des Protestes. Nicht nur wurde die betroffene Bevölkerung angesprochen und aktiviert; gleichzeitig zeichnete sich, deutlich wie nirgendwo zuvor, die Möglichkeit einer neuen Lebensform ab.

»Im Dorf war's so, daß du auch zu Leuten, die du nur ganz kurz kanntest, großes Vertrauen gehabt hast, weil das alles Leute waren, die das Gleiche wollten.«

*Diese chaotischen Gruppenstrukturen* . . . Die Frage nach der Militanz oder Nichtmilitanz, die Erstbewohner und die später Eingetroffenen, die Dauerbewohner und die Kurzbesucher . . . Einige wollten Barrikaden errichten, andere auf sie verzichten. Leute, die bisher höchstens ein Regal an die Wand gedübelt hatten, bauten plötzlich Häuser.

Natürlich gibt es kluge Bücher, die Anleitungen geben. Wenn Grasland in Acker umgewandelt werden soll, ist die Schweineschnauze zum Beispiel nicht zu überbieten, weil sie mehr kann als jeder Pflug: sie düngt beim Umgraben das Land. Oder auf den Rat der Vegetarier hören, die sagen, daß ein Tier zu viele Einheiten Protein als Futter braucht, um die vergleichbare Einheit Protein in Form von Fleisch zu erzeugen, während die Nichtvegetarier hervorheben, daß die Proteineinheiten, die nicht direkt in Fleisch verwandelt werden, dem Boden in einer veränderten Form wieder zugeführt werden.

### Eine Idee wird Wirklichkeit

Natürlich kann man sagen, daß das, was hier geschah, bis in die Umgangsformen hinein, auch schon früher, zum Beispiel in den 68er Jahren, vorgedacht wurde, aber eben nicht vorgelebt. Nicht so.

Die unverkrampfte Einfachheit, Obstkuchen und selbstgebackenes Brot, mit eigener Hand gesponnene Wolle, ohne große Ansprüche in Sachen Leistung, wozu auch, schau dich doch um, diese Kranken und Kaputten überall, morgen steht uns vielleicht außerdem die totale Katastrophe ins Haus ... Wozu also?

Ich brauche nicht zu sagen, daß das Subversive, das Kreative, das sich in Wendland zeigte, meine Sampathie hat. Längst haben es, zumindest im offiziellen Bereich, die Professoren und Professionellen, auch die Lehrer, verlernt, Bedürfnisse ernst zu nehmen; sie haben Mühe, Menschen als Menschen wahrzunehmen, oder mit Tieren, Pflanzen, Steinen ein Gespräch zu führen. Wozu auch?

### Heute hab ich der Räumung schon ins Auge gesehn

Ich bin eine *Deserteurin*: im letzten Moment bin ich abgehauen. Die Angst war zu groß, einer ihrer Bekannten habe sich wegen seiner Vorstrafe gefürchtet und sie habe, von Brokdorf her, Angst vor Wasserwerfern, Gas und Hunden gehabt.

6000 Polizisten gegen 2000 Frauen und Männer.

Sag mal, habe sie einen Polizisten gefragt, wie kannst du diesen »Beruf« behalten angesichts solcher Einsätze? Warum hast du den Polizistenberuf überhaupt ergriffen, und der Angesprochene habe, schüchtern und in die Ecke gedrängt, gesagt: Berufsrisiko.

Eigentlich, stelle ich mir vor, wollte er sagen, daß die Beamtenexistenz in seiner Familie eindeutig als Aufstieg gesehen werde, Inspektor, Oberinspektor, nur ein alter, sozialdemokratisch engagierter Onkel, der vor dem Krieg angeblich sogar Kommunist gewesen sei, in der Weimarerzeit, habe ihn wegen der Diensterfüllung in Wendland, er meine Gorleben, beschimpft und dann geschnitten. Er aber lasse sich von niemandem, auch nicht von einem Familienmitglied, Vorschriften machen, wie er seinen Dienst zu erfüllen habe. Schon gar nicht von so einem, von *so* einem lasse er sich nicht hineinreden.

Oh, Moon of BRD, I now must say good-bye

Ich fuhr am 5. Juni, wie geplant, nach Lüchow-Dannenberg, wollte ein paar Tage dort bleiben. Das Leben in Gorleben, in der Freien Republik Wendland, war mir als bunt und lustig geschildert worden. Politisch: als Aufhebung der Selbstverdinglichung.

Ich kam zu spät.

Die Räumung der Freien Republik, von der Landesregierung immer wieder angekündigt, war am Vortag, am 4. Juni 1980, vollstreckt worden. Kein schöner Land in dieser Zeit

Ich fuhr dennoch.

Der lustig aufgebaute Kinderspielplatz war leer, lediglich ein leerer, papageibunter VW-Bus stand herum. Der Sandweg, der ins niedergewalzte Dorf führte, roch nach Sommer. Das Klopfen der Maschinen, die Betonplatten für die Bohranlage vorbereiten, dröhnte rhythmisch, monoton. Auf einer kleinen Erhöhung hockten ein paar Übriggebliebene herum, ein paar Enten schnatterten. Am Rand einer Grube, neben einer Fahnenstange mit der Fahne der Freien Republik Wendland, spielte ein Mädchen Querflöte.

Hey Cops, schmeisst die Knüppel weg

wir wollen keine Polizisten

Nur noch Camions, keine Panzerwagen und Wasserwerfer mehr, nicht jedenfalls auf dem entsetzten Land, im Wald versteckt, wahrscheinlich.

Wir wollen keine Staatsgewalt

Über den Bildern der zerstörten Häuser und des zerstörten Dorfes sitzend, sehe ich nochmals, wie hier ein Raum angeeignet, wie natürliches Material eingeplant wurde, wie Flaschen, abgebrannte Bäume, Weggeworfenes Verwendung fanden. Genau so, wie ich es mir vorstelle: Bauen. Etwas herstellen. Sehen und entwerfen. Mit Material umgehen.

Man braucht, Wendland vor Augen, nur die Augen aufzumachen, um zu erkennen, wieviel jeder, in ganz kurzer Zeit, lernen kann, ganz gleich wie perfekt oder nicht perfckt. Das Nichtperfekte ist dem Perfekten nicht deswegen unterlegen, weil es die Lücken zeigt; es ist ihm überlegen, weil es Kräfte freilegt. Es gelingt, emphatisch gesagt, dem gemeinsamen Handeln ein neues Gesicht zu geben. Politischer Protest und Humor. Poesie. Das Irritierende, Schockierende für diejenigen, die 1004 zerstört oder nicht dagegen protestiert haben, liegt nicht nur darin, daß der Traum von Tausenden unnötig zerstört wurde; jeder hat gemerkt, oder hat merken können, daß solche Träume der Selbstverwirklichung nicht nur träumbar, sondern realisierbar sind. Das Dorf hätte ohne Mühe monate-, jahrelang existieren können. Hand und Kopf, Kopf und Bauch, Denken und Handeln, Spüren und Fühlen. Es war eine Insel, nicht zu verallgemeinern und doch ein Hinweis auf das Mögliche.

O SING O VOGEL SING

Nein, du kriegst nicht wieder, was du verloren hast, du kannst nicht wiederkriegen, aber du gewinnst jeden Tag Neues, du verlierst und gewinnst.

Genau das, was du jetzt für richtig findest, ist richtig.

Auf komplizierte Weise bereitet sie ihre Körner. Würzen, Abschmecken, Vermischen, mit dem Brotbacken ist es nicht anders. Mahlen, aufgehen lassen, sorgfältig in die Form kneten. Es macht Spaß, die Geschicklichkeit in Alltagsdingen ist noch immer gering. Ihr seid mit den Händen genauso ungeschickt wie ich, sagt er. Gar nicht merkwürdig: er möchte helfen, er wäre gern dabeigewesen beim Häuserbauen, er hätte gern Hand angelegt, Fenster und Balken zusammenfügen. Etwas bauen. Es ist sein Jugendtraum. Schrei deine Wünsche heraus. Tu etwas.

Probieren. Eine selbstgestaltete Welt.

Was bleibt, sind die Bilder. Vor allem bleibt die Erfahrung.

# Karl-Heinz Jakobs

## Der Weg zur Bühne

In der Pause vor der Schlußszene der Premierenvorstellung stand
ich auf und verließ den Zuschauerraum. Das Foyer war hell erleuchtet. Der Gedanke an die Erwartungen der Menschen im Zuschauerraum, die ich nicht enttäuschen würde, machte meinen
Schritt fest, und ungewollt fest schlug die Tür hinter mir zu, als ich
das Foyer verließ und anfing, in die Eingeweide des Bühnenhauses
einzudringen. Ich ging durch verwinkelte Gänge treppauf, treppab,
durch Holztüren, Eisentüren, ging über Fliesen, Teppiche, über
Dielen, Beton und Linoleum, bog links ein, bog rechts ein und
merkte schon, es waren die falschen Türen, es waren die falschen
Treppen. Hier kannte ich kein Detail. Einen leeren Raum fand ich,
da stand auf dem Tisch eine angebrochene Flasche Milch, und auf
dem Teller lag ein angebissenes Stück Brot. Einen anderen Raum
fand ich, da waren überall farbige Zeichen gemalt, und ich entzif-
ferte ein Wort, das ich inzwischen vergessen habe. Einmal fand ich
eine Treppe, die mir bekannt vorkam. Sie war lang und steil, und
an ihrem Ende war eine Tür. Ich eilte hinauf. Als ich die Tür aufmachte, sah ich vor mir den Hof. Ein Kohlenhaufen lag da, ein ka-
putter Handwagen und etwas, das wie eine Kreissäge aussah. Ich
lief über den Hof, aber das Tor im Zaun war mit einer Kette ver-
schlossen, und ich rüttelte vergebens. Hinter mir stand dunkel und
massig das Theatergebäude, und tief innen begann jetzt ein Rollen
und Rumoren. Die letzte Szene ist zu Ende, dachte ich, das ist der
Beifall, ich muß auf die Bühne. Wieder eilte ich über Treppen und
durch Türen, und allmählich wurden mir die verwinkelten Gänge
vertraut. Der Beifall war sehr nah. Sicher hätte ich nur durch zwei
oder drei Wände zu gehen brauchen, und schon wäre ich ange-
langt, wo ich hin wollte. Im Raum, den ich schon kannte, saß am
Tisch ein Mann in blauer und fleckiger Monteurkombination. Die
angebissene Stulle war nicht mehr da, und der Mann knüpfte ein
Paketchen auf, nahm eine neue Stulle heraus und biß kräftig hinein; mir schob er über den Tisch ein Brot zu und sagte:
  Wollen Sie?
  Ja, sagte ich, danke.
  Auch ich biß kräftig hinein.

Haben wohl großen Hunger, sagte der Mann in der blauen und fleckigen Monteurkombination.

Ja, sagte ich, habe seit fast zwei Stunden keinen Bissen gegessen.

Setzen Sie sich, sagte der Mann, und langen Sie kräftig zu, es ist genug da.

Er holte noch zwei Stullenpakete hervor, knallte sie auf den Tisch. Da, sagte er, genieren Sie sich nicht.

Wenn Sie vielleicht etwas Kaffee hätten, sagte ich.

Natürlich, sagte der Mann und stellte eine Thermosflasche auf den Tisch, er schraubte sie auf, zog den Korken heraus, bitte, bedienen Sie sich.

Im Zuschauerraum, hörte ich, steigerte sich der Beifall zu Ovationen. Ganz nahe hörte ich das laute, anschwellende und abschwellende Prasseln der Hunderte von Händen. Ein Wort wurde gerufen, zuerst vereinzelt, dann stärker und gebieterischer, bis alle im Saal das Wort riefen, viermal, fünfmal, die Silben skandierend, was schließlich überging in lang anhaltenden Jubel.

Immer diese Ovationen, sagte erbittert der Mann in der blauen und fleckigen Monteurkombination und wies mit der Stulle vage auf eine Wand, die können es nicht lassen. Jetzt müßten Sie auf der Bühne sein. Sie würden Augen machen, was im Zuschauerraum los ist.

Ich wollte auf die Bühne, sagte ich, aber ich habe den Weg nicht gefunden.

Verstehe, sagte der Mann und blickte taktvoll beiseite.

Was machen Sie eigentlich im Theater? fragte ich.

Verschiedenes, sagte der Mann, an Premierentagen habe ich die Aufgabe, den Autor zur Bühne zu begleiten.

Was! rief ich, Sie sollen mich zur Bühne begleiten, und was machen Sie? Sitzen da und essen.

Mit Ihnen, sagte der Mann, hatte ich nicht viel Mühe. Sie haben ein Gespür dafür, welchen Weg Sie nehmen müssen, um nicht anzukommen.

Ich lauschte auf die Geräusche aus dem Zuschauerraum. Mit einemmal klang es mir sehr verdächtig. Die Menschen hinter den zwei, drei Wänden, die mich von ihnen trennten, trampelten vor Begeisterung.

Hören Sie mal, sagte ich.

Ja?

Wem werden diese Ovationen gebracht? Den Schauspielern?

Die Schauspieler haben das Theater längst verlassen.

Jemand ist auf der Bühne, rief ich, das höre ich am Beifall, es ist jemand auf der Bühne, und die Menschen im Zuschauerraum jubeln ihm zu. Wer ist auf der Bühne?

Wer wohl, sagte der Mann in der blauen und fleckigen Monteurkombination, mein Mitarbeiter natürlich, wer denn sonst?

Mann, rief ich, ich bin der Autor des Schauspiels, das heute Premiere hatte, die Menschen sind begeistert, sie wollen mir huldigen,
hören Sie nur, wie sie trampeln vor Begeisterung, und anstatt daß
Sie Ihre Pflicht tun und mich zur Bühne begleiten.

Wer kennt Sie schon, sagte der Mann.

Und mich zur Bühne begleiten, rief ich, schicken Sie Ihren Mitarbeiter auf die Bühne, und dieser Hochstapler sonnt sich in meinem Namen.

Sie sollten ein wenig vorsichtiger sein mit Ihren Ausdrücken,
sagte der Mann in der blauen und fleckigen Monteurkombination,
erst mir die Stullen wegessen und dann pampig werden. Mein Mitarbeiter ist ein sehr verdienter Mann. Er hat Beifall mehr verdient
als Sie. Wir setzen ihn immer ein bei Premieren. Sie kennt niemand. Wahrscheinlich wären die Zuschauer enttäuscht, wenn wir
Sie auf die Bühne ließen. Meinen Mitarbeiter kennt die ganze
Stadt. Ihm bringen die Zuschauer Ovationen und keinem anderen,
merken Sie sich das.

Ich habe mich nicht darum gerissen, auf die Bühne zu gehen,
sagte ich trotzig, der Regisseur wollte es so.

Der Regisseur, sagte der Mann in der blauen und fleckigen Monteurkombination und nickte erbittert, soso.

Er meinte es nicht bös, rief ich.

Der Mann sah mich an, als wolle er mir glauben, könne es aber
nicht.

Wirklich, rief ich, es war nicht bös gemeint.

Wenn ich Ihnen nur glauben könnte, sagte der Mann.

Das können Sie, sagte ich.

Na schön, sagte der Mann, Sie nehmen es mir nicht krumm, daß
ich vorhin ein wenig laut wurde?

Aber nein, sagte ich.

Vertragen wir uns wieder?

Wir gaben uns die Hand und blickten einander in die Augen.

Es war nur, sagte ich, Tränen stiegen in mir auf, die ich mühsam
unterdrückte, es war nur, weil alle mir sagten, ich soll auf die
Bühne.

Beruhigen Sie sich, sagte der Mann in der blauen und fleckigen
Monteurkombination und legte die Hand freundlich auf meine
Schulter, ich versteh schon, was in Ihnen vorgeht. Schlafen Sie sich
erst mal richtig aus, und morgen sehen wir weiter. Ihr Bett steht im
Nebenzimmer. Da sind auch Handtuch und Seife. Zahnbürste und
Schlafanzug hat Ihre Frau schon gebracht. Und machen Sie sich

heute keine Gedanken mehr über das Ganze. Morgen früh fangen wir frisch und ausgeruht an. Und Sie erzählen mir, warum Sie auf die Bühne wollten und was Sie damit bezweckten. Und nun schlafen Sie schön. Gute Nacht.

Gute Nacht, sagte ich und erglühte vor Freude, und danke für alles.

# Walter Jens

## Bericht über Hattington

»Der Winter kam in diesem Jahr sehr früh; schon Mitte November hatten wir 15 Grad Kälte, und in der ersten Dezemberwoche schneite es sechs Tage lang hintereinander; am fünften, einem Mittwoch, brach Hattington aus. Er hatte offenbar damit gerechnet, daß der Schnee seine Spuren verschluckte – und diese Rechnung ging auf. Die Hunde verloren die Witterung, und die Gendarmen kehrten noch im Laufe der Nacht nach Colville zurück.

Am Morgen darauf wurde unser Polizeiposten verstärkt, und Sergeant Smith bekam zwei neue Kollegen: man vermutete nämlich, daß Hattington versuchen würde, auf dem schnellsten Weg zu uns nach Knox zu gelangen; denn hier hatte man ihn, einen seit langem gesuchten Verbrecher, im Mai auf offener Straße verhaftet – wahrscheinlich auf eine Anzeige hin, die von der Kellnerin Hope und dem Tankstellenwart Madison kam, bei denen Hattington in Kreide stand. Die Annahme lag also nahe, daß der Zuchthäusler, um Rache zu nehmen, zuerst nach Knox kommen würde.

Von nun an wohnte die Angst in unserer Stadt. Martha Hope verreiste für einige Wochen, Madison hatte den Revolver entsichert neben dem Bett. Aber auch wir anderen waren in Sorge: nach 10 Uhr abends verließ niemand sein Haus, die Kinder wurden von den Eltern zur Schule gebracht. Die Polizei durchkämmte jeden Winkel: kein Keller und kein Speicher, kein Schuppen und keine Baracke, die man nicht mehrfach durchsuchte; sogar die Kanalisationsschächte wurden geprüft. Doch obwohl sich nirgendwo auch nur die schwächste Fährte fand (kein Anzeichen einer Vermutung, geschweige denn eine handfeste Spur), wollte das Gerücht nicht verstummen, einer unter uns habe den Entkommenen, der nur auf seine Stunde warte, versteckt: einmal sollte es der Schankwirt Ellington, ein andermal der Zeitungshändler Bore, das dritte Mal ein zugewanderter Hausierer sein, der seine Waren zwischen Colville und Baxton verkaufte. Das Mißtrauen beherrschte die Stadt; anonyme Briefe wurden geschrieben; im ›Colville-Star‹ fand man geheimnisvolle Annoncen: ACHTET AUF BORE oder JUDAS ELLINGTON, WO WARST DU AM 4. DEZEMBER? Erst als Weihnachten und Neujahr vorbeigingen, ohne daß das Geringste geschah, begannen wir wieder

Hoffnung zu schöpfen, zumal es jetzt hieß, ein reisender Weinhändler habe Hattington in einer kanadischen Kleinstadt, nahe der Grenze, gesehen. Martha Hope kehrte zurück; Madison verkaufte den Wachhund, in den Wirtschaften war wieder Hochbetrieb, und es hatte den Anschein, als ob unsere Bürger das wochenlang Versäumte in ein paar Tagen nachholen wollten. Die Fenster wurden entriegelt, Sicherheittsschlösser geöffnet, man hörte Lärm und Musik auf den Straßen, und die Maskerade im *Saloon*, ein Fest wie seit Jahren nicht mehr, dauerte bis gegen sechs Uhr früh.

Aber dann fand man plötzlich, am 11. Januar, unten am Fluß die Leiche von Emily Sawdy, und zwei Tage später wurde Helen Fletcher, ein vierzehnjähriges Mädchen, auf dem Schulweg von einem Maskierten in einen Hausflur gezerrt und in grausamer Weise mißhandelt. Hattington, daran (so glaubte man) gab es nun nichts mehr zu deuteln, war also doch in der Stadt ... Wer aber hatte ihn versteckt? Madison vielleicht, um sich freizukaufen? Oder Martha Hope, weil sie erpreßt worden war? Schwarze Listen machten die Runde; Häuserwände und Gehsteige waren mit Verleumdungen bedeckt; und als am 1. Februar das Drei-Männer-Tribunal beauftragt wurde, das Leben jeden Bürgers genau zu durchforschen, begann eine Hexenjagd, die an die schlimmsten Zeiten denken ließ. Bald gab es kein Geheimnis mehr, das, von Schnüfflern entdeckt, nicht ans Tageslicht kam: Ehemänner, die einmal gefehlt hatten, sahen sich wie Verbrecher behandelt, harmlose Trinker wurden des Mordes verdächtigt; der Frauenverein ließ vor den Kino-Vorstellungen Zettel verteilen, auf denen sich die Bürger ermahnt sahen, den Umgang mit gewissen Leuten, wenn ihnen das Leben lieb sei, zu meiden. Auf der anderen Seite mehrten sich gerade in diesen Tagen unter den jungen Leuten Unordnung und Zuchtlosigkeit. Während die Älteren ihre Häuser nach Möglichkeit nur noch zur Arbeit oder zum Kirchgang verließen, versammelten sich die Jüngeren abends im Wirtshaus, tranken und johlten, pöbelten die Erwachsenen an und errichteten am Ende ein solches Schreckensregiment, daß wir ihrer nur mit Hilfe einer Art von Zivilpolizei, der Bürgerwehr, Herr werden konnten. Schließlich blieb kein anderer Ausweg, als die Rädelsführer kurzweg zu verhaften – und dabei kam dann heraus, daß auch die schlimmsten Radaubrüder sich eher aus Furcht, eines Tages Hattingtons Opfer zu werden, denn aus Übermut zusammenrotteten. Das hat mir wieder einmal gezeigt, wie schnell die allgemeine Raserei im Schatten der Angst und des Schreckens gedeiht. Doch im übrigen standen die Eltern, was den Verfall der Sitten betrifft, ihren Kindern nicht nach. Ich selbst habe drei Nächte erlebt, in denen man mich mehr als ein dutzendmal anrief, um mich mit verstellter Stimme zum Boykott angeblich verdächtiger Bürger zu zwingen.

Und dann kam jener 17. März, an dem man Madison erwürgt in seinem Zimmer fand: der Mörder hatte ihm ein Kainsmal auf die Schläfe gebrannt. Von diesem Tag an war es auch den Vernünftigen unter uns nicht mehr möglich, Geduld zu bewahren. Wer jetzt noch zur Besonnenheit mahnte und dem hysterischen Taumel zu begegnen versuchte, sah sich kurzerhand auf die Verdächtigen-Liste gesetzt – und das hieß: eingeworfene Scheiben, zerschlagener Hausrat, Drohungen, Anzeigen, Prügel und Feme. Nur ein paar Wochen noch, und es kam zu Tätlichkeiten unter den Bürgern. Schon Anfang April hatten Fanatiker eine Negerpuppe gelyncht, einige Tage später die Praxis des jüdischen Doktors zerschlagen. Nun ging man einen Schritt weiter: im Zeichen Hattingtons wurden alte, längst verjährte Rechnungen beglichen; Revolver, Messer und Knute regierten, und wer sich widersetzte, dem wurde zum Lohn mit Kreide ein H auf die Haustür gemalt: er ist ein Hattington-Freund; ihr könnt mit ihm tun, was ihr wollt; niemand wird ihm beistehen wollen.

Im April hat dann sogar Reverend Snyder, einer der letzten besonnenen Männer, kapituliert: von der Kanzel aus befahl er uns, den Mörder und seine Helfershelfer zu jagen. Das war am Sonntag vor Ostern, am Tag darauf war die Macht des Winters gebrochen, und die große Schmelze begann. Die Sonne brachte alles an den Tag: am Karfreitag fand man Hattingtons Leiche, hundert Meter vom Zuchthaus entfernt. Weiter war er nicht gekommen, bei seinem Ausbruchsversuch im Dezember. Der Schnee hatte die Spuren verschluckt, der Eissarg seinen Körper geschützt.

Von diesem Tage an begann es still zu werden, hier bei uns in Knox. Wer es irgend ermöglichen konnte, zog weg, Emily Sawdys und Madisons Mörder aber wurde niemals gefunden, das Vergehn an Helen Fletcher nicht gesühnt. Nur ich habe einen bestimmten Verdacht, doch ich schweige, und sonst weiß niemand, wer der Täter war. Eines aber ist sicher: es gibt nicht viele Leute in unserer Stadt, die frei sind von Schuld.«

# Hermann Kant

## Lebenslauf, zweiter Absatz

Ich lag unter dem Bett, und da lag ich nun. Ich glaube, es war staubig unter dem Bett. In meinem Mundwinkel mengte sich Staub mit Fett. Ich hatte gerade Speck gegessen, gebratenen Speck. Ich hatte auch Tee getrunken, aber der Geschmack des Specks hielt sich länger, und nun kam der Geschmack des Staubs hinzu. Nun lag ich unter dem Bett.

Ich hatte das Koppel nicht geschlossen; das Schloß drückte in der rechten Leiste. Der linke Teil meiner Kragenbinde war lose; er polsterte das Stück der Diele, auf dem mein Backenknochen ruhte. Ich lag still, aber ich ruhte nicht. Ich ruhte wie der Hase, der eben den Jäger gesehen hat. Ich hatte eben die Jäger gehört, und nun lag ich unter dem Bett.

Ein Jahrhundert vorher hatte ich noch am Tisch gesessen. Gesättigt, getränkt, erwärmt, geborgen, schläfrig schon. Wir hatten vom Schlafen gesprochen. Ich hätte nur noch aufstehen müssen, nur noch einmal aufstehen und mich nach vorne fallen lassen. Dann hätten sie mich auf dem Bett gefunden. Nun würden sie mich unter dem Bett finden. Sie hatten mich gefunden.

Ich lag unter einem Bett etwas südlich der Straße zwischen Kutno und Konin, in Höhe von Koło etwa. Etwas und etwa; ich hatte keinen Kompaß und keine Karte. Es war am zwanzigsten Januar, sage ich seither; ich hatte keinen Kalender, und ich hatte keine Uhr. Die letzte Uhr hatte ich am dreizehnten Januar gesehen, und die letzte Uhrzeit sagte mir einer, als wir den sechzehnten Januar hatten, schätzungsweise.

Es ist schwer, so etwas zu schätzen, wenn keine Regel mehr gilt, außer daß es Tag wird und wieder Nacht. Wenn nicht mehr gilt, daß man morgens aufsteht und sich abends schlafen legt, daß man morgens zu essen kriegt und mittags auch und abends noch einmal, daß man auf Posten zieht von zwei bis vier oder von vierzehn bis sechzehn Uhr, daß Appell ist um sieben und Lale Andersen singt um Mitternacht – wenn das nicht mehr gilt, ist schwer zu schätzen, wie spät es ist. Und wenn es sein kann, daß es Sonntagvormittag war, als man den Küchensoldaten erschoß, anstatt in der Kirche zu sitzen und vom Gott zu singen, der Eisen wachsen ließ, und wenn man nur noch weiß, es war ein heller Wintermorgen, an dem man doch gegen allen Vorsatz vom Schnee gefressen hat, und wenn man glaubt, es könnten auch Monate gewesen sein ohne Ofenwärme, dann ist es nicht mehr wichtig, wann man unter einem polnischen Bauernbett liegt, weil es eben geklopft hat.

Wichtig ist nur, daß es geklopft hat. Es war wichtig genug, dich vom Schemel zu wirbeln in die Deckung. Es hat an die Muschel geklopft – zurück in ihre letzte Windung, zurück in den engsten Spalt der tiefsten Höhle, zurück in die Krumen der Furche, in den Staub, ah, in den deckenden Staub!

Es war gegen die Regeln, alles. Gegen die Regeln aus dem Handbuch und gegen die aus den Heldenepen. Man setzt sich nicht in Feindesland an Feindestisch und frißt und denkt nur ans Fressen. Man denkt nicht an Schlaf, wenn man nicht vorher an Sicherung gedacht hat. Man läßt den Bauern und seine Frau an der Mündung riechen, wenn man allein ist, und man sperrt sie in die Kammer; besser, man dreht ihnen vorher noch einen Strick durch die Zähne; dann kann man essen, Gesicht zur Tür, Mündung zur Tür, eine Hand am Gewehr und nur die andere im Speck.

So lebt man aus den Büchern, und anders lebt man nicht lange. Man springt nicht unters Bett, wenn es klopft. Sicht geht vor Deckung. Wo ist da Sicht unter diesem Bett? Da sind nur noch Empfindungen; da geht kein Krieg.

Wenn es geklopft hat, da, in solcher Lage, setzt man den Helm auf, zieht das Sturmgewehr an die Schulter und ruft wie ein Kleistscher Reiter: Herein, wenn's kein Schneiderlein ist! Und wenn es kein Schneiderlein ist, wenn es einer unter Waffen ist, läßt man es fliegen, den Stahl und das Blei, und wenn es mehrere sind unter Waffen, läßt man entsprechend mehr fliegen vom Blei und vom Stahl, und man ruft dazu wie ein Schillscher Husar: Mich kriegt ihr nicht, ihr Hunde! Und man zählt die Schüsse und denkt dabei: Der letzte ist für michachdumeinschwarzbraunesmägdelein.

Aber man springt nicht unter ein Bett. Aber ich bin unter das Bett gesprungen.

Auch hätte ich sie schon weit früher auffangen sollen, die Feinde, nicht erst hier neben dem Bett etwas südlich von Koło, und zurückwerfen hätte ich sie schon früher sollen, von Kłodawa fort und über den Ural zurück vorerst. Ich hatte die Bücher schon länger nicht mehr befolgt gehabt, als ich mich da unter das Bette warf.

Anstatt die Feinde zu werfen, hatte ich mich davongemacht, nur weil die Feinde auf mich schossen. Anstatt das große Ganze zu sehen, hatte ich alles persönlich genommen. Ich hatte an mein Fell gedacht, ich hatte meinem Magen gelauscht, hatte meine Füße angesehen, nur weil sie erfroren waren. Und als ich den Küchensoldaten erschoß, hatte ich es getan, weil sonst er mich erschossen hätte. Ich, mein, meine, mich. Ich hatte mich zu sehr meiner angenommen und darüber vergessen, daß die Feinde hinter den Ural gehörten und ich nicht unter ein polnisches Bauernbett.

Doch da lag ich, die Arme nach vorn gestreckt, die Hände flach auf den Dielen, die Beine leicht gegrätscht, Innenkanten der Stiefel auf den Dielen. Ich hatte die Augen offen; ich weiß noch von einer herabhängenden Matratzenfeder im geviertelten Licht der Petroleumlampe; von der Feder weiß ich noch und von Schmalz und Staub im Mundwinkel und vom Koppelschloß in der Leiste. Ich weiß auch noch, wie gut ich hörte. Mein besseres Ohr, das linke, lag auf dem Polster der Kragenbinde, aber ich hörte auch mit dem anderen nun sehr gut.

Die Frau schrie, immerfort, immerfort sehr polnisch; ich hatte sie vorher für stumm gehalten. Der Mann schrie gegen die Tür, dann schrie er polnisch, und er schrie mir etwas zu unters Bett, das schrie er deutsch. Ich sollte hervorkommen, schrie er mir zu, und er schien in Eile, und zur Tür schrie er, denke ich mir, ich käme schon hervor, sie sollten noch etwas verweilen mit dem Schießen, er sähe genau, ich käme soeben hervor unter seinem Bett, und er schrie auch dies in Eile.

Ich kann nicht behaupten, frohen Ton aus ihm gehört zu haben, dabei hatte er Grund: Ich war im Begriff, zu gehen. Kein Mann sieht gern einen Mann unter seinem Bett. Kein Mann sieht gern einen Mann mit Flinte auf seiner Schwelle. Aber er hatte mich eingelassen, unfroh, doch überzeugt.

Ich muß überzeugend ausgesehen haben mit der Nacht über den Schultern, mit Dreck im Kinderbart und mit einem deutschen Sturmgewehr. Ein Sturmgewehr ist für den Sturm gedacht. Es ist leicht, leicht handhabbar, zuverlässig, und ein zuverlässiger Mann schießt recht schnell damit. Ein unzuverlässiger Mann, einer, dem die Regeln abhanden gekommen sind, weil er nicht rechtzeitig zu essen bekommen hat und schon lange nicht, ein solcher Mann schießt noch schneller mit dem deutschen Sturmgewehr, und wer ihn auf seiner Schwelle trifft, Glock Mitternacht bei Krieg, der weiß die Regel: Einen solchen lasse man geschwind herein!

Der Mann, der mich so geschwind zu sich eingelassen hatte, schrie nun zur Tür, vermutlich, er werde mich geschwinde wieder herauslassen, und mir schrie er den Grund unters Bett: Draußen stünden viele und hätten viele Gewehre dabei, und nicht ihn wollten sie und seinen Speck, sondern mich wollten sie, mich da jetzt noch unter seinem Bett.

Er sprach, meine ich, von Schießen; die andern, meinte er, hätten von Schießen gesprochen.

Das wollte ich glauben. Wir alle sprachen damals recht häufig von Schießen. Wir alle ließen es damals beim Sprechen selten bewenden. Und auch die Regel galt nicht mehr, daß man zu sagen habe: Halt, oder ich schieße! ehe man schösse. Man schoß; das verkürzte den Vorgang; das machte den andern schon halten. Nur zielen mußte man gut. Der Küchensoldat, den ich erschossen habe, hat nicht gut gezielt gehabt. Er ist aus seinem Bunker gekommen, hat mich gesehen, hat hinter sich gegriffen, hat sein Feuerzeug auf mich gerichtet, linke Hand vor der Trommel am Lauf, rechte Hand am Kolbenhals, und hat auf mich gefeuert. Auf mich, der ich im Rauch von seinem anderen Feuer gestanden und in mich hineingerochen hatte, was über den sonnenglatten Schnee zu mir herübergekräuselt kam: Bohnen, ach, Zwiebeln, Speck und Lauch, mitten im tiefen Winterhunger, mitten im nächtelangen, tagelangen, kilometerlangen, fluchtweglangen Hunger. Mitten im schneewürzenden Hunger war ich auf einen Sturm aus Lauch- und Bohnenrauch getroffen, war schon in einem Traum von einem Bohnenberg, der trug einen Zwiebelturm, dem glänzten von Speck die Seiten. Da kam der böse Koch herfür, da kam der Koch aus seiner Tür, da kam aus der Tür ein Soldat in weißem Kittel und schoß mir durch den Traum.

Da schoß ich ihm durch den weißen Kittel. Da war ich achtzehn Jahre alt.

Dann rannte eins durch den Winterwald, das wußte: Viele Köche bewachen der Soldaten Brei, viele Köche rächen eines Koches Tod, viele Köche lassen vom Löffel und nehmen das Gewehr, wenn es vor ihrem Herd geschossen hat.

So rannte eins durch den Wald und sah das Rehlein nicht im Tann und sah das Einhorn nicht und hörte nicht den Schuhu flüstern und lauschte nicht dem Singen der Elfen.

Ich bin gerannt. Wie lange, weiß ich nicht. Wohin, weiß ich nicht. Wie, weiß ich nicht. Wie rennt einer am siebten von sieben Tagen Rennen? Wie rennt einer am siebten Hungertag? Wie rennt einer, dem die Zehen vom Frost schwarz sind unterm schwarzen Dreck? Wenn er Gründe hat, rennt er. Ein toter Koch im Rücken ist viele Gründe. Ein toter Koch beschleunigt sehr. Ich rannte.

Machte ich halt? Ja, ich machte halt auf angemessene Weise; in den Büchern heißt es: Die Knie brachen ihm. Die Knie brachen mir, und ich machte halt in einem Graben, da war etwas unter dem Schnee neben mir: ein aufgerissener Sack Zement, ein Klotz unvermengt erstarrten Zements, wie kamen wir hierher? Ich machte halt in einem Hühnerstall auf Rädern; in seinen Ecken türmte sich ein Gebirg aus Stroh, zwei Handvoll verschissenen Strohs; in deren Tiefe verkroch ich mich, mochten sich die Köche an die Hühner halten, ich war geborgen. Ich machte auch halt auf einem Draht, der war der oberste von einem Zaun aus Drähten, hat aber keine Stacheln gehabt. Ich hätte auch auf den Stacheln haltgemacht; es wäre nicht anders gegangen. Ich bin in den Wald gerannt bis tief in die Nacht. Die Knie sind mir gebrochen im tiefen Schnee. Ich machte halt, wo es mich hielt. Es hielt mich nirgend lange. Ich hielt mich nicht mehr lange.

Ich kam an eine Hütte, ein Haus, ein Schloß, eine Burg? An eine Burg, in diese Burg, an einen Tisch, über einen Teller. Unter ein Bett.

Da lag ich nun unten und hatte eben noch oben gesessen. Auf einem Schemelthron. Hatte die Gabel gehalten als Zepter. Hatte gerülpst wie ein König. Hatte mein Heer vergessen gehabt, das mich längst vergessen hatte. Hatte das Heer des Feindes vergessen gehabt, das mich nicht vergessen hatte. Hatte Auskunft gegeben gegen alle Königs- und Soldatenregel:

Deutscher? – Ja.

Allein? – Ja.

Schon lange? – Ich glaube, ja.

Warum? – Die andern sind gekommen, und wir sind gelaufen; erst viele, dann weniger, dann wieder mehr, dann immer weniger, dann nur noch ich allein.

Wo sind die andern hin? – In den Schnee sind sie hin, sie sind hin im Schnee; ein Schuß unter den Nabel, ein Schuß durch die Milz, ein Schuß ins Ohr, viele Schüsse.

Und auf den Feind, wie er da auf euch geschossen hat, habt ihr da nicht auch auf ihn geschossen? – Doch, haben wir, war die Regel so. Zuerst haben wir sehr viel geschossen, dann nicht mehr soviel. Einmal, sehr spät schon, haben wir uns noch einmal freigeschossen, nicht alle, aber einige.

Frei? – Ja, freigeschossen haben wir uns, als sie am Wald vom Wagen gesprungen sind; da sind wir durch, und danach war ich allein.

Und hast dich noch oft freigeschossen?

Es ging, sagte ich und stellte den Teller schräg auf den Schaft von meinem Sturmgewehr; es war noch Fett in dem Teller, und Brot war noch da, und ich sagte dem Bauern nichts von dem Küchensoldaten.

Da kam wer, es dem Bauern zu sagen.

Es pochte an die Tür. Es pochte wie ein Pferdehuf. Es klopfte wie von einem Rammbock. Dreihundert Köche machten poch mit dreihundert Nudelhölzern. Dreihundert Mongolenrosse donnerten gegen die Bohlen. Dreihundert Pferdekräfte gingen los gegen des Bauern und meine Pforte. Die 1. Belorussische Front tat einen kollektiven Faustschlag an unsere Tür.

Da griff ich, von später weiß ich das, den leeren Teller und mein gefülltes Sturmgewehr und warf den Teller und das Gewehr und mich unter des Bauern Bett.

Das verstieß gegen viele Regeln: gegen die Regeln über den Umgang mit Tellern, über den Umgang mit dem deutschen Sturmgewehr, über den Umgang mit dem Feind, und gegen die Regeln über den Umgang mit mir.

Was Wunder, daß ich reglos lag, Speck und Staub im Mund, ein eisernes Schloß in der Leiste, den Backenknochen auf der Kragenbinde, satt und überhörig unter bäuerlichem Bett etwas südlich der Straße von Konin nach Kutno in einer Winternacht bei Krieg.

Was Wunder, daß ich aufstand, als der Bauer aufstehn schrie. Dann ging ich zur Tür. Dann hob ich die Hände.

# Horst Karasek

## Ferien

Die Ferienzeit wird für uns zur Wartezeit auf den Tag X. Wir warten nicht auf bessere Zeiten, die besseren Leute fahren in den Urlaub. Während sie in der Sonne braten, überfällt uns die Regenzeit. Das knöcheltiefe Wasser auf dem Dorfplatz leiten wir in eine runde Grube, es entsteht ein Teich mit einem herzförmigen Inselchen. Doch die dunklen Wolken lassen sich nicht verscheuchen, wir hokken in unseren dumpfen Hütten.

Wir legen die Hände in den Schoß – und warten. Wer jetzt ins Dorf zieht, der ist sein Leben lang unstet herumgereist und sucht bei uns eine Bleibe. Über unseren dünnen Dächern donnern die Chartermaschinen gegen Süden, wir starren gebannt nach Norden, wo wir die Gefahr wittern. Uns droht Gewalt von außen, und wir wenden Gewalt gegeneinander an.

Harry schlägt zu. Harry, der in Wirklichkeit Christian heißt, war in seiner Jugend herumgeschubst und geknufft worden, jetzt haut er um sich. Dabei trifft er diejenigen, die ihm nichts Böses wollen. Aber Harry sieht bloß noch rot, ebenso wie Yogi, mit dem er sich verbündet hat. Sie bilden ein hochexplosives Paar, das von Tag zu Tag mehr Dampf abläßt. Sie pöbeln Besucher an und schüchtern Bewohner ein. Seitdem sie selber von einer Rockerbande, die über das schlafende Dorf herfallen wollte, bedroht worden sind, erklären sie jedermann den Krieg.

Eines Nachts – wir sitzen am Lagerfeuer, Thomas spielt auf der Geige – stolpern Harry und Yogi betrunken oder bekifft durchs Unterholz. Sie kehren von einem ihrer Streifzüge zurück und steuern direkt auf die lodernde Flamme zu. Harry hat blutunterlaufene Augen, er läuft durchs Feuer. Er trampelt drauf rum, daß die Funken stieben. Glühende Bretter und Holzstücke fliegen uns um die Ohren. Harry schreit, so lockt ihr die Faschisten an! Dann geht er auf Norbert los, der ebenfalls torkelig auf den Beinen steht. Als ich mich dazwischenstelle, schlägt Harry zu. Ehe ich mich versehe, erhalte ich ein, zwei, drei schallende Backpfeifen. Nur mit Mühe gelingt es uns, Harry zu bändigen. Am nächsten Tag entschuldigte er sich bei mir, daß er – vom Feuer geblendet – nur noch Faschisten gesehen habe.

Am folgenden Mittwochabend werde ich in Frankfurt angerufen, daß Harry und Yogi wieder Amok liefen. Als ich zwei Stunden später im Wald ankomme, ist das Dorf wie ausgestorben. Die meisten Besetzer sind abgehauen oder zu einem Konzert von »Chochise«, einer Lieblingsgruppe der Jugendlichen. Die Zurückgebliebenen berichten mir von einer schlimmen Prügelei, die sich an Kochise, Sylvias Hund, entzündet habe.

Sylvia hatte an diesem Nachmittag Besuchern belegte Brote angeboten, die sie von eigenem Geld besorgte, um zu unserer Versorgung beizusteuern. Harry und Yogi hatten sie dafür verspottet und schließlich dem Hündchen so weh getan, bis Sylvia sich gegen ihre Quälgeister zur Wehr setzte. Daraufhin waren Harry und Yogi gegen jedermann vorgegangen, der ihnen über den Weg lief. Auf der Strecke blieben sieben, acht Geschlagene und Verletzte; Jürgen von der Regenbogenhütte war von Harry derart in die Nase gebissen worden, daß sie rot anschwoll und nun zu eitern beginnt.

Gegen Mitternacht kehren die Konzertbesucher heim. Auch Harry und Yogi waren bei »Chochise« gewesen und gegen einzelne Dauerbesetzer tätlich geworden. Jetzt torkeln sie ins Dorf, und die Bewohner verbarrikadieren sich in den Hütten. In dieser Nacht rücken alle zusammen, und fast jeder legt einen Knüppel neben sich. Nur ich bin in der Schreiberei, denn Sylvia hat mit Kochise das Dorf verlassen. Statt vor der Polizei fürchten wir uns vor den eigenen Leuten.

Donnerstagmorgen halten wir Gericht. Vierzig Dauerbesetzer klagen Harry und Yogi der mehrfachen Körperverletzung und des andauernden Friedensbruches an. Die Geschlagenen sagen, wir haben furchtbare Angst vor euch. Harry antwortet, ihr müßt mir halt aus dem Weg gehen, dann fangt ihr auch keine. Wir sagen, wir können um euch keinen Bogen machen, eher müßt ihr das Dorf verlassen. Yogi sagt, ihr lallt ja bloß.

Wir reden und reden. Kerstin und Jürgen sagen, wenn Harry und Yogi bleiben, gehen wir. Harry und Yogi haben, als ob das ganze Gejammer sie nichts anginge, die Versammlung verlassen. Matthias, der sonst mit sanfter Hartnäckigkeit gegen jede Zwangsmaßnahme auftritt, besteht jetzt auf einem Ausweisungsbeschluß. Auch ich hatte mich für Yogi jedesmal stark gemacht, wenn er schwach und in die Enge getrieben worden war. Jetzt ist unsere Dorfgemeinschaft zu schwach, um sich gegenüber zwei Schlägern zu behaupten.

Matthias fordert eine Abstimmung, zum ersten Mal heben wir im Dorf die Hände. Für Harry und Yogi hebt sich nur ein Arm. Als es aber zur Vollstreckung des Urteils kommen soll, will keiner die Fäuste ballen. Kerstin und Jürgen packen ihre Sachen, während Harry und Yogi auf dem Dorfplatz sitzen. Sie sagen, morgen seid ihr uns für ein paar Tage los, weil wir zum Hausbesetzertreffen nach Nürnberg fahren.

Yogi kommt aus Nürnberg, sein Hemd ist zerrissen. Auf dem Dorfplatz knöpfen wir ihn uns vor. Wir sagen, du hast hier nichts mehr verloren. Yogi sagt, ich komme, um den Wald zu verteidigen. Wir nehmen eine drohende Haltung ein, denn wir wissen, wenn wir jetzt nicht die Fäuste ballen, werden wir nie mehr einen Beschluß durchsetzen. Yogi verschränkt die Arme, setzt sich auf einen Stuhl und sagt, ich lasse mich nicht verjagen! – Gunther geht auf ihn los.

Gunther ist 23 Jahre alt, Schlosser von Beruf und als Zeitsoldat ausgebildet. Er ist mittelgroß und muskulös. Seine Gesichtszüge sind sehr fein, die Augen tiefgrün, die brennend roten Haare trägt er unter einem breiten Stirnband gebändigt. Seine Hände können kräftig zupacken und zarte, kleine Bilder malen. Gunther vergreift sich nie an Schwächeren, jetzt legt er sich in unserem Namen mit Yogi an.

Gunther zieht Yogi an den Ohren und stößt blitzschnell mit der Stirn zu. Yogi geht zu Boden; Gabi krümmt sich vor seelischem Schmerz und wird von Karin, die ebenfalls weint, getröstet. Auch ich sehe alles wie durch einen Schleier und schäme mich, weil ich keine Hand rühre – nicht für Yogi, aber auch nicht gegen ihn. Yogi ist ein Häuflein Elend, er jammert, klagt, zetert und schimpft. Gunther reißt ihn am zerrissenen Hemd hoch, schüttelt ihn und schreit, ich mache dir Beine! – Zerlumpt und verstaubt wie er ist, jagen wir Yogi und seinen Hund aus dem Dorf.

Yogi hat sich mit seinem Hund an unserem Grenzgebiet, dem Waldrand neben dem Flughafengelände, niedergelassen und wartet. Er wartet auf Harry, seinen starken Arm, der ihn rächen wird. Yogi kennt unsere Schwächen und Blößen, er hat Zeit. Er kampiert unter dem neuerstandenen »Wächter der Freiheit«, Dorfbewohner – unter ihnen Charly und Bertrand – versorgen Yogi und Züli mit Lebensmitteln und Getränken, aber auch mit warmer Kleidung und mit Decken. Später wird Yogi sogar ein Zelt am Waldrand aufschlagen.

Seit Sonntagabend gießt es in Strömen, der Gewitterregen pladdert nur so auf unsere Dächer, und in vielen Hütten können Eimer und Schüsseln die Rinnsale kaum auffangen, die an undichten Stellen eindringen. Auch die BI-Hütte steht unter Wasser. Wie es Yogi wohl in dem unfertigen Turm ergeht, während ich in der trockenen Schreiberei schlafe? Nachts höre ich ihn manchmal im Dorf nach Züli rufen, oder ruft mich mein Gewissen? Dienstagmorgen taucht Harry auf, und die beiden sind nun unsere ungerufenen Grenzwächter. Im Niemandsland zwischen Dorf und Flughafen warten zwei Ausgestoßene auf den Tag X.

Am Rande des abgeholzten Geländes wird gegraben und gezimmert, ein Dutzend Dorfbewohner sind mehrere Tage damit beschäftigt, eine Waldbühne zu errichten. Es ist regnerisch und kühl, durchnäßt und durchfroren rammen wir von morgens bis in die Abende hinein dicke Pfähle in den Boden, verstreben sie mit Baumstämmen, nageln einen Bretterboden darauf und setzen schließlich ein Riesendach darüber. Zusätzlich fertigen wir zwei Gerüste für die Lautsprechertürme sowie einen Unterstand für die Tontechnik an.

Einer, der bis zur Erschöpfung an der Waldbühne schafft, ist Gunther, der Yogi in unserem Namen aus dem Dorf gejagt hatte. Während Gunther in der Waldlichtung Axt und Hammer schwingt, hockt keine dreißig Schritte entfernt Harry oben im »Wächter der Freiheit« und schlägt unaufhörlich auf ein Blechbecken. Von Tag zu Tag wird das Trommeln unerträglicher, wie ein Schmerz zerreißt es die Luft. In der Nacht vor dem Fest schlägt Harry dann zu, er erwischt Gunther mutterseelenallein und ausgepumpt auf dem Nachhauseweg ins Dorf, drischt und tritt ihn so zusammen, daß dieser mit Verdacht auf einen Leberriß im Krankenhaus untersucht werden muß.

Am nächsten Morgen gehen wir auf Treibjagd. Wir hatten uns in der Nacht noch mit Knüppeln bewaffnet, doch von Harry fehlte jede Spur. Jetzt taucht er in aller Herrgottsfrühe vor der Walldorfer Hütte auf, und es sind die Frauen, die auf ihn losgehen. Gabi, Karin sowie zwei, drei Mädchen hetzen Harry bis zum Umfallen durch den Wald, wir Männer laufen hinterher. Harry, der uns Männern Angst einjagt, läuft vor den Frauen wie ein Hase. Als sie ihn schließlich stellen, tritt Gabi ihn ans Schienbein und schreit, du verbreitest keinen Schrecken mehr! Wie ein geprügelter Hund schlägt Harry sich in die Büsche, seinen Spießgesellen Yogi schicken wir ihm noch am selben Morgen hinterher. Auch am Waldrand ist für die beiden Ausgestoßenen kein Platz mehr.

# Yaak Karsunke

## Unser schönes Amerika

*(in einem Slum-Viertel: links die Veranda eines baufälligen Holzhauses, rechts entsprechende Fassaden*
*auf den Stufen der Veranda sitzt Booze, ein älterer Säufer, mit einer fast leeren Flasche, auf der Veranda selbst hängt seine Tochter Mary Wäsche zum Trocknen auf*
*auf dem Rinnstein der gegenüber liegenden Straßenseite würfeln Roy und Bill, zwei junge Männer in T-Shirts und Jeans)*
SUE
    *(eine billig, aber fesch aufgemachte Nutte steuert mit einem korrekt gekleideten Mittelstandskunden eins der Häuser rechts an – im Vorbeigehen)* Hallo Mary!
MARY Hey Sue!
    *(Booze spuckt demonstrativ aus, Roy und Bill unterbrechen ihr Spiel – nachdem Sue mit ihrem Kunden verschwunden ist)*
BILL *(würfelt)* Vierzehn zum ersten. Ich verdopple.
ROY Ich geh mit. *(er würfelt)*
BILL Verloren. Achthundert.
ROY Schreib's dazu.
BILL Geld will ich sehen, Mann. Achthundert.
ROY Sei kein Unmensch, Bill. Gib mir noch eine Chance.
BILL Erst gibst du mir die achthundert.
ROY *(seufzend)* Auch gut. *(von einem Stapel Bierdeckel zählt er vor)* Eins-zwei-drei-vier-fünf-sechs-sieben-achthundert. Da.
BILL *(nimmt die »achthundert« auf)* Dein Glück, Mann. Ich dachte fast, du wärst pleite. *(fächert die Bierdeckel in einer Hand auf)* Acht Hunderter – stell dir das mal vor.
ROY Ich weiß nicht mal mehr, wie ein Zehner aussieht.
BILL Vielleicht gibt Sue einen aus.
ROY Nuttenbier.
BILL Besser als Durst.
ROY *(geht zur Veranda)* Hast du mal ein Glas Wasser, Mary?
MARY Für Bill auch eins?
BILL *(ruft über die Straße)* Nur wenn Eis drin ist!
MARY Und in einem goldenen Becher, was? *(sie geht ins Haus)*
BOOZE Wasser. Als ich jung war, haben wir's nicht mal zum Zähneputzen genommen.

Roy Als du jung warst, war doch Prohibition.

Booze Na und? Schnaps gab's an jeder Ecke. 32 000 Flüsterkneipen allein in New York – doppelt so viele wie vor dem Verbot! Warum trinkt ihr Jungs nicht wenigstens Bier?

Bill *(ruft rüber)* Gibst du einen aus, Booze?

Booze Warum geht ihr nicht arbeiten?

Roy Weißt du 'nen Job für mich?

Booze Das ist ein freies Land hier, mein Junge. Jeder kann tun und lassen, was er will – aber wollen muß er schon selbst.

Roy Du bist besoffen. *(er nimmt der zurückkehrenden Mary das Wasserglas ab)* Danke, Mary. *(während er zu Bill zurückgeht, singt)*

Bill

Gott schütze unsere Vereinigten Staaten

Vor Republikanern und Demokraten

Vor Rauschgifthandel, vor Prostitution

Vor Wirtschaftskrisen und der Korruption

Vor dem Aufruhr im Ghetto und den Streiks überall

Gott schütz den Aktienkurs vor dem Verfall

Er schütze uns alle in Frieden und Krieg

Schütz' auch die Freiheit der Republik

Gott, schütz' Amerika – seinen Glanz, seinen Ruhm –

Und schütze vor allem: das Privateigentum.

*(Sues Kunde kommt allein aus dem Haus)*

Bill Mach die Hose zu, Dicker!

Kunde *(greift automatisch hin, merkt, daß Bill ihn reingelegt hat, und geht schnell ab)*

Booze Ihr solltet euch schämen. Vor einem unschuldigen Mädchen wie Mary.

Bill Zieh ins Villenviertel, wenn wir dir nicht fein genug sind. *(Sue kommt aus dem Haus)* Wie war's?

Sue Schnell für sein Alter, und auch nicht schlimmer als sonst. Was trinkt ihr denn Schönes?

Bill Wasser.

Sue *(nestelt Dollars aus ihrem BH, zählt fünf ab)* Da – auf Kredit.

Roy *(während Bill nach dem Geld greift)* Moment mal. Wir haben so schon fünfzehn Dollar Schulden bei dir.

Sue Zahlt sie zurück, wenn ihr sie habt.

Roy Wir haben keine und wir kriegen keine.

Sue Und ich hab welche und krieg wieder welche. *(hinter der Szene hört man ein Auto halten, die Autotür klappt)* Steck's weg, schnell.

Pimp *(Sues Zuhälter, tritt auf, Roy und Bill würfeln demonstrativ)* Hallo Mary. *(greift in ein Wäschestück)* Die lohnt das Trocknen nicht mehr. Und dir würden paar neue Klamotten auch nicht schlecht stehen.

Booze Laß das Mädchen zufrieden.

Pimp Ach, Booze, du könntest dir auch besseren Stoff leisten. Wenn du tot bist, landet sie ja doch auf'm Strich, bloß daß du nichts mehr von hast. *(zu Sue)* Na, Schätzchen? *(sie gibt ihm Geld, er zählt es durch)* Bißchen wenig, nicht? *(er dreht ihr eine Hand auf den Rücken, reißt ihr die Handtasche aus der anderen, stöbert Sues Geldreserve daraus hervor)*

Roy *(auf ihn zu)* Gib dem Mädchen die Tasche zurück!

Pimp Das ist mein Mädchen, oder?

Roy Gib ihr die Tasche!

Pimp *(läßt ein Messer aufspringen)* Komm, hol sie dir, Kleiner.

Roy *(weicht zurück)* Hast du alles bei der Armee gelernt, was?

Pimp *(während er Sue die Tasche zuwirft)* Kann nicht jeder studieren, Roy. Ihr habt die Einberufungsbefehle verbrannt, und wir durften uns für euch mit den Gelben rumschlagen. *(im Abgehen zu Sue)* Bis morgen, Süße. Und bleib sauber.

*(in die betretene Stille nach Pimps Abgang tritt ein alter Mann im abgeschabten Frack von 1776 auf, den die andren erst allmählich wahrnehmen)*

Jefferson Folgende Wahrheiten bedürfen für uns keines Beweises: Daß alle Menschen gleich geschaffen sind; daß sie von ihrem Schöpfer mit gewissen unveräußerlichen Rechten ausgestattet sind, daß dazu Leben, Freiheit und das Streben nach Glück gehören; daß zur Sicherung dieser Rechte Regierungen unter den Menschen eingesetzt sind, die ihre rechtmäßige Autorität aus der Zustimmung der Regierten herleiten; daß, wenn immer eine Regierungsform diesen Zielen abträglich wird, das Volk berechtigt ist, sie zu ändern oder abzuschaffen und eine neue Regierung einzusetzen und diese auf solchen Prinzipien zu errichten und ihre Gewalten solchermaßen zu organisieren, wie es ihm zur Gewährleistung seiner Sicherheit und seines Glücks am ratsamsten erscheint.

*(nachdem er ihre Aufmerksamkeit errungen hat, reagieren Sue und Bill eher amüsiert, Roy und Booze mißtrauisch, Mary fasziniert)*

Bill Opa, du hast dich verlaufen! *(zu Sue)* Oder will der zu dir?

Sue Ich arbeite doch nicht für die Wohlfahrt.

Mary *(ärgerlich)* Laßt ihn in Ruhe! Hört lieber zu, was er sagt. *(zu Jefferson)* Möchten Sie einen Becher Eiswasser, Mister?

Jefferson *(der auf die anderen nicht reagiert hat, antwortet Mary freundlich)* Nein danke, mein Kind. *(dann deklamiert er weiter)* Die Vernunft gebietet freilich, daß seit langem bestehende Regierungen nicht aus geringfügigen und flüchtigen Anlässen geändert werden sollten; und dem entsprechend hat alle Erfahrung gezeigt, daß die Menschen eher geneigt sind zu leiden, solange die Mißstände erduldbar sind, als sich durch die Beseitigung altgewohnter Formen Recht zu verschaffen.

Roy Stopft dem Kerl die Schnauze. Lange halte ich dieses Geschwafel nicht mehr aus.

Mary Aber er hat doch recht, Roy.

Booze Wir sind immer noch 'n freies Land – laß ihn reden. Außerdem verstehe ich kein Wort.

Jefferson Aber wenn eine lange Reihe von Mißbräuchen und Übergriffen, die ausnahmslos das gleiche Ziel verfolgen, die Absicht deutlich werden läßt, das Volk unumschränktem Despotismus zu unterwerfen, so ist es sein Recht wie auch seine Pflicht, eine solche Regierung zu beseitigen –

Booze *(kommt mühsam auf die Beine)* Das ist Kommunismus!

Jefferson – und durch neue schützende Einrichtungen für seine künftige Sicherheit Vorsorge zu treffen.

Roy *(in einem sich steigernden Ausbruch, vor dem Jefferson zurückweicht)* Ich bin arbeitslos seit achtzehn Monaten, und *(auf Bill)* der ist's seit zweieinhalb Jahren, *(auf Sue)* die ist auf dem Strich gelandet und *(auf Mary)* sie wird da landen: da kommst du her mit deinen Sprüchen. Mach, daß du wegkommst, los, schnell!

Booze *(beteiligt sich flaschenschwingend an der Vertreibung Jeffersons)* Gib's ihm, Roy – Regierung beseitigen und Streben nach Glück: das ist ein Roter – ein Roter in unserer Straße, raus, raus!

Bill *(holt, nachdem die drei verschwunden sind, die fünf Dollar wieder heraus und hält sie Sue hin)*

Sue Na schön. *(sie geht hüfteschwingend in dieselbe Absteige wie zu Beginn, gefolgt von Bill)*

Mary
Wir, das Volk der Vereinigten Staaten
Von der Absicht geleitet
Unseren Bund vollkommener zu gestalten
Gerechtigkeit Wirklichkeit werden zu lassen
Die Ruhe im Inneren zu sichern
Unser Land zu verteidigen
Die allgemeine Wohlfahrt zu fördern
Und das Glück der Freiheit
Uns selbst und unseren Kindern
Zu bewahren für Immer:
Setzen diese Verfassung
Für die Vereinigten Staaten von Amerika in Geltung.
*(Dunkel)*

# Walter Kempowski

## Lehrer Jonas

Die St.-Georg-Schule liegt in der St.-Georg-Straße, die genau einen Kilometer lang ist und in den St.-Georg-Platz mündet. Sie ist eine von dreizehn Volksschulen in Rostock, eine in roten Ziegeln erbaute Erziehungsburg mit Zinnen und angedeuteten Schießscharten.

Sogar das Toiletten-Häuschen auf dem hinteren Hof ist wie eine gotische Burg gebaut, gotischer als je die Gotik war. Hier empfängt die Rostocker Jugend männlichen Geschlechts Aufklärungsunterricht: Das Wesentliche der geschlechtlichen Vereinigung ist mittels gestohlener Schulkreide mehrfach an die Wand gemalt. Während des Wasserlassens an der geteerten Mauer sind die Zeichnungen bequem zu studieren, dazu die Verben, die das derbe Volk diesem Geschäft zuerfunden hat.

Lakonische Äußerungen des Unmuts sind ebenfalls auf den Innenwänden der Toiletten-Burg zu lesen, von älteren Schülern verfaßt, die nicht mehr die naive Lust fürs Lernen aufbringen können wie die lebensfrohen Abc-Schützen.

Im ersten Stock des Schulgebäudes, an strategischer Stelle, wächst eine Art Bergfried aus der Schulburg heraus, hier liegt das Lehrerzimmer, von dem aus der Hof einzusehen ist, den man mit Mauern und Drahtzäunen von der übrigen Welt abgetrennt hat. Das normale Pausengewimmel regt keinen der Kollegen auf. Erst wenn sich Strudel bilden, ist Aufmerksamkeit geboten. Dann ist zu fragen, wie lange es sich der aufsichtsführende Kollege dort unten wohl noch bieten lassen wird, daß sich auf dem Hof grölende Strudel bilden, in deren Mitte gewöhnlich zwei Jungen übereinanderliegen.

Kollege Fasel fackelt nicht lange, das ist bekannt. Er hat einen »Schacht« im Ärmel, den er herausfahren läßt. Wie mit einem Säbel schlägt er sich eine Gasse in das Knäuel, und die Kämpfenden reißt er an den Ohren auseinander. Das ist so seine Art.

Da ist Kollege Hagedorn schon freundlicher. Als moderner Pädagoge schiebt er die Schüler lächelnd zur Seite: »Na, was ist denn hier schon wieder los?« Und dann »zählt« er die beiden Kampfhähne »aus« und hebt ihnen beiden die Hand hoch, zum Zeichen, daß *beide* gewonnen haben.

Gegenüber ist ein Kaufmannsladen, in dem man Hefte und Bleistifte kaufen kann, auch Lackbilder, Gummiteddys und Nappos. Es gibt immer Kinder, die sich vom Hof stehlen und beim Kaufmann Nappos kaufen, jeden Tag, obwohl das streng verboten ist, Nappos, Salmiakpastillen oder sogar Groschenhefte: Rolf Torring oder Frank Faber: »Das Gespenst im Urwald« und ähnliches, in denen die ganze Unnatur der chaotischen Systemzeit in den neuen Zeiten überdauert. Höchste Eisenbahn, daß der Führer damit aufräumt.

Wenn es schellt, stellen sich die Schüler auf. Jede Klasse für sich, links und rechts vom Eingang, groß und klein. Ist dieses Ordnungswerk getan, was gar nicht so einfach ist, dann schreitet der aufsichtsführende Lehrer die Gasse hinauf und hinunter. Ja, hier geht's mit rechten Dingen zu, diese jungen Menschen kann man zu neuen Erziehungstaten in die Schule einlassen.

Die Klassen ziehen brav, eine nach der anderen, in die Schule ein, aber brav nur die Außentreppe hinauf und durch das Portal hindurch. Drinnen löst sich die Ordnung sofort auf. Hier ist eine Schwachstelle der pädagogischen Aufsicht, die man nicht hat beseitigen können. In der Eingangshalle, für die die Stadt sogar ein gotisches Gewölbe spendiert hat, treten die Kinder einander auf die Füße – »braune Mäuse muß man tottreten!« –, hier entfalten Rohlinge ihre Kräfte. Sie boxen den schwächeren Kleinen in den Bauch. Nie sind sie zu fassen, obwohl ein hochaufgereckter Pädagoge sehr aufpaßt. Mit gewaltiger Stimme überschreit er das Schreien der Kinder.

Für die frühstückenden Lehrer, oben im Lehrerzimmer, bedeutet der Höllenlärm, daß sie nun wieder hinuntermüssen in den Hexenkessel. Sie richten ihre Gedanken auf das, was kommt, straffen sich und schreiten die Treppe hinunter oder hinauf, je nachdem, um sich in das Gewühl einer Klasse zu stellen und kosmische Ordnung durch bloßes Erscheinen herbeizuführen. Ordnung nicht nur in der Befindlichkeit, sondern auch in dem, was »Überlieferung« heißt und »Zukunft« bedeutet. Sie stellen die methodische Drehscheibe auf »freie Fahrt« und setzen die pädagogische Reise fort, und zwar jeder auf seine Weise.

In den Klassenzimmern stehen die groben Holzbänke galeerenartig bereit, jeweils vierzig bis fünfzig Jungen aufzunehmen, die dann in fester Ordnung nebeneinander und hintereinander sitzen, die Hände auf dem Tisch.

Vorn, neben der Tafel, ist ein Holzpodest, auf dem das Katheder steht. Von hier aus hat der Lehrer einen guten Überblick. Er sieht sofort, wenn irgendwo »Dummtüch« gemacht wird. Einfach ist es dann, von hier aus, die Ordnung wiederherzustellen. Der betreffende Störenfried kann nach vorn beordert werden, bückt sich und empfängt drei mittelkräftige Stockschläge aufs Gesäß. »Gebärden machen« ist ein Grund oder »fortgesetztes Schwätzen«. In Krisensituationen ermöglichen es zwei Gänge zwischen den Bänken dem Lehrer, den Herd der Unruhe rasch zu erreichen und sie zu erstikken.

Neben dem Holzpodest steht ein Schrank, in dem die Kühnelschen Rechentafeln liegen, und alte Hefte. Vielleicht steht da auch ein leeres Aquarium mit zwei verrosteten Schlüsseln darin. Wer weiß, wo sie hingehören?

In jeder Klasse hängt ein Bild, in Eiche gerahmt. Es gehört zur Erstausstattung dieser Schule und stellt einen Pflüger dar, hinter dem Krähen herfliegen, oder einen Ritter, der nach getaner Arbeit seiner Burg zustrebt. Neben der Tür, direkt über dem Lichtschalter, den die Schüler nicht betätigen dürfen wegen der Gefahr, die damit verbunden ist, hängt außerdem ein kleines Hitlerbild, in Art einer Federzeichnung mit dem flüchtigen Namenszug des Reichskanzlers darunter.

Die Decken sind weiß geschlämmt, die Wände grün, die Dielen eingeölt. Zum Saubermachen werden feuchte Sägespäne ausgestreut und mit dem Dreck zusammen ausgefegt. Dies geschieht auch, wenn ein Kind mal »bricht«. Es ist ein einfaches Verfahren.

Im Keller wohnt der Mann, der das tun muß: das Erbrochene aufnehmen. Es ist der Hausmeister, der auch Milch oder Kakao verkauft oder »Kaba«, einen neuartigen Plantagentrank, mit Hilfe dessen man Devisen spart. Er ist ein freundlicher Veteran, der seine linke Hand im Weltkrieg eingebüßt hat. Mittels einer Ledergamasche kann er verschiedene Haken sich anschnallen, was ihn instand setzt, seinen Aufgaben nachzukommen. Kleinen Jungen hilft er in der Turnhalle gelegentlich sogar das Leibchen zuzumachen, an dem die Gummistrippen für die langen Strümpfe hängen.

Neben der Turnhalle sind Duschräume eingebaut. Die deutsche Jugend sollte hier an Reinlichkeit gewöhnt werden: So hatte man sich das ausgedacht. Nie werden sie benutzt.

In dieser Schule, in der es natürlich keine Lehrerinnen gibt, herrscht ein strenges Regiment. Das ist nun mal so. Wahre Schrekkensmenschen gibt es unter den Pädagogen. Es gibt aber auch träge Existenzen, die nach außen den Anschein äußerster Strenge aufrechterhalten, nach innen jedoch – leben und leben lassen – ihrem Auftrag gerecht zu werden versuchen durch Anwendung eines immer gleichen Schemas. Die Herbartschen Formalstufen sind es, die ihnen das ermöglichen: die Formalstufen, und zwar in der vereinfachten Form: Aufnehmen, Durchdringen, Anwenden.

Unter den Lehrern gibt es den Herrn Hagedorn, von dem heißt es, daß er vor der Stadt wohnt, Vegetarier ist und Bienen züchtet. Er ist immer gut vorbereitet, weiß, wie man eine Stunde »baut«, auch ohne die Formalstufen. Ein netter, freundlicher Mensch, den seine Schüler lieben, der derartig in seinem Beruf aufgeht, daß sie ihn sogar vergessen werden, wenn sie eines Tages ins Leben hinaustreten.

»Da war doch so ein netter Lehrer«, denken die ehemaligen Schüler später. Geblieben ist nur ein Bild vager Freundlichkeit, ein lichtes, leichtes Bild ohne Kontur.

Anders verhält es sich mit dem Lehrer Jonas. Und zu ihm kommt der jüngste Sohn von Karl und Grethe, als es soweit ist. An Lehrer Jonas ist nichts Bemerkenswertes zu entdecken. Vielleicht ist es erwähnenswert, daß sein Anzug kein typischer Lehreranzug ist, er ist aus guter englischer Wolle gemacht und weist feine Nadelstreifen auf. Und daß er buschige Augenbrauen hat und große blaue Augen, das könnte man auch noch sagen. Wo er hinguckt, guckt er hin. Hilflos ist er ein wenig, freundlich-hilflos, aber wo er hinguckt, da guckt er hin, da kann er nicht noch woanders hingucken.

Die Mütter, die sich am ersten Schultag vor seiner Tür drängen, schiebt er zur Seite, er will zu den Kindern, die in der dunklen Klasse stehen, mit sehr großer oder kleinerer Zuckertüte im Arm; er will die Kinder beruhigen, daß sich das schon alles findet, mit dem Schreiben, Lesen und Rechnen. Und als er bei den Kindern ist, will er zu den Müttern, draußen im Gang, die Mütter beruhigen, daß sie ihm die Kinder nur ruhig anvertrauen sollen. Und skeptisch ist er, ob er das wohl auch kann, den Kindern gerecht werden, denn es ist das erste Mal, daß er ein erstes Schuljahr hat.

Die Kinder drücken sich zu sechst in eine Bank, und hinten ist noch alles frei, achtundvierzig Jungen sind es, fein herausgeputzt. Die armen Kinder am feinsten, außer den ganz armen, die aus Haus ELIM hierhergeschickt wurden, dem städtischen Waisenhaus. Drei sind es: Sie tragen graugewaschene Einheitskleidung, und das Haar hat man ihnen geschoren. Keine Mutter will, daß ihr Junge neben den drei Waisen sitzt, von denen der eine gar Speichel am Mund hängen hat.

Das findet sich schon, sagt Herr Jonas, und er plaudert noch ein wenig mit den fein herausgeputzten Müttern (die ärmsten am feinsten, außer den ganz armen), die halb in der Klasse stehen, halb auf dem Gang, während die Kinder bereits »unruhig« werden. Clowns tun sich hervor, die sich »was zeigen«, lauter wird's und immer lauter, und nun öffnen sich schon die anderen Klassentüren, was das denn für ein Lärm ist, der Herr Jonas ist wohl von allen guten Geistern verlassen?

Kollegen gucken heraus, die ihren Abc-Schützen schon längst die fällige Geschichte von »Heiner im Storchennest« erzählt haben und bereits mit Volldampf auf den ersten Buchstaben zusteuern.

»So geht das aber nicht, Herr Kollege.«

Die Mütter werden also nach Hause geschickt, wobei man an einigen Kindern zerren muß, da sie sich anklammern in ihrer Todesangst.

Endlich ist die Tür geschlossen, jedes Kind hat seinen Platz. Der kleine Kempowski sitzt am Mittelgang mit Scheitel jetzt, statt einem Pony.

Er hat sogar *zwei* Zuckertüten, Frau Mommer konnte nicht darauf verzichten, ihm auch eine zu schenken. Es sind zwei kleine, aber wohlgefüllte Zuckertüten, eine mit rotem, eine mit grünem Seidenpapier verstopft. Die wird er dann zu Hause öffnen, dann hat er die Überraschung noch vor sich.

Fünf Stangen Knetgummi liegen für jedes Kind bereit, in verschiedenen Farben, gleichlang und unversehrt, damit werden nun Zuckertüten geknetet, ein naheliegender Gedanke heut am ersten Tag. Während unten über den Hof Mütter gehen, zu zweit, zu dritt, die sich Sorgen machen, ob man sein Kind wohl diesem Lehrer anvertrauen kann, sitzt Lehrer Jonas auf dem Katheder und sieht mal hierhin und mal dorthin. Vor sich hat er das Klassenbuch, in das er jetzt einschreibt: »Zuckertüten kneten«. Dann faltet er die Hände unterm Kinn, denkt an einen schönen Sommerabend auf dem Lande und guckt sich die Kinder an, noch nie hat er solche menschlichen Wesen gesehen. Robuste Kerle sind darunter, mit schweren Gliedmaßen, auch stille, feine, blasse. Einer hat fuchsrote Haare und sehr schöne Wellen in den fuchsroten Haaren. Eine gewürfelte Jacke trägt er, mit Hornknöpfen, und er macht zierliche Gesten mit seinen feinen Händen.

»Wann liehrt wi denn nu datt Schriewen?« fragt einer. Und nun kommen schon die ersten Kinder nach vorn – aus ist's mit der Beschaulichkeit –, sie zeigen ihre geknetete Zuckertüte vor, graue, grüne, gelbe oder rote, mit Inhalt in der gleichen Farbe. Nur ein Kind hat alle Knetgummistangen gleichzeitig angebrochen und zeigt das herum. Und Jonas sagt nicht: »Seht mal, wie schön bunt *der* seine Zuckertüten geknetet hat, eure Zuckertüten sind aber langweilig«, sondern er versteht das, daß die andern Kinder nur eine einzige Farbe anbrechen wollten, er hätte das genauso gemacht, die schönen neuen, so gut riechenden Stangen! Und er sagt: »Wer macht eine Zuckertüte für den Hund?«

»Wir haben keinen.«

Na, dann für die Katze oder für den Kanarienvogel oder für das Pferd vom Milchmann.

Da wird dann doch alles Knetgummi verbraucht, Zuckertüten die schwere Menge, für Mäuse schließlich und für den Lehrer, der auch was haben soll, und die Zeit geht herum, allmählich. Nur die drei Waisenknaben sitzen in ihren graugewaschenen Einheitsanzügen mit geschorenem Kopf da. Zuckertüten? Pferd?

Sie sind ganz still. Hier sitzen sie gut und trocken, so viel ist ihnen klar.


Herr Jonas macht es sich nicht leicht. Einen Lodenumhang besitzt er, mit dem wedelt er zur Schule. Heute werde ich mal ganz großartig unterrichten, denkt er, und er schreitet ernst dahin. Zuerst werde ich es so machen, und dann so, denkt er. Das werden wir schon kriegen. Aber, wenn er sich dann der Schule nähert und den hirnzerstörenden Lärm hört und dann in der Klasse von seinen Kindern umringt wird, die ihm ihre neuen Schuhe zeigen oder ihm erzählen, daß der Großvater gestorben ist, dann ist die ganze Planung zum Teufel.

Herr Hagedorn, ja, der weiß, wie man so was macht: »Kinder, einfädeln«, auch der hört sich lächelnd an, was die Kinder ihm erzählen, holt dann aber die Geige hervor zur rechten Zeit und spielt ein »Liedel« auf der »Fiedel«, wie er sagt, und dann »hat« er die Kinder – wie er seiner Frau das immer erzählt: »Ich hab' die Kinder immer schon nach fünf Minuten« –, spielt lächelnd auf der Geige: »Kuckuck, Kuckuck, ruft's aus dem Wald« zum Beispiel, ein Lied, das die Kinder gerne singen, oder »Das Wandern ist des Müllers Lust«, je nachdem. Und während er spielt, denkt er an die Architektur seiner Stunde, die er heute wieder mit Leben erfüllen wird, so wie das nur einer kann an dieser Schule: Hagedorn.

Nicht so Herr Jonas. »Ich will das heute so und so machen«, hat er eben noch gedacht, und nun hört er die Kinder erzählen, jeder hat was erlebt, und jeder will es loswerden!

Er hört ihnen zu, denn oft ist es ganz interessant, was die Kinder zu berichten wissen, und *wie* sie es berichten, und wenn es zu lange dauert, denkt er an schöne Dinge, die ihn oft erfüllen: Ein Sommerabend auf dem Land, in der Laube saß man und genoß den Frieden . . .

Wenn das Berichten endlich abebbt – es ist manchmal schwer zu stoppen –, dann fängt er plötzlich an zu sprechen, und er hört sich selber zu. Geschichten erzählt er, die an einem Sommerabend beginnen, auf dem Lande, Geschichten, von denen er eben noch nichts gewußt hat, und keine Ahnung hat er, wo sie einmal enden werden. Von einem Jungen handeln sie meistens, dem Schlimmes zustößt, und die Kinder kauen an ihren Tornisterriemen und hören zu. Und während Herr Hagedorn nebenan schon längst beim Kulminationspunkt seiner freien Architektur angekommen ist, zwischendurch ein Liedel auf der Fiedel spielt, auch mal eine Stecknadel fallen läßt, wenn es zu laut ist: »Mal sehen, ob wir die hören?«, ein alter Trick, der immer funktioniert, dann sitzen die Jungen bei Herrn Jonas immer noch und lauschen.

Wenn Herr Jonas dann fertig ist mit seiner Geschichte – die ihm manchmal gar nicht glückt –, dann sagt er: »So, und nun kommt das Lernen.«

Dann sagt er ihnen das, was er ihnen eigentlich kunstvoll beibringen wollte, und die Kinder verstehen das auch ohne Methode.

In der letzten Stunde darf gemalt werden. Merkwürdigerweise hat Herr Jonas den Tick, er verlangt stets einen »Rahmen« auf dem Zeichenblatt. Zuerst muß der Rahmen ausgemessen werden, und das verschlingt 'ne Menge Zeit. An jeder Blattkante müssen zwei Zentimeter weiß bleiben, das ist nun mal so.

»Das gefällt euch doch auch besser!« sagt er, läuft hin und her und paßt auf, daß alle achtundvierzig Jungen den Rahmen festlegen, innerhalb dessen sie die letzten, dann noch verbleibenden zehn Minuten malen dürfen, was das Herz begehrt.

Herr Hagedorn, nebenan, kennt so was nicht: Rahmen. Der läßt die Kinder tüchtig drauflosmalen. Ja! ruft er und: Richtig! Nur los! Und die Kinder lassen sich das nicht zweimal sagen: »Bei mir sind die Kinder ganz frei!« sagt Herr Hagedorn, und er nimmt es sich heraus, daß er mit Schillerkragen unterrichtet oder sich die Jacke auszieht. Herr Hagedorn ist ein Vollblutpädagoge, der setzt sich auch mal in eine Bank und kommt von da aus zum »Ergebnis«.

Nicht so Herr Jonas. Ein weißes Taschentuch hat er in der Kavalierstasche seines tadellosen Anzugs, das zwingt er sich ab, und den Rahmen um die Zeichenblätter, 2 cm von der Kante aus gemessen, den verlangt er von den Kindern.

Der kleine Kempowski malt am liebsten Autos. Das macht er immer noch in einem Zug: unten zwei Beulen freilassen für die Räder. Vorn ein Loch für das Kühlwasser, das ein jedes Auto braucht, und hinten der Auspuff. Neuerdings haben seine Autos sogar Scheinwerfer und Reservereifen. Das hat er bei seinem rothaarigen Nachbarn gesehen, dem Jungen mit den feinen Gebärden.

An die Straße malt er Apfelbäume.

»Wie das wohl trommelt, wenn die Äpfel auf das Auto fallen«, sagt Herr Jonas.

Ja, das stimmt. Da malt man nächstes Mal besser Pappeln oder so was. Oder einen Korb auf das Dach, in den die Äpfel hineinfallen.

Morgens wedelt Herr Jonas mit seinem Lodenumhang zur Schule. »Heute werde ich sehr gut unterrichten«, denkt er. Zuerst werde ich es so machen und dann so. – Aber dann, wenn ihn die Kinder umtrauben, dann ist alles vergessen.

Immerhin, gewisse Fortschritte hat Jonas gemacht: Farbige Kreide hat er sich angeschafft, in einer Pappschachtel liegt sie, nach Farben sortiert. Wenn das Chaos ausbricht, dann stellt sich Herr Jonas an die Tafel und beginnt irgend etwas zu zeichnen, einen Baum mit braunem Stamm und grünen Blättern etwa, blaues Wasser, in dem Fische sichtbar herumschwimmen, und nun?

Ja, da wird es still: Ein Haus mit einem Fisch, der aus dem Fenster herausguckt, das malt Herr Jonas, und das ist eine glückliche Idee. »Fisch«, schreibt er daneben, als die Kinder sich genug gewundert haben. Und dieses Wort können sie von dem Wort »Auto« unterscheiden. Das ist doch was!?

»Haben Sie schon das ›R‹ eingeführt, Herr Kollege?« wird er im Lehrerzimmer gefragt. Nein, das hat er nicht. Aber »Fisch« von »Auto« unterscheiden, das können sogar die drei Waisenknaben aus dem Hause ELIM, die in Turnschuhen zur Schule gehen.

Vorgekommen ist es schon, daß Hagedorn seinen Freund Jonas im Lehrerzimmer mit ans Fenster genommen hat, in die Sonne. Da hat er ihm Rat und Hilfe angeboten. »Nur Mut, es wird schon werden!« Und er hat ihm erzählt, wie *er* das immer macht, und daß das prima funktioniert! Er hat zum Beispiel von seiner Frau Russisch-Brot backen lassen, Buchstaben also, aus billigem Teig, und das sortieren die Kinder und essen es auf! Das kann er nur empfehlen! Und Bücher leiht er seinem Freunde Jonas, die voll herrlicher Einfälle sind. »Im Kräutergärtlein der Erziehung« oder »Mein erstes Schuljahr« heißen diese Bücher, und daraus kann man viel entnehmen.

Herr Jonas guckt hinaus auf die Straße. Wo er hinguckt, guckt er hin. An einen langen Sommerabend denkt er, auf dem Lande.

Da drüben putzt eine Frau die Fenster, und ein kleines Mädchen fährt auf einem Roller vorbei: »Ich fahr' noch einmal um'n Block!«

Nein, die Bücher liest der Herr Jonas nicht, die von tüchtigen Lehrern geschriebenen.

### Bei den Pilzzwerglein

Er kann sie nicht lesen, sie haben etwas an sich, was die Lektüre ungenießbar macht.

Es mag sein, wie es will, denkt Jonas, die Schüler lieben mich wenigstens.

Ach, die Schüler lieben auch den Herrn Hagedorn. Sie lieben sogar den Herrn Fasel, der ihnen mit seinem Stock auf die Finger schlägt. Aber das kann Jonas nicht wissen.

# Irmgard Keun

## Der Führer war da

Verstreut war die Menge, fortgeglitten waren die Herrschenden in
ihren Zauberautos, klingend davonmarschiert die Reichswehrsol-
daten. Eine verlorene, zu Boden gefallene Fackel schwelte, glimmte
ins nächtliche Dunkel. Keiner trat sie aus.

Die Lichter der Stadt flammten auf, es war wieder hell.

Vorm Henninger-Bräu stießen Gerti und ich gleich auf den Kurt
Pielmann, der aufgeregt war und in SA-Uniform. Wunderbar wär
es gewesen, ob wir alles gesehen hätten, und wahnsinnigen Durst
hätt' er auf ein Glas Bier.

Er setzte die Gerti fast gewaltsam neben sich, alle Leute im Lokal
sollten denken, daß sie ihm gehörte. Das Lokal wurde immer voller, nach Aufregungen wird von den Leuten ja immer Bier getrunken. Der dicke große Herr Kulmbach kam reingeschwitzt, ganz rot
und verquollen war er, und bat, an unserem Tisch Platz nehmen zu
dürfen, weil er über das heutige Ereignis sprechen wollte. Wir kennen ihn, weil er Kellner im »Eichhörnchen« ist, wo wir öfters hingehen: der Algin, Gerti, Liska und weitere Bekannte.

Herr Kulmbach weist uns dann immer den schönsten Platz an
und ist überhaupt immer sehr nett. Er hat den Führer schon viermal gesehen, sagt er, und könnte trotzdem nie genug von ihm kriegen.

Kulmbachs Eltern haben ein kleines Wirtshaus im Taunus, da
wäre der Führer vor Jahren auch mehrfach eingekehrt. Kulmbach
erzählt oft davon, immer was anderes, und bei jeder Erzählung haben die Besuche des Führers sich gemehrt. Allmählich hat man
schon das Gefühl, als habe der Führer sein halbes Leben bei Kulmbachs verbracht und könne ohne den Kulmbach nicht leben, so wie
Kulmbach nicht ohne ihn. Man kann ja nun nicht beurteilen, wieviel Kulmbach davon lügt. An und für sich ist er ein sehr ehrlicher
Mensch, der nie falsch rausgibt, wenn man bezahlt. Ein alter
Kämpfer ist er auch und will es bleiben.

Er war auf dem Nürnberger Parteitag im vergangenen Jahr, wofür er sich extra eine Uniform und hohe Stiefel hatte machen lassen
auf Abzahlung und eigene Kosten. Dieser Besuch des Nürnberger
Parteitages wäre Kulmbachs größtes Erlebnis gewesen, er sagt:

könnte stundenlang davon erzählen. Aber er erzählt immer nur, daß der Boden gezittert hätte während des Feuerwerks, richtig gezittert. Ich würde das auch aufregend finden.

Ausgerechnet vor diesem nationalsozialistischen Kulmbach stänkert Gerti den Kurt Pielmann auf die gefährlichste Weise an. Gerade war Pielmann noch so selig über die Reichswehr, nun wird er damit gequält, indem Gerti sie schöner aussehend findet als die SA. Pielmann sagt natürlich sofort, Gerti habe die nationalsozialistische Weltanschauung nicht begriffen. Das sagen die Pg.-Leute immer, wenn sie sich geärgert fühlen. Daraufhin will Gerti diese Weltanschauung erklärt haben. Natürlich sagt Kurt Pielmann, wenn Gerti das nicht längst begriffen habe, könne man es ihr nicht erklären. Gerti und ich haben nun schon tausendmal erlebt, daß bei solchen Fragen nur Ärger für uns rauskommt.

Kulmbach sagt sehr freundlich, daß eben alles die Persönlichkeit des Führers sei, man müsse ihm einmal in die Augen sehen, und immer tue der Führer auch, was er sage. Und wie er sich in seinen Reden aufopfere! Goebbels habe ja das wunderbar Scharfgeistige in seinen Reden, aber beim Führer sei die seelische Aufopferung.

Ich trete Gerti unterm Tisch, trotzdem gibt sie keine Ruhe. Sie sagt, der Führer habe doch mal erklärt, daß die Juden alle nach Knoblauch riechen. Sie möchte nun bloß mal wissen, an wieviel Juden der Führer schon gerochen habe. Wenn einem Menschen widerlich seien, gehe man doch nicht dauernd ganz nah an sie heran, um an ihnen zu riechen. Die Juden, die sie kenne, würden jedenfalls nicht riechen, und was Knoblauch anbelangte, so esse sie den sehr gern. Daraufhin Pielmann entsetzlich aufgeregt: wenn Gerti so sprechen könne, sei sie rassisch verseucht. Kulmbach versucht, Pielmann zu beruhigen, und sagt, er habe auch mal einen anständigen Juden kennengelernt, und bestellt daraufhin noch eine Runde Kirsch.

Gott sei Dank habe ich die Gerti dazu gekriegt, mit auf die Toilette zu gehen.

Ein SS-Mann vom Nebentisch kam uns nach und fragte sehr höflich, ob die Gerti nachher noch ein Glas Bier woanders mit ihm trinken könne oder ob sie gebunden sei, und ich möge doch auch mitkommen, sein Kamerad komme auch mit. Wir sollten doch nicht so streng und abweisend sein, und ob wir heute auch den Zapfenstreich gehört hätten. Der SS klebte seine Augen an Gerti fest, und er sehe jetzt leider nicht so gut aus wie sonst, weil die SS große Anstrengungen gehabt habe in der letzten Zeit. Als die Truppen eingerückt seien, haben sie ja in ständiger Alarmbereitschaft sein müssen, jede Sekunde habe man mit feindlichen Fliegern gerechnet und niemals geglaubt, daß die Franzosen sich alles gefallen lassen. Die seien so gemein, und man habe damit rechnen müssen, daß sie sich wehren. Ganz unheimlich ist uns geworden. Der Führer hat es gewollt und den Einmarsch der Truppen befohlen, wodurch wir Menschen fast ohne Ahnung alle in der größten Gefahr schwebten. Vielleicht schweben wir weiter.

Ein Zufall ist es, daß giftige Gase nicht meinen Leib zerfressen. Der Führer riskiert alles. Durch ein Wort kann er Krieg machen morgen und uns alle tot. Wir alle ruhen in des Führers Hand.

Der SS-Mann macht ernste und beruhigende Augen, als habe er uns gerettet und wolle uns ununterbrochen weiter retten. Als er mal eine Pause machte in seinen Reden, tat Gerti sofort wieder etwas Schreckliches, um ihn loszuwerden. Immer hat sie Lust, gemein zu werden und die Nazis zu quälen, darum sagte sie zu dem SS: sie könne ihn nicht treffen, sie sei leider Jüdin. Das ist gar nicht wahr, nur aus Wut und Übermut und Besoffenheit sagte die Gerti das. Natürlich sofort kalter Haß bei dem SS – und: »Warum haben Sie das denn nicht gleich gesagt?« Dabei hatte er uns überhaupt nicht zu Worte kommen lassen. Gerti sagte, er solle sich an sein Blut wenden und sein Blut fragen, warum es nicht gesprochen habe, wie es sich gehöre. Ich sagte schnell, um die Situation nicht lebensgefährlich werden zu lassen: »Meine Freundin wollte ja nur einen Scherz machen – Sie haben natürlich gleich richtig gefühlt, daß sie keine Jüdin ist, aber sie sitzt mit einem befreundeten SA-Mann, dem ist sie verpflichtet.« Daraufhin außerordentlich beleidigte Art von Hackenzusammenschlagen des SS und: »Mit solchen Dingen treibt man keinen Scherz.«

Ich sagte der Gerti auch, als ich sie glücklich auf der Toilette hatte, daß sie auf solch politische Art ohne Sinn noch sich und ihre ganze Familie unglücklich machen werde. Und daß wir nur hoffen könnten, Kulmbach werde den Kurt Pielmann beruhigen. Und Gerti sollte dem Pielmann nachher sagen, sie habe vollkommen kalt und mit Empörung die Einladung eines SS-Mannes zurückgewiesen – etwas Besseres gibt es gar nicht, um einen SA-Mann zu versöhnen, weil er unter der Überlegenheit der SS leidet, die für die Allgemeinheit als engste Garde des Führers für was Feineres gilt. Das Allerfeinste und Höchste ist jetzt die Reichswehr, so daß darunter auch wieder die SS leiden muß.

Herr Kulmbach sagte: durch den Führer sei das ganze deutsche Volk einig geworden. Und das ist es ja auch, die Leute können sich nur untereinander nicht vertragen. Aber darauf kommt es bei der politischen Einigung wohl nicht so an.

# Heinar Kipphardt

## Jakob Hartel. Briefe an Maria

Liebe Maria, ich schreibe heute in einer Wachstube des Straflagers Sch., Ukraine, mein viertes Lager. Die Papierstreifen sind von den Bogen geschnitten, auf denen ich den Genossen der NKWD den parteimäßigen Gang meines Lebens beschreiben soll. Ich kann die schmalen Briefstreifen in den Stiefelsohlen deponieren. Die Stiefel durfte ich als Überläufer behalten. Letzte Nacht träumte ich, ich ging eine Treppe hinunter in eine Totenkammer, da lag nur eine einzige Leiche auf einem Seziertisch und ganz am Rand, die war in feine weiße Tücher gewickelt, und wenn ich eines aufgeschlagen hatte, kam das nächste wie bei einer Mumie, aber die Mumie warst Du, klein und kalt wie Stein, die Arme eng am Körper, die Hände auf die Oberschenkel gelegt, lockig die Schambehaarung. Einen Augenblick, von allen anderen unbemerkt, schlugst Du geheim die Augen auf, aber aus einem Kinderfoto (schwarz-weiß), das sich sogleich von seiner Unterlage löst und sich an den Rändern einrollt. Da schrien alle los und wickelten die Mumie wieder ein. Ich erwachte und dachte, damit Dich die Briefe erreichen, brauche ich sie ja nur an Deine Kinderadresse zu schicken. Ich habe noch immer das Gefühl, in einer Welt des Todes zu leben, das Lager ist sein Stapelplatz, und es scheint nicht möglich, irgendwohin dem Lager zu entkommen. Der Igel ist immer schon da. Dem Lager in M. zu entkommen, meldete ich mich zu einer Frontbewährung und kam in den Warschauer Aufstand. Dem SS-Regiment Dirlewanger zu entkommen, ertränkte ich einen Mann in den Fäkalien der Altstadt Warschau und desertierte. Aber der Igel war auch schon in Praga, und dies ist mein viertes Lager.

Alle Entwürfe für die Zukunft haben mich mit einem Mal verlassen, wie die Vögel den Baum, in dem sie sich ausruhten. In den Heeresberichten lese ich mit Genugtuung die Namen deutscher Städte, der militärische Sieg scheint nahe, und es öffnen sich die Konzentrationslager, durch die wir gegangen sind. Wie können wir aber dem Faschismus den Weg verstellen mit so vielen Straflagern im Rücken? Das Lager ist die Deformation unter dem Herrenblick, die Tätowierung, die Zerstückelung, der Tod, die Leblosigkeit. Ich wundere mich noch immer, in einem Dampfbad zu stehen, die runden, weißen Hintern der Gefangenen zu sehen, der Dampf und daß sie sich wirklich bewegen. Es scheint, die Realität der Gefangenschaft, des Lagers beherrscht unsere gesamte Zivilisation. Am Lagertor der rote Stern aus Plastik, der in der Dämmerung leuchtet, verhöhnt die Arbeiterdemokratie.

Zu Dirlewanger (Polizei und SS-Regiment) kam ich, als eine Kommission unser Lager nach Häftlingen durchkämmte, die eine militärische Ausbildung hatten und für eine Frontbewährung in Frage kamen. Die sollten sich freiwillig melden. Einer der Offiziere las in D ein Dutzend Namen vor, die er haben wollte (wie sich später zeigte auf Initiative von Hauptsturmf. Halske), darunter Heinrich Rapp und ich. Es hieß letztlich, sich freiwillig zu melden oder erschossen zu werden, besonders wir aus D, die wir soviel wußten.

Wir kamen nach Ostpreußen in ein Ausbildungslager und wurden drei Monate so geschunden, Partisanenkampf, Häuserkampf, Härtetraining, daß ich es ohne Halskes Protektion nicht durchgehalten hätte. Wer es nicht brachte, der kam ins Lager zurück. Dirlewanger war eine Bewährungseinheit, die sich in jahrelangen Partisaneneinsätzen den Ruf einer Eliteeinheit erworben hatte, vom SS-Hauptamt und sogar von Himmler gefördert. Nach starken Verlusten in den Kämpfen um Minsk sollte sie aus Straf- und Konzentrationslagern neu aufgefüllt werden. Die Einheit bestand aus straffällig gewordenen Leuten, Offiziere und Unteroffiziere kamen aus SS- oder Wehrmachtsgefängnissen. Der Standartenführer Oskar Dirlewanger selbst war ein Dr. rer. pol., der wegen Unzucht mit einer Minderjährigen bestraft und aus der SS ausgeschlossen worden war. Nachdem er sich in der deutschen Legion in Spanien bewährt hatte, bekam er von Himmler im Kriege die Erlaubnis, eine Truppe aus 2000 Sträflingen zur Bandenbekämpfung und zu Sondereinsätzen aufzustellen. Er bevorzugte Wilddiebe und Burschen, die wegen Gewalttätigkeiten verurteilt waren, auch Landsknechttypen, die wegen Gewaltverbrechen von Kriegsgerichten bestraft waren.

Wir waren in der 3. Kompanie, Hauptsturmführer Halske, neun politische Häftlinge, jedenfalls gaben sich so viele untereinander als Politische zu erkennen. Es war verboten, jemanden nach seinen Strafen zu fragen, und der politische Häftling tat gut daran, seinen Status zu verheimlichen. Ich habe aber schon im Lager die Einteilung der Häftlinge in Gruppen nicht akzeptiert. Viele sogenannte BVer waren gute Widerstandskämpfer und sie waren auch wie wir politische Opfer des Faschismus. Was die Politischen bei Dirlewanger unterschied, die Kommunisten, war ihre Absicht zu desertieren, obwohl sie einem SS-Regiment angehörten.

Es ist schwer, sein Leben zu opfern, Maria, aber es ist auch schwer zu töten, selbst einen Mann wie Halske. Während ich ihn umbrachte, dachte ich, daß er ein armes Schwein sei, daß sein Aufstieg der Aufstieg eines armen Schweines sei, aber ich drückte sein Gesicht mit der eisenbeschlagenen Stange unter den Flüssigkeitsspiegel der sich eindickenden Abwässer, wenn er in dem Bassin auftauchte und nach mir rief. Im Dunkeln suchte ich sein Gesicht mit der Stablampe, um es hinunter zu drücken und, wenn es ging, unten zu halten, bis er ertrunken war. Wie er begriffen hatte, ich wollte ihn umbringen, nannte er mich bei meinem Vornamen, versuchte von der Stange wegzutauchen. Als er um Hilfe schrie, zerschlug ich mit dem eisernen Stangenende sein Gesicht. Ich sah es im Lichtkegel untersinken und Blasen heraufkommen. Ich wartete zehn Minuten. Im Traugutt-Park, unterhalb der Zitadellenbrücke, traf ich Heinrich Rapp mit den Passierscheinen für Praga. Wir fragten uns zu den Resten der 73. Infanterie-Division durch und ergaben uns einem Posten der 47. sowjetischen Armee (1. weißrussische Front Rokossowskis).

Nahezu die Hälfte meines erwachsenen Lebens habe ich in Gefängnissen und Lagern verbracht. Ich habe soviel Gewalt erfahren, daß ich jedes Entzücken an ihr verloren habe, ihre Existenz macht mich taub und lähmt meine Lebensgeister. Wiewohl ich weiß, daß die Gewalt in unserer Kultur vermittelt oder unvermittelt aus der ökonomischen Unterdrückung hervorgeht und sie also erst mit deren Aufhebung (vielleicht) endet, peinigt mich ihr Dasein. Das klingt angesichts des Krieges widersinnig, besonders angesichts meiner Beteiligung an der Niedermetzelung der Bevölkerung Warschaus.

Ich gehörte zum 1. Bataillon Dirlewanger, 3. Kompanie, Hauptsturmführer Halske, wir kamen am 4. August in Warschau an, wurden der Kampfgruppe Reinefarth unterstellt und traten am 5. August, acht Uhr morgens zum Angriff auf die Vorstädte an, wir in Wola, die SS-Gruppe Kaminski (russische Hilfswillige) südlich von uns in Ochota. Die Hauptstraße entlang verteidigten die Aufständischen jedes Haus, jedes Stockwerk, jeden Keller. Wir wurden von einigen Sturmgeschützen und einem Übungs-Panzerzug auf der westlichen Ringbahn unterstützt. Vor den Barrikaden ließen wir polnische Zivilisten vor den Sturmgeschützen herlaufen. Die Bewohner der Häuser des Arbeiterbezirks Wola, die außerhalb der Kampfzone lagen, wurden von einer Gruppe der Sicherheitspolizei und des SD unter Hauptsturmführer Spilker zum Verlassen der Häuser aufgefordert, gesammelt und nach hinten geschickt. Sie wurden auf Fabrikhöfen, Plätzen, Gärten und Friedhöfen erschossen, meist mit MG. Es gab 12 bis 15 solcher Exekutionsstätten, und es hieß, in den ersten Tagen seien zwischen 20 000 und 30 000 Zivilpersonen erschossen worden. Befehlsgemäß wurde zuerst nicht unterschieden zwischen Kämpfern und unbeteiligten Zivilisten, zwischen Frauen, Männern und Kindern, Kranken und Gefängnisinsassen. In den Krankenanstalten in Wola wurden die Kranken in ihren Betten erschossen und im Radium-Institut Curie in Ochota die krebskranken Frauen. Später begann sich ein Befehl durchzusetzen, der die Exekutionen auf Kombattanten und bei den Zivilisten auf Männer beschränkte. Von der AK (polnischen Heimatarmee) wurden gefangene SS- und Polizeiangehörige und Ausländer in deutscher Uniform ebenfalls erschossen. Am Abend des ersten Tages hatten wir einen Raumgewinn an der Spitze von 800 Metern, die Gruppe Kaminski von 300 Metern. Wola war ein Meer von Feuer und Blut. – Wir brauchten fast einen Monat, um an dem Ghettobezirk entlang durch die Altstadt an die Weichsel vorzustoßen. (Die Brücken waren in deutscher Hand geblieben). In dieser Zeit betrugen die Verluste Dirlewangers das Doppelte der ursprünglichen Mannschaftsstärke, also an 3000 Mann. Die Zivilbevölkerung aus Wola und Warymont war in das wabenartig miteinander verbundene Häusergewirr der Altstadt geflohen. Luftangriffe, Flammenwerfer und Artilleriebeschuß verursachten unlöschbare Brände. Auf engstem Raum zusammengedrängt, blieb den Aufständischen schließlich nur noch das Kanalsystem nach Zoliborz. Diese Information eines polnischen V-Mannes an uns hatte die Inspektion des Kanalabschnittes mit Halske unter der Führung des Polen zur Folge. Sie gab mir und Rapp die erwünschte Gelegenheit zu desertieren, wie ich Dir schon schrieb und den Genossen in allen Einzelheiten dargelegt habe. Ich glaube nicht, daß ich imstande sein werde, Warschau wiederzusehen, der entsetzliche Gestank, die Fliegenplage in der von Leichen, Exkrementen, Schutt und Unrat verseuchten Stadt, die fast ohne Wasser war.

# Hans-Christian Kirsch

## Reklame für Simone W.

*Warum?*

Warum sollte man nicht einmal für einen Menschen, für seine Art zu leben und zu denken Reklame machen? Jemand, der auf Erkenntnis aus ist, auf Teilhabe an der Wahrheit. Jemand, der nie seine Skepsis ablegt, nie sein Kritikvermögen ausschaltet.

Der Weg der Erkenntnis führt bei dieser Frau zu einem Punkt, da der Zustand von Zeit und Welt als hoffnungslos empfunden wird. Diese Hoffnungslosigkeit, in die sie ihr radikales Denken gestürzt hat, scheint für sie nicht mehr auszuhalten gewesen sein. Es erfolgt ihr Sprung in den Glauben, in die Mystik. Doch bei aller Intensität ihrer religiösen Gefühle gibt sie gewisse Vorbehalte niemals auf.

Glaube – ja. Kirche – nein. Keine Taufe, keine Konversion. Aus verschiedenen Gründen. Letztlich aber wohl vor allem aus diesem: Zweifel und Kritik hätten abdanken müssen. Für sie waren sie ein Teil ihrer Menschlichkeit. Der unabdingbare Teil. Sie schreibt:

»Ich gestehe der Kirche kein Recht zu, die Operationen des Verstandes oder der Erleuchtungen der Liebe im Bereich des Denkens zu begrenzen.«

Und:

»Bisweilen habe ich mir gesagt, ich ließe mich sofort taufen, wäre an den Kirchenpforten angeschlagen, daß für jeden, dessen Einkommen eine bestimmte geringfügige Summe übertrifft, der Zutritt verboten sei.«

Sie empörte sich über Geld als Ursache für soziale Ungleichheit, über Kapital und die Gier nach mehr und mehr materiellen Gütern.

Man muß das Geld in Verruf bringen. Es wäre nützlich, daß diejenigen, die höchstes Ansehen oder sogar Macht besitzen, gering ent-

lohnt werden. Die menschlichen Beziehungen müssen der Kategorie nicht meßbarer Dinge zugeordnet sein. Öffentlich soll aner-
kannt sein, daß ein Bergmann, ein Drucker, ein Minister einander
gleich sind.

Sie hielt die Kirchen für korrumpiert durch Macht und Reichtum.
Vor allem aber empörte sie sich über deren Möglichkeit, Menschen
zu verdammen.

Wenn sie von Kirche spricht, so ist damit die Kirche als einfluß-
reiche Institution gemeint, an deren Stelle jede beliebige andere Institution stehen könnte.

Ihr Selbsthaß, ihre Selbsttäuschungen, die Widersprüche, in die
sie sich verstrickte, ihre Verstörtheit, ihre Zerrissenheit sollen nicht
verschwiegen werden. Auf nicht wenige ihrer Zeitgenossen wirkte
sie komisch, irr. Nicht zuletzt deshalb, weil sie das Übliche, Gewohnte durch ihre Art des Lebens in Frage stellte. Letztlich ist sie
immer, auch als Mystikerin, eine Anarchistin gewesen. Somit war
sie damals, als sie lebte, vielen ein Ärgernis.

Welch ein Ärgernis wäre sie uns erst heute.

Jene Frau, von der hier die Rede ist, heißt Simone Weil.


*Eine rote Lehrerin*
Im Juli 1931 besteht sie die strenge Staatsprüfung für das höhere
Lehramt. In ihrer Beurteilung heißt es:

Glänzende Begabung, offenbar sehr bewandert, nicht nur in Philosophie, auch in Literatur und zeitgenössischer Kunst. Urteilt
manchmal vorschnell, ohne Einwände und Schwierigkeiten hinreichend zu berücksichtigen.

Ganz bewußt – ihr politisch-soziales Engagement in Paris hat Auf-
sehen und Mißfallen erregt und dazu geführt, daß der Direktor der
Ecole Normale Supérieure ihr den Spitznamen ›vierge rouge‹ (rote
Jungfrau) gegeben hat – schickt man sie als Gymnasiallehrerin in
die tiefste Provinz, in eine Kleinstadt, nach Le Puy im Departement
Haute Loire. Ehe sie diese erste Stelle antritt, macht sie Ferien an
der normannischen Küste und besteht dort darauf, die Arbeit der
Fischer nicht nur kennenzulernen, sondern dabei auch selbst mit
Hand anzulegen.

Ihre Art zu leben wird bald zum Skandal. Nicht nur daß sie, als
Gymnasiallehrerin in der Kleinstadt eine Respektsperson, mit Arbeitern und Arbeitslosen fraternisiert, nicht nur, daß man sie in

den Proletarierkneipen sitzen sieht, sie beteiligt sich an den Protestdemonstrationen der Linken in Le Puy. Sie besteht darauf, die Lebensbedingungen der Bergleute in dieser Gegend kennenzulernen. Sie nimmt mit der Gewerkschaft der Bergleute, Maurer und Eisenbahner im benachbarten Saint-Etienne Kontakt auf.

Ihre Vorstellungen von den Aufgaben eines Lehrers, von dem, was für Kinder und Jugendliche wichtig sei und was nicht, müssen auf die Vertreter des etablierten Schulsystems als Provokation gewirkt haben. Oberster Wert ihrer Pädagogik ist es, den Schüler Aufmerksamkeit lernen zu lassen. Gelinge ihm das, dann könne er sich damit vieles auch selbst erschließen. Aufmerksamkeit als Kategorie ist ihr auch als die Voraussetzung für Kritikvermögen und selbständiges Urteilen wichtig.

Natürlich meint Aufmerksamkeit in diesem Sinn nicht sture Disziplin, nicht Stillsitzen und Geradeausschauen. Es ist im philosophischen Sinn aufzufassen. Es bedeutet die Eigenschaft, selbständig sich seiner kognitiven Fähigkeiten zu bedienen, ja diese überhaupt erst einmal für sich zu entdecken. Es bedeutet das Gegenteil von mechanischem Lernen, von sturer Paukerei, es bedeutet Problembewußtsein, Abstand nehmen, Distanzierung, um so den Punkt zu finden, wo man den Hebel ansetzen muß. Es bedeutet ziemlich genau das, was wir heute mit dem Stichwort »das Lernen lernen« umschreiben.

Einmal kommt der Schulrat zur Inspektion und prophezeit ihr, sie werde mit ihrer Methode absoluten Schiffbruch erleiden: »Was Sie da vortragen, mag ja ganz gelehrt sein, aber die meisten Schülerinnen werden die Schlußprüfung nicht bestehen.«

Ihm antwortet sie: »Monsieur l'inspecteur, das ist mir ziemlich gleichgültig.«

Prüfungen bedingen Mechanik. Es widerstrebt ihr, den Jugendlichen Stoffmassen einzutrichtern, vielmehr wird ein Thema, wie sie das bei Alain gelernt hat, unter verschiedenen Aspekten betrachtet: sozial, philosophisch, realpolitisch. Für diese Zeit und bei den starr ausgerichteten Lehrplänen ist eine solche Methodik sensationell.

Im Philosophieunterricht liest sie mit ihrer Klasse mit derselben Selbstverständlichkeit Marx wie Descartes. Besonders ein Zitat aus dem Kommunistischen Manifest, das sie mit ihren Schülern ausführlich diskutiert, beschäftigt die Klatschmäuler der Kleinstadt. Die Familie, soll es da geheißen haben, sei vom Gesetz gebilligte Prostitution.

Auf eine Verwarnung durch ihren unmittelbaren Vorgesetzten antwortet Simone: »Herr Rektor, ich habe stets meine Entlassung als den angemessenen Höhepunkt meiner Karriere betrachtet.«

Bei ihren Schülern ist sie beliebt. Sie nenen sie »la Simone« oder »la mère W«. Bei den ersten Angriffen treten immerhin auch noch einige Eltern für sie ein, weil sie spüren: hier ist jemand, der seinen Beruf nicht nur mechanisch abwickelt, sondern ernst nimmt, der zwar hohe Ansprüche stellt, aber auch ein glänzender Pädagoge ist – nur keiner, wie ihn das System schätzt und verlangt.

Sie ist entschieden gegen eine Begabtenauslese und fordert mit Nachdruck eine Verlängerung der Schulpflicht bis zum 18. Lebensjahr. Sie setzt sich leidenschaftlich für die Teilhabe der Arbeiter an der menschlichen Kultur, an den Werken der Kunst und der Philosophie ein. Ihr Einsatz ist nicht nur theoretisch. In der Kleinstadt klatscht man voll Empörung darüber, daß sie als Gymnasiallehrerin in einer Rollkutscherkneipe verkehrt, dort Rotwein trinkt, mit den Männern Karten spielt. Bis nach Paris dringt die Kunde, sie lege an jedem Ersten ihr Gehalt auf den Tisch und jeder könne sich bedienen. Sie habe unter Schienenarbeitern auf der Strecke gearbeitet und einer Abordnung von Arbeitslosen geholfen, auf dem Rathaus ihre Ansprüche zu vertreten.

Es dauert nicht lange, da wird sie von der Schulbehörde in Clermont-Ferrand vorgeladen und verwarnt. Anfang 1932 erscheint in der Zeitschrift der Lehrergewerkschaft ein Artikel von ihr. Er trägt die Überschrift *Fortbestehen des Kastenwesens*. Sie schreibt da:

»Die Universitätsverwaltung ist um einige tausend Jahre hinter der menschlichen Zivilisation zurückgeblieben. Sie ist noch beim Kastensystem. Für sie gibt es Unberührbarkeit ganz wie bei der rückständigen Bevölkerung Indiens.

Es gibt Leute, die ein Gymnasiallehrer notfalls noch in der Verborgenheit eines gut verschlossenen Saales treffen kann, denen er aber auf gar keinen Fall auf der Place Michelet die Hand schütteln darf, wenn Eltern und Schüler es sehen könnten.«


*Brief an eine Schülerin*
In die ersten Monate der Fabrikarbeit fällt ein Brief an eine Schülerin, den ich für eines der wichtigsten Zeugnisse über Simone W.'s Bewußtsein halte. Er gibt Aufschluß über das sehr enge Verhältnis zu bestimmten Schülerinnen ihres Philosophiekurses, ein Verhältnis, bei dem es Simone mehr darum ging, die Schülerinnen auf eine humane Lebenshaltung und Lebensführung in schlimmen Zeiten vorzubereiten als auf das sieghafte Bestehen von Examen.

Mehr noch: Der Brief gibt Auskunft über ihr Privatleben, ihre Gefühlswelt, über jenen Bereich ihrer Persönlichkeit, der, bedingt wohl durch ihre Präsentation als ›religiöse Schriftstellerin‹, in den Publikationen über Simone Weil eher verschleiert denn erhellt wird.

Angelica Krogmann gibt sich damit zufrieden, bei Simone W. eine gewissermaßen angeborene Neigung zu Askese, Reinheit und Keuschheit anzunehmen. Das ist natürlich, milde gesagt, unzureichend und weicht dem Problem aus. Auch keiner der beiden großen französischen Biografen Simone W.'s reflektiert es hinreichend, und selbst Heinz Abosch, dessen Verdienst es ist, die Gesellschaftskritikerin Simone W. für den deutschsprachigen Raum entdeckt zu haben, schreibt reichlich kryptisch:

W. scheint ihre Weiblichkeit abgelehnt zu haben; ihre Haltung zum Geschlechtlichen trug gewiß anomale Züge. Von psychoanalytischen Beiträgen ist einiger Aufschluß zu erhoffen.

Angesichts solchen Sich-Zierens und solcher Unsicherheit scheint es am vernünftigsten, sich an Aussagen Simones zu halten. Sie sind rar, aber bezeichnend. Ihrer Schülerin schreibt sie:

»In bezug auf die Liebe kann ich Ihnen keine Ratschläge geben, bestenfalls Warnungen. Die Liebe ist etwas Ernstes, wobei man oft für immer sein eigenes Leben und das eines anderen Menschen aufs Spiel setzt. Das tut man allemal, es sei denn, einer der beiden mache aus dem anderen sein Spielzeug, aber in diesem letzten, sehr häufigen Sinn ist die Liebe etwas Schändliches. Sehen Sie, das Wesen der Liebe besteht im Grund darin, daß ein Mensch ein vitales Bedürfnis nach einem anderen Menschen verspürt, je nach den Umständen ein wechselseitiges Bedürfnis oder nicht, dauerhaft oder nicht. Das Problem ist nunmehr, ein solches Bedürfnis mit der Freiheit zu versöhnen, und die Menschen haben sich mit diesem Problem seit undenklichen Zeiten herumgeschlagen. Daher erscheint mir der Gedanke als gefährlich und vor allem kindisch, Liebe zu suchen, um festzustellen, was sie ist, um ein trostloses Dasein ein wenig zu erfrischen usw.

Ich kann Ihnen gestehen, daß ich in Ihrem Alter und auch später, als die Versuchung kam, Liebe kennenzulernen, mich dagegen zur Wehr gesetzt habe, indem ich mir sagte, es sei besser, mein ganzes Leben nicht in einer unvorhersehbaren Richtung zu orientieren, bevor ich einen Reifegrad erreicht habe, der mir zu wissen erlaubt, was ich im allgemeinen vom Leben verlange und erwarte. Ich zitiere Ihnen dies nicht als ein Beispiel; jedes Leben entfaltet sich nach seinen eigenen Gesetzen. Aber Sie mögen darin Stoff zum

Nachdenken finden. Ich füge hinzu, daß die Liebe eine noch schrecklichere Gefahr zu enthalten scheint, als wenn man blind seine Existenz aufs Spiel setzt; es ist die Gefahr, der Schiedsrichter einer anderen menschlichen Existenz zu werden, sofern man wirklich geliebt wird. Meine Schlußfolgerung (die ich Ihnen nur als Hinweis mitteile) lautet nicht, man solle die Liebe fliehen, sondern man solle sie nicht suchen, vor allem, wenn man sehr jung ist. Ich glaube, es ist dann besser, ihr nicht zu begegnen.«

Die Realität des Lebens, schreibt Simone, liege nicht in Empfindungen, sondern in der Tätigkeit.

»Empfindungen zu suchen, schließt einen Egoismus ein, der mich entsetzt. Natürlich verhindert dies nicht zu lieben, aber es impliziert, die geliebten Wesen für bloße Ablässe des Genusses oder des Leidens anzusehen und vollständig zu vergessen, daß sie selbständig an sich und für sich existieren. Man lebt inmitten von Gespenstern. Man träumt, statt zu leben.«

Aus der emphatischen Formulierung besonders des letzten Satzes läßt sich schließen, daß Simone hier eigenes, sehr persönliches Erleben verarbeitet.

# Sarah Kirsch

## Im Juni

Gott mit uns! Der Herr Pastor
Sah Rübezahl ähnlich und fuhr wie der Teufel.
Überholte die vornehmsten Wagen, indem er
Sich an die Stoßstangen hängte und wild übersprang.
Weißen Haares glaubte ich die Stadt zu erreichen, da begann
Die Gegend lieblich zu werden; manche Allee
Aus Linden Kastanien, ein und der andere Weiher
Zeigten sich her; die blaue Chaussee
Ward ein buckliges hüpfendes Schlänglein.
Wie leicht mir der Mut war. Ich grüßte ein schönes
Zwiefarbnes Pferd auf der Weide, mein Kind
Zählte an fünfhundert Bäume. Der Pastor
Sagte, was glauben bedeutet, so fuhrn wir
Hin auf die Insel, wo Caspar David
Einst in die Kreide gestiegen war. In grüner
Dann blauer Farbe lag nun das Meer
Mit Muscheln und zitterndem See-Stern zu Füßen.
Ich saß auf einem Wegstein und sah
Die dunkle, die weggleitende Sonne, dich
Auf der anderen Seite der Welt. Ich schlief
Und fror die ganze Nacht. Der Pastor aus Dranske
Las in der Schrift von Jakob und Rahel.

## Post

Irgendwo auf der Welt steht mein Baum, denn ich weiß, daß jedem
Menschen ein Baum zusteht. Ebenso eine Grasart und ein be-
stimmter Vogel. So kann mein Vogel schon Körner fressen, auf einem Baum sich niederlassen, ein Ereignis erkennen. Das Ereignis
meines Vogels sollte in diesem naßkalten Februar ein erfreuliches
sein, kein Riesenregen, eher die Ankunft eines Postwagens mit
Briefen von Dick und Doof, Schilderungen von Leben auf dem
Land, die Grenzbehörden kleben das Abziehbild einer geschützten
Vogel- oder Menschenart auf den Wagen und winken »Rot Front«,
die ausgestreckten Daumen zeigen die Weltrichtung an.

# Rot

In Olevano
Fangen die Berge
Im Schlafzimmer an, die Akazien wachsen
Ein ganzer Wald aus dem Spiegel, Trauben
Hängen ins Maul. Der rote
Vorhang von roten Vögeln besetzt.
Schafe auf dem Bettvorleger. Die Fenster
Flogen mit leichtem Flügelschlag weg.


# Ausschnitt

Nun prasselt der Regen.
Nun schlägt er Löcher in den Sand.
Nun sprenkelt er den Weg.
Nun wird der Weg grau.
Nun wird das Graue schwarz.
Nun weicht der Regen den Sand auf.
Nun rieseln Bäche durch den Schlamm.
Nun werden die Bäche zu Flüssen.
Nun verzweigen die Flüsse sich.
Nun schließen die Flüsse die Ameise ein.
Nun rettet sich die Ameise auf eine Halbinsel.
Nun reißt die Verbindung ab.
Nun ist die Halbinsel eine Insel.
Nun wird die Insel überschwemmt.
Nun treibt die Ameise im Strudel.
Nun kämpft sie um ihr Leben.
Nun lassen die Kräfte der Ameise nach.
Nun ist sie am Ende.
Nun bewegt sie sich nicht mehr.
Nun versinkt sie.
Nun hört der Regen auf.

# Alexander Kluge

## Der Luftangriff auf Halberstadt am 8. April 1945

*[Abgebrochene Matinee-Vorstellung im »Capitol«, Sonntag, 8. April, Spielfilm »Heimkehr« mit Paula Wessely und Attila Hörbirger]* Das Kino »Capitol« gehört der Familie Lenz, Theater-Leiterin, zugleich Kassiererin, ist die Schwägerin, Frau Schrader. Die Holztäfelung der Logen, des Balkons, das Parkett sind in Elfenbein gehalten, rote Samtsitze. Die Lampenverkleidungen sind aus brauner Schweinsleder-Imitation. Es ist eine Kompanie Soldaten aus der Klus-Kaserne zur Vorstellung herangemarschiert. Sobald der Gong, pünktlich 10 Uhr, ertönt, wird es im Kino sehr langsam, den dazwischengeschalteten Spezialwiderstand hat Frau Schrader gemeinsam mit dem Vorführer gebaut, dunkel. Dieses Kino hat, was Film betrifft, viel Spannendes gesehen, das durch Gong, Atmosphäre des Hauses, sehr langsames Verlöschen der gelb-braunen Lichter, Einleitungsmusik usf. vorbereitet worden ist.

Jetzt sah Frau Schrader, die in die Ecke geschleudert wird, dort, wo die Balkonreihe rechts an die Decke stößt, ein Stück Rauchhimmel, eine Sprengbombe hat das Haus geöffnet und ist nach unten, zum Keller, durchgeschlagen. Frau Schrader hat nachsehen wollen, ob Saal und Toiletten nach Voll-Alarm restlos von Besuchern geräumt sind. Hinter der Brandmauer des Nachbarhauses, durch die Rauchschwaden, flackerte Brand. Die Verwüstung der rechten Seite des Theaters stand in keinem sinnvollen oder dramaturgischen Zusammenhang zu dem vorgeführten Film. Wo war der Vorführer? Sie rannte zur Garderobe, von wo aus sie die repräsentative Eingangshalle (geschliffene Glas-Pendeltüren), die Ankündigungstafeln sah, »wie Kraut und Rüben« durcheinander. Sie wollte sich mit einer Luftschutz-Schippe daranmachen, die Trümmer bis zur 14-Uhr-Vorstellung aufzuräumen.

Dies hier war wohl die stärkste Erschütterung, die das Kino unter der Führung von Frau Schrader je erlebt hatte, kaum vergleichbar mit der Erschütterung, die auch beste Filme auslösten. Für Frau Schrader, eine erfahrene Kino-Fachkraft, gab es jedoch keine denkbare Erschütterung, die die Einteilung des Nachmittags in vier feste Vorstellungen (mit Matinee und Spätvorstellung auch sechs) anrühren konnte.

Inzwischen kam aber die 4. und 5. Angriffswelle, die ihre Bomben ab 11.55 Uhr auf die Stadt abwarf, mit einem ekelhaften und »niedrigen« Brummton heran, Frau Schrader hörte den Pfeifton und das Rauschen der Bomben, die Einschläge, so daß sie sich in einer Ecke zwischen Butze und Kellereingang verbarg. In den Keller ging sie nie, da sie nicht verschüttet werden wollte. Als die Augen wieder einigermaßen Funktion hatten, sah sie durch das zersplitterte Fenster der sogenannten Butze eine Kette von Silber-Maschinen in Richtung der Gehörlosen-Schule abfliegen.

Jetzt kamen ihr doch Bedenken. Sie suchte sich einen Weg über die Trümmerstücke, die die Spiegelstraße bedeckten, sah den Volltreffer, der in die Eisdiele, Eckhaus Spiegelstraße eingeschlagen war, kam Ecke Harmoniestraße an, gruppierte sich zu einigen Männern des NSKK, die mit Sturzhelmen, ohne Fahrzeuge, in Richtung des Rauches und des Brandes blickten. Sie macht sich den Vorwurf, das Capitol im Stich gelassen zu haben. Sie wollte zurückeilen, wurde von Männern daran gehindert, da mit dem Einsturz der Häuserfronten in der Spiegelstraße gerechnet wurde. Die Häuser brannten »wie Fackeln«. Sie suchte nach einem besseren Ausdruck für das, was sie so genau sah.

Spätnachmittag hatte sie sich zur Hauptmann-Loeper-Straße (sie sagt nach wie vor Kaiserstraße) Ecke Spiegelstraße vorgearbeitet, ein Platz durch fünf aufeinanderstoßende Straßen gebildet, stand neben dem Betonpfeiler, der Stunden zuvor eine Normal-Uhr getragen hatte, und sah schräg hinüber auf das nunmehr niedergebrannte Capitol.

Noch immer war Familie Lenz nicht benachrichtigt, die sich zur Zeit in Marienbad aufhielt. Die Theaterleiterin konnte jedoch unmöglich ein Telefon erreichen. Sie umging das Trümmergrundstück des ehemaligen Kinos und drang vom Hof des Nachbargrundstücks zum Keller-Notausgang vor. Sie hatte Soldaten aufgegriffen, die ihr mit Hacken beim Eindringen halfen. Im Kellergang lagen etwa 6 Besucher der Matinee, die Heizungsrohre der Zentralheizung waren durch Sprengwirkung zerrissen und hatten die Toten mit einem Strahl Heizwasser übergossen. Frau Schrader wollte wenigstens hier Ordnung schaffen, legte die gekochten und – entweder durch diesen Vorgang oder schon durch die Sprengwirkung – unzusammenhängenden Körperteile in die Waschkessel der Waschküche. Sie wollte an irgendeiner verantwortlichen Stelle Meldung erstatten, fand aber den Abend über niemand, der eine Meldung entgegennahm.

Sie ging, nun doch erschüttert, den langen Weg zur »Langen Höhle«, wo sie im Umkreis der Familie Wilde, die während des Angriffs dorthin geflüchtet war, ein Wurstbrot kaute, dazu löffelten sie gemeinsam aus einem Einmachglas Birnen. Frau Schrader fühlte sich »zu nichts mehr nütze«.

*[Katastropheneinsatz einer Kompanie Soldaten in der Plantage, von Anfang an zu spät]* Die Kompanie, abzüglich der 6, die den Keller des Capitols gewählt hatten, hatte das Kino durch die Notausgänge verlassen und kam in Kolonne bis Blankenburger Bahn. Die Männer warfen sich dort während des Angriffs in die Gärten der Villen. Später erhielten sie Befehl, zur Rettungsstelle I im Gebäude des Lehrer-Proseminars in der Plantage zu marschieren. Sie wurden dort eingewiesen zum Luftschutzunterstand Plantage, gegenüber den Backsteingebäuden der Kliniken. Dieser öffentliche Unterstand war durch 3 Volltreffer getroffen. Sie gruben also gegen 100 zum Teil übel zugerichtete Leichen, teils aus dem Erdreich, teils aus erkennbaren Vertiefungen, die den Unterstand gebildet hatten. Was dieser Arbeitsgang nach ausgraben und sortieren weiter nützen sollte war schleierhaft. Wohin sollte das gebracht werden? Waren Transportmittel vielleicht vorhanden?

Neben dem Schutz-Unterstand befand sich, in Schrägstellung, noch das Schild: »Beschädigung oder Mißbrauch dieses öffentlichen Luftschutz-Unterstandes wird polizeilich verfolgt – Der Oberbürgermeister als Ortspolizeibehörde Mertens.«

In einigen Metern Entfernung vom ehemaligen Unterstand waren die beim Ausheben der Gräben angefallenen Rasenabschnitte für die Zeit nach dem Kriege aufeinander gelagert. Diese Stapel, jeweils 2 Handbreit Erde und zunächst gestorbenes Gras, waren in Ordnung. Das Gras war jedoch nicht absolut tot, sondern fristete seit 1939 eine Art dürftiges Grasleben und sollte nach damaliger Überzeugung der Gartenbau-Verwaltung *in der Zeit nach dem Krieg* wieder die Außenhaut des Parks vervollständigen. Es handelte sich um hundertjährigen wertvollen Rasen, sogenannte Grasnarbe. Für diese Wiedererweckung war jetzt, da die Stadtverwaltung andere Sorgen als die Wiederanlage der Plantage hatte, die organisatorische Grundlage entfallen. Die ordentlich geschichteten Haufen sahen aus wie Särge. Sie paßten insofern äußerlich zu der Sammlung der Toten, die die Soldaten auf der verbliebenen Wiese aufbereitet hatten, zwischen umgestürzten Bäumen, auf denen noch im 18. Jahrhundert, als sie angelegt wurden, Seidenraupen beheimatet waren. Es handelte sich um einen vertrackten *Anschein*, denn natürlich waren die aufeinandergepackten Grasboden-Reste als Särge überhaupt nicht brauchbar.

*[Der unbekannte Fotograf]* Der Mann wurde in der Nähe des Bismarck-Turms/Spiegelsberge von einer Militärstreife gestellt. Er hielt den Fotoapparat noch in der Hand, in seinen Jackentaschen fanden sich belichtete Filme, Rohfilm, Fotozubehör. In der Nähe des Tatorts, d. h. in der Nähe der Stelle, von der er zuletzt fotografierte, befinden sich die Eingänge zu unterirdischen Anlagen, die in den Fels gesprengt sind und in denen Rüstungsproduktion untergebracht ist.

Der Führer der Militärstreife beabsichtigte, den Unbekannten oder Spion im ersten Angriff zu überführen, und fragte ihn deshalb: Was haben Sie da fotografiert?

Der Unbekannte behauptete, er habe aus dieser Ferne die brennende Stadt, seine Heimatstadt in ihrem Unglück, festhalten wollen. Er behauptete, Inhaber eines Fotogeschäfts am Breiten Weg zu sein, habe von allem Besitz als Fotograf nur Fotoapparat und Filme an sich gerafft und sei über Fischmarkt, Martiniplan, Westendorf, dann über Mahndorf in Richtung Spiegelsberge vorgedrungen. Der Streifenführer macht ihn sogleich darauf aufmerksam, daß dies den Tatbestand des Eindringens in den militärischen Sperrbereich der Höhlen beinhalte. Daß Sie vom Breiten Weg kommen, ist ganz unglaubwürdig, hielt er dem Täter vor, weil von dort überhaupt niemand aus der Stadt herausgekommen sein kann. Der Streifenführer, angesichts der hochrangigen Ereignisse dieses Tages an eine verhältnismäßig langweilige Waldstelle gebannt, konnte nicht hoffen, an diesem Tag einen besseren Fang als diesen zu machen.

Sobald die Soldaten, den Gefangenen von Süden die Moltkestraße herunter vor sich hertreibend, zum Kommandantur-Gebäude durchzudringen versuchten, sahen sie, daß diese »Kommandantur«, in 50 Meter Entfernung durch die Rauchschleier, ein Berg aus Backstein, Eisenteilen usf. war. Im Ausweichquartier fühlten sich die Offiziere durch die Vorführung des Fotografen in ihren Verrichtungen gestört. Sie nahmen den Apparat an sich. Die belichteten Filme wurden einem Dienstfahrzeug mitgegeben.

Die Soldaten, die im Besitz eines handschriftlichen Zettels, auf dem die Verhaftung bescheinigt war, den Gefangenen durch die Richard-Wagner-Straße führten, hofften, daß in Wehrstedt tatsächlich irgendein Transport nach Magdeburg organisiert wäre, oder daß noch ein Personenzug vor dem jetzigen Bahngelände hielt, der nach Magdeburg führe, sie hätten sonst nicht gewußt, was sie mit dem Mann anfangen sollten. Ob die Wachsoldaten den Unbekannten auf dessen Vorstellungen hin, auch von einigen Zweifeln bewegt hinsichtlich des Sinns ihres Tuns, in einer so verheerenden Umgebung freiließen oder ob wegen der Explosion eines Blindgängers in der Nähe Heineplatz die Wachsoldaten einen Moment abgelenkt waren, so daß er entfloh, weiß man nicht.

*[Friedhofsgärtner Bischoff]* Bischoff zieht pferdbespannt auf seinem Tafelwagen 4 Särge durch die Gröperstraße. Die Ausbeute des frühen Morgens: Harsleben (Altbauer, 1 Fl. Johannisbeer, 4 Eier), 1 Leiche aus Mahndorf (Inspektor, 1 Fl. Eierlikör, in Lappen verpackt, 2 Bratwürste), 2 Leichen aus dem Eiskeller des Kreiskrankenhauses, Frischoperierte. Die Friedhofsgärtnerei muß die Fuhren selber machen, da das Bestattungsunternehmen »Pietät« keine Fahrzeuge hat.

Wegen Vollalarms dürfte Bischoff sich schon längst nicht mehr auf der Straße aufhalten, müßte die Fuhre anhalten, eines der wakkeligen Fachwerkhäuser betreten, den Keller aufsuchen. Lieber verschnellert er das Tempo, gibt den Kutschpferden Peitschenschläge zu hören, neben die Ohren. Jetzt sieht er schräg rückwärts die Staffeln des Bomberverbandes von Osten her. Die Leichen dürfen nicht umgeworfen werden vom Luftdruck. Bischoff fühlt sich wegen der Beigaben und Geschenke in 2 Fällen verpflichtet. Er kann nicht das Fahrzeug anhalten, die Pferde irgendwie anbinden und noch in irgendeinen Kellereingang rennen. »Säne schänen fâre sind'n tir verjenejen.«[1]

Bischoff jagt die Alt-Gräber-Straße hinauf zu den neuen Anlagen. Dort hebt er die Särge vom Wagen und stellt sie aufeinander. Danach steigt er in eine der offenen Gruben, so daß er nur ein Stück Himmel über sich sieht, Bläue, die die Augen schmerzt.

»Macht alle alten Jahre neu
macht alle Zeiten satt.«[2]

Von den Erschütterungen in der Mittel- und Unterstadt rieselt Erdkruste von der Aufschüttung herunter. Bischoff ist schläfrig, schon früh losgefahren. Immer noch keine Maschinen in seinem Blickausschnitt nach oben. Weil ohnehin Überstunden auf ihn zukommen, kuschelt er sich, die Dreckjacke, die er trägt, hat er auf dem Boden ausgebreitet, und macht ein Schläfchen. Damit er Vorrat hat.

*[Die Turmbeobachterinnen, Frau Arnold und Frau Zacke]* Auf dem Turmumgang des Glockenturms der Martinikirche sind Frau Arnold und Frau Zacke, luftschutzdienstverpflichtet, als Turmbeobachterinnen aufgestellt. Sie haben sich auf Klappstühlen hier einge-

---

[1] = »Solche schönen Pferde sind ein teures Vergnügen.«
[2] Er sagt das auf Platt.

richtet, Taschenlampen, die tagsüber nicht gebraucht werden, Thermosflasche mit Bier, Brotpakete, Ferngläser, Sprechfunkgeräte. Sie sind bei ÖLW (Öffentliche Luftwarnung) hierher aufgestiegen, sind noch mit dem Rundblick durch die Ferngläser beschäftigt, da sehen sie von Süden her zwei in die Höhe gestaffelte Formationen. Sie geben durch: Etwa 3000 m Höhe, Richtung Quedlinburger Straße/Heineplatz[1], B17-Fernbomber. Rauchzeichen über der Südstadt. Frau Arnold ergänzt, ruft in das von Frau Zacke gehaltene Funkgerät hinein: »Die quacken Bomben!« Zwölfmal Reihenwurf beiderseits der Blankenburger Bahn. Frau Arnold: Es laufen noch Massen mit Sack und Pack in Richtung Spiegelsberge. Frau Zacke: Nicht alle Maschinen haben geworfen.

Damit ist der Redestrom der Turmbeobachterinnen zunächst zu Ende. Beide Frauen zählen. Sie haben die Ferngläser abgesetzt. »Achtunddreißig« – es ist nicht klar, ob Maschinen oder Bombenwürfe. Frau Arnold meldet: Stein- und Hardenbergstraße, Kühlinger Straße, Heineplatz, Richard-Wagner-Straße.

Der erste Pulk hat Wehrstedt erreicht und zieht Schleifen, wartet auf die Hauptmasse. Über Gegensprechanlage wird von der Zentrale zurückgefragt: Was 38? Frau Zacke antwortet für Turmbeobachterin Arnold, die das Gerät hält: Einmal 38 und dahinter 96 Maschinen. Versammlung über Wehrstedt.

Turmbeobachterinnen werden über Gegensprechanlage informiert, daß über Nordhausen im Abstand von 10 Flugminuten weitere Bomberwellen folgen. Frau Zacke antwortet: Es sind genug da! Sie sieht, daß die Flugzeuge aus der Schleife heraus aus Richtung Wehrstedter Brücke/Hindenburgstraße direkt auf sie zufliegen, meldet aber nicht sogleich, weil sie zählt, den Eindruck verarbeitet. Schräg dazu fliegen, aus Richtung Oschersleben, kleinere, schnellere Maschinen, werfen Rauchzeichen über Breitem Tor, Schützenstraße bis Fischmarkt. Eine der zweimotorigen Maschinen taucht aus etwa 1000 m Höhe im Sturz auf 300 m hinunter, setzt Rauchzeichen über Gröperstraße (also weit abseits nach Norden). Frau Arnold ruft erregt in das Funkgerät: »Eine dicke gelbe Flatsche von Gelb.« Rauchzeichen schwarz über Fischmarkt usw., Gelb über Unterstadt.

Die Maschinen flogen jetzt über die Beobachterinnen hinweg. Auf einer Strecke von etwa einem Kilometer, das Pfeifen der Reihenwürfe. Frau Zacke brüllt in das Sprechgerät: Einschläge Breites Tor! Stäbchenbomben in Massen! Die Turmbeobachterinnen stel-

[1] Benannt nach dem Würstchenfabrik-Besitzer Heine, dessen Fabrik 1,2 km von diesem Platz entfernt das Stadtbild nach Südosten abschließt.

len ihre Meldungen ein, Klappstühle, Vorräte sind durcheinandergefallen. Frau Zacke weist Frau Arnold auf »Sturmwinde« hin (Druckwellen der Explosionen). Die Frauen müssen sich besser festhalten.

Flüchten hatte keinen Sinn. Die Frauen zwingen sich, in der Hocke, beide Hände am Gesims, weiterhin zu den Maschinen hinzusehen, die als zweiter Pulk anfliegen, etwa 2000 m Höhe. »Kulk, Breiter Weg, Woort, Schuhstraße, Paulsplan.« Sie flüstern schulmäßig die Angaben, wie sie ausgebildet sind, leiten sie aber nicht mehr weiter. Sie haben den Eindruck, »daß der Turm sich bewegt«. Frau Zacke sieht in Richtung Domplatz, d. h. nordwestlich. Dort krachen Bomben in die Häuser Burggang. Frau Zacke sagt: »Die grasen die Stadt ab.« Die Frauen legen sich jetzt lieber flach hin. Frau Arnold hat den Kopf dicht neben dem Gerät. Was soll sie hineinsagen? Daß sie momentan keine Ausweichmöglichkeit sieht? Obwohl sie gerne von hier ausweichen würde? Den Treffer ins Rathaus sieht sie.

Frau Zacke greift sich das Sprechgerät und brüllt mit Eifer etwas hinein. Es ist ihr von einem sympathischen Flakoffizier, der eine Flasche Nordhäuser spendiert hat, gesagt worden: sie soll auf nichts achten, sondern melden. Solange sie hier hockt oder liegt, hat sie deshalb den festen Willen, in das Gerät »hineinzuheulen«. Die Turmbeobachterinnen haben die Bezeichnung »Hyänen«, weil sie »in der Verzweiflung heulen«, ein »Witz« des Ausbilders. Unter den Frauen ist die Holzverschalung des Turms innen in Brand geraten, auch Teile der Turmhaube. Flammen »klackern« vom Turm auf die Häuser seitlich des Martiniplans. Es brennen: Café Deesen, Krebsschere, »Saure Schnauze« usf.

Frau Zacke will nicht auf dem steinernen Gesims des Turmumgangs »abbrennen«, sie pufft die Turmbeobachterin Arnold in die Seite, reißt Klappstuhl, Fernglas, Funksprechgerät an sich und rennt in den Turm hinein, die Holztreppe nach unten. Hinter ihr trappelt Frau Arnold. Ein starker Luftzug oder Sturm drückt die Frauen an das Geländer. Unterwegs ruft Frau Zacke ins Gerät: »Kirche brennt. Sind unterwegs.« Der Unterbau der Treppe rutscht unter ihren laufenden Füßen nach unten durch eine Flammensäule hindurch und kracht auf den Turmfundamenten auf. Frau Arnold, die unter brennenden Balken liegt, rührt sich nicht, antwortet nicht auf Rufe von Frau Zacke, deren Oberschenkel gebrochen ist. Sie liegt unterhalb des Brandes in der Nähe der kleinen Tür zum Kirchenschiff, zu der sie »hinrobbt«, indem sie den Unterkörper samt Schmerzen nachschleift (»treckt«). Sie zieht sich an einer Steinstrebe in die Höhe der Tür, so daß Arme und Kopf den unteren Teil der verschlossenen Tür erreichen. Sie ruft um Hilfe, pocht mit einer Hand an die Türbohle. Einige Zeit bewußtlos, danach sammelt sie sich, pocht.

Es gehen Stunden hin. Frau Arnold, von dieser Position der Frau Zacke nicht mehr zu sehen, hört nicht, gibt kein Zeichen. Der Innenausbau des Turms brennt Station für Station herunter. Auf dem Schutt aus Steinen und verbranntem Holz, der sich auf Frau Arnold gesetzt hat, steht die Glocke, die aus ihrem Gehänge oben auf das Fundament des Turms herabgerutscht ist. Frau Zacke fühlt sich von dem glühenden Holzberg und der Glocke im Rücken »bebraten«.

> »Essels un Apen,
> das gluowet und hofft,
> werd Bedde vorkofft!
> Muot up en Struohsack slapen.«

Frau Zacke hat keinen Strohsack, sondern hält sich aufgerichtet auf einem Bein, das ihr einschläft, gestützt außerdem mit einem Arm an einem Steinvorsprung. Der nach außen gedrehte, gebrochene Oberschenkel »zieht nach unten«, und das ist »eine Quälerei«. Sie kann natürlich was erzählen, falls sie noch gerettet wird.

Warum holt niemand sie (und die tote Frau Arnold, wenn ja niemand weiß, ob sie nicht noch lebt) aus dieser Lage, nachdem die Luftschutzorganisation sie hier aufgestellt hat? Frau Zacke hat Angriffsbeobachtungen durchgeführt am 11. Januar 44, 22. Februar 44, 30. Mai 44, dann hat sie allerdings 14. Februar 45 und 19. Februar 45 (Junkerswerke) versäumt, weil die andere Hyäne Dienst hatte.

Sie findet eine Stange, ausgeglühtes Eisen, es muß spät in der Nacht sein, und stößt damit gegen die Tür. In das Kirchenschiff haben sich Flüchtlinge aus den Häusern Martiniplan gerettet. Sie haben in Seitenkapellen den Einsturz des brennenden Kirchendaches überlebt, öffnen jetzt für Frau Zacke, die unterhalb der Tür hängt, ziehen sie in das Kirchenschiff. Danke sehr, sagt sie.

# Barbara König

## Latenzen

Die Leute sagten: für ihn ist es Zeit zum Heiraten. Seine Wirtin sagte es, wenn sie ihm einen Knopf annähte, die Kollegen sagten es, wenn sie ihn an Festtagen abwechselnd in ihre Familien einluden, sein Vorgesetzter sagte es, wenn er freiwillig Überstunden machte. Immer langsam, rief Lothar dann und lachte, aber wenn er allein war, gab er es sich zu: die Einsamkeit verdroß ihn, er schaute links und rechts nach Bräuten aus, und alle hatten recht, wenn sie ihn neckten – er ging auf Freiersfüßen.

Er traf Corinne und liebte sie, er traf, noch ehe er sich mit Corinne verloben konnte, Marie und liebte sie, er lernte Maries Freundin Hannah kennen und liebte sie, jede ein wenig mehr als die vorangegangene, er setzte sich auf eine Parkbank neben Gaby und liebte sie, heftiger als alle anderen zuvor. Auf dieser Bank auch, wenige Tage nach dem Kennenlernen, kam ihm zum ersten Male der *Verdacht*.

Es dämmerte. Gabys Züge, die noch keine Gelegenheit gehabt hatten, sich ihm einzuprägen, verwischten sich. Er strengte seine Augen an, um sie zu erkennen, doch je schärfer er sie ansah, desto mehr entglitt sie ihm: sie nahm in schneller Verwandlung eine Unzahl von Gesichtern an, solche, die er genau kannte, wie die von Hannah, Corinne und Marie, dann andere, an die er sich vage erinnerte, und wieder andere, denen er noch nie begegnet war. Entsetzt schloß er die Augen und drückte das Gesicht in ihr Haar. Die Bilder verschwanden, doch nun roch er ihr Parfum: es war ein ganzes Bouquet von Parfums, zarte Düfte mit schweren vermischt, Lavendel bis Juchten, ihm wurde schwindlig. Gleichzeitig fühlte er durch den Mantelstoff ihren Arm, er hatte nichts mit Gaby zu tun, es war jeder Mädchenarm, den er in seinem Leben gefühlt hatte, es war der Mädchenarm schlechthin. Liebling? fragte er unsicher. Ja? fragte sie zurück, und es durchfuhr ihn, daß sie auf das anonyme Wort erwiderte, als habe er sie beim Namen genannt.

Unter den Neonlampen eines Espressocafés versuchte er, den Verdacht loszuwerden; er prägte sich Gabys Züge ein, beobachtete ihre Gesten. Wie deutlich sie ihm war, so hell bestrahlt ihm gegenüber, wie unverwechselbar in ihrer Besonderheit! Doch die Beruhigung hielt nicht an; schon auf dem Heimweg trieb sich in seinem Gehör ein neuer Satz herum: Warum gerade sie?

Übernächtigt kam er am Morgen ins Büro. Sein Vorgesetzter, ein Mann in Hemdsärmeln, der sich seines Jacketts nur während des Publikumsverkehrs bediente, schüttelte den Kopf und meinte, Lothar solle heiraten, damit dieses ungesunde Leben ein Ende habe. Und können Sie mir auch sagen, wen? rief der Gescholtene, der im übrigen für sein ruhiges Temperament bekannt war. – Eine von Ihren Freundinnen natürlich, eine, die ein bißchen häuslich ist. Der Vorgesetzte klemmte die Daumen unter die Hosenträger und sagte: überhaupt ist es gar nicht so wichtig, *wen* man heiratet, Hauptsache, *daß* man's tut. Denn das lassen Sie sich von einem alten Ehemann gesagt sein: sie kochen alle nur mit Wasser.

Dieser Spruch bestätigte Lothars Verdacht und verhalf ihm unmittelbar zur Erkenntnis. Wissen Sie auch, was das bedeutet? fragte er, indem er sich erhob und seinem Gegenüber kalt ins Auge blickte, es bedeutet, daß ich genausogut eine wie die andere heiraten, hier wie woanders wohnen könnte . . .

Und wennschon, junger Mann, rief der Vorgesetzte, dessen Geduld sich ihrer Morgengrenze zu nähern begann, und wennschon! Er beugte sich vor, und indem er mit dem Zeigefinger rhythmisch auf einen Aktendeckel pochte, der auf Lothars Schreibtisch lag, erklärte er: Auf jeden Fall werden Sie jetzt diesen Vorgang bearbeiten, der kann nicht morgen und nicht gestern, auch nicht woanders und von jemand anderem, sondern nur heute und hier und von Ihnen erledigt werden.

Es war das Ende dieser Unterhaltung, doch sie hatte genügt, um aus Lothars Verdacht eine Theorie zu machen. Er nahm Urlaub, verabschiedete sich von Gaby und trat, obwohl es Spätherbst war, eine Reise an, um die Auswechselbarkeit des Ortes zu prüfen. Seinen Mitteln entsprechend kam er nicht weit. Er besuchte nacheinander eine Großstadt, zwei Mittelstädte und eine Kleinstadt; überall hielt er sich zwei bis drei Tage lang auf, betrachtete gewissenhaft die lokalen Sehenswürdigkeiten, unterhielt sich mit Ansässigen und stellte sich währenddessen immerzu vor, daß er in dieser Stadt lebte beziehungsweise schon jahrelang hier gelebt habe. Er fand keine wesentlichen Unterschiede. Für ihn war jeder neue Ort gleich angenehm, gleich öde.

Er kam zurück, ließ sein Gepäck auf dem Bahnhof, betrat das Büro und fragte seinen Vorgesetzten, gleich nachdem er ihn begrüßt hatte: Was ist der häßlichste Ort, den Sie kennen? Renzberg, sagte der Vorgesetzte, ohne nachzudenken, dort bin ich einmal zur Inspektion gewesen, drei Tage nur, es war die reine Strafe.

Lothar beantragte seine Versetzung nach Renzberg, die ihm auch sofort gewährt wurde, da sie einem dort stationierten Kollegen die lang ersehnte Austauschmöglichkeit bot. Gaby, wie um mit dieser letzten Gefälligkeit Lothars Theorie der Auswechselbarkeit zu unterstreichen, verlobte sich kurze Zeit später mit einem Beamten des Außendienstes, den sie durch ihn kennengelernt hatte.

Renzberg war übel. Es bestand aus einem Industriewerk, um das sich ein Nest tintiger Zweckhäuser drängte, von denen jedes dritte eine Schenke und somit die Möglichkeit enthielt, sich selbst und auch gleich die Nachbarhäuser vergessen zu machen. Lothar verschmähte diese Tröstung; bleich, aber pflichtbewußt tat er seinen Dienst und fiel seinem neuen Vorgesetzten nur durch die ab und zu geäußerte Behauptung auf, daß Renzberg im Grunde nicht schlechter sei als jeder andere Ort.

Manchmal allerdings, wenn er aus einem verrußten Tor auf eine verrußte Straße trat, und zwar in immer kürzer werdenden Abständen, spürte er unter seinen Rippen einen schmerzhaften Druck, den er nach anfänglicher Überlegung und nach Konsultation mehrerer Nachschlagewerke ›die intransitive Zärtlichkeit‹ nannte oder auch ›die latente Zweisamkeit‹. Er ging dann sofort in sein Zimmer, kochte sich auf einer Heizplatte einen Kaffee (wobei ihm regelmäßig der Ausspruch seines früheren Vorgesetzten einfiel: sie kochen alle nur mit Wasser) und begann, aufrecht auf seinem Stuhl sitzend, über die Austauschbarkeit der Zeit nachzudenken.

Dieses Gebiet war schwerer zu erforschen als etwa die Auswechselbarkeit des Ortes und der Person, schon weil ihm keine andere Möglichkeit blieb als die, in der Gegenwart zu leben. So ging er in seiner Erinnerung zurück und stellte dort allerlei Versatzspiele an, am liebsten mit seinen einstigen Freundinnen, weil die ihm als die anschaulichsten Muster erschienen. Wenn ich sie in der umgekehrten Reihenfolge kennengelernt hätte, so fragte er sich, also Gaby als erste, Hannah als zweite, Marie als dritte und Corinne als letzte – was wäre dann jetzt anders? Und er mußte diese Frage mit einem glatten Nichts beantworten. Oder aber: Wenn mir Marie als erste begegnet wäre, Gaby als zweite, Corinne als dritte und Hannah als vierte – und wieder war die Antwort: nichts. Nach einigen mathematischen Verwicklungen, zu deren Lösung er meist Stift und Papier zu Hilfe nehmen mußte, kam er unweigerlich zu dem Schluß, daß das Ergebnis sich immer gleichblieb und daß somit auch die Zeit austauschbar sein müßte. Er stand dann erschöpft auf, schüttete nach einigem Zögern den Rest des Kaffees in den Ausguß und legte sich ins Bett. Dort erschien seinem von Rechenexempeln und Mädchennamen verstörten Hirn zuweilen der zarte Umriß eines

Wesens, das keinen Namen trug, sondern einfach ›die‹ hieß, auf Lothars Heizplatte Kaffee mit sehr viel Wasser kochte und sich schließlich am Arm eines Mannes in Hosenträgern lachend davonmachte.

Eines Tages geschah das Unvermeidliche: das Erlebnis Zweisamkeit, das Lothar so lange künstlich in der Latenz gehalten hatte, offenbarte sich mit vermehrter Wucht und ließ an Heftigkeit die Erwartungen selbst seiner Vor-Zweifelszeit weit hinter sich zurück. Dieses von Herzklopfen und einem spürbaren Stimmungsaufschwung begleitete Ereignis trug sich an einem Morgen zu, an dem – allerdings erst einige Stunden später – der Inspektor aus der Kreisstadt mit seiner Sekretärin eintraf, einem kleinen, etwas farblosen und auch sonst ihren hübschen Vorgängerinnen in nichts vergleichbaren Fräulein, und gerade diese Unvergleichbarkeit war es, die Lothars vorgefaßtes Urteil bekräftigte, daß eben dies die Einmalige war, die Unverwechselbare, auf die er gewartet hatte, die einzige Ausnahme, die seine Theorie ihm gönnte, kurz die Frau seines Lebens.

Gleichzeitig trat eine Anzahl anderer Erlebnisse auf, die er ahnungslos ebenfalls in sich herumgetragen hatte, der Mut zum Beispiel, der Ehrgeiz und die Zuversicht, die er alle unter dem Sammelnamen Glück registrierte. Von einer Stunde zur anderen sah er sich von jedem Zweifel befreit, sein Weltbild rückte sich zurecht oder verschwand vielmehr vollkommen, und er entdeckte, daß ein Gefühl wie das seine keinen besseren Hintergrund finden konnte als die zurückhaltende Kargheit von Renzberg. Immerhin beantragte er seine Versetzung in die Kreisstadt, weil seinem neuen Ehrgeiz die beruflichen Aufstiegsmöglichkeiten dort günstiger erschienen.

Das Mädchen, das übrigens Hannah hieß wie Lothars dritte Liebe, was ihm jedoch gar nicht zum Bewußtsein kam, setzte seiner Werbung keinerlei Widerstand entgegen. Hingerissen von so viel Schwung (und wer weiß, welche Büschel, von Erlebnissen um diese Zeit in *ihr* zur Blüte kamen?), löste sie ihre Verlobung mit einem Straßenbahnschaffner, heiratete Lothar und folgte ihm auf eine Hochzeitsreise, die sie Station um Station in jene Städte führte, in denen Lothar vor gar nicht langer Zeit die Austauschbarkeit des Ortes geprüft hatte. An einen Brunnen gelehnt, auf dem Marktplatz von W., gestand er ihr diese ›Jugendtorheit‹, die Hannah sekundenlang verwirrte, danach aber um so herzlicher belustigte. Und außerdem hatte ich recht, rief Lothar, nachdem sie lange genug gelacht hatten: sie *sind* austauschbar! Mir ist ein Ort so lieb wie der andere, solange ich nur mit dir da bin!

Sie lebten in der Kreisstadt. Kinder hatten sie nicht. Sie führten eine harmonische Ehe, waren meist der gleichen Ansicht über Küchenzettel, Urlaubspläne, Politik und Bekannte, und sie feierten gemeinsam, als Lothar nach einigen Jahren zum Abteilungsleiter befördert wurde. An diesem Abend brachten sie den Fernsehapparat zum Schweigen und leerten eine Flasche Weißwein auf die Zukunft. Nach dem zweiten Glas lehnte Lothar sich zurück, betrachtete seine Frau über den Tisch hinweg und fragte: Weißt du auch, daß ich einmal ein Mädchen kannte, das Hannah hieß wie du? Sie wußte es nicht. Und eine andere, die ganz ähnliche graue Augen hatte, wie du, die hieß Corinne. Ich verstehe nicht, sagte seine Frau, wieso dir das ausgerechnet jetzt einfällt! Ja wieso, sagte Lothar. Dann wischte er mit der Hand durch die Luft und rief: ach was, Wein-Gedanken! Und sie feierten weiter.

Doch am folgenden Sonntag, als sie auf dem Weg zum Kino durch den Anlagenring gingen, der in der Nähe ihrer Wohnung lag, sah Lothar auf die Uhr und sagte: wir haben so viel Zeit, setzen wir uns noch ein bißchen. Es ist nicht früher als sonst, sagte seine Frau, doch sie setzte sich mit ihm auf eine Bank. Es dämmerte schon. Hannahs Züge, die ihm so wohlbekannt waren, verwischten sich. Nach Sekunden, wie zögernd, nahm sie ein anderes Gesicht an, ein zweites, ein drittes . . . Lothar schloß die Augen; er legte den Arm um ihre Schulter und drückte das Gesicht in ihr Haar. Hannah wurde unruhig und fragte, ob ihm nicht gut sei. Lothar antwortete nicht; er roch ihr Parfum und er spürte durch den Mantel ihren Arm, er spürte ein Dutzend Arme und er roch ein Dutzend Parfums. – Jetzt gehen wir aber, rief seine Frau mit ungewohnter Heftigkeit. Sie gingen ins Kino.

Dieser Film begann mit einer Friedhofsszene: ein Mann löste sich aus einer Gruppe von Trauergästen und ging eine beschneite Straße entlang; es war sehr hell, der Mann ging auffallend leicht und mit schwingenden Armen, allein, das war es, vollkommen allein, ein Mann in den besten Jahren in einem Tweedmantel mit einem schwarzen Bändchen im Knopfloch . . . In alle folgenden Handlungen sah Lothar diese Szene eingeblendet, er sah sie auf dem Heimweg und vor dem Einschlafen im Bett, und er sah sie auch später noch, immer wieder.

Von diesem Tag an wußte er, daß er das Erlebnis Freiheit in sich trug, Wieder-allein-sein, Witwer. Man sah es ihm nicht an. Keiner seiner Freunde sagte zu ihm, wie einst: es ist Zeit, daß du heiratest! so jetzt: es ist Zeit, daß du Witwer wirst! Er selbst verscheuchte das Bild, so gut er konnte, manchmal gelang es ihm für Tage, manchmal für eine ganze Woche. Danach tauchte es allerdings wieder auf, meist mitten in der Arbeit, eine Szene in kompromißlosem Schwarz-Weiß, die ihn erröten ließ. Dann kaufte er auf dem Heimweg vom Büro Blumen für seine Frau, oder Katzenzungen, oder auch ein Stück Gorgonzola, den liebte sie.

Als ihn an einem Februartag des folgenden Jahres der Anruf des Krankenhauses erreichte, war Lothar erschüttert, aber nicht überrascht. Das fatale Bewußtsein, daß es ja so kommen mußte, dieses: »Ich-habe-es-gleich-gewußt‹ ließ ihn zu jedem Wort der Krankenschwester sinnlos mit dem Kopf nicken. Seine Frau, so informierte man ihn, war beim Überqueren der Fahrbahn von einem schleudernden Lastwagen erfaßt und überfahren worden. Lothar ließ den Hörer sinken. So bald? dachte er, so jung schon? Seine Theorie erschien ihm plötzlich unmenschlich und übertrieben. Hannah mochte auswechselbar gewesen sein, in Renzberg noch (gerade als sie ihm so einmalig erschienen war). Das hatte sich geändert: die Jahre, die er mit ihr verbracht hatte, hatten sie unauswechselbar gemacht, keine andere Frau würde jemals imstande sein, diese Jahre einzuholen, sie gehörten Hannah ganz allein, sie machten sie unersetzbar. Er legte den Kopf auf die Schreibplatte und weinte.

Im Korridor des Krankenhauses lief ihm ein Arzt entgegen, drückte ihm die Hand und sagte: Da haben Sie aber Glück gehabt, Ihre Frau ist mit dem Schock davongekommen, Sie können sie gleich mitnehmen. – Und wieder erlebte Lothar dieses trügerische Gefühl: es hat so kommen müssen, es konnte gar nicht anders sein, ich habe es gleich gewußt.

Die dankbare Freude, die Lothar über seine ihm wiedergeschenkte Frau empfand, beglückte Hannah, rührte die Freunde und befreite ihn selbst von allen Gewissensbissen. Er wußte jetzt, daß das Erlebnis Witwer, mochte es noch so deutlich in ihm wohnen, auf keinen Fall seinen Wünschen entsprach, und erleichtert sah er sich in die Lage des gemeinen Mannes zurückversetzt, den Schicksalsschläge treffen mögen, ohne daß er sich dafür verantwortlich zu fühlen braucht. Freilich fielen dieser Normalisierung neben Lothars Kämpfen auch Lothars Aufmerksamkeiten zum Opfer: er beschränkte seine Blumenkäufe von da an auf Geburts- und Hochzeitstage, Katzenzungen brachte er seiner Frau nur noch zu Weihnachten mit und nie mehr Gorgonzola.

# Irina Korschunow

## Frieden für Anna

Wir waren im Wald, Anna und ich, Pilzesuchen im Herbstwald, Maronen, Steinpilze, Täublinge. Anna in ihren roten Hosen, der roten Jacke, den roten Schuhen. »Pilzlein, Pilzlein, komm heraus, komm heraus aus deinem Haus«, ruft sie und läuft zu der braunen Lederkappe im Moos. »Ich habe ihn gerufen«, sagt sie. »Ich kann Pilze rufen.«

Wir sind durch den Wald gegangen, das Laub hat geraschelt unter unseren Füßen. »Der Sommer ist vorbei, Anna«, habe ich gesagt, »der Sommer schläft unterm Laub bis zum nächsten Jahr«, und Anna ist auf Zehenspitzen gegangen, um ihn nicht zu stören, den schlafenden Sommer. Anna, Schuhgröße 26. Sie geht auf Spitzen über das Laub, so klein und leicht, als könne sie fliegen. »Ich kann fliegen, Mama«, sagt sie und hebt die Arme. Anna sieht aus wie ein Vogel, der tanzt.

Jetzt habe ich sie zu Bett gebracht. Ich habe ihr die Geschichte vom kleinen Bären erzählt und das Lied von den Blümelein vorgesungen, die Blümelein, sie schlafen, Annas Lieblingslied, das Lied, bei dem sie jeden Abend einschläft. »Nacht, Mama«, hat sie gemurmelt, am Anfang der zweiten Strophe, »Nacht, Mama«, und die letzte Silbe wurde schon halb vom Schlaf verschluckt.

Anna schläft. Sie liegt auf dem Rücken, die Hände noch gefaltet, den Kopf zur Seite gedreht, Haarfäden über dem Gesicht. Dieses kleine Gesicht, das eigentlich noch gar keins ist, erst ein Gesicht werden will. Laß mich ein Gesicht werden, sagt es und schläft.

Ich habe Angst um Anna. Schon als sie noch in mir war und ich sie mit mir herumtrug Tag und Nacht, hatte ich Angst. Angst, daß man ihr weh tun könnte, irgend etwas, irgendwer. Angst vor Bedrohungen, stärker als mein Schutz. Angst ohne Namen.

Jetzt hat die Angst einen Namen bekommen. Die Angst heißt jetzt Krieg. Das Wort ist wieder da, herausgekrochen aus den Geschichtsbüchern, herangekrochen aus fernen Gegenden, in unsere Straßen, in unsere Häuser, an Annas Bett.

Ob es Krieg gibt? Machen sie Krieg? Krieg in unserem Land? Krieg in unserem Land, das ist Krieg gegen Anna, Hunger für Anna, kein Bett mehr für Anna, Schmerzen für Anna, Tod für Anna. Kein Gesicht mehr für Anna.

Ich ertrage es nicht, Annas kleines Schlafgesicht. Ich laufe fort, ins Wohnzimmer, zu Hannes, der vor dem Fernseher sitzt. Die Lampe brennt, Bilder blicken von der Wand, auf dem Sessel liegt Annas weißer Hase und daneben die Karte mit den Todespunkten: Raketenstellungen, Atombomberflugplätze, Atomwaffenlager – Köln, Halle, Osnabrück, Merseburg, Ulm, Jena, überall der Tod. Drei Tonnen Sprengstoff für jeden Menschen dieser Erde, habe ich gelesen.

»Hannes!« sage ich und möchte mit ihm reden, meine Angst mit ihm teilen. Aber Hannes sieht fern, zweites Programm, der Hunger in Somalia.

»Es kommt immer näher«, sage ich. »Jeden Tag. Immer näher.«

Hannes hört nicht zu. Ich gehe zum Fernseher, drücke auf den Knopf, schalte ab.

»Eigentlich hätte ich das gern zu Ende gesehen«, sagt Hannes.

»Aber wir müssen doch etwas tun!« sage ich. »Oder wenigstens darüber reden. Es immer wieder sagen. Wenn alle es immer wieder sagen . . .!«

»Und was nützt es?« unterbricht mich Hannes. »Die machen ja doch, was sie wollen.«

Er steht auf, geht zum Fernseher, stellt ihn wieder an, den Hunger in Somalia, und ich sage: »Das sind die Leute, die Schuld haben. Die sich festhalten am Hunger in Somalia und nichts tun, zu Hause nichts tun.«

»Also gut«, sagt Hannes. »Und was soll ich tun? Vielleicht ein paar Bomben schmeißen? Auf wen bitte? Auf Reagan? Auf Breschnew? Auf alle beide? Mit schönen Grüßen von meiner Frau?«

»Laß deine blöden Sprüche«, schreie ich und bin außer mir vor Hilflosigkeit und will ihm weh tun. »So war es schon immer bei dir, blöde Sprüche und sonst nichts«, schreie ich, und er schreit zurück.

»Warum bist du überhaupt noch hier?« schreit er, und wir beide schreien, und dazwischen der Hunger in Somalia, und dann steht Anna in der Tür. Anna steht in der Tür und weint.

»Ich habe solche Angst«, weint sie.

Ich nehme sie auf den Arm. Ihr Gesicht ist naß. Hannes kommt und streichelt es und wischt die Tränen ab. Anna soll keine Angst haben. Anna soll nicht weinen. Anna soll lachen.

»Wenn ihr euch zankt, habe ich Angst«, weint sie.

»Wir zanken uns nicht«, sagt Hannes. »Wir haben nur so laut gesprochen.«

»Doch, ihr zankt euch«, weint Anna.

»Bloß ein bißchen«, sage ich. »Aber wir haben uns schon wieder vertragen. Wir haben uns doch lieb.«

»Wirklich?« fragt Anna.

»Wirklich«, sagt Hannes. Er hält Annas Hand fest und sieht mich an.

»Wirklich«, sage ich und weiß nicht, ob es stimmt. Vielleicht wollen wir nur Frieden. Frieden für Anna. Frieden in unserem Haus. Dies bißchen Frieden.

Wir bringen Anna in ihr Bett zurück, wir decken sie zu, wir löschen das Licht.

»Habt ihr euch auch wirklich lieb?« fragt sie noch einmal.

»Aber ja, Anna«, sagt Hannes.

Er greift nach meiner Hand, ich lege den Kopf an seine Schulter. Wir beugen uns über Anna, er und ich.

»Nacht«, sagt Anna und schläft ein. Sie weint nicht mehr. Sie hat keine Angst mehr. Sie schläft.

Leise schließen wir die Tür. Anna soll schlafen.

Im Wohnzimmer ist es hell und warm. Unser Wohnzimmer, seins und meins und Annas.

»Ich kann doch nichts tun«, sagt Hannes. »Vielleicht etwas gegen den Hunger in Somalia. Aber hier bei uns, was kann ich denn tun?«

»Und wenn wir alle . . .«, sage ich.

»Was?« fragt er. »Schreien?«

»Vielleicht«, sage ich. »Ich weiß nicht.«

Unser Zimmer. Die Lampe brennt, Annas weißer Hase liegt auf dem Sessel, daneben die Todeskarte. Drei Tonnen Sprengstoff für Anna, schlafe, mein Kindchen, schlaf ein, du schläfst auf drei Tonnen Sprengstoff, Pershing-Raketen bewachen dich, und irgendwo schläft der Mann, dessen Finger vielleicht eines Tages auf den Knopf drücken wird und die Wächter zu deinen Mördern macht.

»Vielleicht passiert gar nichts«, sagt Hannes. »So ein Wahnsinn ist doch nicht möglich. Vielleicht geht alles gut.«

»Vielleicht«, sage ich, und neben Annas weißem Hasen liegt die Karte mit dem möglichen Wahnsinn.

Hannes holt mich zu sich heran.

»Es ist so schlimm da draußen«, sagt er. »Wir wollen wenigstens hier drinnen Frieden halten.«

»Ja«, sage ich.

Frieden in unserem Haus.

Aber ist das genug für Anna?

# Ursula Krechel

## Meine Mutter

1

Als meine Mutter ein Vierteljahrhundert lang
Mutter gewesen war und Frau, aber das konnte sie
vergessen mit der Zeit, als sie so geworden war
wie eine anständige Frau werden mußte
klüger als die Großmutter, ergebener als die Tanten
sparsamer in der Küche und in der Liebe als eine
der das Glück in den Schoß gefallen war
als sie genug Krümel von der Tischdecke geschnippt
als sie die Hoffnung begraben hatte, einmal eine Dame
im Pelz zu sein wie in den Modeheften vor dem Krieg
die sie immer noch hinten in der Speisekammer hütete
als sie anfing, den Töchtern ins Gesicht zu sehen
auf der Suche nach Spuren, die sie im eigenen Gesicht
nicht fand, als sie nicht mehr vor Angst aufwachte
weil sie vom Bügeleisen geträumt hatte
das nicht ausgeschaltet war, als sie schon manchmal
wagte, die Beine am frühen Nachmittag
übereinanderzuschlagen, fraß sich ein Krebs
in ihre Gebärmutter, wuchs und wucherte
und drängte meine Mutter langsam aus dem Leben.


2

Zehn Tage nach ihrem Tod war sie im Traum plötzlich
wieder da. Als hätte jemand gerufen, zog es mich
zum Fenster der früheren Wohnung. Auf der Straße
winkten vier Typen aus einem zerbeulten VW
einer drückte dabei auf die Hupe. So ungefähr
sahen die Berliner Freunde vor fünf Jahren aus.
Da winkt vom Rücksitz auch eine Frau:
meine Mutter. Zuerst sehe ich sie
halb versteckt hinter ihren neuen Bekannten.
Dann sehe ich nur noch sie
ganz groß wie im Kino, dann ihren mageren weißen Arm
auf dem auch in Nahaufnahme kein einziges Härchen

zu sehen ist. Wenn sie eilig am Gasherd hantierte
hatten ihr die Flammen häufig die Haare versengt.
Am Handgelenk trägt sie den silbernen Armreif
den ihr mein Vater noch vor der Verlobung geschenkt hat.
Mir hat sie ihn vererbt. Ich die gebohnerten Treppen hinab.
An der Haustür höre ich schon ein Kichern: Mama!
rufe ich, der Nachsatz will mir nicht über die Lippen.
Meine Mutter sitzt eingeklemmt zwischen zwei
lachenden Jungen. So fröhlich war sie lange nicht mehr.
Willst du nicht mitfahren? fragt sie. Aber im Auto
ist doch kein Platz, sage ich und blicke
verlegen durch ihre seidige Bluse
so eine trug sie zu Lebzeiten nie
auf ihre junge, noch ganz spitze Mädchenbrust
und denke, ich muß den Vater rufen. Da heult schon
der Motor auf, die klapprige Tür wird von innen
zugeworfen. An der Haustür könnte ich mich ohrfeigen.
Nicht einmal die Autonummer habe ich mir gemerkt.

# Karl Krolow

## Hommage für Robespierre

Ohne den Terror
ist die Tugend machtlos –
ein zerstreutes Spiel
mit Gegenständen täglichen Gebrauchs,
Zündhölzern, Bleistiften.
Zeig ihm die Linie des Nackens,
die er treffen soll.
Ich verstehe. Was geschah?
Seht her, hier werden
Schläge ausgeteilt.
Andere besorgen es anders.
Ohne die Tugend
ist der Terror verhängnisvoll.
Du hörst mir zu,
spürst meinen Finger,
der durch dein Haar fährt.
Nichts weniger. Genauso
war es. Nichts anderes als
die unmittelbare, strenge und
unbeugsame Gerechtigkeit.
Er schüttete mir
Säure ins Gesicht.
Im Fallen hörte ich mich
DANKE sagen.

(geschrieben 1972)

# Michael Krüger

## Diderots Katze
### Fotografiert von Gabriele Lorenzer

Diderot am Fenster: neben ihm die Katze,
das schuppige Fell im hellen Rahmen.

Er erklärt ihr den Menschen, die Maschine,
mit brüchiger Stimme: die Elemente
der Physiologie, den Verstand,
die gewaltige Arbeit der Natur.

Er zitiert die Denkschriften
der Akademie der Wissenschaften von 1739,
wo von einem Menschen die Rede ist
ohne Venen und ohne Herz.
Auf Seite 590, fügt er lachend hinzu
und streichelt verlegen das Fell
seiner Katze.

Es gibt Fotografien mit einer längeren Geschichte
als der der Geschichte der Fotografie.

Die Katze beobachtet eine Wolke,
die sich rasch am oberen Fensterdrittel
vorbeibewegt, zu rasch,
und reagiert mit einer panischen Bewegung.
Diderot, abgekämpft nach dreißig Jahren Arbeit
an der Enzyklopädie,
ist sprachlos: der heftige Dialektiker
bewundert die einfache Grammatik
der Nervosität.

Die ganze Seele des Hundes liegt in seiner Schnauze,
sagt er, die ganze Seele des Adlers in seinem Auge,
die des Maulwurfs in seinem Ohr.
Diderot überlegt, ob er weitersprechen soll.
Die Seele des Menschen, beginnt er

– und bricht ab
        (während die Katze
seelenruhig eine Abhandlung über den Einfluß
des Klimas aufs milchige Fensterglas
schreibt);
        (während Diderot vor dem Fenster
die Revolution beobachtet, ihre vorsichtigen
Schritte);
        ein seltsames Paar:
Diderot und die Katze
im brüchigen Kreuz des Fensters:
seine Angst, ihre Bewegungen nachzuahmen,
ihre sanfte Polemik gegen seine Theorie
der Maschine.

Wir gehen so wenig,
arbeiten so wenig
und denken so viel, sagt Diderot,
daß der Mensch schließlich
nur noch Kopf sein wird.

Es ist Sonntagnachmittag,
eine gute Zeit,
sich an Gefühle zu erinnern;
es ist kalt in Paris
und sehr still;
Diderot spürt, wie schwer es ist,
seine Erfahrungen in Sicherheit zu bringen.

Dreißig Jahre Arbeit an der Enzyklopädie
und noch immer funktioniert die Maschine
schlecht. Vorsichtig prüft Diderot
den Knochenbau seiner Katze.
Wir werden die ersten Barbaren sein,
sagt er plötzlich, die Larmoyanz in seiner Stimme
ist nicht überhörbar.

Meckernd beklagt er das Altern
einer Illusion. Die Katze ist zufrieden.
Mit zusammengekniffenen Augen
betrachtet sie den Staub vor dem Fenster
und kümmert sich einen Dreck
um die Maßlosigkeit der Vernunft.

Diderot gibt sich geschlagen.
Mürrisch schlurft er an sein Pult
und notiert:
Woher komme ich?
Was war ich vorher?
Wozu werde ich wieder?
Was für eine Existenz erwartet mich?

Unter welcher Hülle wird mich mein Geschick
wieder hervorbringen?
Das alles weiß ich nicht.

Er läuft zum Fenster
und überlegt, nach einem raschen Blick
auf die Straße.

Erst viel später,
nachdem sich die Katze mit einem mächtigen Sprung
aus dem engen Rahmen des Bildes
befreit hat,
fügt er heiter hinzu:

Auch die Philosophie ist eine Anleitung
zum Sterben.

# Dieter Kühn

## Amerika

### Anflug

Eisschollen-Mäanderlinien
auf schwarzblauem Atlantik,
die Entfernungen zwischen ihnen
verkürzen sich.
Treibeisinsel, ein Mast, vier Baracken –
aus elf Kilometern Höhe:
Eishaut, allzu dünn.

Halle eines Plaza-Baus:
Rolltreppen,
durchsichtige Lifts in durchsichtigen Röhren,
Bäume, die Äste von Glühbirnenketten betont,
ein Wasserfall:
laut Bildkommentar
üblich in der Plaza-Architektur.

Treibeis. Packeis. Eislandschaft:
Scheininseln, Scheinhalbinseln, Scheinküsten.
Sehr gerade Linien: Risse im Eis.

Anzeige: Rent a rabbit.
Elf Dollar für die Ostertage,
bei Rückgabe
fünf Dollar erstattet: Karnickelpfand.

Weiße Flußwindungen im Weiß,
weiße Seeflächen im Weiß,
weiße Buchten im Weiß,
weiße Straßenlinien im Weiß,
erste Baumhöhenrücken im Weiß:
schwarzweiße Landschaftsmarkierungen.

Mit Schlauchbooten durch den Grand Canyon,
die schrundigen Bergflanken rotbraun
wie in anderen Bildberichten
über den Grand Canyon:
Touristen rittlings
auf gelbprallen Wülsten,
Schwimmwesten orange,
Paddel hochgehalten im Sprühwasser.

Vexierspiel von Land und Meer:
eisbedecktes Meer, schneebedecktes Land?
Erste Landepiste.
Erste Stadt:
geometrische Muster
an der Eisgrenze der Zivilisation.


Spesenfrühstück

Hoch über der Zeitung eine Kassettendecke:
Goldstukkatur in blauen,
von Goldstukkatur umrahmten Feldern,
korkbodenähnliche Muster,
geschweifte Fische,
pralle Muscheln.
Der Musikwecker von ML-71
plays Mendelssohn
to wake me up in the morning,
plays Schubert
to let me know exactly
when my three-minute egg is ready.
In der Mitte der Kassettendecke
ein Tonnengewölbe, himmelblau ausgemalt,
mit weißen Sommerwolken.
Ein Mann aus Pennsylvania,
verwickelt in eine politische Kontroverse:
zwei Männer in einem anderen Wagen
drängten sein Fahrzeug von der U.S. 119 ab,
schlugen den Fahrer bewußtlos,
steckten ihn in den Kofferraum,
zündeten den Wagen an –
man rescued from trunk of burning car.
Marmortischplatte,

Marmorplattenboden;
Säulchenbalustrade
um den Frühstücksbereich.
Jenseits, in der Halle:
Sessel mit kopfhohen, brokatbezogenen Lehnen,
Kandelaber mit elektrischen Kerzen,
dunkelgrüne Portieren mit Goldquasten.
Koko, Schimpansin, 120 Pfund schwer,
vom instructor nach dem Seelenzustand befragt:
I was sad and cried this morning.
Schrank, ein Gemälde hinter dem Glas:
Dreimaster, graugrüne Wogen, Gischt.
Parfümerien in grün ausgefüttertem Schaukasten
unter weiß-rosa Marquise.
Driften die gemalten Sommerwolken?


Rückflug

Horizontferne,
diesig ungenaue
Blauküste des Golfs von Mexiko:
Gesicht nah an der Plastikscheibe
vor dem Druckglasfenster.

Catherine Bach,
langbeinig, hohe Backenknochen,
wie auch Fotos zeigen,
habe viele »tits and ass«-Rollen
abgelehnt.

Felsformationen schwarzbraun,
schrundig aufgeplatzt in trockner Hitze.
Sand bis zum Horizont.
Majestätische Verneinung.

Catherine halte die Balance
zwischen gesundem Selbstbewußtsein
and destructive ego.

Feldflächen
vor einer Wüstensiedlung:
Kreisflächen gleichmäßig grün,

Kreisflächen gelblich grün,
Wüstenbraun geweht in Kreisflächen,
Wüstensandkreise im Wüstensand.

Malibu, 1976: beim Strandlauf
lief sie versehentlich gegen einen
attraktiven Mann,
fell in love instantly.

Salzseen grellweiß,
salzverätzt die Umgebung,
Salzkeramik.

A sure sign of stardom:
Catherine trägt ein T-Shirt,
custom made,
aufgedruckt
von Brust zu Brust
ihre Kurzbiographie,
verfaßt von ihrer Filmgesellschaft.

Markierungen im Wüstensand:
Dreiecke mit startbahnlangen Schenkeln –
Zeichen für Satellitenfotos.

# Günter Kunert

## Antropophagie

Zuerst schien es, als würde die Einführung der Antropophagie ein schöner Traum bleiben, bis eine kleine Gruppe entschlossener Menschen mit gutem Beispiel voranging. Vor allen Dingen mußte die irrige Ansicht überwunden werden, Menschenfleisch sei »anders« als etwa Kalbsbraten oder Rinderfilet: sozusagen »mit Seele durchsetzt«. Alte Leute ließen sich nicht bekehren, aber den Heranwachsenden, den Kindern konnte durch Analogie bewiesen werden, daß da kein Unterschied wäre. Allsonntäglich fanden Exkursionen der Schulen zu den Schlachthöfen statt, wo vor den Augen der staunenden Kleinen jeweils ein Schwein, ein Mensch und ein Rind abgestochen wurden. Ein Veterinär wies das Blut vor, rot war es immer und keines zeigte irgendeine Abweichung. Auch die Muskeln waren gleichartig, das Fett, das Fleisch, wovon sich die Kinder anschließend an der großen Mittagstafel überzeugen konnten, an der sie vergnügt Rouladen aßen, Schnitzel, Koteletts, gebackenes Hirn, Gulasch und Buletten.

Wo die Jugend vorangeht, will das Alter nicht zurückstehen. Die Hausfrauen gewöhnten sich an den Anblick eines blassen, baumelnden Beines im Schlächterladen oder an den eines ausgeweideten Weibes auf dem Hauklotz. In kurzer Zeit verschwanden aus den Fleischereien die Beruhigungspillen und Riechsalze, welche anfangs dazu gedient hatten, die Kunden wieder in einen konsumentengemäßen Stand zu versetzen. Vor allem aber: Der Mangel an Fleisch war auf leichteste Weise behoben.

Und solange Gefängnisse und Zuchthäuser voller Verbrecher staken oder doch solcher, die es erst werden sollten, rechnete man mit keinem erneuten Rückgang des Angebots; vorbeugend änderte man die noch rückständigen Gesetze und führte ein neues, nützliches Recht ein, welches für alle Vergehen und Übertretungen die Todesstrafe vorsah. Vaterlandsverräter und Vegetarier durften zwar hingerichtet werden, doch die Erlaubnis, im Magen eines Landsmannes den letzten Platz zu finden, entzog man ihnen: sie waren einfach eßunwürdig.

Parallel entstanden neue Theorien und Denksysteme sowie eine völlig veränderte Historiographie: sie wies nach, daß bisher immer die Großen die Kleinen gefressen hätten und alle Geschichte nur Spiegelbild dieses Vorganges gewesen sei: seit dem Beginn des Antropophagismus jedoch habe, weil nun die vielen die wenigen verspeisten, zum ersten Male in der Entwicklung der Menschheit diese die Chance vollkommener Demokratie bekommen: nirgendwo sonst würde das Gleichheitsprinzip grundsätzlicher verwirklicht als im Dickdarm. Die Philosophie leitete von der Tatsache, daß es sich um ein Agens des Fortschrittes gehandelt habe, wenn einer den anderen gefressen hätte, die logische Erkenntnis ab: Eines müsse das andere verschlingen, um etwas Neues zu setzen und selber wieder verschlungen werden, damit diese permanente Peripetie, der dauernde Umschlag von Quantitäten belebter Organismen in Qualitäten unbelebter Mahlzeiten, nicht unterbrochen und die Evolution gebremst oder gar verhindert werde. Das sahen alle Leute ein.

Trotzdem begann eines Tages erneut das Fleisch knapp zu werden, und eine plötzliche Versorgungskrise konnte nur durch die Aufdeckung einer großen Verschwörung abgewendet werden, deren Teilnehmer in Rekordzeit auf die Ladentische gelangten. Ganz normal wurde danach aber die Belieferung nie mehr. Der stets wiederkehrende Mangel, der immer seltener und immer unzureichender behoben wurde, schuf dem System viele Feinde, welche die Behauptung ausstreuten, der Antropophagismus verringere die Bevölkerung auf gefährliche Weise. Reformer rieten, sich auf Menschenimport umzustellen, doch fand sich im Ausland kein Exporteur, mit dem eine entsprechende Handelsbeziehung aufgenommen werden konnte, und selbst die Anwerbung von Freiwilligen außerhalb der Landesgrenzen verlief erfolglos.

Wie zu erwarten, näherte sich also die Stunde, da der Antropophagismus verwässert wurde. Verordnungen schränkten den Menschenverzehr ein. Allein an hohen Feiertagen durfte Fleisch der eignen Gattung straflos genossen werden, und dann auch nur das von Verwandten. Vielköpfige Familien lebten daher eine zeitlang besser als Alleinstehende, doch blieb ihnen schließlich eines Tages gleichfalls nichts anderes übrig, als zu Weißkohl oder Kohlrüben ihre Zuflucht zu nehmen. Bald danach gedachte man schon wehmütig der gewaltigen Epoche übervoller Fleischtöpfe, wo die engsten Beziehungen von Mensch zu Mensch aufs Natürlichste geregelt waren, wie man sich eben immer vorangegangener großer Zeiten erinnert, die meist ebenfalls an nichts anderem gescheitert zu sein pflegten als an der menschlichen Unvollkommenheit und Ichsucht.

# Keine Geschichte

Bereits nach den ersten Überlegungen zeigt sich die Schwierigkeit, dem Auftrag nachzukommen und eine Geschichte zum Thema »Tarnkappe« zu schreiben; weil die Figur des potentiellen Tarnkappenträgers mit größter Wahrscheinlichkeit mit der Unsichtbarkeit Mißbrauch triebe. Angenommen diese Figur, ein Mann mittleren Alters und durchschnittlicher Intelligenz, dem durchschnittlichen sozialen Standard entsprechend, durch irgendeinen unauffälligen Namen (Müller, Schmidt) kaum charakterisiert, gelangte zufällig in den Besitz des besagten Gegenstandes – was täte er als erstes, frage ich mich, sobald er unsichtbar wäre?

Er würde sich rächen. Nichts ist natürlicher. Und es gibt immer etwas, das danach verlangt: eine Beleidigung, eine Entwürdigung, erlittenes Unrecht, erzwungene Zustimmung. Das bedeutete, daß unser Mann als erstes ohne Abschied seine Stellung aufgäbe (zu Geld kann er ab sofort ohne Arbeit kommen) und sich nur noch unsichtbar in seine einstige Arbeitsstelle einschliche, wo er, worauf er lange und bisher hoffnungslos geharrt, seinem ehemaligen Chef ungestraft eins auswischen könnte.

Von kleinlicher Quälerei, die darin bestünde, dem Chef an den Haaren zu zupfen, die unterschriftsbereiten Briefe im Moment des Signierens mit Tinte zu überschütten oder ihm Löcher hinten ins Jackett zu brennen, bis zu subtileren Vernichtungsmethoden, nämlich Dokumente, wichtige Unterlagen dem Chef zu entwenden und ins Ausland zu verbringen und somit den armen Kerl als Spion über die Klinge springen zu lassen: dem Rächer seines verletzten Selbstbewußtseins bietet sich eine breite Skala von Möglichkeiten dar, die, falls erwünscht, bis zum Mord reicht.

Ja: Mord! Jeder Tarnkappler könnte völlig selbstverständlich seinen Vorgesetzten umbringen, alle Vorgesetzten, ohne daß ihn jemand daran hindern oder ihm drauf kommen könnte. Überall wüßte er Zutritt zu finden und mittels eines gestohlenen Revolvers sein Werk der Gleichmacherei ins Endlose fortzusetzen, vorausgesetzt, er wäre ein destruktiver Charakter, was ziemlich wahrscheinlich ist, nachdem er die übliche Behandlung in Berufs- und Privatsphäre erfahren hat.

Ich fürchte sehr, unser Mann würde es nicht dabei belassen, seinen Chef ins Irrenhaus zu bringen oder zu erschießen. Einmal ausprobiert, wie leicht die folgenlose Beseitigung von Menschen ist, verfolgte er gewiß die gewaltsame Lösung weiter, da ja keiner imstande wäre, ihn aufzuhalten. Freilich: sobald er im individuellen Kreis sein Mütchen gekühlt hätte – Der Chef ist begraben und abgehakt, die Gattin, die eigene, ebenfalls, auch der Nachbar, über dessen nächtliches Lärmen man sich jahrelang geärgert hat, sowie auf der Hauptstraßenkreuzung der Verkehrspolizist für die einstmals verhängte Geldstrafe: peng, peng! – sähe sich der Tarnkappeneigentümer genötigt, sein Betätigungsfeld zu erweitern. Und in welcher Weise? Nun: da ist die internationale Lage. Da ist die Weltgeschichte. Ihren Ablauf durch energische Eingriffe ändern, nach erprobtem Rezept. So brächte er Staatsoberhäupter um, Könige, Präsidenten, Generalsekretäre, jedoch nicht, ohne auf sich zu verweisen: »Der Unsichtbare hat wieder zugeschlagen!« hieße es schriftlich am jeweiligen Tatort. Ein Zeichen von Eitelkeit gewiß, wie sie jedem ideologisch motivierten Mörder eigen ist; denn daß unser Unsichtbarer natürlich selbstlose und altruistische Motive hat, ist eindeutig: er will ja die Gesamtsituation verbessern, die geheime Verschwörung (wie er meint) der Oberhäupter zerschlagen, um der menschlichen Freiheit und Autonomie willen; die führenden Posten gefahrvoll machen, damit nur wirklich Berufene sie einnehmen: Leute, denen das Leben aller über das eigne geht. Einen Ausrottungsfeldzug gegen die Inhaber von Spitzenpositionen durchführen – genau das wäre die zu erwartende Konsequenz. Blutbäder, aber ohne Aussicht auf ein Ende. Immer wieder neue veranstaltet, denn die wachsende Enttäuschung darüber, daß nach der jeweiligen Liquidierung einer Führungsclique der eherne Schritt der Epoche weiter in die falsche Richtung stampft (wie er meint), zöge eine wachsende Radikalität nach sich, die immer aufs neue mit der gleichen fruchtlosen Methode versuchte, die Welt von ihren Krankheiten zu kurieren: durch Aderlaß.

Nein – es ist unmöglich, eine Geschichte über solch ein Thema zu schreiben, da sie nur die Negation von Ordnung und Gesittung enthielte und nichts Positives oder sonstwie Erbauliches, was ich von Geschichten erwarte, die ich schreibe. Tut mir leid. Und außerdem: käme es in absehbarer Zeit vielleicht doch zur Erfindung einer Tarnkappe oder eines ähnlichen Unsichtbarmachungsmittels – ich, weil ich sie mit meiner Geschichte abgelehnt hätte, wäre als erster dran. Da schreibe ich lieber über das Sichtbarsein und wie schön das ist und warte ab.

# Dieter Lattmann

## Staats-Stationen eines Bürgers

*1932:* Als Sechsjähriger lief ich einem Zug von Nationalsozialisten in die Kasseler Altstadt nach. Sie trugen Braunhemden, Koppel und Schaftstiefel. In einer Straße, die von Hausgiebeln überragt wurde, stürzte ein Mann aus einer Tür. Er hielt, während er auf den Zug zurannte, einen Hammer in der erhobenen rechten Hand. Stumm schlug er damit einem Uniformierten in Reih und Glied auf den Kopf. Der SA-Mann kippte aus der Kolonne wie ein Kartoffelsack von einem Güterwagen. Dann kamen andere Männer aus den Häusern. Es gab eine gewaltige Schlägerei.

Eine Frau, die in der Nähe stand, steckte mich unter ihren Mantel und zog mich in einen Hausflur. Dort blieb sie mit mir stehen, bis nach Pfiffen, Lärm und Getrampel draußen alles wieder ruhig war. Atemlos lief ich nach Hause und erzählte nichts.

In einem Zelt, berichtete mein Vater, hatte Hitler gesprochen. Mein Vater war Oberleutnant a. D., er hatte sich den Führer angehört. »Vielleicht bringt der die Arbeitslosen von der Straße«, meinte er. Daß er damals schon überlegte, der Partei beizutreten, erfuhr ich viel später.

Der Staat war arm. In der Schule lernte ich Deutsch nach Brentanos Märchen »Gockel, Hinkel und Gackeleia«. Alles um mich war Obrigkeit: der Vater, der Lehrer, der Pfarrer und ganz oben ein Reichspräsident, der hieß Hindenburg. Wenn ich mir den Staat vorstellte, war ich beklommen, denn der war eine Macht wie von Gott gesetzt. Alles, was ich vom Staat wußte, war, daß man ihm unbedingt gehorchen mußte. Wer das nicht tat, kam ins Gefängnis, und das war schwarz.

*1940:* In Braunschweig, wo ich auf das Wilhelmgymnasium ging, stand meine Mutter an einem Sonntagvormittag mit mir auf dem Balkon. Drunten zog Hitler-Jugend im Marschtritt vorüber mit dem Lied auf den Lippen ». . . wenn alles in Scherben fällt. Denn heute gehört uns Deutschland und morgen die ganze Welt«. Meine Mutter nahm mich ins Zimmer und sagte in den Raum hinein, in dem nur wir beide standen und die zusammengedrängten Möbel: »Du mußt wissen, daß du in einem Land lebst, in dem es Lager gibt, in denen Menschen umgebracht werden.« Ich erschrak für immer.

Für meinen Vater war Hitler ein hergelaufener Gefreiter. »Erst muß die Wehrmacht den Krieg gewinnen«, sagte er, wenn er von der Ostfront auf Urlaub kam und von meiner Mutter mit der Wahrheit bedrängt wurde. »Du wirst sehen, dann schicken wir ihn nach Hause, diesen Herrn Niemand. Aber laß mich mit den schrecklichen Geschichten in Ruhe. Wie soll ich sonst in Rußland meinen Mann stehen?«

Manchmal zog sich mein Vater dann mit der Geige zurück und spielte sich seine Empfindungen vom Leibe. Wir waren eine typische deutsche Familie, die seit Generationen Beamte gestellt hatte, Offiziere, Richter, Pastoren. Dunkel wußte ich, das alles hatte mit dem Staat zu tun, der auch meine vierzehn Jahre umstellte. In Gedanken erwartete ich einen Lebenslauf mit einem Eisernen Kreuz davor. Man trug es am Anzug, wenn man Glück hatte. Bei den anderen stand es auf dem Grab.

*1953:* Deutschland war geteilt. Die Deutschen rüsteten auf beiden Seiten wieder auf. Wir, die wir den Krieg noch als Soldaten mitgemacht hatten, wollten ein wiedervereinigtes neutrales Deutschland zwischen Ost und West. Wir dachten wie Gustav Heinemann. Das erschien uns vernünftig. Aber als gewählt wurde, waren es nur ein paar Prozent, die dasselbe wollten, eine aussichtslose Minderheit.

Wer einen General für die neue Armee brauchte, mußte jemanden nehmen, der unter Hitler wenigstens als Oberstleutnant gedient hatte. Wer Gerichtspräsidenten brauchte, konnte nicht auf Männer verzichten, die unter Hitler zumindest als Amtsrichter gehorcht hatten. Der Kanzler, der ein Greis war, nahm sich sogar einen Staatssekretär, der die Nürnberger Rassengesetze mitverbrochen hatte. Alles, was wir nach dem Krieg gedacht hatten, stimmte nicht mehr. Der neue Staat war nicht wirklich neu. Er setzte den alten Staat fort. Die Vorzeichen hatten gewechselt, nicht die Grundlagen. In Deutschland wuchs allemal mehr Gehorsam als Zivilcourage nach. Darauf konnten sich die Regierenden immer verlassen.

*1969:* Zum erstenmal erlebte ich den Bundestag. Als ich Vorsitzender des Schriftstellerverbands geworden war, besuchte ich reihum die Fraktionen und brachte unsere Forderungen ein. Heinrich Böll hatte zum »Ende der Bescheidenheit« aufgerufen. Die gesetzgebende Versammlung lernte ich als Sprecher einer Gruppe kennen, die das Urheberrecht ändern wollte. Wie sich die SPD herausfordern ließ, wenn man bei der CDU vorher Zusagen eingehandelt hatte, das fanden wir bald heraus. Die »Einigkeit der Einzelgänger« blieb nicht ohne Wirkung. Der Staat, der so erfolgreich war, daß ihn viele in der Welt bestaunten und am meisten die Deutschen sich, ähnelte an der Spitze einem Industriemulti. Auch wir Schriftsteller waren Produzenten, die Milliarden Umsatz in Gang setzten. Wenn wir nicht schrieben, standen viele Maschinen still. Die Abgeordneten hatten davon nie gehört. Es dauerte eine Weile, bis sie begriffen, daß wir eine Gesetzesänderung meinten, wenn wir von einer Novelle redeten. Für eine Weile, wollten wir Willy Brandt glauben, übten Geist und Macht Rollentausch.

*1972:* Als ich, einer von einhundertneunundvierzig Neuen, im Dezember erstmals als Abgeordneter für das Allgäu den langen Weg am Rheinufer auf den Langen Eugen, das MdB-Hochhaus, zuging, geschwellt von widerstreitenden Gefühlen, mit unklaren Erwartungen, doch einigen klaren Zielen im Kopf, sah ich mich an einem Anfang, der zugleich das Ende eines Marathonlaufs war. Ich hatte die Ochsentour, wenn auch in Kurzfassung, hinter mir.

Als Novizen blieben wir zu Anfang isoliert. Viel kam darauf an, wie der einzelne die Probezeit bestand. Was uns überall umgab, waren die Ameisenstrecken altgedienter Kollegen, denen wir in die Quere kamen. Es waren viel mehr Gesichter, viel mehr Wege, viel mehr Wörter, als ich mir vorgestellt hatte.

Es gab eine Devise, an die viele glaubten: »Mehr Demokratie wagen.« Der sie geprägt hatte, war seit drei Jahren Kanzler. Der Staat, dachten wir, veränderte sich von Grund auf. Es dauerte lange, bis wir begriffen, wie starr sein Organismus sich dem Wandel widersetzte, zumal durch die Gegenmehrheit im Bundesrat. Die Mehrheit, die wir in der Koalition besaßen, war äußerst relativ. Nach einigen Jahren zweifelte niemand mehr, daß auch für uns Politik eine katholische Geduld erforderte. Der Staat war weniger im Parlament verkörpert als in der Bürokratie.

*1981:* Der Staat aus Stahl und Eisen rüstet weiter auf, wie seine Vormacht es will. Die selbsternannten Realisten sind die eigentlichen Illusionisten. Wenn die vorhandenen Atomwaffen ausreichen, um die Menschheit fünfzehnmal zu vernichten, ist die Diskussion über Nachrüstung die Auseinandersetzung um das sechzehnte Mal. Wer die Wirkung der ABC-Waffen kennt und dennoch behauptet, die Bevölkerung der Bundesrepublik könne einen Krieg mit diesen Waffen überleben, ist jedenfalls kein Realist.

Wieder, wie in den fünfziger Jahren, gibt es eine Friedensbewegung. Damals erstickte sie im wachsenden Wohlstand, der die Massen faszinierte. Heute gibt es überall Grenzerfahrungen: Autoritäten stehen da ohne Autorität. Geglaubte Mächte erfahren ihre Ohnmacht. Kein Gehirn beherrscht mehr die Mechanik der Abschreckung mit Sicherheit. Der Staat muß sich ein Jahrtausend menschlichen Verhaltens abgewöhnen, will er die ihm anvertrauten Menschen schützen. Zum erstenmal in der Geschichte gibt es mit einem Grad an Gewißheit neben dem Pazifismus des Gefühls und der religiösen wie sittlichen Überzeugung auch die Kriegsverweigerung aus Klugheit und rechnerischer Vernunft – für sie kennt das Grundgesetz noch keine Formulierung, aber seinem Geist nach Handlungsspielraum.

Die Entschiedenheit zur Friedenspflicht gegen alle herkömmlichen Regeln kann niemand mehr, außer er sei böswillig oder töricht, ins Lager der Weltfremdheit verweisen oder als Phantasterei abtun. Denn sie beruht auf der Kenntnis alles vernichtender Waffen wie auf Ergebnissen der Friedensforschung. Sie zu ignorieren wäre deswegen – vor allem unter Politikern – ein Mangel an Intelligenz.

Ob die Regierenden begriffen haben, daß Kriege nicht mehr führbar sind? Die Regierten erkennen das immer deutlicher. Entweder werden die Menschen der Industrienationen lernen, ohne Kriege zu leben, oder es besteht die konkrete Gefahr, daß wir uns alle gegenseitig umbringen. Das ist das wirklich Neue auf der Welt. Niemals zuvor wurde Menschen aus eigener Machtvollkommenheit eine so absolute Grenze gesetzt. Wer sie nicht einhält, wird nie mehr Gelegenheit haben, sein Unrecht einzusehen.

Die geschworen haben, Schaden von uns zu wenden, sollten daran gebunden sein. Der Krieg der Systeme dient keiner Mehrheit, die Menschen wollen überleben. Nur darin liegt Zukunft. Denn der Frieden kann nur noch durch den Frieden verteidigt werden. Das gilt für Russen, Amerikaner und Deutsche wie für alle Menschen, die ihrem Staat das Schwierigste und das Notwendigste abverlangen: die vernünftige Organisation unseres Zusammenlebens und nicht des Massentods.

# Gabriel Laub

## Schildaer Friedensregeln

Schilda war schon immer stolz darauf, die besten Philosophen der Welt zu haben. Sie sind gelehrt und gewitzt und denken nur an das Wohl der Bürger von Schilda.

Die Schildbürger könnten sich eigentlich wohl fühlen, denn die Stadt ist reich und die meisten Bewohner wohlhabend. Einerseits geht es ihnen so gut, daß sich manche von ihnen schon Gedanken machen, ob es gut ist, wenn es den Leuten gutgeht, ob es vielleicht nicht besser wäre, wenn es ihnen schlechter ginge; andererseits geht es ihnen nicht so gut, denn sie haben vor dem mächtigen und räuberischen Quilda Angst.

Die Quildaer sind sehr nette und friedliebende Räuber – sie versichern immer, daß sie für Frieden und Freundschaft sind; selbst wenn sie damit beschäftigt sind, eine fremde Stadt zu besetzen (sie haben sich schon mehrere im Frieden angeeignet), vergessen sie nicht, Frieden zu verkündigen. Die Schildaer haben trotzdem Angst vor ihnen – Angst ist eben ein irrationales Gefühl.

Die Schildbürger sind Patrioten, an sich aber wäre es ihnen egal, wer über sie herrscht, Hauptsache, man würde sie in Ruhe lassen. Nur ist das eben im Fall der Quildaer nicht ganz sicher, denn sie sind trotz ihrer Macht arm, könnten also in Versuchung kommen, einem etwas wegzunehmen. Ja, wenn der Schildbürger sicher sein könnte, daß man ihm seine Portion Schinken und sein Glas Bier läßt und nur die Nachbarn beraubt, würde er froh und fröhlich sein – er ist sich dessen aber nicht ganz sicher.

Um ihren von Angst geplagten Mitbürgern zu helfen, arbeiteten die Philosophen Regeln zum Sichern des Friedens aus. Aus Vorsicht – die wir auch mit ihnen teilen – haben sie die Quildaer nie beim Namen genannt und sprachen nur schlicht von »Räubern«.

1. Liebe die Räuber, denn es ist eben der Mangel an Liebe, der sie zu Räubern macht. Es gab noch nie in der Geschichte Räuber, die von allen geliebt worden wären, ergo, wer von allen geliebt wird, kann nicht Räuber werden.
2. Deine Liebe wird dich schützen; irgendwann werden die Räuber darauf kommen, daß es beschämend ist, jemanden auszurauben,

der sie liebt. Und wird sie dich vor einem Überfall nicht schützen, bleibt dir der Trost, daß du von geliebten Menschen überfallen wurdest. Was erträgt man nicht von Menschen, die man liebt?

3. Deine Liebe soll tätig sein. Gib den Räubern alles, was du hast, wann immer sie es verlangen und noch bevor sie es verlangen. Und vor allem – überlaß den Räubern alles, was deinen Freunden gehört und die Freunde selbst. Dies ist der größte Beweis der Liebe und er kostet dich nur Freunde.

4. Bemühe dich, überhaupt keine Freunde zu haben. Wenn sich Menschen, oder, noch schlimmer, Gemeinden in Freundschaft zusammentun, muß es bei den Räubern den Verdacht, daß dies gegen sie gerichtet ist, und somit auch ihren Zorn erwecken. Außerdem, wenn sie deinen Freund ausrauben, können sie auch dich überfallen, eben weil du sein Freund bist.

5. Vor allem hüte dich, starke Freunde zu haben, vor denen die Räuber selbst Angst haben könnten – sie könnten dich verprügeln, um deinen großen Freund zu ärgern. Wenn du so einen hast, zeig ihm, daß du ihn nicht magst, und mach ihm alles zum Trotz: Ist er ein echter Freund, wird er es dir verzeihen, wenn nicht, bist du ihn los, was den Räubern sicher gefallen wird.

6. Gib den Räubern Brot und Waffen, was das gleiche ist: Sie haben zu wenig Brot, obwohl sie viel fruchtbare Scholle besitzen, weil sie dauernd damit beschäftigt sind, Waffen zu schmieden. Es ist also gleich, ob du das eine oder das andere gibst – am besten beides. Wenn du ihnen Waffen gibst, gib deine besten – vergiß nicht, daß du einst mit ihnen selbst bedient werden wirst.

7. Verschließe nie deine Türen und Tore, damit die Räuber nicht glauben, daß du sie der Räuberei verdächtigst. Besitze keine Waffen, um sie nicht zu reizen. (Waffen sind dazu noch für die Räuber eine begehrte Beute!)

8. Du kannst über deine Freunde schlecht reden oder sie nach Belieben beschimpfen, sie als Gauner und Räuber bezeichnen – dazu sind sie da; nicht aber die Räuber. Sie mögen nicht, wenn man sie für Räuber hält, und könnten sich beleidigt fühlen. Die Räuberehre ist eine zarte Blume, die man hegen und pflegen muß.

9. Bemühe dich, alles, was du tust, um den Räubern deine Liebe zu beweisen, besser und eifriger zu tun als alle anderen. Die Räuber werden es dir nicht vergessen. Entweder werden sie dein Haus erst als letztes besetzen – dann wirst du länger als deine Freunde die gute Zeit genießen können; oder werden sie dich als ersten heimsuchen – und somit die Zeit deiner Angst verkürzen.

Das Werk der Schildaer Philosophen enthielt ursprünglich weitere 211 Regeln. Wir haben aber nur noch die letzte, die 220. lesen können: »Wenn die ganze Gemeinde sich an unsere Regeln hält, werden uns die Räuber nie überfallen – sie werden keinen Grund mehr dazu haben.« Der Rest des Textes verbrannte, als die Quildaer Schilda besetzten.

# Georg Lentz

## Rolf

Es war der letzte Sommer vor dem Krieg, einer jenen heißen Sommer, an die man sich auch vierzig Jahre später erinnert, die zusammenschmelzen zu jenem Zeitabschnitt, der unsere Kindheit darstellte. Mein Freund Klaus Stehr war mit den Pimpfen des Fähnleins Wikinger ins Zeltlager gefahren, ich blieb zu Hause, von meinem Vater entschuldigt wegen Halsentzündung, die mich zwar oft befallen hatte in frühen Jahren, nun aber nicht stattfand: Mein Vater hielt nichts von Pimpfen und Zeltlagern und gebrauchte diese Entschuldigung. Zum Trost nahm er mich mit in ein nahes Dorf, einen Ort, der unter riesigen dunkelgrünen Linden träumte, mit einem Wirtsgarten (»hier können Familien Kaffee kochen«), in dem ein Ponygespann sonntäglich gekleidete Stadtkinder in einem Wägelchen zog, bis es den üblichen Krach gab, weil Faßbrause und Kakao ihre Spuren auf blütenweißen Matrosenblusen einzeichneten. Ein Huhn aus Gußeisen in natürlicher Größe gackerte, wenn man einen Groschen einwarf, und legte ein buntbedrucktes Blechei mit Liebesperlen darin. Die Kaffeetante, drei Meter groß, einer Karnevalsfigur gleichend mit ihrem riesigen Pappkopf, schwankte durch die Tischreihen. Wir bekamen schnell heraus, daß ein Mann darin steckte, der durch Löcher in Gürtelhöhe aus der Kaffeetante schaute. Zog man der Figur an den Armen, bekam der Mann Gleichgewichtsprobleme und murmelte Flüche, die durch das Kattunkleid der Puppe gedämpft und unheimlich klangen.

»Möchtest du noch eine Apfelbrause?« fragte mein Vater. Ich wollte nicht, denn ich dachte an Klaus und die Pimpfe und wie schön sie es jetzt hatten dort oben am Uckersee bei Prenzlau, wie sie abkochten im großen Hordentopf, Erbsen mit Speck, und wie sie, zur Gitarre unseres Jungzugführers Fritze Trautwein, Lieder sangen: »Uns geht die Sonne nicht unter . . .«

Nach zwei Wochen kam Klaus zurück, auf dem Gepäckständer seines Brennabor-Fahrrades einen Karton. In dem Karton saß ein winziger Hund, braun, mit langen Hängeohren und einem treu blickenden Auge. Das andere hatte er halb zugekniffen, gelegentlich blinzelte er damit. Für einen Hund ungewöhnlich. »Er schwamm auf dem Uckersee, stellt euch vor«, sagte Klaus, »in diesem Karton. Fast wäre er abgesackt. Ich habe ihn rausgefischt. Den Karton auch.«

»Gemeinheit«, sagte mein Vater. Meine Mutter meinte: »Quäle nie ein Tier zum Scherz.« Sie sah uns an, als hätten *wir* den kleinen Hund ertränken wollen. Meine Großmutter, praktisch veranlagt, sagte zu Klaus: »Also, den Karton hast du getrocknet?«

Klaus konnte den Hund nicht behalten, sein Vater hatte etwas gegen Hunde, wie meiner gegen Pimpfe, nahm ich an. Der Hund blieb bei uns. »Wie heißt er denn?« fragte ich. »Rolf«, sagte Klaus. »Wieso Rolf?« – »Nach unserem Fähnleinführer.«

Er schwang sich auf sein Rad. »Braucht ihr die Schachtel?«

Wir brauchten sie nicht. Klaus fuhr eine schneidige Biege und verschwand. Der Hund auf meinem Arm sah ihm nach und blinzelte mit dem einen Auge.

Großmutter meinte, der Hund sei ein bißchen klein, und es sei zweifelhaft, ob wir ihn durchbrächten. »Entweder kriegt er die Staupe, oder er kriegt sie nicht«, sagte sie. »Wenn er sie kriegt, ist es nicht gewiß, ob er sie überlebt. Aber ihr könnt ihn ja dem Tierarzt zeigen.«

Der Tierarzt in der nahen Reitschule, an Pferde als Patienten gewöhnt, hielt es für unter seiner Würde, den Hund anzufassen. »Man kann ihm die Ohren hochbinden«, sagte er. »Ich nehme an, er hat eigentlich Stehohren. Damit sie sich gewöhnen, muß man sie hochbinden.«

Wir banden Rolf die Ohren hoch. Ihm machte es nichts aus, mit einem Wickelverband auf dem Kopf umherzulaufen.

Die Staupe bekam er nicht.

Ein Ohr blieb stehen, das andere knickte wieder herunter. Rolfs zwei Hälften waren nicht miteinander in Einklang zu bringen.

Er wurde so groß wie ein Riesenschnauzer, blieb braun bis saharagelb, sein Haar war kurz und borstig. Als die Pflaumen an unserem Buschbaum reif wurden, suchte er sich die schönsten aus, fraß sie und spuckte die Kerne unter den Baum. Er begleitete mich, wenn ich in Pfefferkorns Kolonialwarenhandlung Persil holte, und Waltraud, Pfefferkorns kräftige Tochter, trat unschlüssig von einem Fuß auf den anderen. Früher hatte sie mir gelegentlich eine geschmiert, immer auf dem Rückweg, so daß ich mit Persil und Wechselgeld in den Sand flog. Rolf begleitete mich auch, als ich der blondbezopften Hannelore meine Witzesammlung zeigte, ein Rechenheft, in das ich aus Zeitungen säuberlich ausgeschnittene Witze geklebt hatte, mit Syndetikon. Leider pinkelte Rolf in einem unbewachten Augenblick Hannelore ans Bein. Ihr weißer Wadenstrumpf färbte sich gelb. Meine Witze, fürchte ich, hatten sie ohnehin gelangweilt. Hannelore fuhr von da an stolz auf ihrem Fahrrad an uns vorbei.

Manchmal kam Klaus Stehr, um nach Rolf zu sehen. Er bremste mit seinem Fahrrad vor unserem Tor, indem er eine schneidige Kurve fuhr, das Hinterrad blockierte. »Er wächst ja«, sagte Klaus. »Aber das eine Ohr . . .«

Die anderen Pimpfe fanden, daß ich den Dienst vernachlässigte. »Alles wegen der dämlichen Töle«, sagten sie. Wenn wir uns sonntags im nahen Birkenwäldchen zum Geländedienst trafen, dauerte es keine Viertelstunde, bis Rolf auftauchte, mit heraushängender Zunge. Es nützte nichts, daß Großmutter ihn einsperrte, meine Mutter ihn festband: Rolf fand immer einen Weg, zu entkommen.

Es gab einen Grobian in unserer Jungenschaft, einen vierschrötigen Kerl, Siegfried, der mit Steinen nach Rolf warf. Rolf blieb dann einen Meter außerhalb der Distanz stehen, die Siegfried mit seinen Wurfgeschossen bestreichen konnte. Es schien, als lache er Siegfried aus.

Mir war es unangenehm, daß Rolf so an mir hing. Der Dienst war mir wichtig, niemand wagte zu Hause zu widersprechen, wenn ich sagte: »Heute habe ich Dienst.« Sämtliche Ankündigungen privater Vorhaben hingegen endeten mit Verboten. Sagte ich: »Heute gehe ich baden«, so meinte meine Mutter gewiß: »Kind, und die Schularbeiten? Heute bleibst du mal zu Hause.«

»Dienst« aber war höhere Gewalt, da wagte sie nicht, zu widersprechen, seit mein Jungenzugführer ihr einmal höflich klargemacht hatte, wie wichtig es sei, daß ich am Dienst teilnähme.

Nun schien es Rolf zu gelingen, mich in den Augen der anderen Pimpfe ins »Aus« zu befördern.

Die weiteren Ereignisse verhinderten das allerdings. Am ersten September 1939 wurde mein Vater eingezogen. Als ehemaligen Husar teilte das Wehrkreiskommando ihn einer Einheit in der Nähe zu, die ein Pferdelazarett einrichten sollte. Das Kommando über diese Einheit bekam jener Tierarzt, der einst den kleinen Rolf begutachtet hatte.

Sooft es ging, besuchte ich meinen Vater, der, im ehemaligen Herrenhaus eines Gutshofes einquartiert, Ausbildung in Veterinärkunde erhielt: In einem Unterrichtssaal hingen an den Wänden lebensgroße Querschnitte von Pferden mit inneren Organen, Blut- und Nervenbahnen. Wie ich von draußen durchs Fenster sah, benutzte jener Tierarzt einen Zeigestock, mit dessen Hilfe er die Abbildungen auf den Tafeln erläuterte.

Einmal sah er mich mit dem Hund über den Hof kommen. Er blieb stehen. »Warst du mit dem nicht bei mir?« fragte er. Ich nickte. Sah, daß Rolf dem Doktor die Gesichtshälfte mit dem treuherzigen Auge zugekehrt hatte. Der Veterinär beugte sich herab und streichelte Rolf den Scheitel. »Brav, brav«, sagte er.

Der Mann konnte nicht sehen, daß Rolf mir mit seinem anderen, dem listigen Auge zublinzelte.

Rolf begleitete Klaus und mich, wenn wir Altpapier und Buntmetall sammelten. Er mochte es, wenn wir dabei sangen:

> »Lumpen, Knochen, Leder und Papier
> ausjeschlag'ne Zähne sammeln wir.
> Lumpen, Knochen, Leder und Papier –
> alles sammeln wir – für Hermann . . .«

Gemeint war Hermann Göring, damals Reichsbeauftragter für die Altmaterial-Erfassung. Das war Rolf gewiß gleichgültig. Aber er mochte die Melodie. Manchmal stellte er dann sogar sein zweites Ohr auf, und sein unkupierter Schwanz zitterte.

Frau Meibes, eine Nachbarin, sagte einmal zu meiner Mutter: »So 'n Hund frißt doch viel. Wie wollnse den denn durchbringen, wenn der Krieg weiter dauert? Alles auf Marken!«

»Frau Meibes«, sagte meine Mutter, »Sie wissen gar nicht, wie man an so einem Tier hängen kann. Er war doch ganz klein. Und sollte ertränkt werden.«

Da nickte Frau Meibes und sagte: »Ja, so ist das wohl.«

»So 'n Quatsch«, sagte ich, als meine Mutter mir von dem Gespräch berichtete. »Die Meibes! Was kümmert die unser Hund?«

»Laß man«, sagte meine Mutter. »Sie hat ja nie einen Hund gehabt. Hat Angst, daß er Haare verliert auf ihrem Teppich. Die Frau ist schrecklich etepetete.«

»Was ist etepetete?«

Meine Mutter zog an ihrem Ohrläppchen, wie immer, wenn sie überlegte. »Na, eben eigen«, sagte sie.

Ich fragte nicht weiter.

Dann kam der Tag, an dem unsere Truppen in Rußland einmarschierten, Mann und Roß und Wagen, wie die Armee sie besaß, reichten nicht aus, und meine Mutter sagte: »Sie wollen jetzt auch Hunde nehmen. Die werden ausgebildet.«

»Als was?«

»Weiß ich es? Ich denke, als Meldehunde.«

Eines morgens bekamen wir den Bescheid, im unfrankierten, behördenbraunen Umschlag mit der Aufschrift: »Frei durch Ablösung Reich.« Auf dem Bescheid stand, daß der Hund Steuermarke soundso beschlagnahmt sei für die Wehrmacht und vorzuführen sowie bei Eignung abzuliefern sei.

»Vielleicht ist er nicht schußfest?« sagte hoffnungsvoll meine Mutter.

Großmutter sah Rolf an, der vor dem Herd lag und einen Knochen benagte. Der Hund sah zu ihr auf, als wisse er, daß von ihm gesprochen wurde. Großmutter spitzte die Lippen, als wolle sie pfeifen. Wer sie kannte, wußte, daß dieses Lippenspitzen ein Zeichen hoher Skepsis bei ihr war.

Sie und ich: Wir brachten Rolf zum Sportplatz Siebenendenweg. Mit uns zogen viele andere Hundebesitzer, mit Dobermanns, Jagdhunden, Schäferhunden, Terriern, Schnauzern, Promenadenmischungen. Wie Rolf. Die meisten Hundebesitzer weinten.

Ein Mann mit gepolstertem Arm prüfte die Tiere. Rolf kam an die Reihe. Er verbiß sich in den Polsterarm. Ließ nicht los, als dicht neben ihm ein anderer Prüfer seine Pistole abfeuerte. Schußfest.

Wir wußten, wir hatten Rolf verloren. Ein Mann in Feldgrau führte ihn weg. Rolf sah sich noch einmal um. Zwinkerte uns zu. Großmutter nahm ihre Brille ab. Wischte sich die Augen.

Ein anderer Mann in Feldgrau händigte uns eine Empfangsbestätigung aus und achtzig Reichsmark. Großmutter nahm das Geld, faltete die Scheine ganz klein und verstaute sie in ihrem Brustbeutel. Sie war eine mißtrauische Frau.

»Keine Sorge«, sagte der Feldgraue. »Der Hundeführer wird Ihnen schreiben. Wie es Ihrem . . . wie heißt er? Rolf. Wie es Rolf geht. Keine Sorge.«

Wir gingen nach Hause. Vor uns führte eine Frau ihren Spitz. Er war nicht schußfest. Sie durfte ihn wieder mitnehmen.

Ein paar Wochen lang schaute ich jeden Morgen in den Briefkasten, ob nicht ein Feldpostbrief da sei. Von Rolfs Hundeführer. Einmal blieb Frau Meibes am Zaun stehen. »Habt ihr was gehört?« fragte sie. »Wie es eurem Hund geht?«

»Nein«, sagte ich. »Noch nicht.«

Frau Meibes sah mich an. »Sie sollen den Hunden Sprengstoff auf den Rücken binden. Dann werden sie gegen die sowjetischen Panzer gehetzt. Bei Berührung explodiert der Sprengstoff.«

# Hermann Lenz

## Studentenball 1932

Sie wurde nach Tübingen eingeladen, und Eugen mußte eine namens Margret Mauser zum Schlußball abholen, weil jetzt Semesterschluß und auch die Tanzstunde zu Ende war. Daß dem nicht mal die Tanzstunde gefallen hatte, von der er sagte . . . Aber der übertrieb, und wenn's so war, wie er erzählte, dann durfte man nicht so genau hinschauen. Oder es ekelte ihren Bruder alles an, so wie es wirklich war. Vielleicht kam der mit Wirklichem nicht gerne in Berührung. Oder war für den eine Tanzstundenpartnerin am Ende gar unwirklich? Ihr erschien's lächerlich, und zuweilen dachte sie, er sei nicht ganz normal, weil er so tat, als wären ihm Jugendgefühle von der Wurzel aus gleichgültig oder kämen ihm bloß komisch vor. Wo aber steckte denn die Wurzel? Unten jedenfalls.

Über Jugendgefühle hatte nur Eva Maurer Bescheid gewußt und gesagt, die dauerten doch bis zum Tod, und wenn man neunzig werde; schlechte Aussichten, wie? Margret sah wieder Evas Gesicht mit der kaum merkbaren Verzerrung im linken Mundwinkel und der eingeritzten Stirnfalte, beides Merkmale, die ihr auch bei Eugen aufgefallen waren, diesem komischen Vogel, dem alles auf die Nerven ging und der widerwillig Verbindungsstudent war, weil es der Vater ihm befohlen hatte.

»Was die alles machen . . . Freilich, was soll man auch schon machen, wenn man lustig ist«, war eines seiner Worte, die immer spöttisch klangen, als stelle er sich hinter seinen Spott, damit ihn nichts erreichen konnte. Und er erzählte vom Bierfäßchen, das vor dem Klavier aufgebockt gewesen, von einem in den Arm genommen und bei der Kneipe vor den Erstchargierten getragen worden war; dann hatte der Bierfäßchenschlepper den Spund herausgezogen und das Bier spritzen lassen, doch war der Strahl vorbeigegangen und hatte die Tafel mit den Namen der Gefallenen benäßt; ein beschämendes Vergehen, der Übeltäter schlich mit dem Bierfäßchen geduckt weg, obwohl jene Gefallenen als Lebende auch gerne Bier getrunken hatten. ›Hinten hoch, vorne lauft's von selber!‹ würde der Vater sagen . . . Etwas Kurioses aber sei kürzlich passiert, und da sehe man, was das für grobe Burschen seien, obwohl sie freilich auch nur etwas getan hätten, das früher gang und gäbe war, wenigstens unter den ›Freiländern‹; denn es ging hier darum, einen Eigenbrötler zur Räson zu bringen, ihn, wie sie sagten, ›in die Gemeinschaft einzuordnen‹ oder einzugliedern. – »Wer weiß, ob mir so etwas nicht auch einmal blüht. Aber ich wohn ja nicht bei denen droben, sondern arg weit draußen, angenehm weitab.« – »Willst mir nicht endlich sagen, was passiert ist?« fragte sie, sah sich im Spiegel, hielt die Bürste überm Haar, denn jetzt stand sie in seiner Bude bei der Waschkommode und richtete sich für die Tanzerei; übrigens eine beneidenswerte Bude, weil sie vor der Glastür lag; aber das nützte ihr Bruder niemals aus.

»Sie haben einen im Schlaf überfallen und ihm den Stempel der Verbindung auf beide Hinterbacken und auf den Penis gedrückt.«

Sie lachte, dachte aber, so etwas sei grobschlächtig; und ihrem Bruder wünschte sie es nicht. Trotzdem war's kurios und kraftvoll, eine Männersache. Du weißt freilich nicht, was sich nebenbei abgespielt hat und weshalb sie's getan haben. – »Das ist ganz einfach: der Gestempelte hat halt nicht zur SA wollen; da hat er die andern gereizt, denn er ist auch noch fleißig.« Und Eugen erzählte, daß bei jedem Konvent ein anderer aufstehe und entweder: »Ich melde meinen Eintritt in die SA an!« oder: »Ich melde meinen Eintritt in die NSDAP an!« sage, weil doch der Schöllkopf Fuchsmajor und Führer des braunen Studentenbundes sei. »Sieh dir's nur einmal an, wie's zugeht, wenn der Studentenausschuß hier gewählt wird. Dann mischen die sich alle braun kostümiert unter das zivilistische Volk. Einer heißt Heck – sein Vater ist in Ulm Feldwebel –, der hat sich einen Waffenrock mit Sternen am Kragen machen lassen. Vor jedem Spiegel bleibt er stehen, stülpt seine Wulstlippen vor und greift sich zwischen Hals und Kragen; der hört auf den Kneipnamen Wulle.« – »Und du?« – »Schlonz. Gemein, nicht wahr? Ich weiß schon lange, daß sie mich nicht mögen.« – »Und wie heißen die andern?« – »Pfropf, Hedwig, Flamingo, Spezial, Dachs, Enzian, Pilz, Neffe . . . oder so. Von manchem weiß ich gar nicht, wie er wirklich heißt. Übrigens heißen sie den Schöllkopf ›Blitz‹.«

Margret wurde von ›Enzian‹ abgeholt, einem Bleichen, der dunkeläugig und witzig war; einer, der in eine Kutte gepaßt oder dem der enge Uniformkragen einer Kadettenschule gut gestanden hätte; aber er sagte, wahrscheinlich müsse man sich doch eingliedern, und in einem Jahr trügen sie alle – »also auch Ihr Bruder, Fräulein Rapp« – mindestens die Uniform des Arbeitsdienstes. – »Nein, mein Bruder nicht.« – »Oh, warten Sie nur ab.« Und sie merkte, daß die Unterhaltung mit Studenten anders war, als sie es sich vorgestellt hatte. Herr Vetter roch auch aus dem Mund; er war also einer, der sich quälte und dem das Nachdenken die Magenwände beizte. Dazu ein Kleiner, Blonder mit hochgewölbter Stirn und blauen Augen, der einen französischen Namen hatte; sie begegnete ihm vor verschnörkelten Garderobenständern, und er sagte, bei einem Propagandamarsch auf der Alb hätten ihn die Bauern gefragt: »So, hast au mitdürfe, SA-Büble?« Schöllkopf aber kam im langen, weiß und schwarz gemusterten Fischgrätmantel, vor der Stirne das Schild einer dunkelblauen Kappe, wie Margret sie auf Hausmeister- und Arbeiterköpfen gesehen hatte, streckte das Kinn vor und fragte schwarz glitzernden Blicks: »Ist dein Bruder schon mit Fräulein Mauser da?«

Später hielt Schöllkopf Fräulein Mauser in den Arm gezwängt und ließ sie nicht mehr los; ihre Augen blieben auf seine Kinnlade gesenkt. Eugen wurde angestoßen: »Guck bloß, wie der Blitz aufs Ganze geht!« Sie wollten ihn aufzwicken, hänseln, spöttisch anfeuern, damit er sein Recht auf Fräulein Mauser geltend mache, denn schließlich habe er sie abgeholt. – »Ach was, dazu bin ich nur befohlen worden. Der Blitz weiß schon, daß ich harmlos bin. Der soll sie nur behalten, der bringt sie auch nach Haus . . . Aber die Schönste ist sie jedenfalls.« Und er sprach mit Margret über die Tanzstundenmädchen, sagte, die Kleine, die dort mit dem ›Tango‹ tanze, sei ein gewisses Fräulein Käpsele, eine Feldwebelstochter, enorm munter. »Die hab ich mal in die Kaserne heimgebracht, drüben überm Fluß; und sie hat sich an mich g'hängt, als sollte ich sie tragen. Oh, gar net schlecht . . . Und ich seh noch, wie sie mich im Kasernenhof immer auf der Schattenseite entlangführt, weil Vollmond ist.« Er lachte, schenkte sich das dritte Glas Erdbeerbowle voll und machte Margret auf den eingerissenen Ärmel des Fräulein Käpsele aufmerksam: »Die hat zwischendurch mal mit dem ›Tango‹ im Garten Fangerles gespielt.« Pfropf hatte seine Kusine dabei, eine Magere mit Brille und vielleicht deshalb die Gescheiteste von allen. Pfropf rutschte seine Brille auf der glänzenden Knollennase vor, und wer sehe neben dem noch den aalglatten ›Tango‹ an; »du kannst auch schmierig sagen, aber oh, der schafft's; der kommt nach oben, weil er zu Haus vom Wachstuch ißt . . . Eigentlich merkwürdig, daß man jedem anmerkt, wie er später sein wird; oder kein Wunder, weil jeder schon seit seinem sechsten Jahr der gleiche ist, der er bis zum Tod bleibt. Ich zum Beispiel . . .«

Sie wurde von ihm weggeholt, und er blieb im Ecksofa sitzen, trank und schaute zu. Sie hörte, daß Eugen ihnen leid tat, weil ihm der ›Blitz‹ [oder der Schöllkopf] seine Dame weggeschnappt habe, und sie sagte: »Den braucht ihr doch nicht zu bedauern; der ist bloß froh.« Die glaubten, Eugen sei halt ein bißchen zurückgeblieben [sozusagen in seiner Entwicklung], ihr aber kam es vor, als ob der mehr verlange als die andern. Beispielsweise hatte er erzählt, daß ihm der ›Pfropf‹ seine Kusine angeboten habe: »Du kannst das Wiesle mähen. Da habe ich dir vorg'schafft . . . Ich selber hab da keine Ambitionen.« Für ihn, Eugen, aber sei die Magda zwar gescheit, bloß halt ein bißchen stärch. »Und wenn der Pfropf nicht will, dann will i au net, weil der Pfropf schon weiß, worauf es ankommt. Dem riechst du doch die Praxis sozusagen an.«

Nicht nur der Erdbeerbowle wegen ging er jetzt aus sich heraus; der war doch froh, weil er, wenigstens für diesen Abend, unabhängig war: »So das Gefühlsgeflecht, und daß manchmal einer mit seinem Mädchen in den Garten oder nach oben gehen muß . . . Also, weißt du, mir graut's, wenn ich mir vorstell, diese Kerle sähen mir dann dabei zu . . . Du kennst sie bloß im blauen Anzug, ich aber in der braunen Uniform. Die wollen nämlich einen Krieg. Und die Juden . . . Also, ich stell mir vor, die gehen bald mit der Pistole in die Wohnungen hinein und knallen Juden ab. Ich trau es denen zu. Jetzt sind ihnen die Uniformen ja verboten, aber ob es einen Wert hat? Ehrlich gesagt, ich glaube nicht.«

»Aber der Vater . . .«

»Der versteht sich mit dem Schöllkopf wunderbar. Das weiß ich längst; und du übrigens auch . . . Und gelungen ist's den beiden, mich hier hereinzubringen . . . Wenn der Vater es verlangt und ich noch nicht volljährig bin: was willst du machen! Eigentlich scheißlich . . . Wenigstens kann ich zu denen sagen: ›Euer Drittes Reich kommt nie!‹« Er redete und ging aus sich heraus. Sie wunderte sich wieder, dachte, also tue ihm dieses Beisammensein mit anderen, die so alt wie er waren, gut. Er merkte, wie er war und was er wollte, wenn er sich mit sogenannten Bundesbrüdern oder Freunden unterhielt, obwohl er bis jetzt nur feststellen konnte, daß sie anders als er dachten, denn die wollten etwas wegwischen, von dem sie meinten, es sei morsch und schwach. – »Der Brüning ist halt zu anständig. Sieh ihn dir an, dann weißt du, wie er ist. Ich hab zwei Bücher über ihn; da sind Photographien drin. Das ist ein ernster und ein strenger Mann, keiner wie die . . .« Und er zeigte mit dem Kopf nach rückwärts, wo Füße schlurften und Grammophonmusik seufzte und schnalzte. Aber was wollte er denn sagen, diese andern waren doch vergnügt; und sie wollte nicht wissen, was die politisch interessierte. Von Haut zu Haut war jeder gleich, und daß man sich warm tanzte; aber vielleicht mußte er sich darum kümmern, während sie als Mädchen . . . Leichter ist's wahrscheinlich schon, wenn du heutzutag weiblichen Geschlechts bist, weil dieses weibliche

Geschlecht . . . Aber sie wußte nur halb, was sie dachte; sie spürte es halt nur.

Ihr Bruder hatte sich abgewendet und sah auf seine Fingernägel; dann sagte er: »Für die bin ich doch liberalistisch verseucht.« Er erhob sich, ging zum Grammophon und legte eine neue Platte unter die Nadel. Dort blieb er eine Weile, sah auf die Schuhe der vorbeiwischenden Paare, betrachtete ein Mädchen, das allein auf einem harten Stuhle saß, klein und dunkelhaarig war; danach ging er hinaus. Schöllkopf holte Margret Rapp zum Tanz und sagte: »Du läßt dich führen – also, wie Butter! Wunderbar!« Er wollte mit ihr über Eugen reden und fing an: »Der stellt sich ein bißchen abseits . . . Aber er ist auch bei uns; er weiß es nur noch nicht und tut nur so.« Dann murmelte er etwas von der ›Größe unserer Bewegung‹, und sie sagte: »Lieber nicht. Ich bin doch liberalistisch verseucht.«

Seine Kinnlade rutschte tiefer; sein Mund klaffte. Margret freute sich und dachte, es werde Eugen amüsieren, wenn sie ihm davon erzähle. Sie schlief heute in seinem Bett, sparte das Geld fürs Hotelzimmer, und von ihm war's liebenswürdig, daß er ihretwegen im Verbindungshaus irgendwo oben hinter der sich in die Höhe windenden Holztreppe, eventuell im ›Senjorat‹ auf einem Sofa den Kopf an die Lehne legte und mit offenem Munde schnarchte, oder, kopflastig vornüberkippend, döste. So stellte sie sich's im Einschlafen vor, während der Morgenwind die Vorhänge bewegte und in der Dachrinne ein Fliegenschnäpper schläfrig schwatzte; es konnte aber auch ein Schmetzer sein . . . Der Vater hätte es gewußt . . . Im Verbindungshause war ihr keiner nahgekommen [zum Glück, würde die Mutter sagen]. Lauter feine Kerle also [wenn du dem Vater glauben willst], und sie hatte den gesehen, von dem ihr Bruder sagte, der habe ein Gasmasken-G'sicht, was übertrieben, ja falsch war, denn ihr Bruder sah alle durch Uniformen verzerrt. Wie konnte er sich das Politische so dicht an die Haut rücken lassen . . . Dann fiel ihr ein, daß ›Blitz‹ [also der Schöllkopf] im Gewitterregen, der den Fußballplatz aufweichte, seine Mitspieler, verrückt kämpfend, angefeuert hatte, wobei sein Unterkiefer noch gewachsen war, während Blitze grünlich leuchteten und Donner knatterte, eine aufgepeitschte und zuckende Szenerie, und für Herrn Blitz vielleicht eine Mutprobe, die ihn noch härter gemacht habe. Ein Turnlehrer wollte das Spiel abpfeifen, weil der Schweiß den Blitz anziehe, doch Schöllkopf und die Seinen kümmerten sich nicht um den; schließlich war auch nichts passiert. Und Eugen sollte eine ›Leistung‹ schreiben – so hießen die ein lustiges Gedicht für eine Kneipe –, und einer, den sie Makie nannten, sagte: »Für den Rapp ist's doch Leistung genug, daß er überhaupt bei uns eingetreten ist«; viel-

mehr sagte er »eingesaut«, denn ›einsauen‹, das soviel wie herein-
laufen oder eintreten bedeutete, gehört auch zu ihrer Redeweise,
die ihr im Einschlafen mehrstimmig im Ohre krächzte oder
schwätzte, bis alles von Grammophonschmeicheltönen geölt wurde
und verstummte.

# Siegfried Lenz

## Ein Freund der Regierung

Zu einem Wochenende luden sie Journalisten ein, um ihnen an Ort
und Stelle zu zeigen, wie viele Freunde die Regierung hatte. Sie
wollten uns beweisen, daß alles, was über das unruhige Gebiet geschrieben wurde, nicht zutraf: die Folterungen nicht, die Armut
und vor allem nicht das wütende Verlangen nach Unabhängigkeit.
So luden sie uns sehr höflich ein, und ein sehr höflicher, tadellos
gekleideter Beamter empfing uns hinter der Oper und führte uns
zum Regierungsbus. Es war ein neuer Bus; ein Geruch von Lack
und Leder umfing uns, leise Radiomusik, und als der Bus anfuhr,
nahm der Beamte ein Mikrofon aus der Halterung, kratzte mit dem
Fingernagel über den silbernen Verkleidungsdraht und hieß uns
noch einmal mit sanfter Stimme willkommen. Bescheiden nannte
er seinen Namen – »ich heiße Garek«, sagte er –; dann wies er uns
auf die Schönheiten der Hauptstadt hin, nannte Namen und Anzahl der Parks, erklärte uns die Bauweise der Mustersiedlung, die
auf einem kalkigen Hügel lag, blendend unter dem frühen Licht.

Hinter der Hauptstadt gabelte sich die Straße; wir verloren die
Nähe des Meers und fuhren ins Land hinein, vorbei an steinübersä-
ten Feldern, an braunen Hängen; wir fuhren zu einer Schlucht und
auf dem Grunde der Schlucht bis zur Brücke, die über ein ausge-
trocknetes Flußbett führte. Auf der Brücke stand ein junger Soldat,
der mit einer Art lässiger Zärtlichkeit eine handliche Maschinenpi-
stole trug und uns fröhlich zuwinkte, als wir an ihm vorbei über die
Brücke fuhren. Auch im ausgetrockneten Flußbett, zwischen den
weißgewaschenen Kieseln, standen zwei junge Soldaten, und Garek sagte, daß wir durch ein sehr beliebtes Übungsgebiet führen.

Serpentinen hinauf, über eine heiße Ebene, und durch die geöffneten Seitenfenster drang feiner Kalkstaub ein, brannte in den Augen; Kalkgeschmack lag auf den Lippen. Wir zogen die Jacketts
aus. Nur Garek behielt sein Jackett an; er hielt immer noch das Mikrofon in der Hand und erläuterte mit sanfter Stimme die Kultivie-
rungspläne, die sie in der Regierung für dieses tote Land ausgear-
beitet hatten. Ich sah, daß mein Nebenmann die Augen geschlossen, den Kopf zurückgelegt hatte; seine Lippen waren trocken und
kalkblaß, die Adern der Hände, die auf dem vernickelten Metall-

griff lagen, traten bläulich hervor. Ich wollte ihn in die Seite stoßen, denn mitunter traf uns ein Blick aus dem Rückspiegel, Gareks melancholischer Blick, doch während ich es noch überlegte, stand Garek auf, kam lächelnd über den schmalen Gang nach hinten und verteilte Strohhalme und eiskalte Getränke in gewachsten Papptüten.

Gegen Mittag fuhren wir durch ein Dorf; die Fenster waren mit Kistenholz vernagelt, die schäbigen Zäune aus trockenem Astwerk löcherig, vom Wind der Ebene auseinandergedrückt. Auf den flachen Dächern hing keine Wäsche zum Trocknen. Der Brunnen war abgedeckt; kein Hundegebell verfolgte uns, und nirgendwo erschien ein Gesicht. Der Bus fuhr mit unverminderter Geschwindigkeit vorbei, eine graue Fahne von Kalkstaub hinter sich herziehend, grau wie eine Fahne der Resignation.

Wieder kam Garek über den schmalen Gang nach hinten, verteilte Sandwiches, ermunterte uns höflich und versprach, daß es nicht mehr allzu lange dauern würde, bis wir unser Ziel erreicht hätten. Das Land wurde hügelig, rostrot; es war jetzt von großen Steinen bedeckt, zwischen denen kleine farblose Büsche wuchsen. Die Straße senkte sich, wir fuhren durch einen tunnelartigen Einschnitt. Die Halbrundungen der Sprenglöcher warfen schräge Schatten auf die zerrissenen Felswände. Eine harte Glut schlug in das Innere des Busses. Und dann öffnete sich die Straße, und wir sahen das von einem Fluß zerschnittene Tal und das Dorf neben dem Fluß.

Garek gab uns ein Zeichen, Ankündigung und Aufforderung; wir zogen die Jacketts an, und der Bus fuhr langsamer und hielt auf einem lehmig verkrusteten Platz, vor einer sauber gekalkten Hütte. Der Kalk blendete so stark, daß beim Aussteigen die Augen schmerzten. Wir traten in den Schatten des Busses, wir schnippten die Zigaretten fort. Wir blickten aus zusammengekniffenen Augen auf die Hütte und warteten auf Garek, der in ihr verschwunden war.

Es dauerte einige Minuten, bis er zurückkam, aber er kam zurück, und er brachte einen Mann mit, den keiner von uns je zuvor gesehen hatte.

»Das ist Bela Bonzo«, sagte Garek und wies auf den Mann; »Herr Bonzo war gerade bei einer Hausarbeit, doch er ist bereit, Ihnen auf alle Fragen zu antworten.«

Wir blickten freimütig auf Bonzo, der unsere Blicke ertrug, indem er sein Gesicht leicht senkte. Er hatte ein altes Gesicht, staubgrau; scharfe, schwärzliche Falten liefen über seinen Nacken; seine Oberlippe war geschwollen. Bonzo, der gerade bei einer Hausarbeit überrascht worden war, war sauber gekämmt, und die verkrusteten Blutspuren an seinem alten, mageren Hals zeugten von einer heftigen und sorgfältigen Rasur. Er trug ein frisches Baumwollhemd, Baumwollhosen, die zu kurz waren und kaum bis zu den Knöcheln reichten; seine Füße steckten in neuen, gelblichen Rohlederstiefeln, wie Rekruten sie bei der Ausbildung tragen.

Wir begrüßten Bela Bonzo, jeder von uns gab ihm die Hand, dann nickte er und führte uns in sein Haus. Er lud uns ein, voranzugehen, wir traten in eine kühle Diele, in der uns eine alte Frau erwartete; ihr Gesicht war nicht zu erkennen, nur ihr Kopftuch leuchtete in dem dämmrigen Licht. Die Alte bot uns faustgroße, fremde Früchte an, die Früchte hatten ein saftiges Fleisch, das rötlich schimmerte, so daß ich am Anfang das Gefühl hatte, in eine frische Wunde zu beißen.

Wir gingen wieder auf den lehmigen Platz hinaus. Neben dem Bus standen jetzt barfüßige Kinder; sie beobachteten Bonzo mit unerträglicher Aufmerksamkeit, und dabei rührten sie sich nicht und sprachen nicht miteinander. Nie trafen ihre Blicke einen von uns. Bonzo schmunzelte in rätselhafter Zufriedenheit.

»Haben Sie keine Kinder?« fragte Pottgießer.

Es war die erste Frage, und Bonzo sagte schmunzelnd:

»Doch, doch, ich hatte einen Sohn. Wir versuchen gerade, ihn zu vergessen. Er hat sich gegen die Regierung aufgelehnt. Er war faul, hat nie etwas getaugt, und um etwas zu werden, ging er zu den Saboteuren, die überall für Unruhe sorgen. Sie kämpfen gegen die Regierung, weil sie glauben, es besser machen zu können.« Bonzo sagte es entschieden, mit leiser Eindringlichkeit; während er sprach, sah ich, daß ihm die Schneidezähne fehlten.

»Vielleicht würden sie es besser machen«, sagte Pottgießer. Garek lächelte vergnügt, als er diese Frage hörte, und Bonzo sagte:

»Alle Regierungen gleichen sich darin, daß man sie ertragen muß, die einen leichter, die andern schwerer. Diese Regierung kennen wir, von der anderen kennen wir nur die Versprechungen.«

Die Kinder tauschten einen langen Blick.

»Immerhin ist das größte Versprechen die Unabhängigkeit«, sagte Bleiguth.

»Die Unabhängigkeit kann man nicht essen«, sagte Bonzo schmunzelnd. »Was nützt uns die Unabhängigkeit, wenn das Land verarmt. Diese Regierung aber hat unsern Export gesichert. Sie hat dafür gesorgt, daß Straßen, Krankenhäuser und Schulen gebaut wurden. Sie hat das Land kultiviert und wird es noch mehr kultivieren. Außerdem hat sie uns das Wahlrecht gegeben.«

Eine Bewegung ging durch die Kinder, sie faßten sich bei den

Händen und traten unwillkürlich einen Schritt vor. Bonzo senkte das Gesicht, schmunzelte in seiner rätselhaften Zufriedenheit, und als er das Gesicht wieder hob, suchte er mit seinem Blick Garek, der bescheiden hinter uns stand.

»Schließlich«, sagte Bonzo, ohne gefragt worden zu sein, »gehört zur Unabhängigkeit auch eine gewisse Reife. Wahrscheinlich könnten wir gar nichts anfangen mit der Unabhängigkeit. Auch für Völker gibt es ein Alter, in dem sie mündig werden: wir haben dieses Alter noch nicht erreicht. Und ich bin ein Freund dieser Regierung, weil sie uns in unserer Unmündigkeit nicht im Stich läßt. Ich bin ihr dankbar dafür, wenn Sie es genau wissen wollen.«

Garek entfernte sich zum Bus, Bonzo beobachtete ihn aufmerksam, wartete, bis die schwere Bustür zufiel und wir allein dastanden auf dem trockenen, lehmigen Platz. Wir waren unter uns, und Finke vom Rundfunk wandte sich mit einer schnellen Frage an Bonzo: »Wie ist es wirklich? Rasch, wir sind allein.« Bonzo schluckte, sah Finke mit einem Ausdruck von Verwunderung und Befremden an und sagte langsam: »Ich habe Ihre Frage nicht verstanden.«

»Jetzt können wir offen sprechen«, sagte Finke hastig.

»Offen sprechen«, wiederholte Bonzo bedächtig und schmunzelte breit, so daß seine Zahnlücken sichtbar wurden.

»Was ich gesagt habe, ist offen genug: wir sind Freunde dieser Regierung, meine Frau und ich; denn alles, was wir sind und erreicht haben, haben wir mit ihrer Hilfe erreicht. Dafür sind wir ihr dankbar. Sie wissen, wie selten es vorkommt, daß man einer Regierung für irgendwas dankbar sein kann – wir sind dankbar. Und auch mein Nachbar ist dankbar, ebenso wie die Kinder dort und jedes Wesen im Dorf. Klopfen Sie an jede Tür, Sie werden überall erfahren, wie dankbar wir der Regierung sind.«

Plötzlich trat Gum, ein junger, blasser Journalist, auf Bonzo zu und flüsterte: »Ich habe zuverlässige Nachricht, daß Ihr Sohn gefangen und in einem Gefängnis der Hauptstadt gefoltert wurde. Was sagen Sie dazu?«

Bonzo schloß die Augen, Kalkstaub lag auf seinen Lidern; schmunzelnd antwortete er: »Ich habe keinen Sohn, und darum kann er nicht gefoltert worden sein. Wir sind Freunde der Regierung, hören Sie? Ich bin ein Freund der Regierung.«

Er zündete sich eine selbstgedrehte, krumme Zigarette an, inhalierte heftig und sah zur Bustür hinüber, die jetzt geöffnet wurde. Garek kam zurück und erkundigte sich nach dem Stand des Gesprächs. Bonzo wippte, indem er die Füße von den Hacken über die Zehenballen abrollen ließ. Er sah aufrichtig erleichtert aus, als

Gerek wieder zu uns trat, und er beantwortete unsere weiteren Fragen scherzhaft und ausführlich, wobei er die Luft mitunter zischend durch die vorderen Zahnlücken entweichen ließ.

Als ein Mann mit einer Sense vorüberging, rief Bonzo ihn an; der Mann kam mit schleppendem Schritt heran, nahm die Sense von der Schulter und hörte aus Bonzos Mund die Fragen, die wir zunächst ihm gestellt hatten. Der Mann schüttelte unwillig den Kopf: er war ein leidenschaftlicher Freund der Regierung, und jedes seiner Bekenntnisse quittierte Bonzo mit stillem Triumph. Schließlich reichten sich die Männer in unserer Gegenwart die Hand, wie um ihre gemeinsame Verbundenheit mit der Regierung zu besiegeln.

Auch wir verabschiedeten uns, jeder von uns gab Bonzo die Hand – ich zuletzt; doch als ich seine rauhe, aufgesprungene Hand nahm, spürte ich eine Papierkugel zwischen unseren Handflächen. Ich zog sie langsam, mit gekrümmten Fingern ab, ging zurück und schob die Papierkugel in die Tasche. Bela Bonzo stand da und rauchte in schnellen, kurzen Stößen; er rief seine Frau heraus, und sie, Bonzo und der Mann mit der Sense beobachteten den abfahrenden Bus, während die Kinder einen mit Steinen und jenen farblosen kleinen Büschen bedeckten Hügel hinaufstiegen.

Wir fuhren nicht denselben Weg zurück, sondern überquerten die heiße Ebene, bis wir auf einen Eisenbahndamm stießen, neben dem ein Weg aus Sand und Schotter lief. Während dieser Fahrt hielt ich eine Hand in der Tasche, und in der Hand die kleine Papierkugel, die einen so harten Kern hatte, daß die Fingernägel nicht hineinschneiden konnten, sosehr ich auch drückte. Ich wagte nicht, die Papierkugel herauszunehmen, denn von Zeit zu Zeit erreichte uns Gareks melancholischer Blick aus dem Rückspiegel. Ein schreckhafter Schatten flitzte über uns hinweg und über das tote Land; dann erst hörten wir das Propellergeräusch und sahen das Flugzeug, das niedrig über den Eisenbahndamm flog in Richtung zur Hauptstadt, kehrtmachte am Horizont, wieder über uns hinwegbrauste und uns nicht mehr allein ließ.

Ich dachte an Bela Bonzo, hielt die Papierkugel mit dem harten Kern in der Hand, und ich fühlte, wie die Innenfläche meiner Hand feucht wurde. Ein Gegenstand erschien am Ende des Bahndamms und kam näher, und jetzt erkannten wir, daß es ein Schienenauto war, auf dem junge Soldaten saßen. Sie winkten freundlich mit ihren Maschinenpistolen zu uns herüber. Vorsichtig zog ich die Papierkugel heraus, sah sie jedoch nicht an, sondern schob sie schnell in die kleine Uhrtasche, die einzige Tasche, die ich zuknöpfen konnte. Und wieder dachte ich an Bela Bonzo, den Freund der

Regierung: noch einmal sah ich seine gelblichen Rohlederstiefel, die träumerische Zufriedenheit seines Gesichts und die schwarzen Zahnlücken, wenn er zu sprechen begann. Niemand von uns zweifelte daran, daß wir in ihm einen aufrichtigen Freund der Regierung getroffen hatten.

Am Meer entlang fuhren wir in die Hauptstadt zurück; der Wind brachte das ziehende Kußgeräusch des Wassers herüber, das gegen die unterspülten Felsen schlug. An der Oper stiegen wir aus, höflich verabschiedet von Garek. Allein ging ich ins Hotel zurück, fuhr mit dem Lift in mein Zimmer hinauf, und auf der Toilette öffnete ich die Papierkugel, die der Freund der Regierung mir heimlich anvertraut hatte: sie war unbeschrieben, kein Zeichen, kein Wort, doch eingewickelt lag im Papier ein von bräunlichen Nikotinspuren bezogener Schneidezahn. Es war ein menschlicher, angesplitterter Zahn, und ich wußte, wem er gehört hatte.

# Erich Loest

## Sie kamen während des Abendbrots

Annelies wohnte mit den Kindern bei ihren Eltern, er am Pfarrberg bei Vater und Tante Lucie. Am 14. November holte er am Nachmittag seinen Thomas ab und ging mit ihm durch den Wald hinunter an die Zschopau. Sie standen am Wehr, dort hatte er in vielen Sommerwochen in der Sonne gelegen. Dort drüben hatte er ein Geländespiel gegen ein anderes Fähnlein verloren. Einen Fuchsbau zeigte er, Thomas redete und redete, wie er sich freuen würde, kämen jetzt junge Füchse heraus. Papi, hast du schon mal junge Füchse gesehen? Nein, nicht im Zoo, im Wald? Jetzt müßten Füchse miteinander spielen, er würde mucksmäuschenstill sein. Ja, sagte L., ja. Er dachte vielerlei, wie es weitergehen würde im Beruf, im Verband, er wollte still leben und schreiben, sich zurückziehen, verkriechen gar. Ein paar Freunde würden bleiben. Und das: Andere hatten eingelenkt, manche eifrig sich zu Fehlern bekannt, warum nicht er? Er spürte die warme Hand seines Jungen, beantwortete: Die Füchse gruben ihre Baue selber, kratzten die Erde mit den Vorderpfoten ab. Das waren aber fleißige Tiere! Er hatte die Pflicht, seinen Kindern ein Vater zu sein, jetzt gefährdete er diese Erfüllung durch Halsstarrigkeit. Selbstkritik, auch gegen das eigene Gewissen, um seinen Kindern der Vater bleiben zu können, der nicht hinter Gittern verschwand? Denn was bedeutete schon ein Vater, der nicht daheim war, der kein Geld verdiente, der zur Last wurde für die kleine Seele: Mein Papi im Gefängnis. Zu spät war es wahrscheinlich sogar für die Flucht – aber die Schatten waren ihm ja nicht in den Wald nachgekommen, vielleicht hatten sie von seiner Spur gelassen: Er war in Mittweida und würde nicht fliehen. Auch diese Idee: In Bussen, Personenzügen Stück für Stück sich Berlin nähern, nicht im D-Zug mit den Kontrollen. Mit der S-Bahn früh in der Dunkelheit, im Gedränge des Arbeiterverkehrs hineinfahren, auf einer Seitenstraße nach Westberlin schleichen – aber dann der Hohn seiner Gegner: Jetzt hat er sich entlarvt, der Feind, der Verräter! Im Westberliner Flüchtlingslager: So, den Hetzroman »Die Westmark fällt weiter« haben *Sie* geschrieben, Herr Kommunist! Funktionär waren Sie, Genosse bis vorgestern noch, was wollen Sie im Kapitalismus? Papi, wenn wir einen Fuchs bei der Oma im Garten . . .

Es war ein diesiger, windstiller Tag mit feuchter Luft. Der Waldboden roch nässegetränkt. An diesem Hang war er hundertmal Ski gelaufen, leidlich und sehr gern. Papi, bei der Oma im Keller stehen Ski, nächstes Jahr? Und wenn ich erst schwimmen kann. Ja, Thomas, ja. Nächstes, übernächstes Jahr.

Sie gingen zur Stadt zurück, es wurde dunkel. An der Haustür der Schwiegereltern gab er den Jungen ab, redete ein paar Worte mit Annelies: Am nächsten Tag würde er zum Mittagessen kommen. Tschüs, ein kleiner Kuß. Eine Viertelstunde war es bis zum Pfarrberg, am Friedhof ging er entlang und durch den Park an der Kirche. Auf das Haus seines Vaters konnte er hinabsehen von einer Mauer. Er hatte gemeint, wenn er einen Schatten hätte, lauerte der hier oben zwischen den Büschen; ihm wollte er in den Rücken kommen. Er dachte auch: Wenn sie ihn verhaften wollten, dann, wenn er das Haus betrat. Aber kein Auto stand in der Straße, niemand war zu sehen. Sie kamen während des Abendbrots. Sie kamen zu dritt und traten ins Zimmer, ohne anzuklopfen, sie waren ins Haus und in die Wohnung eingedrungen, keiner wußte wie. »Kriminalpolizei«, einer zeigte eine Marke vor, »Herr Loest, Sie möchten bitte mitkommen, wir haben ein paar Fragen an Sie.«

»Worum geht's dabei?« fragte Alfred L., das klang keineswegs erschrocken. »Und das um diese Zeit?« Alfred L. löffelte seine Suppe weiter. Die drei standen, warteten. Später hat L. hundertmal ausgesponnen, daß er da eine allerletzte Chance gehabt hätte: Stumm wäre er geblieben, hätte zugesehen, wie die drei mit seinem Vater fortgegangen wären, hätte sich augenblicks davongemacht. Lange Frist wäre nicht geblieben, bis aufgedeckt worden wäre, daß sie den falschen mitgenommen hatten. Aber er wollte ja nicht fliehen, wollte überdies seinem Vater Aufregung ersparen, und so sagte er: »Ich heiße auch Loest, vielleicht meinen Sie mich?«

»Ja, Sie.«

»Und wohin mitkommen?«

»Zur Polizei hier in Mittweida. Nur ein paar Fragen.«

»Wird nicht lange dauern«, sagte er zu seinem Vater und zu Tante Lucie. Er gab ihnen nicht die Hand und sprach kein Wort des Abschieds. Die Schuhe zog er an und den Mantel, so ging er zwischen den dreien hinunter und um die Ecke, dort standen zwei Autos. In das erste mußte er einsteigen, es fuhr schnell zum Markt, bog nicht zur Polizeiwache ein, kurvte in eine Straße, die hinausführte zu Dörfern, zur Talsperre, zwischen Felder. Am Rand der Stadt hielt es, L. dachte: Auf der Flucht erschossen. Da fragte der Fahrer: »Wo geht's nach Leipzig?«

L. erklärte es ihm.

Die erste Vernehmung dauerte dreißig Stunden. L. trug noch eigene Kleidung, er erfuhr, er sei festgenommen und befände sich beim Ministerium für Staatssicherheit. »Was denken Sie, warum Sie hier sind?« Da vermutete L., es mochte wegen der Unterstützung für zwei kleine Kinder in Halle sein, deren Vater verhaftet worden war. Das auch, und warum noch? Lehmann, Harich, Zwerenz, wie oft hatte er mit Bloch gesprochen? Just, Zöger – manches hatten sich die Vernehmer anders vorgestellt, das merkte L. bald. Engsten Kontakt zu Bloch hatten sie vermutet, auch daß L. angab, Harich nie gesehen zu haben, paßte nicht ins Bild. Dieser illegale Treff mit dem Polen – kein Treff, beharrte L., und illegal schon gar nicht. War die Zusammenkunft etwa polizeilich gemeldet? Aber nein, ein Besuch von Freunden! Natürlich sei über Politik gesprochen worden. Der Name des Polen? L. wußte ihn nicht. Wer alles hatte teilgenommen? L. zählte Namen her, zwei waren ihm entfallen. Das Datum? So Ende Oktober, an einem Samstag. Welche Absprachen waren getroffen worden? Keine, und L. lachte, als er hörte: Sie haben an diesem Abend beschlossen, die Regierung der Deutschen Demokratischen Republik zu stürzen!

Manchmal waren drei Vernehmer im Zimmer, manchmal fragte nur einer. Sie tuschelten vor der Tür, zeigten sich Zettel. Vielleicht waren an diesem Abend noch mehr verhaftet worden, vermutete L., wer? Bloß keinen Einbruch zulassen, suggerierte er sich, abwehren, entkräften: *Meinungen* hätten sie an jenem Abend und auch sonst ausgetauscht, Meinungen von politisch Interessierten, von Genossen. *Ansichten,* wie man am besten die Regierung stürzen könne! konterten die Vernehmer, *Absichten!* Sie sprangen von einem Punkt zum anderen: Für ein verbotenes Programm der »Pfeffermühle« hatte L. geschrieben! und wie sei das nun genau gewesen mit der Unterstützung für die Hallenser Konterrevolutionäre, wer habe das Geld bei ihm geholt, bei wem sei der Sammler außerdem gewesen? Wer habe die Bezeichnung »Rote Hilfe« aufgebracht! Nie gehört, sagte L., und ich weiß von keinen anderen. Also konspirativ! Und wieder der Klub junger Künstler, dort habe L. dekadente Schriftsteller propagieren wollen, Kafka und Proust.

Die Vernehmer waren um die dreißig, sie trugen Straßenzivil, rauchten ständig und sahen nicht so aus, als ob sie oft an die Luft kämen. Man merkte ihnen eine klar gekantete politische Schulung an, von der absoluten Richtigkeit und Berechtigung ihrer Arbeit waren sie überzeugt. Zu Kunst und Literatur hatten sie keine Beziehung, was sie aber nicht unsicher machte: Sie kannten die Bücher nicht, über die sie urteilten, aber Urteile darüber: Fortschrittlich oder dekadent. Dekadent galt ihnen feindlich, verbrecherisch.

Sicherlich waren sie Arbeiter gewesen, gewiß stammten sie aus Familien, in denen der proletarische Kampf Tradition war und Opfer gekostet hatte. Ihnen war befohlen worden, den Feind L. zu entlarven. Parteiauftrag, Klassenauftrag. Gegen Morgen lockte einer: »Wir haben ja Verständnis, daß Sie erst mal alles abstreiten. Aber jetzt sind Sie lange genug bei uns. Die Dauer der Vernehmung bestimmen schließlich Sie! Nun packen Sie endlich aus!«

»Gibt nichts auszupacken!«

Ein Vernehmer machte sich ans Protokoll, L. dachte: Danach bringen sie dich wieder nach Mittweida. Sie haben dir nichts nachweisen können, also *müssen* sie dich freilassen.

Die Vernehmung ging den Vormittag hindurch, mittags wurde eine Blechschüssel mit Weißkraut und Kartoffeln vor L. gestellt, fast nicht gesalzen, nicht gewürzt. Er konnte nur ein paar Löffel davon essen. Die Vernehmung schleppte sich den Nachmittag hin, auch die Vernehmer waren erschöpft, dabei hatten sie sich abgewechselt und sicherlich zwischendurch ein wenig geschlafen. Wieder wurde protokolliert, das dauerte seine Zeit. L. las durch und unterschrieb. Eine Zellenordnung wurde ihm vorgelegt. Danach wurde er durchs Haus geführt, Treppen hinauf. »Hände aufm Rükken! Und wenn Ihn jemand entgegenkommt, sofort mitm Gesicht zur Wand!«

Alles wirkte unwirklich, gespenstisch. Er mußte seine Taschen leeren. »Ziehen Sie das da an!« Gestreifte Klamotten. Bettzeug, zwei Decken, Kamelhaarpantoffeln. Trübes Licht auf einer Galerie, Gitter, Netze. Eine Tür wurde aufgeschlossen, er betrat eine Zelle. Ein junger Mann darin, ein Häftling. »Biste neu?« Der Mann gab ihm die Hand, nannte seinen Namen, freute sich sichtlich, einen Kumpan zu haben. Er half, die Decke zu überziehen, das hatte L. seit seiner Kommißzeit nicht mehr gemacht. Fünf Scheiben Brot und ein Becher mit Pfefferminztee wurden hereingegeben. Sie setzten sich auf die Pritsche, aßen, redeten. »Was haste ausgefressen?«

»Nischt.« L. dachte: Übermorgen hat Vater Geburtstag. Die Hauptsache, du bist bis dahin wieder raus.

Er wurde vernommen am nächsten und am übernächsten Tag, die Fragen drehten sich im Kreis. Der Klub junger Künstler als Basis konterrevolutionärer Aufweichung wie der Petöfi-Klub in Budapest, wie der Donnerstagskreis in Berlin – keine Spur, bestritt L. Sein Artikel im ›Sonntag‹ – alles in Ordnung, beharrte er. Er wurde dem Haftrichter vorgeführt, der verlas die Begründung: Bildung einer staats- und parteifeindlichen Gruppe, die sich als Ziel gesetzt hatte, die Regierung der DDR zu stürzen und ein antisozialistisches System an ihre Stelle zu setzen. Wem seine Verhaftung mitgeteilt werden sollte. »Meiner Frau«, sagte er, »zur Zeit in Mittweida, Dreiwerdener Weg 69.« Ob L. einen Verteidiger benennen wolle. Natürlich. L. entsann sich, daß im Zusammenhang mit der Verurteilung Rudorfs der Name Dr. Tolbe genannt worden war; der sollte seine Sache gut gemacht haben. L. unterschrieb ein Formular.

Wecken früh um sechs mit einer Schiffsglocke; eine Kanne Wasser, Handtuch und Zahnbürste wurden hereingegeben. Gegen acht Ablauf zur Vernehmung. Mittagspause. Wieder Vernehmung am Nachmittag, das tägliche Protokoll. Tagelang wurde L.s Lebenslauf durchforstet, er hätte nicht geglaubt, daß man darauf so viel Zeit verwenden könnte. »Elfenbeinturm und Rote Fahne« spielte eine Rolle, das Parteiverfahren von 1953. »Damals waren Sie also schon Konterrevolutionär!«

»Überhaupt nicht.«

Die Vernehmung des Zellenkumpels war abgeschlossen, er wartete auf den Prozeß. Für den amerikanischen Geheimdienst habe er spioniert und sei gefaßt worden, als er versucht habe, einen Stahlhelm der Volksarmee nach Westberlin zu bringen. Abends, auf der Pritsche, klopfte der Kumpel mit einer jungen Frau in der Nebenzelle. Das Klopfen wollte er L. beibringen: Ein Schlag mit dem Kamm bedeutete A, zwei bedeuteten B und so weiter das Alphabet hindurch. Nach drei Tagen: Du, da liegt eine, die kennt Lehmann, den kennste doch! Willste mal mit ihr klopfen? Nee, sagte L., lieber nicht! Wahrscheinlich entging er so einer Falle. Wie er später erfuhr, klopfte Lehmann, durch seinen Zellenkumpel ermuntert, mit einem Freund, das wurde verpfiffen, natürlich, und er ging in den Bau. In der Dunkelheit, bei kärglichster Verpflegung, klappte er nach einer Woche zusammen.

»Lehmann hat längst zugegeben . . .« Das hörte L. jeden Tag. Da hielt er es für richtig, Lehmann herabzusetzen: Ein überspannter Buchgelehrter sei das, habe immer zu Spintisiererei geneigt. Gut habe er ihn nicht gekannt, nur ein paarmal habe er ihn gesehen. Trotzki? Ja, von Trotzki habe Lehmann wohl geredet. Und Sie? Keine Ahnung, sagte L., hab keine Ahnung von Trotzki.

Der Geburtstag des Vaters war vorbei, L. dachte: Eine Woche wird's dauern. Du hältst durch. Welche Bücher er gelesen habe, »Die Revolution entläßt ihre Kinder« von Leonhard doch wohl? Nee, sagte L., hab davon gehört, aber in den Händen gehalten hab ich's nie. Da wurde der Vernehmer ernstlich böse. »Sie haben es gelesen, wir wissen's genau!«

»Irrtum.«

Da erläuterte der Vernehmer, was ein Vorhalt sei. Der werde

protokolliert, später machte er auf Staatsanwalt und Richter den übelsten Eindruck. Ein Häftling, der durch Vorhalte dazu gebracht worden sei, die Wahrheit zu sagen, könne natürlich nicht mit Milde rechnen. Also, wie war das gewesen mit dem Buch von Leonhard?

»Keine Ahnung.«

»Sie bleiben dabei?« Da wurde aufgeschrieben und vorgelesen: »Vorhalt: Wie aus den Aussagen des Untersuchungsgefangenen Lehmann eindeutig hervorgeht, hat er Ihnen das konterrevolutionäre Buch von Wolfgang Leonhard ›Die Revolution entläßt ihre Kinder‹ geliehen. Äußern Sie sich!«

Und L. sagte: »Lehmann irrt.«

»Sie bleiben auch jetzt noch dabei?« Das schrieb der Vernehmer hin. Es war der erste Vorhalt, im Laufe der Zeit handelte sich L. noch an die dreißig ein.

# Friederike Mayröcker

## Tannzapfen, und welche den Affenpelz trug

Tannzapfen, und welche den Affenpelz trug: an ihrem Affenpelz
habe er sie sogleich wiedererkannt, er habe sich von hinten in sie
eingehakt, und als sie erschrak, habe es ihm Vergnügen bereitet,
und er habe sie angelächelt, er habe sie dann wie zum Scherz angesprochen und ihr zugelächelt, als habe er sie zum erstenmal gesehen und an ihr Gefallen gefunden, und er wechselte immerfort von
ihrer einen zur anderen Seite, neckend und scherzend und lachend
– *und welcher neckend und scherzend umherflatterte:* und sie umflatterte, sie mit zunehmendem Verlangen umflatterte und sie immer
näher betrachtete und ihre Gedanken von ihrer Stirn abzulesen
wünschte und ihre Gefühle zu erahnen nicht aufhören wollte und
alles zurückzunehmen bereit war was ihr mißfallen haben mochte:
so daß sie alsbald, im Empfangen solcher Huldigungen unerfahren,
sich verwirrt und verlegen zu fühlen begann und sich einerseits
umgänglicher verhielt als es ihrer Art entsprach, andererseits das
nach Rückzug verlangende Unbehagen mit einer forschen Unnah-
barkeit zu übertönen suchte, was ihr nun obendrein eine Empfindung von Verstörtheit und Schmerz beibrachte, obwohl sie längst
erkannt hatte, daß alles nur Spiel sei – er habe sie später, unmittelbar nach ihrem ersten Telephongespräch dieses Morgens nochmals
angerufen, um ihr zu sagen, daß er wegen der *richtigen Bezeichnung
des Fells* nachschlagen wolle – sie aber habe nicht warten wollen, sie
habe ihm vielmehr zuvorkommen wollen und habe ihn angerufen
und ihm gesagt, daß sie die *richtige Bezeichnung des Fells* schon gefunden hätte –: da habe er sich jedoch schon anderen Geschäften
zugewandt gehabt, und er habe es ihr höflich zu verstehen gegeben,
und sie habe schließlich zu ihm gemurmelt, ob sie einander wiedersehen würden, und er habe lange geschwiegen und zum Ende zweimal tief geseufzt –

sie habe aber das Ende des Gesprächs nicht annehmen wollen
und habe noch ein paar Sekunden auf ein beruhigendes oder aus-
gleichendes Wort von ihm gewartet, statt dessen habe sich eine be-
ängstigende Leere ausgebreitet zwischen ihnen: so daß sie am liebsten sofort habe auflegen wollen: aber irgend etwas, irgendein un-
ersättlicher Trieb in ihrem Innern habe sie dann noch *das Auflegen
des Hörers seinerseits* abwarten lassen –

# Angelika Mechtel

## An zwei Orten zu leben

I

Wenn sie aufsteht, fängt das Dorf an. Sie wäscht sich in der Küche
über dem Spülbecken, gibt Wasser ins Gesicht und unter die Achseln, obwohl sie lieber ihre Brüste betrachten würde, was sie in Gegenwart der Mutter immer noch nicht tut. Alles ist beim alten geblieben. Hier ist sie zu Hause. Nur die Toten gehen fort, ohne jedoch die Lebenden zu verlassen.

Den Vater haben sie gestern fortgebracht. Bis dahin wurde er
noch im elterlichen Ehebett gehalten. Sie kamen später als das
Milchauto, das die gefüllten Kannen am Straßenrand aufsammelt
und in den Kühlwagen leert, holten ihn, und ihre Mutter ist bis zuletzt still geblieben, hantiert neben der Tochter, kocht den Kaffee
nicht auf dem neuen Elektroherd, weil sie sparen will, hat Holz in
den Ofen geschichtet und Feuer gemacht. Das Fenster steht offen,
die Wiesen sind feucht.

Sie erinnert sich der Gerüche und Geräusche ihrer Kindheit,
denke ich. Nein, so lange ist sie nicht fortgewesen, daß sie Erinnerungen beschwören müßte. Die Vertrautheit der Dinge ringsum
hält den Zwischenraum zwischen Fortgehen und Rückkehr schmal.

Zum süßen Kaffee gibt es den Kuchen vom Sonntag. Die Mutter
legt die Arme auf die Tischplatte und sieht der Tochter freundlich
beim Frühstück zu. Überm Spülbecken hält der Bruder den Kopf
unters Wasser, sein nackter Oberkörper ist ihr vertraut, auch die
Narben von Wirtshausschlägereien. Manchmal hat er ein Mädchen, aber keine Braut. Nur die kleine Schwester benutzt täglich
das Waschbecken im Badezimmer, das der Vater einbaute, als er
noch Geld heimbrachte. Samstags beheizt die Mutter den Badeboi-
ler mit Holz. Die Rangfolge zur Benutzung des Badewassers war
von Anfang an festgelegt. Zuerst war immer der Vater an der
Reihe.

Sie läßt sich Kaffee nachschenken, tunkt den trockenen Kuchen
hinein, erkundigt sich, wann sie kommen.

Um neun, antwortet die Mutter.

Gegen acht werden sie die schwarzen Kleider anziehen, die noch
vom Tod der Großmutter im Schrank hängen. Für die Gäste ist

gestern abend frischer Kuchen gebacken worden, das ganze Haus riecht danach.

## II

Sie ist also heimgekommen. Im Dorf hat sich nichts merklich verändert. Nur die Kinder sind gewachsen. Selbst die Kleinsten kaufen sich inzwischen ihre Lollies im Reweladen, bedienen den Kaugummiautomaten, schauen beim Fußballspiel zu und werden diesen Winter mit den Großen auf dem gefrorenen Becken der Kläranlage Schlittschuh laufen. An der Telefonzelle neben dem ehemaligen Lehrerhaus treffen sich abends die Vierzehnjährigen, ihre Schwester steht dort, wie sie auch dort gestanden hat. Sonntags geht jeder zur Kirche. Dann tragen die Jeansmädchen Röcke, die Meßbuben weiße Spitzenhemden, und bei Beerdigungen tragen sie dem Trauerzug ein Kreuz auf der Dorfstraße voraus.

Die Bungalowsiedlung am Ortsrand ist noch nicht fertiggestellt, Kinderzimmer sind eingeplant, aber Kinder wurden in den letzten beiden Jahren keine mehr geboren. Das Pfarrhaus hat einen neuen Anstrich bekommen, eine kupferne Dachrinne und schmiedeeiserne Gitter vor den Parterrefenstern. An der Pfarrhaustür muß geläutet werden, die anderen stehen tagsüber offen. Hochzeiten werden gern im Frühsommer gefeiert, den Toten läutet die Sterbeglocke vom Kirchturm, der Hochzeitslader hat weniger zu tun als früher, aber er sagt, was gesagt werden soll.

Es hat lange gedauert, bis sie begriff, daß sie fortgehen wollte. Mädchen bleiben im Haus, bis man sie weggibt, aus den Zimmern der Söhne werden Brautzimmer.

Als sie vorgestern mit dem Fünf-Uhr-Bus eintraf, wurden die Kühe gerade an die Melkmaschine in den Ställen getrieben. Man blickte ihr nach. Von der Bushaltestelle zum Haus muß sie die Dorfstraße entlang durchs Dorf gehen. Sie hat ihre Frisur verändert, die langen glatten Haare zu kurzen Locken gedreht, auf die Schneidezähne, die sich verfärbten, Jacketkronen gesetzt. Die rotkarierte Reisetasche an der Hand durchquerte sie das Dorf, an der Auslage des Kramerladens vorbei. Ihre Rückkehr war erwartet worden. Bleibt sie, dann haben die Daheimgebliebenen recht behalten. Hier ist sie geboren, die Schneiderin hat ihre Maße. Manche kaufen sich ein Kleid auch in der Stadt.

## III

Als sich ihr Bruder, ein weißes Achselhemd übergezogen, an den Tisch setzt, riecht er säuerlich nach nassen Haaren und ausgeschwitzter Hefe, die das Bier durch die Haut treibt. Sie bemerkt das

ohne Abscheu, denke ich. Er hat sich den Stuhl des Vaters am Kopf-
ende genommen. Draußen hat die Sonne die Wiesen trockengelegt.
An trockenen Augusttagen teilen sich die Bauern in zwei Dresch-
maschinen, die Feld für Feld abernten. Die letzten können in ein
Gewitter kommen und müssen dann auf den nächsten Tag warten.
Sie erinnert sich. Ja, jetzt erinnert sie sich, als Kind beim Dreschen
um diese Jahreszeit geholfen zu haben. Bis Mitternacht wurde das
Korn auf der Tenne gedroschen, der feine Spreustaub drang in alle
Körperöffnungen. Als die Erträge sie nicht mehr ernährten, wur-
den die Felder verpachtet, später verkauft. Der Vater ging zum
Bau, dann zum Arbeitsamt um Unterstützung. Sie nahm eine Lehr-
stelle in einer Bäckerei, die sie nach drei Monaten verlor. Auf den
Lehrvertrag hatte sie sich vertrösten lassen. Danach wurde sie an-
gelernt, am Band setzte sie Teile feinoptischer Geräte zusammen.

Morgens um sechs nahm sie den Bus zur Stadt. Wenn sie aufstand, fing das Dorf an, die Kühe machten Krawall, weil ihre Euter
gefüllt waren, Vögel fielen in Obstbäume ein, zwei Häuser weiter
hatte der Hahn die erste Henne bestiegen; sie war morgens zu
müde, ihren Körper beim Waschen zärtlich zu berühren. Rosen
müssen geköpft werden, sobald sie verblüht sind. Nur die Groß-
bauern haben überlebt. Sie hat niemals den Bus versäumt, vom
Verdienst gab sie zu Hause Kostgeld ab, zu Weihnachten kauften
sie und ihr Bruder der Mutter den Elektroherd.

Wo der Stall gestanden hatte, baute der Vater ein Doppelhaus
mit Vorgarten und Balkon wie in der Stadt, vermietete es an Städter, und im Sommer mähte die Mutter den Rasen für sie, die nackten festen Beine von Mücken zerstochen, um die Haare ein Kopftuch gebunden. Sie hat immer älter ausgesehen als der Vater.

Ohne ein Wort darüber zu verlieren, hat sie ihr tägliches Leben
hingenommen, trug nur sonntags und an Fest- und Feiertagen
keine Kittelschürze, war nie neugierig gewesen, wie es sich woanders leben läßt.

Was willst du fortgehen? hatte sie die Tochter gefragt und sie in
allen möglichen und ausgedachten Gefahren gesehen: Was willst
du bei fremden Leuten?

Sie läßt das Feuer im Ofen nicht ausgehen, gießt Kaffeewasser
auf, die Arme bis zur Schulterkugel von der Sonne gerötet, die
Haut spröde, an Ellenbogen und Händen rissig wie ausgetrocknete
Erde. Um Holz nachzulegen, geht sie in die Hocke, hält mit ge-
spreizten Knien das Gleichgewicht des runden Körpers, aus dem
geöffneten Ofenloch schlägt ihr die Hitze ins Gesicht. Sie hat sich
von keinem anderen nehmen lassen. Vielleicht denkt sie in diesem
Augenblick, daß es vorüber ist. Den Leichenschmaus haben sie für

vierzehn Personen beim Wirt bestellt. Andere Bauern haben ein größeres Begräbnis.

IV

Sein Tod macht kein Zimmer frei, wie es der Tod der Großmutter getan hat. Die Enge wird nicht aufgelöst.

Die Mutter wird sein Bettzeug waschen, stärken und bügeln, die verwaiste Bettstelle herrichten, als käme er zurück, das Paradekissen schütteln, klopfen und aufrichten und daneben fest und tief schlafen. Im ehelichen Schlafzimmer wird sie nichts merklich verändern. Wenn es kalt wird, nimmt sie sich gern eine Wärmflasche zwischen die Beine. Nach der Hochzeit des Sohnes wird sie unters Dach ziehen wie die Alte vor ihr und an warmen Sommertagen auf der Bank vorm Haus sitzen, gleichmäßig mit dem Kopf nicken und halblaut vor sich hinsummen, Melodien, die nicht aufgeschrieben sind, versorgt von der Schwiegertochter.

Ich denke, daß sie gar nicht daran denkt, die Einsamkeit aufzuheben. In den Augen der Tochter leidet die Mutter nicht. Sie hat immer ein Dach über dem Kopf.

V

Mit siebzehn hätte sie sich verloben können, geheiratet wird später, wenn das Geld für die Einrichtung gespart ist. Vom Lohn für ihre Bandarbeit legte sie monatlich drei oder vier Hunderter zurück. Sie hätte auch den Hochzeitslader bezahlen können, er wäre für sie durchs Dorf gegangen. Sie machten es im Wagen. Er war Elektromechaniker, samstags fuhren sie zum Tanzen über die Landstraße. Am Wochenende ist das Dorf von der Außenwelt abgeschnitten, ein Mädchen braucht einen motorisierten Freund. Nachts drehen sie die Motoren auf wie Professionelle. Im Sommer nahm er sie auch werktags mit, brachte sie abends nach der Arbeit zum Schwimmen an einen Baggersee neben der Autobahn, schwimmen hatte sie von einer Freundin aus der Stadt gelernt. Als er sich verloben wollte, hielt sie ihn hin.

Freunde ihres Bruders waren die ersten gewesen. Sie hatte sich mitnehmen und anfassen lassen, wo sie sich selbst gern morgens beim Waschen angefaßt hätte. Niedergedrückte Stellen im Kornfeld können auch Lagerstätten von Rotwild sein. Die Kronenkorken der Bierflaschen wurden an den Pfosten der Weidezäune aufgedrückt, Zigaretten heimlich geraucht, und sonntags versteckten die Jungen ihre abgekauten Fingernägel unter dem Spitzenbesatz der weißen Meßdienerhemden, in die sie noch hineinwachsen sollten. Mit hochroten Ohren hatten sie die Freitagsbeichte verlassen. Der Elektromechaniker kam aus dem Nachbarort.

Als sie ihr Sparbuch benutzte, um den Führerschein zu machen und sich ein Auto zu kaufen, ließ er sich nicht länger an der Nase herumführen. Sie wollte mit dem Wagen nicht nur zur Arbeit und wieder nach Hause fahren wie ihr Vater und der Bruder, sondern auch einmal nach Andechs oder woanders hin. Ihre kindliche Neugierde hatte nicht abgenommen. Früher hatte sie darauf gewartet, daß die Mieter aus der Stadt Kinder mitbrachten, hatte sich ihnen angeschlossen, bis ihre Eltern das Landleben wieder aufgaben. Keiner ist ins Dorf hineingewachsen, der hier nicht geboren wurde. Mehr als der Vater war der Bruder dagegen gewesen, daß sie das Dorf und den Elektromechaniker verlassen wollte. Früher hatten die Mädchen in der Landwirtschaft geholfen, nicht in der Fabrik. Das wäre das ganze Elend, hatte der Bruder gesagt. In der Zeitung las er den Sportteil, manchmal kauft er sich auch einen Western als Heftchenroman, den liest er dann auf dem Klo, bis seine Schwestern gegen die Tür trommeln. In ihrer rotkarierten Reisetasche hat sie ihm einen Stoß davon mitgebracht. Er hätte sie von der Haltestelle auch abholen können. Warum kommst du mit dem Bus, wenn du ein Auto hast? hatte er gefragt. Den Bruder hat sie am meisten vermißt.

Im Gemüsebeet sind Wühlmäuse, sagt die Mutter. Wenn der Vater unter der Erde ist, wird der Bruder die Fallen stellen.

VI

Er hat sich zu Tode getrunken. Die kleine Schwester trägt schon die schwarzen Strümpfe, den Rock und die Bluse. Sie will auf die Realschule gehen und sich durchsetzen.

Du kommst wieder mal spät, sagt die Mutter und hat den Kaffee warm gehalten. Der Bruder steht auf, um sich naß zu rasieren. Seit sie zurück ist, beobachtet sie, denke ich, sieht die Abläufe im Haus wie eine Fremde. Vor zwei Jahren war die Schwester noch ein Kind, das sich im Heustadel des Nachbarn eine Höhle baute. Er hatte ihnen die Felder abgekauft. Junge Katzen werden im Fischteich ersäuft, ehe sie die Augen öffnen. Keiner hat bisher um den Vater geweint. Die Jüngste hat Lidschatten aufgelegt und ein bißchen Rouge auf die Backenknochen. Er hätte besseres verdient, hatte er manchmal gesagt. Ab und zu hatte er Glück beim Schafkopfen.

Nur den Lippenstift verbot er den Töchtern. Mit siebzehn war er zu Fuß bis nach Österreich gegangen. Diese Geschichten wollte beim Frühschoppen nach der Sonntagskirche keiner mehr hören. Der Pfarrer hat aus Israel Lichtbilder mitgebracht.

Mit der Mutter hat er übers Wetter geredet und übers Haushaltsgeld. Die Jüngste brachte bessere Noten nach Hause als ihre Geschwister, darauf war er stolz.

Jetzt weiß sie, daß er Schwierigkeiten hatte, sich mitzuteilen, den Umgang mit Wörtern hatte er nur zum täglichen Gebrauch gelernt. Sobald er begraben ist, werden sie über ihn reden. Sie haben sich alle lange nicht mehr gesehen. Wer nach der Trauung den Brautstrauß fängt, ist die nächste.

## VII

Der Meßbub, der ihnen das Kreuz auf der Dorfstraße voranträgt, hat rote Ohren. Neben der Mutter geht der Bruder, wie der Vater beim Tod der Großmutter gegangen ist. Zur Messe kommt das Dorf. Fremde Leute sehen ihnen zu. Nur die Kramerin bleibt im Laden, weil sie die Kasse nicht allein lassen kann.

Wo er getauft wurde, wird er ausgesegnet. Ich denke, daß man mich hinter der Gardine am Fenster nicht sieht. Ein neuer Friedhof außerhalb des Dorfes ist schon beschlossene Sache. Samstagnachmittag kommen die Frauen von den Gemüsebeeten an ihre Gräber, um Blumen zu setzen und Unkraut zu jäten.

Ich frage mich, ob sie darüber nachdenkt. Wäre sie früher heimgekommen, hätte die Schneiderin das schwarze Kleid an Hüfte und Taille noch enger machen können. Ihre Maße haben sich verändert.

Als sie Erde auf den Sarg gibt, hat sie einen Kloß im Hals, bemerkt, wie der Meßbub unter den Blicken ihrer kleinen Schwester die Hände im Hemd versteckt.

Das Auto habe ich verkauft, sagt sie später zum Bruder, zur Arbeit fährt sie mit der U-Bahn.

Wenn sie morgen den Bus nimmt, hört das Dorf hinter der nächsten Straßenbiegung auf. Die Farbe des Lippenstiftes bestimmt sie nach der Farbe ihrer Bluse, morgens liebt sie sich unter der Dusche. Während die Wirtin zum Abschluß Kaffee und Eis mit heißen Himbeeren aufträgt, meint sie sogar, besser zu leben als alle anderen, nur alt werden will sie nicht beim Zusammensetzen feinoptischer Geräte.

# Peter de Mendelssohn

## Dann mußte er fort . . .

Die Schülerzeit, die »junge Schwelgerei an Natur und Erdenweite«
– sie hieß Aix und war Lübeck. »Wie unermeßlich blau der windige
Himmel . . .« der Ostsee oder der Provence? Im Kindheitsfreund
Cézanne blickt Bruder Thomas ihn an. Zola »beendet das Gymnasium erfolglos, weil . . . sofort die Literatur ihn allem anderen
fremd macht«. Heinrich Mann verließ die Schule kurz vor dem
Abiturium. »Dann mußte er fort –« der eine wie der andere.

Am 30. Juni 1891, in seinem einundfünfzigsten Jahr, setzte der
Kaufmann, Konsul und Senator der freien und Hansestadt Lübeck,
Thomas Johann Heinrich Mann, sein Testament auf. Darin hieß es:
»Den Vormündern meiner Kinder mache ich die Einwirkung auf
eine praktische Erziehung meiner Kinder zur Pflicht. Soweit sie es
können, ist den Neigungen meines ältesten Sohnes zu einer soge-
nannten literarischen Tätigkeit entgegenzutreten. Zu gründlicher,
erfolgreicher Tätigkeit in dieser Richtung fehlen ihm meines Erach-
tens die Vorbedingnisse, genügendes Studium und umfassende
Kenntnisse. Der Hintergrund seiner Neigungen ist träumerisches
Sichgehenlassen und Rücksichtslosigkeit, vielleicht aus Mangel an
Nachdenken.« Am nächsten Tag ein Zusatz: »Ich bitte, daß mein
Bruder seinen Einfluß auf meinen ältesten Sohn ausübe, damit er
nicht auf einen falschen, zu seinem Unglück führenden Weg gerate.
Mein Sohn soll das Ende ins Auge fassen, nicht nur die gegenwärti-
gen Wünsche.« Drei Monate darauf starb der Senator. Der älteste
Sohn, am 27. März 1871 geboren und nun in seinem einundzwan-
zigsten Jahr, war seiner Aufsicht längst entkommen und unbeirrbar
auf dem »falschen« Weg. Er eilte aus Berlin herbei.

»Ungeeignet befunden für das väterliche Geschäft, eine über
hundertjährige Handlung, Schiffsreederei, Getreide-Import und
Export, hätte der Sohn den Vater auch nicht befriedigt, wenn er ein
staubiger Sortimenter wurde – alle dieser Branche sahen verstaubt
aus. Senator Mann hat natürlich gewußt, daß sein Junge nur fort-
wollte, aus Lübeck, von der Schule, gleichviel in welche Art Leben.
Zuhälter wäre er bei passenden Verhältnissen auch geworden.
Baldmöglichst brannte er von der Stelle durch, warf sich in Berlin
auf das Gebiet seiner Neigungen, machte Schulden. Von all dem

erfuhr der Vater nichts mehr. Dem Zwanzigjährigen sagte der Sterbende, was er längst gemeint, nur verschwiegen hatte: ›Ich will dir helfen.‹ Schriftsteller zu werden: beiden war es klar; der eine küßte dem anderen die Hand, er küßt sie ihm noch heute. Das kann einer nur selbst schreiben; es ist der Weg seiner frühen Irrungen, Wirrungen, Begierden, Schmerzen . . .«

So schrieb Heinrich Mann an seinem Lebensabend an einen langjährigen Bewunderer, der seine Biographie verfassen wollte. »Das kann einer nur selbst schreiben« – er selbst aber hat es nicht geschrieben, sondern nur hier und dort in seinem Werk angedeutet, bruchstückhaft skizziert; und im Zola-Essay verschlüsselt.

Er war das älteste der fünf Kinder des Senators. Der zweite Sohn, Thomas Mann, der seinen ganzen Lebens- und Schaffensweg liebend, eifernd und wieder liebend begleitete und ihm – über zeitweise abgründige Zerwürfnisse hinweg – unlöslich verbunden blieb, kam vier Jahre nach ihm auf die Welt. Zwei Schwestern, Julia und Carla, folgten, und an der jüngeren hat der älteste Bruder inniger gehangen als an irgendeinem Menschen seiner Welt. Endlich als Nachzügler, im letzten Lebensjahr des Vaters geboren, der dritte Bruder Viktor, der ein hübsches, doch wenig zuverlässiges Erinnerungsbuch schrieb.

Brüder sein, sagte Thomas Mann zu Heinrichs 60. Geburtstag, »das heißt: zusammen in einem würdig provinziellen Winkel des Vaterlandes kleine Jungen sein und sich zusammen über den würdigen Winkel lustig machen . . . Dies alte Lübeck, lieber Bruder, in dem wir kleine Jungen waren, ist ein merkwürdiges Nest mit seiner pittoresken Silhouette . . . wenn ich sie mir so ansehe, diese Herkunft, so scheint es mir um ihre bürgerliche Gesundheit eigentümlich suspekt zu stehen, nicht ganz geheuer, nicht ganz uninteressant. Es hockt in ihren gotischen Winkeln und schleicht durch ihre Giebelgassen etwas Spukhaftes, allzu Altes, Erblasthaftes – hysterisches Mittelalter. Unser Künstlertum, daß es ist und wie es ist – ich habe nie umhin gekonnt, es auf irgendeine Weise mit diesem heimlich umgehenden und nicht ganz geheuren Stadtspuk in kausalen Zusammenhang zu bringen. Nicht nur mit ihm: es ist da noch die romanische Blutmischung, die gewiß ein übriges unter anderem übrigen getan hat, aber den Effekt kaum gezeitigt hätte, wäre sie nicht auf solches seelisches Altertum getroffen. Lübecker Gotik und ein Schuß Latinität – es wäre ja ein Irrtum, wollte man bei jedem von uns nur das eine oder andere finden . . .«

Romanische Blutmischung, ein Schuß Latinität – damit war die Mutter gemeint, Julia da Silva Bruhns, Tochter eines aus Lübeck stammenden Plantagenbesitzers und einer kreolischen Brasilianerin, in Brasilien geboren und dort aufgewachsen und als junges Mädchen nach Lübeck zurückgekehrt; sie war neunzehn Jahre alt, als ihr ältester Sohn zur Welt kam. Diese junge Mutter, elf Jahre jünger als der Vater, war nicht nur eine sehr schöne, sondern auch eine musisch begabte Frau, die musizierte, malte, schrieb und vor allem eine phantasievolle Vorleserin für ihre Kinder war – bis die Söhne selbst nach den Büchern griffen, begierig zu lesen und sogleich auch zu schreiben, zu ›dichten‹ begannen und so zu des Senators Kummer auf den ›falschen‹ Weg gerieten. Der vierzehnjährige Heinrich machte seine ersten erzählerischen, der sechzehnjährige seine ersten lyrischen Versuche; zudem fesselte ihn von frühauf das Theater und die Komödiantenwelt, und eigentlich wollte er überhaupt Maler werden; an Begabung auch hierfür fehlte es durchaus nicht.

»Als Knaben nahm der Vater mich auf die Dörfer zum Getreide-Einkaufen mit. Damals hoffte er noch, ich könnte ihm nachfolgen. Er ließ mich ein Schiff taufen, er stellte mich seinen Leuten vor. Das alles schlief ein, als ich zuviel las und die Häuser der Straße nicht hersagen konnte.« Es steckte kein Kaufmann in ihm, sein Lebtag nicht; und auch kein ehrgeiziger Schüler. Er blieb zwar nicht, wie sein Bruder Thomas, zweimal sitzen, fürchtete aber, nicht nach Oberprima versetzt zu werden und ging lieber vorzeitig von der Schule ab. Wenn schon Literatur, scheint der Vater gemeint zu haben, dann wenigstens dort, wo sie kommerziellen Boden hat. Im Herbst 1889 kam der Achtzehnjährige als Lehrling in die altberühmte Buchhandlung v. Zahn und Jaensch nach Dresden; vor seinem Weggang schrieb er eine sarkastische Verhöhnung seiner Vaterstadt und ihres philiströs-behäbigen Großbürgertums von vortrefflichem Scharfsinn.

»Von Heinrich hatten wir schon mehrere Briefe aus Dresden. Es scheint ihm dort sehr zu gefallen.« So schrieb Bruder Thomas vierzehnjährig in einem Brief, in dem er sich selber bereits als »lyrisch-dramatischer Dichter« unterzeichnete. In Wahrheit gefiel es Heinrich in dem »staubigen« Beruf gar nicht. Er war der lübischen Spukgotik entronnen – zwei frühe Skizzen waren anonym 1889 in der ›Lübecker Zeitung‹ erschienen –, aber er wußte sich jetzt nur um so ratloser. Wie war innerer Halt zu gewinnen in einer so fragwürdigen Welt? *Haltlos* ist denn auch der Titel einer frühen autobiographischen Novelle, die er damals, 1890, schrieb:

»Die schwarze Flut von Nörgelei und Verachtung, in die schon der Knabe geraten durch fortwährende Selbstbespiegelung, Zerlegung des eigenen Innern und Schlüsse auf die Außenwelt, schlug über seinem Kopf zusammen, jede Hoffnung begrabend . . . mit einer nur ihm selbst bekannten, immer ängstlich verborgenen Innenwelt der gemeinen Alltäglichkeit als etwas anderes, etwas ganz Fremdes gegenüberstehen – das hatte ihm selbst geschmeichelt.«

Kälte, Hochmut, wortkarge Unzugänglichkeit hatten schon seine Geschwister und Schulkameraden an ihm gespürt; in der Dresdner Buchhandlung hatte man das gleiche an ihm auszusetzen. »Da sie mir hier nicht zum ersten Male vorgeworfen sind, müssen mir alle diese Eigenschaften doch wohl anhaften – ich verstehe sie nur nicht.« So an den besorgten Vater. Und an den Schulfreund Ludwig Ewers, im selben Jahr 1890: »Der einzige Dichter, der so glücklich ist, alle meine Ansprüche zu erfüllen, ist Heinrich Heine. Welch großartiger Realismus! ›Idealist‹ im althergebrachten Sinne bin ich niemals gewesen, denn ich habe mich von Anfang an nach Heine gebildet, der von einem solchen ›Idealisten‹ nichts an sich hat. Wahrer Idealist aber ist auch er, wie jeder andre echte Realist; denn das höchste Ideal ist die Wahrheit; ein Ideal, das mit allen anderen Idealen vornehmlich auch das gemeinsam hat, daß es ohn' Unterlaß verfolgt und verleumdet wird.« Fünf Jahre später schreibt der achtzehnjährige Hermann Hesse an seinen Schulfreund Theodor Rümelin mit beinahe denselben Worten über den bestimmenden Einfluß, den Heine auf seine Jugend hat.

# Michael Molsner

## Von uns aus gesehen

Wie wir jetzt Hand in Hand durch unser gemütliches Wohnzimmer gehen, sind wir zwei grundsolide Leute: Großvater mit seinem stattlichen Bauch und der schwergoldenen Uhrkette quer über der Weste, ich in meinen kurzen Samthosen mit den bestickten Hosenträgern über dem weiß gestärkten Hemd. Selbstsicher treten wir ans Fenster. Mag auf der Straße passieren, was will, von unserm Wohnzimmerfenster aus wissen wir alles einzuordnen, uns haut so leicht nichts um. Großvater lächelt ein bißchen, er sagt: »Opa . . .« Ich antworte: ». . . weiß alles.« Auf den Felsen dieser Gewißheit kann ich mein Leben bauen.

Es ist angenehm, auf die Straße runterzuschauen, immer interessant, immer was los. Eine junge Frau kommt herangeradelt. Und der mickrige Wicht aus der Wohnung über uns tritt aus der Tür, vor ein paar Jahren noch kleiner Schreiberling in irgendeinem Büro, und jetzt hat er sich wichtig mit brauner Uniform, Hakenkreuzbinde am Arm, sogar Reitstiefeln an den Füßen. Er tänzelt die Vortreppe hinunter, Blick militärisch zackig stur nach vorn, so geht er quer übers Trottoir und ohne zu zögern über den Radweg.

Er geht frontal in das Rad hinein, die junge Frau wird förmlich weggefegt, stürzt, überschlägt sich. Der Wicht geht geradeaus weiter, ohne hinzusehen gibt er nur dem Rad noch einen Tritt, daß es ihm nicht im Weg ist. Die junge Frau liegt auf allen vieren, schaut ihre Hände an, Blut dran, schaut mit halboffenem Mund, aber ganz ausdruckslosen Augen hinter ihm drein. Dann steht sie auf, nicht langsam und nicht schnell, ganz normal steht sie auf, klopft sich ab, hebt ihr Rad auf den Radweg, steigt auf und fährt weiter. Das ist jetzt doch ein Schock, und Großmutter, die auf einmal hinter uns steht, kann wieder mal nichts als losheulen und rauslaufen. Aber Großvater weiß eine Erklärung: »Das ist eine Polin«, sagt er. Durch scharfes Zusammenpressen der Lippen deutet er außerdem an, daß es so ja nun auch nicht geht. Diese Emporkömmlinge, die sich jetzt überall breitmachen, die benehmen sich wirklich unmöglich. Die anständigen Nationalsozialisten alle an der Front, und dieses Pack tritt hier auf wie Graf Koks.

Wir haben sehr feste Vorstellungen von Recht und Unrecht,

mein Großvater und ich, und von dem, was sich gehört. Nur, unternehmen können wir natürlich nichts, von unserem Wohnzimmer aus. Schließlich ist es nicht kriminell, was der Mann da gemacht hat. Nur irgendwie sehr gewöhnlich. Kriminell ist, wenn die Polizei dich abholt. Diesen Unterschied erkenne ich ganz deutlich, auch wenn ich erst vier Jahre alt bin.

Das Elend ist bloß, daß sogar Leute wie Großvater neuerdings schon Angst vor der Polizei haben müssen, seit die guten Nationalsozialisten alle an der Front sind und nur das Pack sich noch hier herumdrückt. Weil Großvater einfach eine ganz andere Lebensart hat, und das paßt denen natürlich nicht. Zum Beispiel dieses Weihnachtsfest, Weihnachten 43.

Früher in Süddeutschland ist es Großvater ja nicht so besonders gegangen, und jetzt in Allenstein, wo er Herr Direktor ist und einen großen Betrieb leitet, hat er die bösen Zeiten nicht vergessen und ist seinen Leuten ein anständiger Chef. In der Dunkelheit kommen sie an, die polnischen Zwangsarbeiter, kurz vor der Bescherung (ich bin schon ungeduldig). Manche lächeln, andere weinen, alle geben sie Spielzeug für mich ab, selbstgebastelt. Und Großmutter weint natürlich auch wieder, weil die armen Kerle so verhungert aussehen, sie überreicht Tüten mit Plätzchen nach schwäbischem Rezept, auch Wurst und Käse. Großvater macht ein strenges Gesicht dazu, wie immer, wenn er gerührt ist. Ich fühle mich edelmütig und ängstlich, stark und gefährdet, alles auf einmal – weil ich ja genau weiß: Es ist schon richtig, den armen Kerlen was zu geben, aber wenn der Hundertfuffzigprozentige da oben jetzt die Polizei holt, dann wird es kritisch. Die guten Leute alle weg, die Miesen geben den Ton an . . . Da ist es schon *fast* kriminell, was die Großeltern da machen, und ist mir deshalb doch nicht so *ganz* recht, schließlich freue ich mich auf eine ungestörte Bescherung.

Daß Großmutter dann noch zwei von den Frauen umarmt, das kommt mir schon ein bißchen übertrieben vor, es macht mich ein bißchen ungeduldig . . . Ich meine, wir wollen ja demnächst auch mal zur Bescherung kommen, nicht? Für wen wird der Zauber denn veranstaltet, für die oder für mich? Endlich gehen sie, aber leise und einzeln, damit der Mickerling oben nichts merkt.

Schön, so ein Weihnachtsbaum. Oder die Erinnerung, wie man zu den Zwangsarbeitern gut war. Oder am Tag der Wehrmacht die vielen deutschen Soldaten, wenn Erbsensuppe mit Speck ausgeteilt wird und alles singt WESTERWALD, und ich gehe Hand in Hand mit dem Großvater zwischen Panzern und Kanonen durch; es ist ein gutes Gefühl, wärmt einen richtig, innerlich. Und wenn wir Bekannte treffen, reiße ich schneidig die rechte Hand hoch und rufe:

»Heil Hitler!« Daß das recht ist, sehe ich allen Umstehenden am Gesicht an, sie lächeln, auch Großvater ist stolz. »Ein aufgeweckter Bursche.«

Dagegen ist es sehr gefährlich, ja es ist praktisch schon kriminell, was Mutter macht. Sonst sehe ich sie ja wenig, sie wohnt mit dem Stiefvater in einem weißen Haus am Stadtrand, und natürlich kann man ihr wieder mal nichts recht machen, selbst bei einer so zufälligen Begegnung. »Heil Hitler, Mutter!« Da sagt sie laut und scharf: »Ich will nicht, daß du dem Jungen den Nazigruß andressierst.«

Daß sie so was nicht sagen darf, fühle ich deutlich. Mich empört der Angriff auf Großvater, außerdem begreife ich genau: das ist gefährlich – auch ohne daß der Großvater nun viele Worte gemacht hätte. Er sagt nur kalt und mehr verletzt als mißbilligend: »Du bringst uns wirklich noch alle ins Gefängnis.« Er hat recht, ich weiß es. Keiner braucht es mir lange zu erklären.

Insgesamt ist es aber doch ein stolzer, schöner Tag. Mißklänge vergessen wir dann auch schnell wieder, mein Großvater und ich.

Frühjahr 45. Das Nötigste ist zusammengepackt für die Flucht, wir stehen und schauen uns alle noch mal in dem schönen Wohnzimmer um, wo wir zu Hause waren. Plötzlich fällt Großmutter noch was ein, sie nimmt das Bild des Führers von der Wand und schiebt es hinter den Kachelofen. »Die Russen sollen es doch nicht finden.«

Wir haben feste Vorstellungen vom Führer. Er hat immer das Beste gewollt, aber manches eben leider nicht erfahren – ja, manches Schlimme, das in seinem Namen angerichtet worden ist von Drückebergern wie diesem Wicht in der Wohnung über uns, vielleicht sogar sehr vieles ist ihm verheimlicht worden. Von schlechten Menschen in seiner Umgebung. Er wäre doch sonst sofort eingeschritten. Den Krieg zum Beispiel kann er unmöglich gewollt haben: »Wo er doch so stolz war auf seine herrlichen Soldaten«, sagt Großmutter unglücklich, wenn Mutter ihre gefährlichen und unpassenden Bemerkungen macht. »Die hätte er doch nie in einen Krieg geschickt zum Sterben.«

Daß Großmutter recht haben muß, ist klar, der Dümmste muß es einsehen. Großvater hat auch nicht immer alles erfahren, was so passiert ist in seinem Betrieb. Aber *wenn* er was erfahren hat, dann ist er auch eingeschritten oder hat wenigstens gemildert.

Wir sind keine schlechteren Nationalsozialisten als andere, und Großmutter meint es nur gut mit dem Bild des Führers, wenn sie es versteckt. Trotzdem sind die Zustände so, daß Großvater mißbilligend die Lippen zusammenpreßt: »Wenn die SS davon hört . . .«

Aber die SS ist wohl auch schon abgehauen. Machen wir uns nichts vor. Die Ordnung ist nicht mehr gewährleistet.

Das ist der Zusammenbruch Deutschlands.

»In Allenstein, das war unsere schönste Zeit«, sagt Großvater jetzt manchmal. Er spricht von den riesigen Seen und wie ich einmal beinahe in einen hineingefallen wäre, und von den herrlichen Wäldern, wo wir Pilze und Beeren gesucht haben, und von den dankbaren polnischen Zwangsarbeitern. Es war nicht recht, daß sie gezwungen worden sind, aber was hat man machen können? Ein Wort, und die hätten dich an die Wand gestellt.

Jetzt leitet er keinen Betrieb mehr, sondern schreibt ums Zeilenhonorar Berichte für die kirchenfreundliche Lokalzeitung, stockschwarz, acht Pfennig die Zeile. Jahreshauptversammlung der Concordia, neuer Vorstand bei Gut Holz e. V. Er ist überall beliebt, weil er immer so gut gelaunt ist, für jeden ein nettes Wort hat. Nur abgemagert ist er, furchtbar abgemagert. Man kann sich kaum vorstellen, daß er mal zweieinhalb Zentner gewogen hat. Es ist schrecklich, wie knapp die Lebensmittel sind.

Aber wenigstens wohnen wir bald wieder in einem eigenen Haus. Natürlich nicht zu vergleichen mit dem in Allenstein; es ist diesmal nur ein Behelfsheim; eine ganze Schleife von solchen Behelfsheimen ist vor die große Sandgrube hingebaut worden. Wir haben unseres durch Beziehungen bekommen, meine Mutter kann nämlich Englisch und schafft beim Ami. Ihr Englisch hat sie gelernt, als sie mit vierzehn Jahren einfach nach London abgehauen ist und dort eine Weile als Au-pair-Mädchen gelebt hat; was Genaues weiß ich nicht, meine Großeltern reden nicht weiter darüber, ich kriege nur zu spüren, daß meine Mutter ihnen damals ein großes Unrecht angetan hat. Aber jetzt haben wir dadurch dieses Behelfsheim.

Es ist gemütlich warm in der großen schönen Küche. Großmutter steht am Herd und kocht, und ich stehe gern bei ihr und schaue ihr zu – bis dann auf einmal dieser Gaul so schreit.

Durch unser Küchenfenster sehe ich alles ganz deutlich. Das mit Sand hochbeladene Fuhrwerk und wie das Pferd sich abmüht, aber es kriegt den Wagen einfach nicht von der Stelle. Der Fuhrknecht schlägt es und schlägt es, mit einem dicken Schaufelstiel, und das Pferd schreit entsetzlich; immer wieder wirft es sich mit seinem ganzen Gewicht ins Geschirr, bäumt sich schreiend auf und wirft sich nach vorn; aber der Wagen ruckt nur, es geht nicht vorwärts.

Großmutter ist blaß. Aber ich will nicht nur blaß werden, ich gehe bereits zur Schule und habe gelernt, das darf der nicht, das ist

Tierquälerei, und Tierquälerei ist verboten. »Wir müssen ihn anzeigen«, sage ich zur Großmutter.

Sie zieht mich zurück, führt mich ins andere Zimmer. »Schau nicht mehr hin.« – »Aber das ist doch verboten, was der macht!« – Großmutter antwortet kurz angebunden, als ob sie ärgerlich wäre: »Das ist der Sohn vom Bauern U.«

Da sage ich nichts mehr. Obgleich ich erst sieben bin, begreife ich doch schon: Ja, wenn es so ist, wenn es natürlich der Sohn vom Bauern U. ist ... Nicht daß der U. eine Respektsperson für uns wäre, so ein Kuhbauer, das war früher gar nichts; aber jetzt, wo das Essen so rar ist, sind diese Bauern alles Großkopfete, und wenn du nicht wenigstens eine Perserbrücke herausrückst, dann behalten sie ihre Eier und ihr Schmalz und ihr Mehl für sich. Die haben doch alle groß verdient durch das Elend, die haben sich doch gesund gestoßen am Hunger, und jetzt gehört dem U. nicht nur die Sandgrube, dem gehört auch unser Haus. Einmal hab ich ihm die Miete hintragen müssen auf seinen Hof, er hat blöd gegrinst und mit seinen Knechten herumgebrüllt ... Später irgendwann hat mir jemand gesagt, bei denen gibts jeden Abend Eierkuchen. Jeden Abend Eierkuchen, das muß man sich mal vorstellen, Großvater hat nur den Kopf geschüttelt, als er es hörte. »Emporkömmlinge.« Jeder hats gern bequem, aber jeden Abend Eierkuchen, so benimmt man sich doch nicht, es ist gewöhnlich. Es ist schlecht, wenn die Emporkömmlinge sich breitmachen, aber unternehmen können wir da nichts, von unserm Küchenfenster aus. Großmutter weint, und Großvater zieht die Mundwinkel herunter wie damals in Allenstein bei der Polin: »Die richten sich doch selbst, diese Leute. Es kommen auch mal wieder andere Zeiten.«

Ich denke an die Spitzbuben und Zimtsterne, die wir den Zwangsarbeitern geschenkt haben am Heiligen Abend dreiundvierzig, und sage: »Ich passe das Pferd ab und geb ihm ein bißchen Zucker.« – »Wo der Zucker so rar ist?« – »Oder vielleicht einen Apfel.« – »Das geht schon eher.«

Mit einem unangenehmen Gefühl gehe ich spielen. Ich merke genau, eigentlich habe ich schon zuviel über den Vorfall geredet, die Großeltern sprechen nicht gern über Sachen, die man nicht ändern kann, besonders den Großvater macht es sehr ungeduldig, er dreht sich um und vergißt es. Als er mich abends ins Bett bringt und mir die Decke zum Kinn zieht, sagt er: »Opa ...« Ich sage: »... kann alles.« Jetzt lächelt der Großvater wieder, er freut sich. Es wäre nicht günstig, den Sohn vom Bauern U. noch mal zu erwähnen.

Schweigen ist Gold. Man muß nicht alles rausplappern wollen.

Aber nicht immer wird der Großvater ärgerlich, wenn ich schimpfe. Es gibt zum Glück auch einen Haufen Leute, über die kann ich schimpfen, wie ich will, da freut er sich und wird nicht ungeduldig beim Zuhören.

Das Schwimmbad liegt unten im Tal, gleich hinter dem Arbeiterviertel. Und natürlich ist es kein Wunder, daß die ganzen rauhbautzigen Proleten vom HÜTTENWERK sich da rumtreiben. Wie die sich aufführen – das sagt der Großvater auch –, das kann man allmählich wirklich nicht mehr mit ansehen. Die Weiber hocken auf ihren Decken herum, den Rock hochgezogen bis ich weiß nicht wohin, und natürlich immer fünf, sechs Bälger um sie herum, und erst gestern hab ich mit eigenen Augen gesehen – Ehrenwort! Wenn ichs doch sage! –, da nimmt eine einfach so ein Kind aus dem Kinderwagen raus und gibt ihm . . . also stillt es. Vor allen Leuten. Spinnen die? Oder was? »Proleten«, sagt Großvater. Aber es bringt ihn nicht in Verlegenheit, wenn ich so was erzähle. Im Gegenteil. Jetzt kann ich mal richtig loslegen.

»Und neulich, da hat einer einfach alle seine Kinder ins Tiefe geschmissen, eins nach dem andern. Die haben gebrüllt wie am Spieß, kann ich dir sagen.« In Wirklichkeit liegt der Vorfall schon länger zurück, aber ich merke ja, es gefällt dem Großvater, was ich da erzähle. »Eins von den Kindern hätte doch leicht ertrinken können. So was passiert doch im Nu.« – »Tja«, sagt der Großvater. – »Oder vielleicht sogar alle. Aber das war dem scheint's ganz egal. Er hat nur gelacht und gesagt, so, jetzt könnt ihr schwimmen.« – »Paß nur auf, daß du nicht auch mal im Tiefen landest«, sagt Großmutter. »Mit denen läßt er sich ja wohl nicht ein«, sagt Großvater. »So gescheit wird er ja wohl sein allmählich.« – »Ich bin doch nicht lebensmüde.«

Schimpfen ist prima, tut richtig gut, man wird so warm innerlich – aber nur, wenn die Großeltern dadurch nicht verlegen werden oder sogar ärgerlich. Auf dem Weg ins Tal runter zum Schwimmbad komme ich immer an großen schönen Häusern vorbei, an der Hinterfront, wo die großen Gärten sind. »Vor allem Beamte«, sagt Großvater, er nimmt seinen Hut vom Kopf und setzt ihn gar nicht mehr auf, weil er soviel grüßen muß. »Mach du dein Abitur eines Tages und geh zur Post. Oder zur Bahn. Dann hast du auch so ein schönes Haus und kannst später eine dicke Pension einstreichen.«

Einer hat seine Kirschbäume so nah an den Zaun gepflanzt, daß die Zweige überhängen. Da kann es dann schon mal passieren, ich meine, auf dem Weg zum Schwimmbad runter kann es ja dann mal sein, daß man da mal hinfaßt und sich so ein paar Kirschen herunterholt. Schlecht ist es natürlich, wenn auf einmal der Eigentümer

hinter seinen Büschen vorgerannt kommt und »Saububen ver-
reckte« schreit. Voller Empörung berichte ich am Abend dem
Großvater: »Und dann hat er seine Schaufel nach uns geschmissen.
Sooo nah ist sie an meinem Kopf vorbeigepfitzt. Ich hätte doch tot
sein können. Oder vielleicht auch der Manfred.« In dem Moment
merke ich schon, ich hab einen Fehler gemacht. »Um den Manfred
wäre es sowieso nicht schad gewesen«, ruft Großvater ärgerlich. »Es
sind schließlich nicht seine Kirschen, oder?«

Manchmal hört er es gern, wenn ich auf Leute schimpfe, und
dann wieder nicht. Er hört es ganz gern, wenn ich wieder eine neue
Geschichte von den Proleten weiß. Die Emporkömmlinge kann er
ungefähr genausowenig leiden wie die Proleten, trotzdem wird er
ärgerlich, und mag es nicht hören, wenn einer etwas Sonderbares
getan hat.

Aber mit diesen Beamten, das ist wieder etwas anderes. Wenn er
an ihren Gärten vorbeigeht, grüßt er immerzu, und manchmal
bleibt er auch stehen und macht seine Späße, dann wird hin und
her geredet und viel gelacht. »Die Äpfel gedeihen ja wieder un-
wahrscheinlich.« Oder wenn eine junge Frau im Garten ist: »Die
Sonne geht auf.« Dann lachen alle. Oder man unterhält sich über
die Wagner-Übertragung gestern abend im Rundfunk. »Bayreuth,
jaja, das ist schon was.« – »Viereinhalb Stunden sind natürlich auch
ein Schlauch.« – »Ja, schon. Aber wenn ich die Muße habe, kann
ich gar nicht genug davon kriegen.«

Allmählich bekomme ich ein Gefühl dafür, über wen ich schimpfen darf. Daß uns zum Beispiel der Feldhüter so angeschrien hat –
»Das nächste Mal hetze ich meinen Hund auf euch, Saubande ver-
kommene!« –, das erzähle ich ihm gar nicht mehr erst. Wenn er den
Feldhüter trifft, bleibt er immer stehen und dann reden sie zusammen. Und schließlich, was haben wir im Kornfeld zu suchen. Auch
wenn wir *zwischen* die Halme treten und gar nichts kaputtmachen:
es sind schließlich nicht unsere Felder.

Auf den Feldhüter schimpfen oder auf einen Gartenbesitzer, das
bringt nichts, das gibt nur dicke Luft zu Haus. Das sind Leute, mit
denen will Großvater gut auskommen. Es kann dann sogar vorkommen, daß er einen roten Kopf kriegt, aus dem Zimmer marschiert
und die Tür hinter sich zuknallt. Dann wird Großmutter ganz weiß
im Gesicht und zittert. Und ich bin wie betäubt.

Aber jeder ist gegen dieses Pack aus der Baracke. Und ich merke,
da kann ich erzählen: ». . . alles Barackenmädchen, sechs oder sieben Jahre alt. Und weißt du, was die angehabt haben? Die haben
nämlich keine Kleider angehabt!« Großvater und Großmutter
schauen einander kurz an. »Sie werden ja wohl nicht nackt rumge-

laufen sein«, sagt Großvater. – »Die Badeanzüge von ihren Müttern haben sie angehabt. Mit Oberteil.« – »So sind die durch die Stadt gelaufen?« Großvater ist belustigt. – »Zum Schwimmbad runter. An den Gärten von den Beamten vorbei. Die haben vielleicht geschimpft, kann ich dir sagen.« – »Ein Glück, daß in den Oberteilen nichts drin war«, sagt Großvater und lacht. Großmutter wirft ihm einen besorgten Blick zu. – »Sie haben Taschentücher hineingestopft, einfach ein paar Lumpen. Und sich dazu noch mit Lippenstift die Gesichter verschmiert.«

Das sind so Geschichten, die hört jeder gern. Die kann ich nicht nur zu Haus erzählen, da hören auch Onkel und Tanten immer wieder angeregt zu und legen mir noch ein Stückchen Kuchen auf, obwohl das Mehl noch rar ist. »Das ist wirklich unglaublich, was sich da abspielt, in diesen Baracken«, sagt mein Onkel F. Er hat gerade einen Kollegen zu Besuch, der ist auch beim Finanzamt, und der Kollege sagt: »Weil das Gesindel nicht arbeitet.« Mit solchen Geschichten habe ich nie Ärger, da sind wir uns immer alle einig und wissen auch gleich einen Ausweg: Die Polizei müßte man da holen, bei diesem Lumpenpack. Da hilft wirklich nur noch der harte staatliche Zugriff. »Ich will jetzt nicht falsch verstanden werden«, sagt der Kollege und mampft seinen Kuchen, »ich bin mein Lebtag kein Nazi gewesen, aber eins muß man sagen, unter Adolf hätten die das nicht gemacht, unter dem nicht.«

Das Schöne an so einer Geschichte ist, sie macht keinen Ärger. Man erzählt, wie es einem in den Kopf kommt, und alle verstehen sich gleich viel besser, eine gemütliche Atmosphäre kommt auf.

Manchmal bin ich richtig froh und fühl mich ganz warm und aufgehoben in der Familie, wenn ich auf Leute schimpfe. Und dann wieder gibt es nur Krach, sowie ich den Mund auftue. So lerne ich und werde immer gescheiter. Es kommt nur noch selten vor, daß ich danebenhaue wie beim Handwerksmeister B.

Er wohnt im Behelfsheim gegenüber, aber trotzdem war mein Gefühl: Er gehört nicht zu uns. Hat immer so schroff gegrüßt auf der Straße, oft ist er in Arbeitskleidern herumgelaufen, und tagsüber hat man ihn hämmern, sägen und feilen hören in seiner Werkstatt. Der hat bestimmt in seinem ganzen Leben noch nie Wagner gehört. Aber ich hätte schließlich bedenken müssen, daß er kein Prolet aus dem Hüttenwerk ist und auch nicht aus der Baracke kommt; ein Nachbar kann auch mal unhöflich sein, da muß man sich nicht gleich das Maul zerreißen, jeder hat schließlich seine Mucken. Was geht es uns an, wenn die Polizei ihn abholt? »Befaß dich lieber mit deinen Schulaufgaben«, sagt Großvater und kriegt wieder einen roten Kopf.

Also was Blutschande ist, das bespreche ich besser nicht zu Hause, da kann ich höchstens mit meinen Freunden drüber reden. »Der hat die Waltraud gefickt«, erzählen sie. Ich bin erbost: »Die Waltraud? Spinnst du? Das ist doch seine eigene Tochter, du blöder Dackel.« – »Drum kommt er ja auch ins Zuchthaus, du Arschloch. Wenn er seine Frau fickt, dann kommt er doch nicht ins Zuchthaus. Nur bei der Tochter ist es verboten.«

Dagegen über den alten Willem wird auch bei uns zu Hause ganz offen gesprochen. Ja, man *muß* sogar drüber sprechen, sagen sie alle, der alte Willem ist nämlich ein Beispiel, aus dem wir lernen müssen. Er ist früher Matrose gewesen, man sieht es ja an den Tätowierungen auf seinen Armen, wenn er im Unterhemd Holz für uns hackt. Jetzt wo er alt ist und eine Glatze hat und einen dicken Bauch, kann er nämlich nicht mehr zur See fahren, jetzt lebt er von Gelegenheitsarbeiten bei besseren Leuten wie uns. Zuerst verstehe ich gar nicht, was Mutter herumzuschreien hat. Die ganze Zeit ist sie in Stuttgart – schon wieder mit einem neuen Freund, wie man hört –, und wenn sie uns dann doch endlich mal besucht, macht sie gleich ein Geschrei.

Aber nach einigem Zögern überwinde ich meine Verdrossenheit, laufe raus und begreife natürlich gleich, was los ist: Eine sehr ernste Sache, der Willem, diese alte Sau, hat meiner kleinen Schwester sein Ding gezeigt. Mutter ist außer sich vor Empörung, sie schreit, sie wütet mit ungewohnt schriller Stimme, und alle sind sich vollkommen einig, da muß jetzt Polizei her. Und wirklich, die kommen auch gleich, und jetzt wird er abgeführt. Heult dabei auch noch, dieses Schwein.

Das ist nun wieder ein Thema. Schließlich sind wir jetzt alt genug, und vor allem, so was kann meiner kleinen Schwester immer wieder passieren, ich muß auf sie aufpassen als großer Bruder, es ist wichtig, daß ich Bescheid weiß.

Was wir uns merken müssen, ist dies: Niemals stehenbleiben, wenn meine Schwester auf der Straße von einem Fremden angesprochen wird. Sofort weglaufen und heimkommen und erzählen, was los war. Eventuell auch einen Polizisten rufen. Da kann ein Kind nämlich Schaden nehmen fürs ganze Leben, wenn es so einem Kerl in die Hände fällt.

Meine Schwester hört aufmerksam zu, ihr Gesicht ist ganz rosig, ihre Augen leuchten. Das passiert ihr nicht oft, daß sie so im Mittelpunkt steht. Ich werde ärgerlich, schließlich habe *ich* auch schon einiges in der Richtung erlebt. Ich erzähle noch mal die Geschichte von den geschminkten Barackenmädchen mit den ausgestopften Badeanzügen. Alle hören aufmerksam zu und nicken. Barackenleute, abgehalfterte Seeleute . . . Wer weiß, was der schon angestellt hat in Honolulu oder wo er war.

Meine Schwester wirft mir einen ungnädigen Blick zu. Aber das ist mir jetzt scheißegal. Ich fühle mich wohl und geborgen. Die Familie sitzt um den Tisch herum und alle verstehen sich. Wir haben es richtig gemütlich.

Allmählich hab ich es im Gefühl, welche Geschichten ich erzählen soll, wenn ich es gemütlich haben will.

Daß ich mich ausgerechnet dem Manfred angeschlossen habe, davon ist Großvater nicht begeistert. Manfreds Vater ist Biergroßhändler – »hochgekommener Bierkutscher«, sagt Großvater. Ihm kann das riesige weiße Haus, das Manfreds Vater beherrschend wie eine Burg auf den Hügel gesetzt hat, nicht imponieren. Auch die Windhunde, die Manfreds Vater sich zugelegt hat, und der Pelzmantel von Manfreds Mutter beeindrucken Großvater wenig. »Typische Kleinleute-Protzerei.« Großvater scheint sicher zu sein, daß Manfreds Vater nicht zu denen gehört, die stundenlang Wagner-Übertragungen aus Bayreuth hören. Wenn die beiden Männer sich auf der Straße begegnen, was fast nie vorkommt, denn Manfreds Vater fährt den ersten neuen Pkw in der ganzen Gegend, dann grüßt der Großvater sehr höflich und geht weiter. Er bleibt nie stehen zu einer scherzhaften Unterhaltung, wie er an den Gärten von all den Beamten und besseren Angestellten stehenbleibt.

Ich merke das alles ganz genau, halte aber trotzdem an Manfred fest. Erstens, weil ich ihn gut leiden kann, und dann auch, weil er immerzu irgendwas organisiert. Entweder wir treffen uns in seinem Garten und stopfen uns mit Zwetschgen voll. Oder wir gehen mit den Windhunden auf Hasenjagd. Oder wir spielen Fußball mit dem ersten richtigen Lederball, den ich in meinem ganzen Leben gesehen habe. Und am Sonntag gehen wir immer ins Kino, zuerst in die Kindervorstellung um eins, dann in den nächsten Film um drei, und manchmal schauen wir uns sogar noch einen dritten Film an. Großvater gibt mir zwar immer nur für einen Film Geld, aber Manfred kriegt soviel Taschengeld, daß es ihm nichts ausmacht, die Karten für die andern Vorstellungen allein zu zahlen.

Wenn wir am Sonntag die Filme mit Errol Flynn gesehen haben, fühlen wir uns immer unglaublich stark. Wir schneiden Stöcke und schlagen sie gegeneinander wie Degen, so elegant wie im Film sieht es natürlich nicht aus, aber darüber sprechen wir nicht. Wir beschließen, abenteuerlich und kämpferisch zu leben wie Errol, Manfred gründet die Maskenbande und stellt mich als Unterhäuptling ein.

Feinde gibts haufenweise. Im Gartenhäuschen von Manfreds Vater malen wir uns aus, wie wir den Bälgern aus der Baracke mal zeigen wollen, wo der Bartel den Most holt. Wir schreiben drohende Botschaften und schieben sie abends unter die Barackentür. Tag für Tag schleichen wir nun angespannt durch die Landschaft, immer in Deckung, und warten auf den Feind. Aber die feigen Hunde lassen sich natürlich nicht blicken, ist ja auch klar, die haben die Hosen gestrichen voll, wenn sie an die Maskenbande denken.

An einem Sonntagnachmittag sitzen wir wieder bei einer Beratung im Gartenhäuschen, da geht plötzlich ein Hagel von Steinen auf die Laube nieder. Faustgroße Dinger, einige zerschlagen die Scheiben. Draußen, jenseits des Maschendrahtzauns, lacht und johlt das Gesocks. Wir sind alle wie gelähmt, und Manfred schreit, den Tränen nahe: »Ich hol die Polizei, ihr Verbrecher ihr!« Er hat Angst vor seinem Vater, weil die Scheiben kaputt sind. Das sind doch Werte, Kruzifix noch mal. Sind die verrückt, diese Arschlöcher?

Wir können es nicht fassen. Das ist kriminell, was die machen. Wir haben fechten wollen, wie Errol, elegant und mit einem überlegenen Gesichtsausdruck. Und die schmeißen Fensterscheiben kaputt. »Weil es denen eben ganz wurscht ist, ob sie ins Kittchen kommen«, wütet Manfred. »Da haben sie es wahrscheinlich noch besser als in ihrer verkommenen Baracke.« Er denkt sich eine süße Rache aus: Eines Tages, schwört er sich und uns, eines Tages fickt er die Schwester vom Anführer, bei Gott, das macht er. Diese Barackenmädchen legen sich ja sowieso bei jedem hin, die haben ja nicht, wie wir, eine Moral, und schließlich kommt sie ja auch allmählich ins richtige Alter, acht oder neun ist sie bestimmt schon.

Aber kämpfen wollen wir nicht mehr mit denen, mit denen nicht, die spinnen ja, diese Saftsäcke. Hemmungen haben sie scheint's gar keine, und wenn einer tot daliegt, das kratzt die gar nicht.

Nach Tagen der Ratlosigkeit und Überlegung sagen wir dann den Kerlen aus dem Arbeiterviertel den Kampf an. Die sind wenigstens ein *bißchen* zivilisierter, wohnen in richtigen Häusern, und wenn es darin auch nach Kohl und Waschküche und Kinderscheiße stinkt, mit Steinen werden sie ja nicht gleich werfen.

Wieder tagelanges Warten, dann treffen wir im Wäldchen aufeinander. Aber zu unserm Entsetzen lassen die sich auf ein Degenfechten genausowenig ein, mit Pfeilen schießen sie, diese Idioten – und da können wir noch soviel schreien, daß sie aufhören sollen, daß das gefährlich sei: ein Hagel von Pfeilen geht auf uns nieder. Und richtig, einer von diesen Pfeilen bleibt im Auge von Erwin stecken. Am nächsten Tag trauen wir uns kaum in die Schule.

Erwin fehlt, und wir überlegen, ob wir abhauen müssen, vielleicht nach Hamburg und dann ein Schiff . . . Aber am zweiten Tag taucht Erwin dann zum Glück wieder auf, mit einer Binde über dem Auge wie ein Pirat. Er lacht schon wieder und sagt, es sei nicht so schlimm.

Deprimiert ziehen wir Bilanz. Mit Pack darf man sich halt nicht einlassen, so ist es halt, wir hätten es uns von Anfang an sagen können. Die kämpfen einfach nicht fair, diese Säue. Die sind verrückt, da kannst du gar nichts machen.

Eine Weile kämpfen wir dann gegen Indianer, die wir uns nur einbilden. Wir nehmen einfach an, da und da sei ein Indianerlager, und greifen es an. Endlich siegen wir wieder ohne Komplikationen, mit einem überlegenen Gesichtsausdruck wie Errol. Aber das geht auch nur eine Weile gut. Gegen eingebildete Feinde zu kämpfen, wird uns zu dumm, es kommt zu Spannungen in unserer Maskenbande. Eines Tages gerate ich mit Manfred aneinander, wir gehen aufeinander los, schlagen uns und ringen miteinander. Zu meiner Überraschung habe ich ihn schnell am Boden, auch er hatte das wohl nicht erwartet, er heult vor Wut und schreit mir, während ich ihn runterdrücke, ins Gesicht: »Dafür schlag ich dich tot!«

Ich weiß darauf keine Antwort, lasse ihn los und gehe. Stolz bin ich nicht, im Gegenteil, der Sieg macht mich ratlos und traurig. Was soll jetzt aus mir werden? Ich habe kein Gartenhäuschen, wo ich meine eigene Bande versammeln könnte. Ich hab keinen Fußball. Und ins Kino kann ich jetzt sonntags nur noch einmal gehen.

Der Sieg hat mich isoliert. Ich habe gewonnen, aber ich bin einsam. Auf die Idee, mit denen aus der Baracke zu gehen oder im Arbeiterviertel Anschluß zu suchen, komme ich gar nicht, dann schon lieber allein sein.

Mein Sieg war eine Katastrophe. Eine Weile versuche ich mich zu trösten, indem ich Großvater gegenüber abfällige Bemerkungen über hochgekommene Bierkutscher mache, die sich weiß Gott wie vorkommen, wenn sie einen Windhund spazierenführen. Aber Großvater ist es auf die Dauer nicht angenehm, wenn ich über Emporkömmlinge abfällig spreche. Man verachtet sie, aber man legt sich nicht mit ihnen an. Das haben wir doch gar nicht nötig, uns mit denen zu befassen.

Allmählich begreife ich: Ich hätte Manfred gewinnen lassen sollen. Wär doch egal gewesen. Zum Glück versöhnen wir uns bald wieder, ich habe es in Zukunft vermieden, unnachgiebig zu sein.

Wenn am Sonntag der Albverein wandert, dann sind wir immer dabei, mein Großvater und ich. Einer der Herren erzählt, wie er in einem Gasthof hat essen wollen, und am Nebentisch hat ein Maurer seine Frau zuerst angeschrien und dann auch noch durchgehauen, besoffen natürlich, stockvoll dieser Kerl.

Auch wenn ich erst ungefähr neun Jahre alt bin, weiß ich doch schon ganz genau, was ich jetzt sagen muß, um die Wanderfreunde zu beifälligem Nicken zu veranlassen. Ich krame alle die alten Geschichten hervor, erzähle von dem Proleten, der seine Kinder ins Wasser geschmissen hat, von den faustgroßen Steinen auf eine friedliche Laube und daß wir alle ohne weiteres hätten tot sein können, und alle sind einer Meinung: Von solchen Leuten ist das auch anders gar nicht zu erwarten, gedacht hat man das ja schon immer, und allmählich wird es jetzt wohl mal Zeit, daß einer den Schnabel auftut und laut und deutlich sagt, was geht und was nicht geht. Ich meine, irgendwo muß man ja schließlich mal die Grenze ziehen, irgendwo ist ja auch mal Schluß, so gehts ja nun auch nicht. Bei aller Liebe.

Eine Dame schaltet sich ein, sie berichtet, wie in ihrem Betrieb Unregelmäßigkeiten entdeckt worden seien, ein Dr. Sowieso habe da wohl an der Buchhaltung herumfrisiert . . .

Da kann ich nur lächeln, wenn ich so was höre. So alt ist sie geworden, mindestens schon dreißig, und so blöd geblieben. Wundert sich auch noch, daß jetzt alle gleich abwinken: Es wird ja soviel geredet, wenn der Tag lang ist, ein jeder sollte sich hüten, in schwebende Verfahren einzugreifen, schließlich sind wir ja alle nur Menschen, und wer da meint, er sei ohne Fehl, der möge den ersten Stein werfen.

Die Dame ist ganz bestürzt – blödes Weib, denke ich, quatscht über Akademiker! Vielleicht hat sie jetzt gelernt, daß es nicht gut ist, wenn man in alles seine Nase reinsteckt, sie könnte mal abgebissen werden. Entscheidend ist letztlich, ob du zum Pack gehörst oder zu den anständigen Leuten.

# Leonie Ossowski

## Josef und Frau Rosgalla

Josef klingelt ohne Aufregung dreimal hintereinander. Dann steckt er sich eine Zigarette an. Durch die Laubengänge zieht der Mief. Es riecht nach Kartoffeln, Urin, Wäschelauge und abgestandenem Bier. Irgendwo muß jemand hingekotzt haben. Ein Kleinkind hängt sich zwischen die Geländerstäbe und schaukelt hin und her.

He, sagt Josef. Das Kind läuft weg.

Die Tür, an der Josef geklingelt hat, wird geöffnet. Vor ihm steht eine blonde Frau.

Sind Sie Frau Rosgalla? fragt Josef. Die Frau zupft ihre Bluse zurecht und sagt ja.

Josef denkt, daß er Glück hat. Es hätte ja auch niemand zu Hause sein können. Er steht da und bewegt sich nicht. Er reicht der Frau auch nicht die Hand. Josef macht einfach gar nichts.

Was wollen Sie denn von mir? fragt die Frau.

Ja, sagt Josef, ich wollte mal fragen, wie es Ihnen so geht!

Das Kind kommt zurück und setzt sich auf einen Schuh der Frau.

Kschschsch, macht die und hebt ihren Fuß. Das Kind läuft zum zweiten Mal weg.

Was geht Sie an, wie es mir geht? fragt die Frau.

Na, weil Sie Frau Rosgalla sind, deshalb, sagt Josef. Er versucht zu lachen. Der Frau kommt die Sache nicht komisch vor.

Hier stimmt was nicht, sagt sie.

Kann schon sein, antwortet Josef. Aus seinem Lachen wird nichts. Die Frau starrt ihn an.

Ich glaube, sagt sie jetzt, du bist mein ältester Sohn Josef!

Ja, sagt Josef erleichtert, das bin ich. Sie gehen herein. Hinter ihnen das Kind.

Josef setzt sich in der Küche auf einen Stuhl.

Frau Rosgalla bietet ihm nichts an, weil sie, wie sie sagt, auf Besuch nicht eingestellt ist.

Ich bin jetzt sechzehn, sagt Josef nach einer längeren Pause. Frau Rosgalla seufzt über die verstrichene Zeit.

Warum haben Sie mich denn in ein Heim gegeben? fragt Josef.

Tja, sagt die Frau und knöpft ihre Bluse bis oben hin zu, die vom Jugendamt haben dich geholt und ins Heim gesteckt. Ich hätte dich ja nicht hergegeben!

Die im Heim haben mir gesagt, Sie wären tot. Josef fummelt nach einer Zigarette, hat aber kein Feuer, und ich hab das auch geglaubt!

Da siehst du, wie die lügen. Gezwungen haben sie mich damals, dich herzugeben, jawohl gezwungen. In Frau Rosgallas blaue Augen tritt Feuchtigkeit.

Warum? will Josef wissen. Er rückt mit seinem Stuhl näher an den Tisch. Frau Rosgalla findet nicht so schnell Worte. Dafür Streichhölzer. Josef kann sich endlich seine Zigarette anzünden.

Warum? wiederholt er.

Ich war krank, sagt Frau Rosgalla, und konnte nicht arbeiten gehen. Da haben sie dich geholt!

Ach so, nickt Josef, das kann ich verstehen. Wenn man so krank ist, kann man ja auch sein Kind nicht besuchen!

Nein, das kann man nicht.

Aber jetzt sind Sie gesund?

Ja, ich kann nicht klagen.

Josef sieht sich in der Küche um. Hier wohnen zwei. Er zeigt auf das sabbernde Kind. Ist das zu mir verwandt?

Frau Rosgalla hebt das Kleine vom Boden und wischt ihm den Mund ab. Sozusagen dein Halbschwesterchen!

Sie läßt das Kind auf ihrem Knie hüpfen. Der Vater von Gittilein wohnt auch bei uns.

Soso, sagt Josef. In seinem Ohr sitzt das Gittilein und will sich in kein Joseflein verwandeln.

Und du, fragt Frau Rosgalla munter, wie geht es dir so?

Danke, es geht, sagt Josef. Er will mit der Tür nicht ins Haus fallen. Aber ein Anfang muß gefunden werden.

Vom Heim bin ich dreimal abgehauen, dann kam ich in ein anderes. Da hat es mir noch weniger gefallen, da bin ich wieder abgehauen!

Warum hat es dir denn nicht gefallen? fragt Frau Rosgalla.

Die Sitten dort sagten mir nicht zu. Immer parieren und arbeiten oder strafen.

Wo bist du denn hin, wenn du weggelaufen bist?

Mal hier, mal dort.

Und wo kommst du jetzt her?

Aus dem Knast, sagt Josef und sieht Frau Rosgalla ins Auge. Die sagt, du lieber Gott, und nicht mehr.

Dort, fährt Josef fort, hab ich erfahren, daß Sie gar nicht tot sind. Deshalb bin ich hier.

Mich gehts ja nichts weiter an, sagt Frau Rosgalla, aber was hast du denn angestellt?

Das geht Sie vielleicht doch was an. Ich hab nämlich Hunger gehabt und Klamotten gebraucht!

Und wer hat dir gesagt, daß ich nicht tot bin?

Der Geffi hat es mir erzählt. Vielleicht wissen Sie, daß der wegen Zuhälterei sitzt.

Frau Rosgalla äußert sich nicht. Josef stellt fest, daß sie rot wird. Das Gespräch paßt ihr nicht, das sieht er ihr an. Also muß er jetzt etwas anderes sagen.

Kann ich vielleicht hier wohnen?

Wir haben wenig Platz, und ich muß erst Gittileins Vater fragen, sagt Frau Rosgalla.

Die Nacht über schläft Josef in der Küche auf dem Sofa. Gittileins Vater hat nicht viel gesagt. Bettzeug hat Frau Rosgalla natürlich nicht auflegen können. Trotzdem ist es Josef zufrieden. Gittilein schläft bei ihrem Vater und Frau Rosgalla im Bett. Gittileins Vater stinkt unheimlich nach Knoblauch. Er sagt, er ißt Knoblauchpillen, weil man damit hundert Jahre alt werden kann. Jetzt liegt er drüben bei Frau Rosgalla und schnarcht seinen Knoblauchatem über sie hin.

Frau Rosgalla hat Lockenwickler auf dem Kopf und kann deshalb nicht auf der Seite schlafen. Wenn Gittilein ins Bett scheißt, hat Frau Rosgalla gesagt, gibts den Arsch voll.

In der Küche ist es warm, und wenn Josef will, kann er aufstehen und sich Kaffee vom Herd nehmen. An sich könnte er sich an das Sofa gewöhnen.

Nachdem die halbe Nacht rum ist, kommt Josef auf die Idee, mit Gittileins Vater gemeinsam für Frau Rosgalla und seine Halbschwester arbeiten zu gehen. Der Gedanke läßt Josef einschlafen.

Am Morgen muß ihn Frau Rosgalla mehrmals schütteln, ehe er wach wird. Ich habe mit Gittileins Vater gesprochen, sagt sie. Er will wissen, ob deine Papiere in Ordnung sind.

Meine Papiere, sagt Josef, das ist so eine Sache. Ich habe ja keinen festen Wohnsitz. Und ohne festen Wohnsitz krieg ich keine Papiere! Frau Rosgalla reibt sich die blauen Augen. Sie kommt mit ihrer Ratlosigkeit nicht ganz zurecht.

Warum haben Sie mich denn so zeitig geweckt? fragt Josef.

Gittileins Vater sagt, ohne Papiere kannst du nicht bleiben, Frau Rosgalla gibt Josef aus einer Blechbüchse zehn Mark. Besorg dir Papiere, dann kannst du wieder kommen. Ordnung muß bei uns sein!

Aber heute ist Sonntag, sagt Josef, da krieg ich nirgendwo Papiere!

Frau Rosgalla zuckt die Achseln. Sie legt die Decken zusammen, während Josef noch auf dem Sofa liegt. Ihr runder Hintern zeichnet sich unter dem Nachthemd ab. Ihr Körpergeruch steigt Josef in die Nase und macht ihm klar, daß Frau Rosgalla heute nacht mit Gittileins Vater geschlafen hat. Alles, was Geffi ihm über Frau Rosgalla gesagt hat, kommt Josef in die Erinnerung.

Sein Hals wächst zusammen und schließt so etwas Ähnliches wie einen Schrei ein.

Gittilein hat tatsächlich ins Bett geschissen, aber nicht viel. Gittileins Vater liegt immer noch im Bett und wird wohl auch erst aufstehen, wenn Josef gegangen ist.

Also, sagt Frau Rosgalla, und Josef geht.

Nachdem er am Sonntag Frau Rosgalla, Gittilein und Gittileins Vater verlassen hatte, ging er auf den Bahnhof und kaufte sich von den zehn Mark Kaffee und eine Bratwurst. Beides schmeckte ihm gut, und er vergaß Frau Rosgalla für eine Weile. Im Grunde, sagt sich Josef, hatte Geffi schon recht, Frau Rosgalla war eine ausgemachte Sau.

Schon am Nachmittag hatte Josef einen Job bei den Auto-Skooters auf dem Meßplatz. Die fragten nicht viel nach Papieren und einen Platz zum Schlafen gab es auch. So war er aufs erste untergebracht. Von nachmittags bis in die Nacht hinein hüpfte er zwischen den Autos einher, kassierte, wechselte Geld, half unbeholfenen Mädchen das Steuer lenken, und zeigte pfeifend die lässige Geschicklichkeit seiner Füße. Josef war da ein As, das mußte der Boß zugeben.

Am Abend, während seiner Pause, trank Josef im Bierzelt vier Halbe. Das war sehr viel für ihn. Wenn er die Augen schloß, zog sich ein gelber Kreis zu einem Punkt zusammen. Machte er die Augen wieder auf, umrahmte der Kreis das Bierzelt wie ein Bild.

Das gefiel Josef und er lachte vor sich hin.

Aber plötzlich saß Frau Rosgalla im Kreis. Appetitlich mit frischen, blonden Locken über den blauen Augen und rot gemalten Lippen lächelte sie Josef an.

Zu Hause hatte sie anders ausgesehen. Josef möchte sich die Augen verbinden, weil er nicht aufhören kann, Frau Rosgalla anzustarren. So lächelt sie jeden an, während Gittilein zu Hause das Bett vollgeschissen hat.

Die Kellnerin stellte zwei Halbe auf den Tisch und kassierte bei Josef. Danke, sagte Frau Rosgalla und rückte näher. Mit der Zeit wurde es im Zelt voller. Ihr runder Hintern stieß weich an seinen Schenkel, und ihre Knie sahen unter dem kurzen Rock hervor. Frau Rosgalla roch jetzt nach Deodorant.

Josef fühlte den eingeschlossenen Schrei von heute morgen in seinem zugewachsenen Hals und wartete. Auch Frau Rosgalla mußte auf etwas gewartet haben, denn als Josef noch immer nichts sagte, legte sie ihre Hand auf seinen Arm.

Da brüllte Josef über die Maßen laut los: Rühren Sie mich nicht an, sonst schlag ich Sie tot! Dann nahm er seine Halbe und goß sie über Frau Rosgallas Kopf aus. Das Bier tropft ihr von den Ohren auf die Schultern. Sie schrie Hilfe und ein Herr behauptete später, er habe verhindert, daß Josef die Dame verletzte.

Als Josef von der herbeigerufenen Polizei aufgefordert wurde mitzugehen, leistete er erheblichen Widerstand und wurde verhaftet. Bei der Aufnahme der Personalien stellte sich heraus, daß es sich bei der Geschädigten um die Locherin Elli Schütz handelte.

Josef hatte sie wohl mit Frau Rosgalla verwechselt. Aber er wußte nicht, wie er das den Polizisten erklären sollte. Deshalb schwieg er.

# Jo Pestum

## Der Emissär

Clunc strich sich mit der sechsten Hand der linken Seite die Haare aus dem oberen Augenpaar. Er wußte, wie blau seine dünnen Lokken in den letzten Kosmoseinheiten geworden waren, seit die Entwicklung auf dem Planeten Terra im Sol-System Formen angenommen hatte, die die Sicherheitsbehörde des Kosmischen Rates nicht länger hinnehmen konnte, wollte sie nicht ihre Pflicht auf das sträflichste verletzen. Clunc erinnerte sich wehmütig, daß noch bei seiner Abreise zumindest am Hinterkopf ein paar rosa Haarbüschel aus der großporigen Haut gesprossen waren.

Er hatte sich freiwillig gemeldet für diese Mission. Zum einen, weil er ein kontemplativer Typ war und die einsamen Reisen durch die Galaxis liebte; zum anderen, weil er eine Vorliebe hatte für kleine blaue Planeten. Aber da gab es noch einen dritten Grund, und Clunc war sich klar darüber, daß der wahrscheinlich der ausschlaggebende gewesen war. Zwar konnte sich niemand vom Kosmischen Rat – auch Clunc nicht – ein genaues Bild von den Bewohnern der Erde machen, weil es zu diesem winzigen Stern am Rande der Milchstraße noch nicht zu einem direkten Kontakt gekommen war, aber die Signale, die sie von diesem Planeten aufgefangen hatten, der ohne jeden Zweifel von Lebewesen mit relativ hohem Intelligenzgrad bewohnt wurde, ließen zum Entsetzen der Verantwortlichen nur den einen Schluß zu, daß die Erdbewohner irrwitzigen Umgang mit der mörderisch gefährlichen Atomkraft trieben. Und nun war Clunc geradezu wild darauf, die Wesen kennenzulernen, die es trotz anscheinend ausreichenden Reflexionsvermögens darauf anlegten, einen der wenigen bewohnbaren Sterne im Weltraum systematisch zu zerstören.

Der Kosmische Rat hatte keine andere Wahl. Wenn die Erdbewohner nicht zur Vernunft kamen und sofort ihre Atomexplosionen, Kernwaffentests und Aufrüstungen mit einem Vernichtungspotential einstellten, das im Falle einer Explosion den gesamten Planeten aus der Bahn schleudern könnte und damit die Gefahr einer interkosmischen Katastrophe heraufbeschwor, mußte die Erde durch Entmaterialisierung unschädlich gemacht werden. Sogar im Nebel der Via Mala wurden die Strahlenwerte der Erde registriert. Die Lage war noch nie so ernst gewesen.

Sie schickten Clunc als Emissär. Man wollte sich später nicht den Vorwurf machen müssen, nicht alles versucht zu haben, die Erde zu erhalten. Clunc las die Werte der Armaturen ab. Es wurde Zeit, die Landephase einzuleiten. Riesig stand die blaue Kugel vor dem Heliumplastikauge des Raumschiffs. Auf keinem Stern, dachte Clunc, werden so idiotische Albernheiten mit der Möglichkeit totaler Selbstvernichtung geradezu lustvoll zelebriert wie auf dem Planeten Terra. Dummheit oder Bösartigkeit? Clunc haßte Spekulationen. Man würde sehen. »Achtung, ich steige gleich aus!« meldete Clunc an die Zentrale. Zischend setzte das Raumschiff auf.

Clunc nahm sich Zeit. Er hatte die Ruhe eines erfahrenen Sternenfahrers. Er ging die Checkliste durch. Dann sprühte er sich mit der Schutzhülle ein. Vielleicht war die Atmosphäre ja längst verseucht. Er verdrängte die leichte Erregung, die ihn nun doch überkam, durch eine Konzentrationsübung. Dann stieß er die Luke auf.

Die grüne Fläche war mit haarartigen Gewächsen bedeckt. Sie ähnelten sehr dem, was auf Cluncs siebeneckigem Schädel wuchs.

Dann erblickte Clunc die Erdbewohner. Sie beeindruckten ihn ungemein. Er sah, daß sie ein schwarzweißes Fell trugen und auf vier kräftigen Beinen standen. Seitlich der großen Köpfe hatten sie martialische Hörner. Großäugig starrten sie Clunc an. Sein Erscheinen schien sie nicht sehr zu beunruhigen. Welche Funktion die vier senkrecht abstehenden Finger unter ihren Bäuchen hatten, vermochte Clunc nicht zu ergründen. Sein Atemvorrat reichte nur für einen begrenzten Aufenthalt, Clunc kam deshalb zur Sache. Die Erdbewohner bewegten ihre großen Münder unentwegt mit mahlendem Kreisen, aber Cluncs Horchgerät zeigte keinerlei Tonimpulse an. Seltsam, dachte Clunc irritiert. Und daß sich manche von ihnen nicht einmal zur Begrüßung erheben!

Er kannte die Vorschrift. Dreimal forderte er in den vier interkosmischen Gebrauchssprachen, sofort zu einer offiziellen Behörde geführt zu werden, und er zeigte auch seinen Ausweis vor. Doch die Erdbewohner bekundeten ihre Verachtung für den fremden Besucher durch fortwährendes Schwanzwedeln. Clunc spürte, wie sich sein Toleranzvorrat verringerte. Hinter den fünf Ohren brach ihm der Schweiß aus.

Und dann entschied sich das Schicksal der Erde. Denn »Muh« heißt in der wichtigsten Kosmossprache »Armleuchter«. Traurig wandte Clunc sich zum Gehen. Er kletterte mit seinen neun Beinen müde in das Raumschiff und startete. Als er das Magnetfeld der Erde verlassen hatte, gab er das verabredete Signal an den Kosmischen Rat durch.

Clunc schaute sich nicht um, als der kleine blaue Planet für einen Augenblick strahlend aufglühte und dann für immer verschwand.

# Heinz Piontek

## Schmorell und die anderen

Sie hatten nicht überlebt. Die Steine wußten es. Und ich dachte manchmal, nun wäre es Zeit, und weil uns niemand ins Gewissen redete, würden es jetzt die Steine tun. Auch sie schwiegen. Aber etwas war in mir erwacht, das sich nicht länger beruhigen ließ, darauf bestand, daß ich meine Phantasie zur Hilfe nähme. Da stellte ich sie mir endlich vor, die Medizinstudenten, in Litewken von Feldwebeln, wie sie einen Winter lang die verdunkelte Stadt durchquerten, und einige von ihnen trugen noch die bis zu den Knöcheln reichenden Fuhrmannsmäntel von der Winterfront, von der man sie alle zurückkommandiert hatte, im letzten Moment.

Ich kam immer wieder auf einen, den ich Schmorell nannte, und versuchte zu denken, was er gedacht hatte, zum Beispiel den Satz: *Wir sind euer böses Gewissen.* In meinem Kopf funkelte auf die Erde geworfener Schnee, ich hörte die Flak schießen. Wenn ich mich richtig entsann, erhielt damals ein studierender Soldat monatlich zweihundert Mark sowie Kunsthonig und Kommißbrot unentgeltlich. Warum blickte Schmorell mit so großer Gier auf die Schneekristalle? Im nächsten Augenblick konnte Scholl, der nie gern vom Konkreten abwich, ein weißes Blatt in die Höhe heben und allen Ernstes behaupten, es sei besser als jedes bedruckte.

Der unbeschriebene Schnee. Ich begann zu ahnen, daß er für sie das Gegenteil der Unwahrheit war, gegen die sie sich erhoben hatten. Es war ihr Problem, daß sie die Wahrheit nicht ohne Makel verwirklichen konnten, weiß auf weiß. Schmorell, der lieber Philosophie studiert hätte, zog sich in Zivil um, doch als er das von Kriegsseife verdorbene Hemd überstreifte, mußte er von neuem an das reine Gegenteil denken. Die Not herrschte vor, und Wörter waren Notbehelf. Das war ein Problem von Anfang an.

Stalingrad gefallen, dachte ich, mitten im Fasching. Wo trafen sie sich nach dem Dunkelwerden, Schmorell und die anderen? Ich erfand mehrere Möglichkeiten: ein Atelier, eine Gelehrtenwohnung, hohe alte Räume gegenüber dem Englischen Garten, eine Mansarde. Schmorell stopfte seine Pfeife und lauschte. Der Professor, der Volkslieder sammelte, formulierte mit seinem kleinen, etwas schiefen Mund Sätze, die wie Pfeile in den Brustkorb einschlugen.

Es kam jetzt auf die Bestätigung durch Handeln an. Die ersten Flugblätter, noch vor ihrer Verlegung nach Rußland abgefaßt, hatten sie unter der Hand an Gleichgesinnte verteilt. Jetzt war die Zeit gekommen, bis zum Äußersten zu gehen. Sie kamen wieder auf das alte Problem, wieweit sie im Besitz der Wahrheit seien. Schmorell sagte, er glaube fest, daß sich ihr Handeln an den Resultaten erweisen werde. Der Professor dachte sich neue Sätze aus, die Stirn geneigt. *Kein Mensch weiß mehr von der Wahrheit, als er von der Wahrheit ist.* Scholl drängte darauf, daß sie die Metapher von der Weißen Rose aufgeben sollten, statt dessen hart, unmißverständlich: Blätter der Widerstandsbewegung. Alle stimmten zu. Seine zierliche Schwester, in einer Schafwolljacke wie von einem Holzfäller, warf die langen Haare zurück und sagte, daß sie sich *in einem noch unbekannten Sinn zu bewähren* hätten.

Ihr Leben: mein Hirngespinst! Die Luft, die sie geatmet hatten, erzitterte wieder von Sirenen und Metallen, ich sah die Zeitungen voller Todesanzeigen mit Eisernen Kreuzen, sah bis zum Umfallen arbeitende Frauen und Kriegsgefangene in der Autofabrik, wo Panzer hergestellt wurden, die Bottiche mit Kohlsuppe, die Sammelbüchsen, das Schöne vor Angriffen verhüllt. Aus ihrem und meinem Gedächtnis erhoben sich wie aus Schneewehen die Polen, die Russen, die Wesen mit gelben Sternen an Stelle von Gesichtern. Mit Blut beschriebener Schnee. Aber jetzt rüttelte schon der Tauwind an den Traufen. In einem Hotelkeller grölten die schönsten Goldfasane der Partei, daß man es bis auf die Straße hören konnte. Für den Münchner Fasching, dachte ich, komponierte Mozart den *Idomeneo.* Vom Wind, von den blutigen Bildern wachte Schmorell auf. Er vernahm das Grölen. Es war kein Leben.

So ließen sie nicht ab von mir, suchten mich heim. Geister meiner Generation. Wenn sie beisammen waren, teilten sie christlich eine Handvoll Tabak unter sich auf. Es war ein Fest für sie, wenn jeder eine halbe Tasse Bohnenkaffee erhielt. Wurde Alarm gegeben, ging niemand von ihnen in den Keller. Sie löschten nur für alle Fälle das Licht und flüsterten. Manchmal kam eine eigentümliche todesmutige Leichtigkeit auf.

Bei Tag aber war es schwer, an Wörtern und Sätzen festzuhalten. Im Hörsaal. Im Reservelazarett. Famulanten waren sie, die verschiedene Formen von Amputationen zu betrachten hatten. Einmal einen Fall ohne Arme und Beine, sie sollten Fragen stellen, der Verstümmelte mischte sich ein, mit einem Witz, es war greulicher, als wenn er gewimmert hätte. Appelle, Schulung, eine Kundgebung mit dem Gauleiter, Scholl, Probst, Graf, Schmorell.

Ihre Namen waren wie Schneekristalle. Niemand durfte es

wagen, sich auf sie zu berufen. Namen wie Eis, rein, scharfkantig. Ich phantasierte von jenem Winter. Auf den Bergen stäubte lautlos der Schnee von Ästen und Federn. Der Wind war umgesprungen, Dörfer ausgestorben, sämtliche Gastwirtschaften des Tals geschlossen. Wenn jemand ein paar Tage Urlaub hatte und einsam wie Schmorell über die Berge ging, mußte er versuchen, sich in den Gehöften aufzuwärmen. Schmorell stieg und stieg. Das Gewölk, das zeitweise blaue Risse gezeigt hatte, stand jetzt fest am Himmel, der graue Wald unter ihm. Er sank oft knietief ein. Elfhundert Meter hoch war es kalt, sauber und still. Wie in seinem Zimmer zu Hause, in das er gestern kurz hineingeschaut hatte: alles kalt, sauber und still auf seinem Platz. Unterwegs zum Bahnhof waren Kinder auf Schlitten eine Böschung hinuntergeglitten, genau auf ihn zu. Aus der Bahn! Das Wort beunruhigte ihn noch immer. Er sah wieder die beiden blauen Bände im Regal vor sich, Arbeiten Winklers, der sich mit vierundzwanzig Jahren in der Leopoldstraße vergiftet hatte. Aus der Bahn. Wie Winkler schreiben können, dachte er. Nicht um das Nichts, sondern um das reine Gegenteil des Nichts ans Licht zu bringen. Was war das reine Gegenteil? Wäre sein Vater dagewesen, hätte er mit ihm darüber gesprochen, über alles. Schmorell war in Rußland geboren, und sein Vater war noch mit dem alten schweren russischen Scharfsinn in Berührung gekommen. Schurik, hatte die Stiefmutter abends gesagt. Du bist so still, Schurik.

Auch ich empfand, wie unwirklich er durch die Stille wurde, bis er sie mit lautem Denken durchbrach. Wir werden es schon erreichen, daß auch ihr euch Gedanken macht! Es fängt mit dem allerersten Zweifel an. Schmorell auf dem Jägersteig, in vollkommen grauer, unbewegter Luft. Und ich in dieser Stadt, mit ihm verbunden durch die gleiche Sprache, die gleiche Jugend, den Wahnsinn unseres Landes. Ich phantasierte. Zeiten waren gleichzeitig. Frieden *und* Krieg. Aber Schmorell war jetzt unterwegs, er glaubte, daß sich wenigstens einige durch Anleitung zum Zweifeln aus ihrer Stumpfheit oder Furcht herausreißen lassen würden. Was konnte man darüber hinaus tun? Zwischen denen auf ihrer Seite und den anderen, die gehorchten, einen scharfen Trennungsstrich ziehen. Ein Beil sein. Vor ihm am Hang hörten die Fußspuren plötzlich auf. Er kam zu einem Stadel, hob die Tür aus und wühlte sich ins Heu ein, schluchzend.

Ich dachte an Schmorells Stelle. Es war kein Leben. Bis seine Gedanken wieder durch meine hindurchschlugen: Nein, der Teufel ist nicht unser Richter! Was er anrichtet, sollen wir nicht wie ein Gericht über uns ergehen lassen. Es ist der Abfall. Der Bruch aller

Satzungen. Darum dürfen wir uns auf das Notwehrrecht berufen. Mit unserem Recht müssen wir euch ins Unrecht setzen. Das ist nicht zu ändern. *Wir sind euer böses Gewissen.* Das werden wir bleiben. Nichts mehr von sittlicher Pflicht, Würde, Idealen, zu oft haben diese Wörter in unseren Blättern gestanden. Rein, brutal unterscheiden. Eine Hacke sein. Eine unüberbrückbare Kluft aufreißen. Das sind wir denen schuldig, die in kommenden Zeiten für das reine Gegenteil der Tyrannei einstehen werden; all denen, die lernen werden, daß noch die Luft, die wir gemeinsam atmen, eine streng politische Sache ist.

Gefoltert wurde Schmorell nicht.

Er konnte sich jedenfalls nicht erinnern. An jedem Morgen warfen fette, sehr behutsame Hände Schatten auf seine Augen. Der Häftling, der ihm die Wangen rasierte und den Schädel schor, kicherte ihm ins Ohr. Einmal wollte er mit dem dreibeinigen Schemel über jemanden herfallen, der gutmütig dastand, in der Nase bohrend. Aber er war in einem so unbeholfenen Zustand. Die Sonne fiel prall herein, er preßte sich in den Strich Schatten unterm Fenster, jeder Strahl schwächte ihn. Hatte er nicht Gott viel zu wenig geliebt? Sein Friseur steckte ihm eine Zigarette zu. Alle waren sie nett. Auch der bleiche Arzt, der ihm – nach einer Periode von Durchfällen – kein schlechtes Zeugnis ausstellte. Genau wurde seine Gesundheit überwacht. Anfangs, da war er in der Nacht schreiend hochgefahren. Die Scholls hatten es gut. Das hieß nicht, daß er sich beklagen wollte. Der Mann aus Berlin war der letzte, der ihn angebrüllt hatte. Ganz in Rot. Es bestand noch Hoffnung, denn er lebte von einem Teller Krautwasser, in dem eine schwarze Kartoffel schwamm. Er lebte. Aber jetzt war es soweit, daß er sie allesamt verraten wollte: Probst, Scholl, Graf, sogar Sophie, bloß den Professor nicht. Matt schlug er an die Tür: Für ein einziges Kommißbrot! Für ein halbes! Ein viertel! Er schlug sich die Knöchel auf. Der Wärter hieß Kurti. Nenn mich Kurti, hatte er gesagt; weiter möchte ich die Hose nicht runterlassen. Kurtis Zahnlücken gegenüber begriff er plötzlich, daß Hans und Sophie und Christoph nicht mehr am Leben waren. Aber der Vollstreckungsbefehl, der ihn betraf, kam nicht. Aber sein Gnadengesuch war abgelehnt worden. Es war Sommer. Im Februar, wenige Tage vor seinem eigenen Prozeß, waren die drei abgeurteilt und sofort hingerichtet worden. Dazu hatte sich der Richter aus Berlin herbemüht. *Nieder mit Hitler.* Siebzigmal an die königlichen Fassaden. *Freiheit.* Er träumte von Lettern aus Schnee. Die fetten Hände mit den abgebissenen Fingernägeln rasierten ihn täglich. Kurtis Zahnlücken. Die Stadelheimer Sonne. Nicht ein einziges Mal mehr wurde er an die frische

Luft geführt. Weit weg waren der Fluß, die Weinstuben, die Palais. Im Wittelsbacher Palais war er verhört worden. Er hatte geleugnet. Er hatte es zugegeben. In Salzburg soundso viele Flugblätter, in Linz, in Wien. Auch die Parolen? Er hatte versucht, andere zu dekken. Ärmel mit dem Streifen SD; Hände, die ihn gegen den Aktenschrank geschleudert hatten: Was haben Sie sich dabei gedacht? Bis zuletzt blieb das Verlangen nach seiner Pfeife und die Liebe zu dem mit dem kleinen, etwas schiefen Mund, der mit ihm verurteilt worden war. Mein Lehrer, nannte er ihn jetzt. Ihn selber rief kein Mensch hier Schurik. Die Hitze, das Krautwasser, das hatte Methode. Er war so elend müde. So apathisch. Im Morgengrauen, hieß es, kämen sie auf Socken, die Schuhe in der Hand, manchmal unter ihnen ein General, je nachdem, schlichen vor die Zellentür, rissen sie auf und fielen über den her, der nun an der Reihe war. Man mußte nach der Vorschrift barfuß, an den Knöcheln gefesselt, in den gefliesten Raum, bis an den Richtblock für das Handbeil. Die Frauen in einem Kittel, der um den Hals kreisrund ausgeschnitten war. So verwegen wie Sophie hatte er sich nicht verteidigt, wenn er doch wie sie sterben würde! Kurti hatte durch seine Zahnlücken von Sophie erzählt. Auch der Pfarrer. Aber es war schwierig, fremden Gedankengängen zu folgen. Plötzlich schlug sein Herz rasend, es wollte sich umbringen. Er war sechsundzwanzig, plötzlich ging es wieder normal. Er glaubte daran, daß in den kommenden Zeiten die jungen Leute Gott danken würden. Münchens Steine wieder rein, die Glocken frei und zwischen Steinen und Glocken ein neuer Frieden, auf russisch, aber mit vielen einheimischen Zithern. Seine früheren Gedanken konnte er sich nicht mehr ins Gedächtnis rufen. Er träumte oft von Schnee. Wer das überlebte, für den würde die Zeit anbrechen mit einem Schrei. Christóss wosskrjéss! Daran hielt er fest. Er wurde aber immer apathischer, eine Fliege saß auf seinem Mund. Sie würde ihn überleben. Zwanzig Jahre später wagte ich nicht, mir Schmorells Ende vorzustellen.

# Hermann Peter Piwitt

## Baulandbesichtigung

Und einmal, an einem sonnigen Tag, fuhren wir mit Ponto und dem Kind raus vor die Stadt.

Es war Lisas Idee. Sie wollte sich Bauland ansehen bei der Gelegenheit, das von der Stadt angeboten wurde, draußen; sie suchte nach der Karte.

Wir haben keine Karte, rief sie, als wir Ponto zu Haus abholten; ich weiß nur ungefähr, wo es ist. Kennst du dich aus?

Wir stellten den Wagen ab und schlugen durch ein offenstehendes Gatter den erstbesten Weg ein. Wenn es der richtige war, würde er uns zu dem Baugelände hinführen. Wenn nicht, hatten wir immerhin Luft geschnappt. Der Weg war von Hufen weichgetreten, und in den Fahrspuren stand Wasser, von dünnem Eis bedeckt. Wir waren warm angezogen; und wenn Ponto zehnmal meinte, daß ich in meinem pelzgefütterten braunen Mantel aus Leder wie ein Kohlenhändler aussah, der auf Sylt ein Haus hat: jedenfalls hielt er warm genauso wie Lisas, die den gleichen hatte, dazu eine Wollmütze über den Kopf gezogen, und nur Ponto war ohne Mantel und trug wie immer – außer im Sommer – die schwarzkarierte Jacke aus Wolle mit dem Reißverschluß und dem schwarzen Gummizug um die Taille; er fror nicht; ich laufe mich schon warm, sagte er und läuft gleich mit dem Jungen voraus. Sie prüften das Eis. Da, wo es weiß und blind war und nur Luft unter sich hatte, zertrat es sich leicht und ohne Gefahr; aber es war nur eine Sache von Minuten, bis der Junge nasse Füße haben würde. – Wir hätten ihm Gummistiefel anziehen sollen, sagte Lisa. Ich nehm ihn huckepack, sagte Ponto.

– Aber er verdreckt dir die ganze Jacke.

– Ach was, das ist ja nur Erde, die bürstet sich raus.

Es war ein Tag Anfang März und der Himmel seit langem zum erstenmal klar, aber blaß und niedrig wie die Sonne, die uns aus Wölkchen, die mich an Flakwolken im Krieg erinnerten, direkt ins Gesicht schien. Nester alten Schnees überall. Er klebte im alten Gras, auf den Schattenseiten der Knicks, lag hoch verweht auf den Böschungen der Gräben zu beiden Seiten des Wegs, wo ihm Sonne, Tauwind und neuer Frost Riefen und Buckel modelliert hatten, mattschimmernd und glatt wie Porzellan. Halme stachen durch das Weiß, braungefiedert, und in den Eisrändern, die das fallende Wasser an den Grabenkanten zurückgelassen hatte, in diesen hauchdünnen durchsichtigen Blättchen aus Eis war die Bewegung des Wassers zu weißen Maserungen erstarrt. Schafe, ich sage ›Schafe‹ und versuche mich wieder zurechtzufinden wie damals, ohne Karte – und Ponto mit dem Jungen immer vorneweg –, zurechtzufinden zwischen den Weiden, in denen das Wasser stand, vom Wind rauh oder mit dem schmelzenden Schnee zu waschlaugetrübem Schlamm verpappt, und um diese Wasserflächen und die unzähligen Maulwurfhügel herum grasten die Schafe oder drehten, das Hinterteil in den Wind gekehrt, uns den Kopf zu, als wir vorüberkamen. Sie hatten noch ihr Winterfell. Wolle hing in den Zäunen. Die Generatorenkästen tickten. Der Wind rieb das trockne Reet gegeneinander. Und zwischen den Tieren die kleinen schwarzen Vögel flogen nicht auf, als Ponto, den Jungen immer noch auf dem Buckel, ausrief: Sieh mal, die Stare. Sie sind schon zurück.

Ein Brückenwehr. Ein Teich. Eigentlich nur ein Bach, der hier aufgestaut war und jenseits des Wehrs in eine baumbestandene Senke stürzte. Jedenfalls Gelegenheit für Ponto, den Jungen einmal abzusetzen; dann waren auch wir vorn, und übers Geländer gebeugt sahen wir zusammen hinaus aufs Wasser, hinunter zum Schleusengitter, wo sich Schilf und treibende Äste gestaut hatten; Eisschollen waren dazwischengeschoben. Ein Rasenstück ging rechter Hand zum Ufer hinab, ein Garten mit Obstbäumen von einem so pelzigen Grün der Stämme und Äste, daß es sich mit den Augen auf der Zunge fühlen ließ. Und dieses Grün wiederholte sich auf den Schindeln des Hauses, das dahinter schief und halbversunken dalag, mit eingeschlagenen Scheiben und klaffender Vorderfront, unbewohnt. Ich muß ein zweites dazustellen aus der Erinnerung, es stand direkt an der Brücke und mochte dem Schleusenwärter als Behausung gedient haben: ein Fachwerk jedenfalls, mit winzigen Fenstern und gerafften Gardinen dahinter, Topfblumen standen auf den Fensterbrettern, ein kleines Rot, ein bißchen blau, ›Usambara-Veilchen‹, sagte Lisa plötzlich, also gut, um das Bild komplett zu machen: Usambara-Veilchen, als sei es das magische Wort in dieser verwunschenen Szenerie, in die wir geraten waren wie Außerirdische aus ihrer vertrauten Dimension in eine Faltbühne, die in einem Kinderbuch aufgeklappt war.

Und hier würdest du gern bauen? fragte Ponto.

Ja, wenn du nichts dagegen hast, sagte Lisa.

– Ich weiß nicht. Ich würde lieber in der Stadt wohnen und hier spazierengehen können, ohne über euren Zaun klettern zu müssen.

– Aber du kannst jederzeit kommen, zu Besuch.

– Damit du kein schlechtes Gewissen zu haben brauchst hinter eurem Zaun, nicht wahr?

– Das habe ich nicht gesagt.

Ponto antwortete nicht wieder. Er ließ nur die Hand des Jungen kurz los, legte den Arm um ihre Schulter und küßte sie auf die Wange.

Und jetzt? fragte Lisa. Sie lachte.

Ich denke, du kennst dich aus? Ja, sagte Ponto, wir schlagen uns hier einfach in die Büsche.

Es war windgeschützt am Waldrand, wo wir endlich eine Bank fanden.

Der Wind stand in den Fichten hinter uns, ein warmes dichtes Rauschen; nur ab und zu ein Klappen, ein Schlagen, ein Reißen dazwischen, ein scharfes knitterndes Geräusch in der Nähe, als ob der Wind an einem Stück Fahnentuch zerrte; aber auf der Haut spürte man ihn nicht. Lisa lehnte sich an mich und schloß die Augen vor der schräg einfallenden Sonne. Sie hatte sich extra nicht geschminkt diesen Morgen. ›Damit die Luft an die Haut rankommt‹, sagte sie. Aber die Haut war auch ohne Schminke noch glatt und fest. Nur auf der Nase hatte sie ein paar große Poren gekriegt. Und die Ränder unter ihren Augen waren tief. – Es war schön zu dösen, während Ponto und der Junge im Wald hinter uns tobten. Ich blinzelte über den Acker vor uns, der tonig glänzte; in seinen Senken war die Wintersaat abgesoffen. Rinder standen in einem Gatter, die Schnauzen suchend in nasses Stroh gedrückt. Stämme schimmerten weiß aus einem Gebüsch, in dessen Zweigspitzen sich das Sonnenlicht gesammelt hatte wie rötlicher Rauch. Ein einzeln stehender Baum daneben, hoch, mit schwarzen Verkropfungen. Und jetzt entdeckte ich auch die Ursache des Klappens, des Schlagens in der Nähe: es kam von einem weißen Plastiktuch, das über eine Miete gebreitet und mit Autoreifen beschwert war; ich hatte es für Schnee gehalten.

– Guck mal, was wir haben. Der Junge machte die Faust auf: Ein Knäuel grauer Härchen darin, vermengt mit Knochen, sauber, trocken, fast ordentlich, wie sortiert.

– Wirf das weg.

– Aber es ist von einem Uhu.

Von einer Eule, sagte Ponto.

– Oder von einer Eule; jedenfalls war das mal 'ne Maus, und die Eule kotzt das aus – hat Ponto gesagt.

Ponto die Instanz.

Ponto, der eine Hundskamille von Arnika, und beide vom deutschen Bertram unterscheiden konnte – vorausgesetzt, daß er sich's überhaupt anmerken ließ. Ponto, der große Ponto: konnte Knoten in Zigaretten schlagen und wischte sich jeden Papp von den Händen in den Kleidern ab, so wie der Herr Sohn den Glitsch vom Pflaumenkuchen im neuen Mantel, nicht wahr? Obwohl seine Mutter Servietten extra miteingepackt hatte, aber das galt ja nicht, hier galt ja nur, was Ponto machte!

Nun putz ihm schon die Hände ab, sagte Lisa, während sie in ihrer Tasche kramte, sie kramte, bis alles ans Tageslicht befördert war und auf der Bank ausgebreitet: die belegten Brote mit Wurst und Käse. Die Thermosflasche mit heißem Kaffee. Eine Apfelsine mußte geschält werden. Die Pappbecher – nun gib schon her! Da saßen wir. Aßen. Tranken.

›Und wenn du den Glitsch nicht magst, gib ihn Ponto; der ißt alles, damit nichts umkommt.‹

Wer ißt, sieht nichts. Was du vor Augen hast, schnurrt in die Fläche, in die Dimension von Zunge und Zahn. Wir merkten kaum, wie die Schatten blasser wurden, und als Ponto Lisa fragte, ob sie den Baum sähe, ja, den mit den schwarzen Verkropfungen da vorn!, war der Baum fast nur noch als Silhouette zu erkennen. Natürlich sähe sie ihn, sagte Lisa. – Also, dann stell dir vor, ich sei blind und du müßtest mir sagen, wie er aussieht, sagte Ponto und kniff die Augen zu.

Soll das ein Spiel sein, fragte Lisa.

– Nein, ganz Ernst.

– Also: er ist groß, schlank, kahl.

– Groß, schlank, kahl: das ist ein Kirchturm auch.

– Die Krone setzt ziemlich niedrig an.

– Krone – was ist das?

– Das ist alles zusammen: Äste, Zweige, Blätter.

Siehst du, sagte Ponto, du sagst nur immer wieder: ein Baum ist ein Baum.

– Also gut: er sieht aus wie ein Reisigbesen, wie . . . eine Fontäne.

– Und wie sieht dann eine Fontäne aus? Ein Reisigbesen? Wie dieser Baum, he?

Ich weiß nicht, sagte Lisa, ich hab da mal so was gelesen, es kommt darauf an, was du von so 'nem Baum willst: Ob du ihn brauchst für Schatten – oder für Sauerstoff, oder ob du Holz aus ihm machen willst – oder ob du ihn umarmen willst wie Ponto, weil er weiß: der ist nicht wie'n Mensch, der beißt dir nicht den Arm ab, wenn du ihm die Hand gibst – was ist? Oder bin ich schon am Tünen?

Nein, sagte Ponto, red weiter.

– Ach, nun kommt man, es wird kühl.

Wir packten ein. Wir brachen auf. Aber das nächstemal nehmen wir die Karte mit, sagte Lisa.

# Johannes Poethen

## In memoriam

*denen*
*die in konzentrationslagern starben*

Wir haben das tier gehütet
bis ihm die stimme reißend war

Ein fällt sie ins ohr
seßhaft wird sie zwischen den schläfen

Mündungen sind seine augen
kreisend über der stadt.

Reißende stimmen wuchsen

Seßhaft wurde das tier.


Gerüste über allen dächern
jenseits aller mauern gräben.

Zusammengetrieben werden gesichter.

Seßhaft ist das tier.


Jenseits aller mauern
wächst eine stätte aus weißem blut.

Hier ist das all eine mündung

Mündung der sonne die sinkt
mündung des mondes der steigt.

Unter reißenden stimmen
wächst das weiße blut.

Lose wirft die maschine
über ein viereck aus körpern.

Über sieben köpfe
fallen die zahlen her.

Vor dem viereck aus körpern
brennen sieben gesichter.

Lose wirft die maschine.

Der kran läßt die sonne
auf eine schulter fallen.

Füße kreisen aufgezogen
unter der schulter
unter der sonne
aufgezogen kreisen füße

Bis sie stillstehn
füße schulter stern.


Atme kind atme
wir waschen die flügel rein

Der motor schneidet dein haar ab
das haar ist zu schwer

Der motor bricht deine beine
die beine tragen dich nicht

Der motor reißt deine haut auf
gefangen hielt dich die haut.

Fliege kind fliege
rein sind die flügel rein.

# Christa Reinig

## Transparent

die post kommt nicht mehr durch
nur noch die radiostimme:
›. . . machen durchlässiger –‹
leis
aus verlöschenden battrien

## Endlich

endlich entschloß sich niemand
und niemand klopfte
und niemand sprang auf
und niemand öffnete
und da stand niemand
und niemand trat ein
und niemand sprach: willkomm
und niemand antwortete: endlich

## Briefschreibenmüssen

hier ist nichts los – außer
daß alle kinder ahornnasen tragen

## In die Gewehre rennen

mein tiefstes herz heißt tod
wenn das die mörder wüßten
wären sie es müde

## Verwandlung

ich wandle unter meinen händen
den tisch den teller und das brot
bis sie sich mir entgegenwenden
und sich verwandeln in den tod

ich danke allen starken dingen
mein herz ging strahlend in sie ein
es ging als wucht sie zu bezwingen
und kam als weisheit sie zu sein

schnee fällt in meinen mantelkragen
und steigt aus meinem atemhauch
kommt wie ein kleid von stein zu tragen
und geht ins dunkel wie ein rauch


## Maske und Spiegel

da ist der mund und da die augen
die ränder die geöffnet sind
das außen in ein schild zu saugen
geschmiedet vor dem bittren wind

die lachgrimasse drängt das schweigen
in die gesenkte stirn hinein
der auferlegt ist sich zu neigen
dem opfer aus verspritztem wein

ein hauch löscht die entstellten züge
denn weit aus innen strömt der raum
daß einst dies atmen erde trüge
und aus der erde einen baum

# Hans Werner Richter

## Das Gefecht an der Katzbach

Sie marschierten in der Nacht über den Fluß. Der Fluß war kein
Fluß, sondern ein Bach. Für die Truppe war er die Katzbach, obwohl er einen anderen Namen trug.

Das ›Komité Rettet den Krieg‹ nannte ihn aus Traditionsbe-
wußtsein ›die Katzbach‹. Um ein Beispiel zu geben, hatte das Komité dieses Gefecht angeordnet, Freiwillige angeworben und zweitausend Mann ausgerüstet, die jetzt im Morgennebel diesseits und
jenseits des Baches ihre Stellungen bezogen.

General Brühl leitete die Operationen. Gelassen schritt er im
Morgengrauen, umgeben von Offizieren des Komités, dem Befehlshügel zu.

›Dies ist kein Manöver, meine Herren. Mit Platzpatronen
kann man nicht die Tapferkeit der Soldaten erhalten. Tapferkeit
verlangt das Risiko des Lebens. Es wird befehlsgemäß scharf geschossen.‹

Die Komitéoffiziere nickten zustimmend. Der General war in bester Laune.

›Die Eingabe des Komités an die UNO mit der Bitte um Förde-
rung des kleinen, konventionellen Krieges zwecks Erhaltung solda-
tischer Tapferkeit muß mit einem harten Beispiel untermauert werden.‹

Der General ließ sich die Karten bringen.

Das Gefecht begann um fünf Uhr fünfundvierzig. Die Reiterei,
die aus dem Wald jenseits des Baches brach, setzte über den Fluß.
In den Wiesen flackerte Gewehrfeuer auf. Ein Pferd galoppierte
ohne Reiter über die Katzbach zurück. Das Gefecht entwickelte
sich schnell diesseits des Baches. Eine Ordonnanz rannte über das
Feld auf den Befehlshügel zu: sie meldete den ersten Toten. Der
General überhörte es. Er war mit seinen Karten beschäftigt.

Um sechs Uhr fünfundzwanzig alarmierte ein Zivilist, der in die
Stadt fuhr, die Mordkommission.

Die Mordkommission I traf um sechs Uhr fünfundvierzig auf
dem Gefechtsfeld ein. Sie traf ein, als die Reiterei zum zweiten Mal
zur Attacke überging.

Staatsanwalt Placher sah verblüfft auf die ihm entgegenrasenden

Pferde. Er hob die Hand: ›Halt im Namen des Gesetzes.‹ Aber weder die Reiter noch die Pferde beachteten ihn. Entrüstet rannte der Staatsanwalt vor den galoppierenden Pferden her, begleitet von einem Kriminalrat, zwei Kriminalassistenten und drei Wachtmeistern der Polizei. Eingekeilt zwischen der angreifenden Reiterei und der sich verteidigenden Infanterie liefen sie auf eine frei im Gelände stehende Tanne zu und kletterten hinauf.

General Brühl war indigniert: ›Was treiben sich diese Zivilisten dort auf dem Feld herum?‹

›Es sind wahrscheinlich Bauern‹, äußerte einer der Komitéoffiziere.

Der General räusperte sich und befahl verstärkte Gefechtstätigkeit.

Die von einem anderen Zivilisten alarmierte Mordkommission II traf auf dem Gefechtsfeld ein, als die Infanterie mit gefälltem Bajonett zum Gegenangriff vorging.

Staatsanwalt Mayer, als Reserveoffizier sofort die Lage überblickend, befahl den ihn begleitenden Kriminalräten, Kriminalassistenten und Polizeibeamten in Stellung zu gehen und das Feuer zu eröffnen. Geschlossen warfen sich die Beamten der Mordkommission II ins nasse Wiesengras und eröffneten das Feuer aus ihren Polizeipistolen.

General Brühls für Schüsse jeglicher Art verfeinertes Ohr registrierte die programmwidrigen Pistolenschüsse: ›Wer schießt denn da mit Pistolen?‹

›Es sind wahrscheinlich Bauern‹, antwortete einer der Komitéoffiziere.

Der General befahl das Absitzen der Reiterei und die Verteidigung der Katzbach um jeden Preis.

Jetzt schossen auch die Beamten der Mordkommission I von ihrer Tanne herab. Verärgert über die Pistolenschüsse aus der Tanne, befahl General Brühl der Reiterei, die Tanne mit einer Attacke zu nehmen.

Es war acht Uhr elf, als der ehemalige Unteroffizier Frenzel zu der befohlenen Attacke auf die Tanne ansetzte. In wenigen Minuten wurde die Tanne zum Mittelpunkt des Gefechts. Vergeblich versuchte Staatsanwalt Placher, sich in der Tanne zu halten. Unter der Wucht des Angriffs und aus Furcht vor den geschwungenen Lanzen verlor er das Gleichgewicht und fiel auf das Pferd des Unteroffiziers Frenzel, der ihn sofort zum Gefangenen erklärte. Staatsanwalt Placher widersprach und erklärte seinerseits diese Gefangennahme für ungesetzlich. Doch Unteroffizier Frenzel legte ihn quer vor sich über den Sattel und sprengte mit ihm zur

Katzbach zurück, gefolgt von sechs Pferden, auf denen der gefangene Kriminalrat, die Kriminalassistenten und die Polizeibeamten lagen.

General Brühl empfing die Meldung: ›Sieben bewaffnete Zivilisten gefangen und zum Verhör übergeben‹ mit Gleichmut. Das Gefecht, von ihm vorläufig noch als Scharmützel bezeichnet, erforderte seine volle Aufmerksamkeit. Einer der Komitéoffiziere bezeichnete die gefangenen Zivilisten als Partisanen, aber der General sagte, Partisanen seien in seinem Plan nicht vorgesehen.

›Dann sind es wahrscheinlich Bauern‹, antwortete der Komitéoffizier.

General Brühl gab den Befehl an die Infanterie, die Katzbach zu überschreiten und die Reiterei in den Wald zurückzutreiben. Ordonnanzen rannten über das Feld.

Angesichts der Gefangennahme des Staatsanwalts Placher von der Mordkommission I erwachte in Staatsanwalt Mayer von der Mordkommission II das staatsbürgerliche Bewußtsein. Er schickte einen der Polizeibeamten zu der weitabliegenden Straße mit dem Befehl zurück, über Funk alles zu alarmieren, was in der Stadt zu alarmieren sei, wenn notwendig auch die Feuerwehr.

Dann gab er den Befehl zum Angriff, um Staatsanwalt Placher von der Mordkommission I zu befreien. Weit auseinander gezogen gingen die Kriminalräte, Kriminalassistenten und Polizeibeamten der Mordkommission II auf die sich jetzt in vollem Angriff befindende Infanterie zu, die unter starkem Gefechtslärm vergeblich versuchte, die Katzbach zu überschreiten.

Wieder kam eine Ordonnanz über das Feld auf den Befehlshügel des Generals gerannt. Sie meldete drei Tote, und der General sagte etwas von mäßigen Verlusten, sah aber, nunmehr stark indigniert, auf den sich entfaltenden Angriff der Mordkommission II, den er sich nicht erklären konnte. Er habe, sagte er, doch gar keinen Flankenangriff befohlen.

›Es sind wahrscheinlich Bauern‹, antwortete einer der Komitéoffiziere.

General Brühl, verärgert über die unerträgliche zivile Einmischung, befahl der jetzt stark engagierten Infanterie, sofort und ohne Rücksichtnahme diesen nicht vorgesehenen Flankenangriff auszuräumen.

Es war neun Uhr zweiunddreißig, als die Infanterie mit einer starken Rechtsschwenkung von der bedrängten Reiterei abließ und mit gefälltem Bajonett gegen die angreifende Mordkommission II vorging. Die zur Verteidigung abgesessene Reiterei, die sich diesen plötzlichen Rechtsschwenk nicht erklären konnte, überschritt zu

Fuß und ohne Befehl die Katzbach und griff die Infanterie im Rükken an.

Die Beamten der Mordkommission II, die ihre Pistolen leer geschossen hatten und keine Bajonette besaßen, ergriffen die Flucht. Der davonlaufenden Mordkommission II folgte die Infanterie, der nachlaufenden Infanterie die abgesessene Reiterei. Je schneller die Beamten der Mordkommission liefen, um so schneller liefen auch die sie verfolgenden Infanteristen, und je schneller die Infanteristen liefen, um so schneller rannte auch die abgesessene Reiterei.

Das Gefecht entfernte sich unter den Augen des Generals zu der weitabliegenden Straße hin. Diese nicht vorgesehene Bewegung beunruhigte den General. Er gab sämtlichen Ordonnanzen den Befehl, hinter der Reiterei herzulaufen, und als auch die Ordonnanzen nicht zurückkamen, befahl er den Offizieren des Komités, den Ordonnanzen nachzusetzen, um das ganze Gefechtsfeld zur Rückkehr zu bewegen.

Aber: es war zu spät. Die Infanteristen versuchten, die Beamten der Mordkommission II einzuholen, die abgesessene Reiterei die Infanteristen, die Ordonnanzen die abgesessene Reiterei, und die Offiziere des Komités die Ordonnanzen. Doch die Beamten der Mordkommission II, voran Staatsanwalt Mayer, liefen so schnell, daß die Infanteristen sie nicht einholen konnten, die Infanteristen liefen so schnell, daß die abgesessene Reiterei sie nicht einholen konnte, und die abgesessene Reiterei lief so schnell, daß die Ordonnanzen sie nicht einholen konnten, und die Ordonnanzen liefen so schnell, daß die Offiziere des Komités sie nicht einholen konnten.

Da beschloß General Brühl, nunmehr selbst den Offizieren des Komités nachzusetzen, und so bewegte sich das ganze Gefechtsfeld von Norden nach Süden in der Reihenfolge: Mordkommission II, Infanterie, abgesessene Reiterei, Ordonnanzen, Komitéoffiziere, General.

Es war zehn Uhr dreizehn, als die ersten zwei Kommandos der inzwischen alarmierten Schutzpolizei eintrafen. Die Polizisten, gewohnt, jeder Unordnung entgegenzutreten, gingen mit geschwungenen Gummiknüppeln gegen das auf sie zulaufende Gefechtsfeld vor, verprügelten zuerst, in Unkenntnis der Vorgänge, den Staatsanwalt Mayer, und versuchten dann, sich über die Beamten der Mordkommission II, über die Infanteristen, die abgesessene Reiterei, die Ordonnanzen, die Offiziere des Komités bis zum General durchzuprügeln.

Unter ihrem Druck vollzog das ganze Gefechtsfeld eine scharfe

Kehrtwendung, und lief nun vom Süden nach Norden, in der Reihenfolge: General, Offiziere des Komités, Ordonnanzen, abgesessene Reiterei, Infanterie, Mordkommission II, Schutzpolizei.

Die Feuerwehr, die kurz nach der Schutzpolizei eintraf, schloß ihre Schläuche an die Katzbach an und begann, Wasser auf das Gefechtsfeld zu führen, zuerst auf den General, dann auf die Offiziere des Komités, dann auf die Ordonnanzen, dann auf die Reiterei, dann auf die Infanteristen, dann auf die Mordkommission II, und schließlich auf die zwei Kommandos der sich im Laufen von hinten nach vorn durchprügelnden Schutzpolizei.

Unter dem Druck des Wassers machte das ganze Gefechtsfeld neuerdings eine Kehrtwendung, und lief nun wieder von Norden nach Süden, voran die ins Leere prügelnde Schutzpolizei.

Um zehn Uhr dreiundvierzig traf die Bereitschaftspolizei in Bataillonsstärke ein und trat sofort zum Angriff auf das auf sie zulaufende ganze Gefechtsfeld an. Unter diesem Gegendruck kam es wiederum zu einer scharfen Kehrtwendung, wobei die Feuerwehr diesmal mitgerissen wurde. Nun lief das ganze Gefechtsfeld wiederum von Süden nach Norden in der Reihenfolge: Feuerwehr, General, Offiziere des Komités, Ordonnanzen, abgesessene Reiterei, Infanterie, Mordkommission II, Schutzpolizei, Bereitschaftspolizei.

Um zehn Uhr siebenundfünfzig traf der Ermittlungsrichter ein, um zehn Uhr neunundfünfzig der Untersuchungsrichter, um elf Uhr eins der amtierende Richter, um elf Uhr zwei der Oberbürgermeister.

Da beschloß der hinter der Feuerwehr und vor den Offizieren des Komités laufende General, das Gefecht abzubrechen. Vergeblich suchte er jemanden, der seine Befehle weitergeben konnte. Ordonnanzen, Komitéoffiziere, Infanterie und abgesessene Reiterei, eingekeilt zwischen Feuerwehr und Polizei, waren zu sehr mit Laufen beschäftigt, und die beiden Trompeter, die er zur Verfügung hatte, saßen jenseits der Katzbach im Wald und bewachten den Staatsanwalt Placher und die Beamten der Mordkommission I, umgeben von reiterlosen Pferden der Reiterei.

Da entschied sich der General stehenzubleiben. Und sofort standen hinter ihm die Offiziere des Komités, und hinter den Offizieren des Komités die Ordonnanzen, und hinter den Ordonnanzen die abgesessene Reiterei, und hinter der abgesessenen Reiterei die Infanterie, und hinter der Infanterie die Mordkommission II, und hinter der Mordkommission II die Schutzpolizei, und hinter der Schutzpolizei die Bereitschaftspolizei, der Ermittlungsrichter, der Untersuchungsrichter, der amtierende Richter und der Oberbürgermeister still.

Nur die Feuerwehr bemerkte diese plötzliche Veränderung nicht und verschwand nach Norden hin in dem immer noch vorhandenen Wiesennebel.

Zu diesem Zeitpunkt war es Staatsanwalt Placher gelungen, die beiden ihn bewachenden Trompeter zu überreden, mit ihm gemeinsame Sache zu machen, und nun setzte Staatsanwalt Placher mit sämtlichen Pferden der Reiterei, mit der Mordkommission I und mit den beiden Trompetern über die Katzbach und ließ zur Attacke blasen.

Da forderte der amtierende Richter Staatsanwalt Placher auf, seiner Attacke Einhalt zu gebieten, denn das Gefecht sei anscheinend beendet.

Sofort gebot Staatsanwalt Placher der Attacke das gewünschte Halt, und nun stand das ganze Gefechtsfeld bis auf die Feuerwehr, die immer noch nach Norden lief und erst zurückkehrte, als sich General Brühl bereits wieder auf dem Befehlshügel befand.

Um ihn herum standen der Ermittlungsrichter, der Untersuchungsrichter, der amtierende Richter, der Oberbürgermeister, die Offiziere des Komités, die Kriminalräte und Kriminalassistenten, und den Befehlshügel hinunter bis weit in die Wiesen hinein die Freiwilligen, die Schutzpolizei, die Bereitschaftspolizei und die wieder eingetroffene Feuerwehr.

Bereitwillig gab der General auf die Fragen des Untersuchungsrichters Auskunft: *um das politische Machtgleichgewicht zu erhalten, ist die Erhaltung der Armee notwendig, um die Armee zu erhalten, ist die Erhaltung der Tapferkeit der Soldaten notwendig, um die Tapferkeit der Soldaten zu erhalten, ist die Erhaltung des kleinen, konventionellen, aber scharfen Krieges notwendig.*

Denn umgekehrt: *zerfällt die Tapferkeit der Soldaten, zerfallen auch die großen Armeen, zerfallen die großen Armeen, zerfällt auch das Machtgleichgewicht, zerfällt das Machtgleichgewicht, zerfällt auch die Politik, zerfällt aber die Politik, dann zerfällt auch diese unsere Welt.*

Diese Logik fanden alle, besonders der Oberbürgermeister, bestechend. Das Gefecht an der Katzbach, sagte der Oberbürgermeister in einer kurzen Ansprache, sei ein klarer Beweis für die Richtigkeit des militär-strategischen Denkens in unserer Zeit. Trotzdem gab Staatsanwalt Placher seinen Beamten die Anweisung, dem General Handschellen anzulegen, und bat ihn, durch das sich bildende Spalier voranzugehen, der weit entfernten Straße zu.

Dann nahm er das Schild: ›Gefechtsstand des Komités: Rettet den Krieg‹ als Beweisstück an sich und schritt hinter General Brühl her, gefolgt von dem Oberbürgermeister, dem Untersuchungsrich-

ter, dem amtierenden Richter, dem Ermittlungsrichter, den Offizieren des Komités, den Ordonnanzen, den Infanteristen, der wieder
aufgesessenen Reiterei, der Schutzpolizei, der Bereitschaftspolizei
und der Feuerwehr.

# Luise Rinser

## Kinder des Todes, Kinder des Lichts

Am nächsten Tag frage ich Stefanie, woher Klara wisse, daß Erich in Auschwitz umgekommen sei. Es war Herr Niels, der keine Ruhe gab, bis Klara »ihre Gewißheit« hatte.

Aber ich verstehe nicht, Stefanie, warum Erich nicht mit seiner Familie nach England ging. Man blieb als Jude doch nicht freiwillig in Hitlerdeutschland, vor allem nicht, wenn die ganze Familie ausgewandert ist und anderswo eine Existenz hat.

Vielleicht war es ihm zu billig wegzugehen. Oder es fehlte ihm an Selbsterhaltungstrieb.

Ich frage nicht weiter.

Auch Dora hätte fliehen können, Bernheimers wollten sie mitnehmen, sie hatten alles geregelt, aber nein, Dora blieb. Frag mich nicht, warum sie sich, wenn sie schon blieb, so unzulänglich versteckt hatte, die Korbflechterbaracken waren keine Mauslöcher, warum also dieses eigensinnige Verbleiben in einem Versteck, das über kurz oder lang durchgekämmt werden würde? Dora hatte da keine Illusionen.

Du hast mir erzählt, daß Dora Lilienthal nach jenem gescheiterten Vorspielen am Fenster stand und wünschte, Feuer möge regnen auf diese Stadt und auf sie selber.

Es gab mehrere Verzweifelte in dieser Stadt.

Aber Erich Bernheimer, jung und begabt und mit dem geretteten Geld seiner Eltern, hätte er nicht auch in England eine Karriere machen können?

Oh ja, er hätte es auch zum Textil-Export-Import-Kaufmann bringen können wie sein Vater, warum nicht, er hätte es auch bis zum Staatssekretär der Vereinigten Staaten von Nordamerika bringen können wie der Emigrant Kissinger.

Stefanies Ironie ist eine scharfe Sichel, mit einem einzigen Hieb mäht sie alle Karrieren auf dieser Erde hinweg wie dürres Gras. In diesem Augenblick begreife ich, daß sie tief einverstanden ist mit dem Tod der beiden jungen Männer. So jung gestorben, im Stande geistiger Unschuld, sind sie der allgemeinen Verderbung entzogen, ein für alle Male, ihr Ruf ist gerettet in Stefanies und der Menschheit Gedächtnis, keine Korrumpierung, keine Enttäuschung ist mehr zu befürchten, Stefanie hat Ruhe, die Toten tun ihrem Bedürfnis nach makelloser Reinheit vollkommen Genüge. Einen Augenblick lang denke ich, daß Stefanie das Gelingen einer solchen Makellosigkeit als ihr Werk betrachtet: sie hat den Preis dafür bezahlt, sie hat ihre Zustimmung gegeben, ein Wort der Empörung, ein Wunsch nach dem Nichtgeschehensein jener frühen Tode wäre Befleckung der reinen Gestalten und Rückwurf in die schmutzige Gewöhnlichkeit.

Dieses ahnend, denke ich aufrührerisch, daß Stefanie auf ungeheuerliche, auf räuberische Art selbstsüchtig sei: ihrem Kindertraum von einer Welt voller makelloser stolzer leidenschaftlicher Seelen opfert sie Fleisch und Blut und Erdenwirklichkeit. Aber freilich: was sie da opfert, das ist auch sie selbst, und ich möchte wohl wissen, ob sie nicht doch alle ihre gläsernen Träume fahren ließe, um Peter Niels im Fleisch zu umarmen, auf ganz irdische Weise, auch heute noch, wäre es möglich, ihn zurückzuholen. Jedoch es ist, wie es ist: Peter ist tot, Erich ist tot (daß auch Erich sie geliebt hatte, ist mir längst klar), die schönen jungen Toten bleiben tot und schön, und Stefanie trägt Trauer noch nach Jahrzehnten, und diese Trauer ist ein Triumph, aber einer, der wehtut, und auch die geheimnisvollen Ausflüge dorthin, wo sie vielleicht Peter und Erich und Mina und Herrn Niels trifft, mindern nicht die unstillbaren Schmerzen, die sich in jeder Zelle ihres Leibes und ihrer Seele eingenistet haben.

Stefanie, wie war das eigentlich, als man Dora fand? Hatte das mit der Suche nach Peter zu tun?

Stefanies Antwort ist überaus schroff, so als wäre meine Frage eine offene und willentliche Beleidigung oder gar Beschuldigung: Nein, das hatte gar nichts damit zu tun.

Damit läßt sie mich wieder einmal stehen.

Von Klara erfahre ich nachher, daß drei Tage nach Peters Flucht die Stadt von der Gestapo durchkämmt wurde, auch die Korbflechterbaracken am Bahndamm kamen diesmal dran, aber es war purer Zufall, daß man Dora fand, man suchte ja einen Mann, man suchte Peter Niels, sonst niemand, und kein Mensch hatte Dora in Zusammenhang mit Peter Niels gebracht, denn obwohl die Korbflechter einiges ahnen oder wissen mochten, hatten sie ganz gewiß geschwiegen. Diese Leute, selber nur scheinbar störungslos eingeordnet ins Staatsgefüge (»Reich« nannte man den Staat damals, was für ein aufwendig prunkvolles, was für ein magisches Wort für etwas, das doch nur ein Verwaltungsapparat ist), in Wirklichkeit waren die Leute am Bahndamm allesamt Anarchisten, sie hatten sich der armen alten rechtlos gewordenen Jüdin angenommen, ohne je zu fragen, was sie, die Dame (eine Dame auch noch in zerrissenen Kleidern), an den Bahndamm getrieben hatte, sie lehrten sie Körbe flechten, Dora lernte es und tat es wie alle übrigen, sie hatte so geschickte Hände. Und als dieses Mal die Gestapo kam, saß Dora in ihrer Mitte, flocht den Boden eines Korbes, sie zeigte ihren Personalausweis, auch er gefälscht, schon verließen zwei der Gestapomänner die Baracke, da sagte einer, der schon vorher Doras Gesicht fixiert hatte: Das ist doch eine Judenvisage, die kenn ich doch, die hab ich doch früher schon anderswo gesehen, die nehmen wir vorsorglich einmal mit, so eine Visage lasse ich mir nicht durch die Lappen gehen. Aber ein andrer sagte (die Korbflechter haben das alles Klara berichtet): Wenn die da eine Jüdin wäre, dann hätte sie im Ausweis den Judenstern und sie hieße Sara Anna Gerber und nicht bloß Anna Gerber, das »J« fehlt auch, also was willst du, laß sie stehen, das ist auch gar nicht unser Auftrag. Aber der eine, der noch immer in Doras Gesicht starrte, rief: Ich schwörs, daß ich die Judenvisage kenne, jawohl, ich kenn dich, du Judensau, so sprach man damals die Juden an (aber ja, Stefanie, ich weiß doch!) und jetzt ist mirs klar: Du bist die Lilienthal, du hast Klavierstunden gegeben, du bist wirklich eine Judensau. Dora sei zu Stein geworden, eine Korbflechterin sagte: Laßt sie doch, sie ist taub und sie spinnt im Kopf, die versteht Euch gar nicht, aber da schlug ihr der SS-Mann ins Gesicht, sprang auf Dora zu und wollte sie packen, aber Dora warf sich wie eine Tigerin auf ihn, die Korbflechter erzählten, sie sei plötzlich aufgeschnellt und habe sich buchstäblich auf ihn geworfen, so daß er, den unerwarteten Stoß nicht parierend, zu Boden stürzte, und Dora wollte sich schon auf den zweiten werfen, aber da war sie überwältigt und gefesselt, mit Weidenzweigen, die da herumlagen, es war das Nächstbeste, und schon wurde sie abgeführt, sie schrie auf Hebräisch, es klang so furchtbar, daß einer der SS-Männer sich die Ohren zuhielt. Die beiden anderen schleiften sie über die Schwelle und über den Bahndamm und warfen sie ins Polizei-Auto, da hämmerte sie an die geschlossene Tür und die eisernen Wände, und sie schrie auf der ganzen Fahrt in die Stadt, und als man den Wagen vor dem Rathaus stehen ließ, schrie sie so, daß die Leute zusammenliefen und jetzt schrie sie auf Deutsch: Gott der Gerechte, Herr, Gott der Rache, erscheine, erhebe dich, Richter der Erde, zermalme die Frevler, die dein Volk zertreten und dein Erbe bedrücken und denken, der Herr sieht nicht, der Gott Jakobs bemerkt es nicht, wie lang noch läßt du die Sünder leben, Herr, schick Feuer auf die Erde, vernichte die Nazibrut, räche mich, räche dein Volk. Und so fort. So schrie sie die Stadt zusammen, der ganze Marktplatz war voller Menschen, und alle standen still, keiner

spottete, keiner stellte sich auf die Seite der Nazis, es war eine geschlossene Front, wenigstens dieses eine Mal zeigte die Stadt Haltung, Dora zwang sie ihr auf, aber freilich: es war auch niemand,
der gewagt hätte, gegen Hitler und die Gestapo zu murren, und keiner war da, der geschrien hätte: Wenn die da abtransportiert wird
wie eine Verbrecherin, dann will ich mit ihr gehen, das sagte keiner, ich war nicht in der Stadt an diesem Tag, aber wäre ich dagewesen, ich bin nicht sicher, ob ich es gewesen wäre, die geschrien
hätte, da nicht einmal Georg Mack, der Pfarrer, der Antifaschist, etwas gesagt hat, es hat ihn niemand gesehen unter den Leuten am
Auto. Dann kamen die SS-Leute wieder und trieben die Menschen
auseinander, und so verschwand einer nach dem andern vom Platz,
bis schließlich das vergitterte Auto mit Dora Lilienthal ganz allein
dastand, und Dora schrie nicht mehr, und da kam der Kreisleiter,
der Fleckmann nämlich, in Person und blieb beim Auto stehen,
und kein Mensch weiß, was er ihr gesagt hat, freilassen konnte er
sie nicht in diesem Augenblick. Vielleicht hat er ihr gesagt, sie
käme in eins der Aussiedlerlager im Osten, man hat das damals den
Deportierten gesagt, den Juden und Zigeunern und Homosexuel-
len, die Politischen hätten es nicht geglaubt, die Kommunisten und
Sozialdemokraten wußten, was mit ihnen sein würde, aber die
andern, die haben es geglaubt oder glauben wollen, man hatte
ihnen gesagt, sie sollten soviel von ihrer Habe mitnehmen, wie
sie tragen konnten, und da nahmen sie Hausrat mit, Kochge-
schirr, Eßgeschirr, Decken und auch etwas für die Kinder:
Nachttöpfe und Spielsachen. Man hat das alles dann in den Lagern
gefunden, ich habe den Film gesehen, den die Amerikaner gedreht
haben.

Klara, ich hab es dir noch nicht gesagt: vor ein paar Jahren war
ich in Auschwitz, ich habe das gesehen, die Haufen von Blechge-
schirr, verbeult und verrostet jetzt, die Kinderspielsachen und die
Nachttöpfchen und die Kinderschuhe, und noch etwas, die abgeschnittenen Haare der Frauen, graue und braune und rote und
blonde und schwarze, einen ganzen Haufen davon habe ich gesehen, das war nur der Rest, das meiste hatte man schon wegge-
schickt, verkauft an eine Textilfabrik in Oberbayern, da machte
man Steifleinen daraus, das trugen wir dann unter unsern Mantel-
krägen.

Ich weiß. Und aus den ausgebrochenen Goldzähnen machte man
Schmuck für die Nazifrauen und aus Leichenfett machte man Seife,
aber nur fürs Volk, die Nazibonzen hatten französische, ich hätte
das alles für Greuelmärchen gehalten, wäre nicht das herausgekommen, das von der Lagerkommandantin, die fand, man könne aus

Menschenhaut Pergament machen fast so gut wie aus Schweine-
haut, und aus dem Pergament machte man Lampenschirme, das
Geschäft blühte. Ich habe nach dem Krieg, als man das alles erfuhr
(werden es die Enkel und Urenkel derer, die jetzt leben und damals
lebten, überhaupt glauben?), ich habe alles Steifleinen herausge-
trennt und alle Lampenschirme verbrannt. Aber was half das. Was
hilft es, daß wir drei Jahrzehnte voll nationaler Tugenden über die
Gaskammern gehäuft haben. Schuld bleibt Schuld. Aber frag einmal die braven Christgläubigen, ob sie auch an das glauben, was sie
in ihrem Credo sagen: Ich glaube an Jesus Christus, der einst kommen wird zu richten die Lebenden und die Toten. Frag sie doch, ob
sie meinen, daß ausgerechnet sie nicht gerichtet werden, und frag
sie, ob sie wissen, wie die Frage heißt, die man an sie stellen wird:
Kain, wo ist dein Bruder Abel? Ach geh mir zu mit deinen Christen, die glauben kein Wort von ihrem Credo. Hätten sie sonst damals geschwiegen? Hätten sie wenn schon nicht aus simpler
menschlicher Anständigkeit so doch aus Furcht vor dem Gottesge-
richt schreien müssen? Hätten nicht wenigstens die Priester
schreien müssen, alle, nicht nur ein paar wenige? Hätte nicht der
Papst selber . . . Aber lassen wir das. Manchmal wünsche ich mit aller Kraft, es möchte über die Christen das kommen, was über die
Juden kam. Aber so leicht es war, eine Judenvisage herauszufinden,
so schwer ist es, eine Christenvisage zu erkennen. Ein Kreuz müßte
man jedem einbrennen bei der Taufe, so wie man die Kühe brennt
mit dem glühenden Stempel, damit man weiß, wem sie gehören,
und wehe, wenn einer meineidig wird.

Aber was rede ich da alles. Was ist gepredigt worden nach dem
Krieg, wie war man bußfertig und voll guter Vorsätze. Und was ist
herausgekommen?

Klara schlägt mit dem rechten Arm einen weiten Bogen, der das
umfaßt, was von der Stadt wir sehen können, von der neugebauten,
blitzsauberen, desinfizierten, christgläubigen, reichen, fleißigen,
freundlichen, der von einer netten scharfen Polizei beschützten
Stadt.

Wenn die, sagt Klara, noch soviel entgiften in Luft und Wasser,
das Leichengift in ihren Schrumpfgewissen bleibt, und daran werden sie langsam und leise eingehen und das nicht einmal gewahr
werden, weil auch ihre Gehirne verseucht sind. Am Krebs stirbt
man, sagen sie, oder am Herzinfarkt, aber das stimmt nicht, sie
sterben an ihren Neurosen, und das will sagen: an ihren unbereu-
ten Sünden. Aber sag ihnen das, sag es von der Kanzel oder im
Beichtstuhl oder in Büchern oder in der Arztsprechstunde und
beim Psychotherapeuten, dahin laufen sie ja auch hier schon, drei

solche haben wir in der Stadt, stell dir vor, und die machen ihr Geschäft, die Krankenkassen zahlen auch noch dafür, daß man das Gewissen der Leute auf die falsche Spur lenkt, da müssen jetzt die Eltern und die Schullehrer schuld sein an der Krankheit, oder der Ehemann oder die Frau, frustriert ist man, immer sind die andern schuld, aber wer sagt ihnen, wie es wirklich ist, daß Sünde etwas ist, so wirklich wie ein Virus und so gefährlich auch für den Leib, aber wer sollte es ihnen sagen, da die Ärzte und die Pfarrer ja selber nichts verstehen von der Sünde, sie sind ja allesamt Ungläubige. Was starrst du mich so an? Weil ich, Atheistin, wie du meinst, predige wie ein Pfarrer? Weißt du, was ich oft denke: eine Bombe, eine riesige Bombe, ein riesiges Feuer, das Fegfeuer für die ganze verseuchte Menschheit, die Reinigung. Und dann die Erde kahl und kalt und sauber wie ein Wintermorgen, oder wie der Mond. Keine Menschenknochen mehr, keine Spur von einer Lüge in der Luft, stell dir das vor, wie herrlich!

Klara, Klara, Kassandra!

Wie auf dem kalten sauberen Mond, wiederholt sie ekstatisch.

Wie auf dem Mond, ehe der erste Amerikaner seinen Fuß auf ihn setzte, sagt jemand.

Wir haben Stefanie nicht über die Stiege herunterkommen hören. Klara benimmt sich wie ertappt bei einer Unwahrhaftigkeit, einem fahrlässig begangenen Delikt, einer leicht lasterhaften Abirrung vom Weg.

Ich geh einkaufen, sagt sie kleinlaut, setzt ihr Hütchen auf, hängt sich die Tasche um und schickt sich an fortzugehen. Ich geh einkaufen, wiederholt sie, bereits an der Tür und schon mit festerer Stimme.

Ja, geh nur, sagt Stefanie, als warte Klara auf diese ihre ausdrückliche Ausgeherlaubnis.

Ich geh auf den Markt, sagt Klara, und schon ist in ihrer Stimme eine deutliche Spur von Trotz. »Ich geh auf den Markt«, das heißt in diesem Augenblick: Wir sind Kinder des Todes und der Schuld, gewiß gewiß, aber was bedeutet das schon angesichts der Herrlichkeit dieses Septembertags, dessen still fließendes Licht, Licht vom Licht, uns reinwäscht und uns mit barmherzigen Verheißungen überschüttet.

Stefanie schaut der davongehenden Klara kopfschüttelnd nach. Diese Klara. Ab und zu kommt es so über sie, dann kann sie nicht anders, sie muß mit ihren eigenen Zähnen die Fäden aus den Wundnähten ziehen, und wenn es noch so wehtut. Und dann klaffen die Wundränder wieder auseinander. Da gibt es keine Verjährungen.

# Herbert Rosendorfer

## Der Friseur

Das Mittagessen wurde um zwölf Uhr eingenommen, jeden Tag. Vor dem Krieg hatte es sogar einen wöchentlichen Speisenplan gegeben, der fast genau so streng eingehalten wurde wie die Stunde der Mahlzeiten. Am Dienstag gab es Lunge mit Knödel, am Freitag, dem Fasttag, Kaiserschmarrn, am Sonntag Braten, meist Schweinernes mit Knödel und Salat. An die übrigen Tage kann ich mich nicht mehr erinnern. Der Krieg vereinfachte den Speisenplan. Manchmal blieb nichts anderes übrig, als daß am Sonntag meine Großmutter Kartoffeln briet.

Wie gut es uns in jenem gesegneten und bis zuletzt ein wenig wie im Wetterwinkel geschützten Landstrich im Vergleich zu anderen noch ging, zeigt, daß es zu den Bratkartoffeln nicht nur Salat, sondern für jeden ein Rührei gab. Mein Großvater, der dem Hitler immer schon mißtraut hatte, nannte die Sonntags-Bratkartoffeln ›Führerschweinsbraten‹.

»Halt den Mund, wenn dich die Wanitschek hört!«

Die Wanitschek wohnte über uns und trug das Mutterkreuz, das Parteiabzeichen, war Funktionärin des NS-Frauenvereins und sammelte für das Winterhilfswerk, allerdings nicht auf der Straße, sondern nur an der Tür, und auch das nur bei uns.

»Wieso?« sagte mein Großvater, »wieso nicht Führerschweinsbraten? Er ist doch Vegetarier, der Führer?«

Zu Abend gegessen wurde um sieben Uhr. Das Frühstück allein richtete sich nach den Gegebenheiten des einzelnen.

Meine Großmutter, die an einem einzigen Tag ihres Lebens nicht um sechs Uhr in der Früh aufstand – das war viele Jahre später –, an dem Tag nämlich, an dem sie starb, meine Großmutter frühstückte in der dämmrigen Küche.

Der Großvater nicht viel später.

Ich durfte frühstücken, wann ich wollte, denn ich hatte Ferien, die in dem Jahr bis spät in den September hinein dauerten.

Eine vierte Mahlzeit war die Marend. Der letzte echte Habsburger, Kaiser Karl VI., der um alles in der Welt gern König von Spanien gewesen wäre und auch nach dem Frieden von Utrecht wider alle Realität den spanischen Königstitel eigensinnig weiterführte, hat das spanische Hofzeremoniell in Österreich eingeführt, die spanische Hoftracht, die spanische Hofreitschule und die Marend. Hoftracht und Hofzeremoniell sind in der Tiefe der Jahre versunken. Die Hofreitschule mit den Lipizzanern gibt es noch, auch die Marend. Marend kommt von la merienda: die Jause, die Vesper. Die Merienda gab es um vier Uhr nachmittags: für die Erwachsenen einen Milchkaffee, für mich einen Kakao. Auch der Duft des Marendkaffees nach Bohnen war längst nur noch Erinnerung. 1941 duftete der Marendkaffee nach ›Marke Andreas Hofer‹ oder ›Marke Franckh‹. Aber ein Kipferl für jeden gab es doch. Es ging uns, an den Verhältnissen gemessen und an anderen, noch ganz gut. Das hing zum Teil damit zusammen, daß meine Großeltern einen Laden für Textilien hatten. In einer Großstadt wäre dieser Laden ein kleiner Kramerladen gewesen. In der kleinen Stadt zwischen den hohen Bergen war der Laden ein ›Kaufhaus‹. Zwar durften die Textilien nur ganz streng nach Punkten und Bezugsscheinen verkauft werden, aber es gab da ja immer Möglichkeiten, wenn auch nicht so einfache wie beim Pfarrer. Der Pfarrer radelte zum Viehsegnen zu den Bauern. Schlaff hing sein Rucksack, wenn er an unserem Haus vorbei zur Stadt hinaus radelte. Prall wäre zu viel gesagt, aber nicht mehr ganz so schlaff hing er, wenn der Pfarrer abends zurückkam.

Zur Vorsicht richtete er es so ein, daß er erst zurückkam, wenn es schon dunkel war, denn auch der Pfarrer wußte, daß die Mutterkreuzträgerin Wanitschek viel Zeit hatte – Winterhilfssammlungen waren nur zwei- oder dreimal im Jahr – und gern beim Fenster hinausschaute.

Vor dem Krieg war die Wanitschek ein tätiges Mitglied der ›Legion Mariens‹ gewesen. Der Pfarrer, erzählte man sich, habe sie einmal darauf angesprochen. Es sei zu einem unschönen Wortwechsel gekommen, vor allem, als der Pfarrer gefragt habe: »Ist Wanitschek ein germanischer Name?«

Besonders seit diesem Vorfall achtete der Pfarrer darauf, daß es dunkel war, wenn er vom Viehsegnen wieder zurückradelte, denn es gab keine andere Straße außer der an unserem Haus vorbei. Es wurde aber früh dunkel. Dem Haus gegenüber zog sich ein Abhang hin, der ganz hinauf mit großen, düsteren Fichten bewaldet war, die schon bald im Herbst lange Schatten über die Straße warfen. Unzählige Krähen nisteten in den Fichten und flogen bei dem geringsten Geräusch auf, zu Hunderten, kreisten aufgeregt und krächzend über den Wipfeln, bis sie sich nach einiger Zeit wieder beruhigten.

Gegen Ende September war es um die Marendzeit um vier Uhr

schon dämmrig. Die Wanitschek konnte nicht mehr sehen, wie prall der Rucksack des Pfarrers war. Außerdem war Frau Wanitscheks Schwiegersohn der Luftschutzwart und achtete darauf, daß eine Mutterkreuzträgerin bei der Verdunkelung mit gutem Beispiel voranging.

Die Essensgewohnheiten konnte der Krieg beeinflussen. Andere Gewohnheiten waren unabhängig von den Zeitläufen. Meine Großmutter stammte aus einem der hintersten Täler des Landes, wo man in ihrer Jugend noch Respekt vor den Dämonen hatte, die in den Nebelnächten über die Hochalmen johlten. Fachleute vertreten die Meinung, daß in jenen hintersten Tälern Reste der Kelten die Jahrhunderte überdauert haben. Die Kelten sind abergläubisch, und das Maß, in dem meine Großmutter abergläubisch war, wäre ein Indiz für die Richtigkeit der genannten Meinung. Sie litt daneben auch an Hühneraugen. Einmal im Monat kam deshalb der Hühneraugen-Operateur ins Haus, ein Angehöriger eines wohl inzwischen ausgestorbenen Berufs. Die Großmutter zog Schuhe und Strümpfe aus. Der Hühneraugen-Operateur stellte ein kleines Schemelchen hin, auf das meine Großmutter einen Fuß setzte. Außer dem Schemelchen hatte der Hühneraugen-Operateur noch eine große, schwere Tasche dabei. Der Beobachtung der weiteren intimen Vorgänge wurde ich entzogen. Ich wurde hinausgeschickt. Die Dienstleistung des Hühneraugen-Operateurs war nicht durch Bewirtschaftung und Bezugsschein eingeengt, man konnte sie, auch im Krieg, in Anspruch nehmen, wenn man wollte. Das galt auch für die andere Gewohnheit meiner Großmutter: die Wahrsagerin kam auch im Monat einmal ins Haus. Meine Großmutter legte zwar selber Karten, hatte etwas in Kaffeesatz und Handlesen dilettiert, aber die Wahrsagerin war eben etwas anderes. Sie war professionell.

Wenn die Wahrsagerin kam – eine für die damaligen Verhältnisse sehr smart gekleidete, eher junge Frau –, ging es noch geheimnisvoller zu als beim Hühneraugen-Operateur. Ich habe Grund zu vermuten, daß die Wahrsagerin 1941 bereits Dinge gewußt hat – was Wunder bei einer Wahrsagerin –, die sich 1945 bewahrheiteten, denn auch die Wahrsagerin bevorzugte die Dunkelheit beim Kommen und Gehen und vermied es, der NS-Frauenschaftsführerin Wanitschek zu begegnen.

Wie die Wahrsagerin und der Hühneraugen-Operateur zu meiner Großmutter, so kam zu meinem Großvater der Friseur Nowak. Er kam einmal in der Woche. Der Friseur Nowak war ein kleiner, dürrer Mann in abgewetzten Kleidern. Ein ferner Schimmer, aber nur ein ganz ferner Schimmer von dem, was sich mit dem Wort

Barbier und Figaro verbindet, umleuchtete ihn. Seine spärlichen Haare waren altmodisch mit Pomade angeklebt. Es ging ihm nicht gut. Das Gewerbe des herumziehenden Friseurs war damals schon im Aussterben begriffen. Vielleicht war Nowak der letzte. Laden hatte er keinen. Er schleppte einen alten Koffer mit seinen Scheren, Kämmen und Bürsten mit sich. Bei seiner Tätigkeit ging es nicht geheimnisvoll zu. Er schnitt auch mir die Haare. Aber in erster Linie kam er, um den Großvater zu rasieren. Ich sehe die Prozedur noch vor mir. Mit dem Figaroschwung, der ihm vor Jahrzehnten eingebleut worden war – vielleicht im ›Bristol‹ in Meran oder im ›Grand Hotel Pupp‹ in Karlsbad –, warf er meinem Großvater das Barbiertuch um den Hals, rührte die Seife an, schwang den Pinsel, strich das Messer mit weggestrecktem kleinen Finger. Aber es waren nur noch Gesten. Der Schwung war brüchig. Dem alten Mann ging es schlecht. Die Friseur-Salons zogen die Kundschaft an sich, auch in der kleinen Stadt zwischen den Bergen. Dabei blitzten alle Instrumente Nowaks, der Spiegel im Innern des Kofferdeckels, obwohl er an den Ecken schon blind war, die Scheren und Messer, dünn vom vielen Wetzen. Der Friseur Nowak konnte zu jeder Tageszeit kommen, er brauchte die Dämmerung nicht zu suchen, und doch hatte er etwas zu verbergen, etwas Entscheidendes.

In Tirol gab es nie viel Juden. Der Brockhaus für das Jahr 1900 verzeichnet 1008 ›Ismaeliten‹ bei einer Bevölkerung von knapp unter einer Million. 1941 waren es sicher eher weniger. Und Nowak ist kein jüdischer Name, aber vielleicht war seine Mutter eine Jüdin, das genügte ja.

Ende September stand der alte Mann vor der Tür mit seinem Koffer. Auf die Jacke war der Judenstern genäht. Und neben dem Judenstern, in gleicher Höhe, direkt neben dem gelben Stern, hing die Kaiserjägermedaille.

Ob er noch rasieren dürfe? fragte er.

Mein Großvater ließ ihn herein. Ich weiß noch genau, daß er ihm diesmal fünf Mark Trinkgeld gab, zweimal soviel wie das Entgelt ausmachte. Nowak dankte mit einem tiefen Diener. Über den Judenstern wurde nicht gesprochen. Nur als sich Nowak verabschiedete, sagte er kopfschüttelnd: »Wo ich doch ein alter Kaiserjäger bin!«

Dieser bescheidene Protest des alten Mannes, die kleine Medaille neben dem Judenstern, mußte das Herz selbst des härtesten Antisemiten rühren. Es rührte in der Tat das Herz des Ortsgruppenleiters. Nach vierzehn Tagen konnte es der Ortsgruppenleiter nicht mehr mit ansehen. Er verbot Nowak, die Kaiserjägermedaille zu tragen.

Als ich in den nächsten Ferien zu meinen Großeltern kam, war Nowak nicht mehr da.

Geschichten haben fast immer einen Trost: daß sie nicht wahr sind. Dieser Geschichte fehlt dieser Trost.

# Peter Rühmkorf

## Aussicht auf Wandlung

Mein Dasein ist nicht unterkellert;
wer schuf das Herze so quer?
Bei halber Laune trällert
der Mund sein Lied vor mir her.

Ach Liebste, könntest du lesen
und kämst einen Versbreit heran,
da sähest du Wanst und Wesen
für immer im Doppelgespann.

Ich halte der Affen zweie
in den knöchernen Käfig gesperrt;
und ich teil die Salami der Treue
mit ihm, der um Liebe plärrt.

O Herz, o Herz, wen verwunderts,
daß du zerspringen mußt?
Der tragende Stich des Jahrhunderts
geht hier durch die holzige Brust.

Hunger und Ruhe vergällt mir
ein scheckiger Wendemahr!
Zu jeder Freude fällt mir
die passende Asche aufs Haar.

Der Abend, der rote Indianer,
raucht still sein Calumet.
Was scherts ihn, ob ein vertaner
Tag in der Pfeife zergeht . . .

Sei, sei der Nacht willfährig!
Steig in den Hundefluß!
Jetzt kommt eine Wandlung, aus der ich
als derselbe hervorgehen muß.

# Haltbar bis Ende 1999

Relativ neu im Showgeschäft
ist P. R.
Er ist bei andern Textmachern in die Lehre gegangen,
George Greflinger, Jaicee Gunther, old Danny Lohenstein,
überall mal 'n bißchen gespickt,
den Kiebitz gemacht und die wichtigsten Griffe abgekloppt;
nun hat er aber mittlerweile ein eigenes
kleines Podest erklommen:
da muß jetzt nur noch ein paarmal der Regen drüberfallen
und ein bißchen Sonne draufscheinen –
Najanu, hier wird zwar keine Epoche gemacht,
aber doch ganz schöne Musik.

Ich bin so 'n Nonstopcharakter, wie soll ich sagen,
so ein eiliges Bleistiftgesicht.
Kaum daß ich ausgeschlafen hab,
rasen auch schon meine sämtlichen Nerven mit mir los,
eine Litfaßsäule törnt mich an,
selbst Erdgas wirbt schon mit Titten;
man muß den Menschen vermutlich öfter mal sagen, daß sie
sonst bleiben sie stehen – – –                    [vorübergehn,
Nebenbei, seit einigen Jahren, drei oder vier,
laß ich nur noch das Glück an mich rankommen.

Mein Leben in Reinschrift?
Wen geht das schon was an.
Ich frage, wollen wir hier nun ein Papier erarbeiten oder
lieber nachsehen, wo noch 'n klein bißchen Leuchtstoff rumhängt?
Nihilistische Nachtspanner,
nicht ins Bett zu kriegen;
Boulevardzirpen, richtige noch,
mit 'm handgezogenen Heiligenschein;

Selbstragende Charaktere ohne groß Entfremdung und Bla-
(Woher kommt der Mensch, in der Art,                    [bla
und welcher Partei soll er sich anschließen) – Aber
die Hand ganz locker an der Tube,
die eine Hälfte schon umgerollt, die andere stündlich auf Abruf,
sich selbst ausquetschen und
– im Ernstfall gegen auch die eigene Natur –
aus einer Meise einen Mythos machen.

Kommkomm, die Haare liegen doch, der Schal sitzt.
Irgendwann muß sich einer vermutlich entscheiden,
ob er Dichter oder Pressereferent werden will:
Andere in deinem Alter
bieten heut schon den Landesvater;
andere lungern noch immer herum, wo's grad was zu glauben
Ich aber sage euch, dieses totenwurmhafte Geticke      [gibt –
darf doch nicht alles sein.
Hier ist ein richtiges Herz, das schlägt!
Nichts drumherum.

Herbst des Lebens? Ernte?
Die Natur ist kein Beispiel.
Während die junge Welt schon wieder turnt
und sich das Rauchen abgewöhnt,
experimentier ich mit all meinen Öffnungen.
Sein, richtig wirklich sein muß nämlich nichts.
Nicht mal Kultur, Tevau, die Hoffnung hinterm Auge, Zukunft
von euern Butterfahrten und Initiativausschüssen    [vorm Gesicht,
völlig zu schweigen;
aber diese ausgesuchten Versorgungsklappen zur Schöpfung
mach ich nicht zu!
Wenns hochkommt, ein paar letzte Dinge an sich selbst vorneh-
Keinen Putz! das ist nun mal Seelenleben hier.       [men.

Und, wie gesagt oder nicht:
wer nicht lieber lebt als schreibt, kann das Dichten auch ganz auf-
                                                        [geben.
Sekunde, Lissy, leg noch schnell 'n neuen Dosendeckel auf
(es muß ja nicht gleich was für die ganze Ewigkeit sein;
bloß so mit diesem gewissen
metaphysischen Biß):
Haltbar bis Ende 1999


## Bleib erschütterbar und widersteh

Also heut: zum Ersten, Zweiten, Letzten:
Allen Durchgedrehten, Umgehetzten,
was ich, kaum erhoben, wanken seh,
gestern an und morgen abgeschaltet:
Eh dein Kopf zum Totenkopf erkaltet:
Bleib erschütterbar – doch widersteh!

Die uns Erde, Wasser, Luft versauen
– Fortschritt marsch! mit Gas und Gottvertrauen –
Ehe sie dich einvernehmen, eh
du im Strudel bist und schon im Solde,
wartend, daß die Kotze sich vergolde:
Bleib erschütterbar – und widersteh.

Schön, wie sich die Sterblichen berühren –
Knüppel zielen schon auf Hirn und Nieren,
daß der Liebe gleich der Mut vergeh . . .
Wer geduckt steht, will auch andre biegen.
(Sorgen brauchst du dir nicht selber zuzufügen;
alles, was gefürchtet wird, wird wahr!)
Bleib erschütterbar.
Bleib erschütterbar – doch widersteh.

Widersteht! im Siegen Ungeübte,
zwischen Scylla hier und dort Charybde
schwankt der Wechselkurs der Odyssee . . .
Finsternis kommt reichlich nachgeflossen;
aber du mit – such sie dir! – Genossen!
teilst das Dunkel, und es teilt sich die Gefahr,
leicht und jäh – – –
Bleib erschütterbar!
Bleib erschütterbar – und widersteh.

# Erika Runge

## Ein Schulaufsatz

Zu den schönsten Erinnerungen an meinen Vater gehört, daß ich nach dem Mittagessen, wenn ich schlafen sollte, neben ihm auf dem Sofa lag und wir zusammen gesungen haben. Schön war auch der eine Abend im Winter, als wir alle, mein Vater, meine Mutter und meine zwei älteren Brüder dick angezogen am Biedermeier-Tisch neben dem Ofen saßen und Skat spielten. Ich habe sogar einmal gewonnen. Auf dem Ofen stand ein Topf Grütze, die Wärme reichte gerade, damit er vor sich hinkocht. Meine Mutter hatte viel künstliches Mandelaroma drangetan, wegen der Maden. Sie hat nie kochen gelernt, aber Hertha, das Dienstmädchen, war schon weg, zu ihrer Familie aufs Land. Ich weiß nicht, was ekliger war: die Maden oder das Mandelaroma.

Die meisten Väter waren Soldaten. In unserer Fibel stand: »Hast du auch einen in Feldgrau dabei?« Ich fand's schade, daß mein Vater kein Soldat mehr sein konnte, sicher wäre er sonst General geworden: ein Held, der für das Vaterland kämpft, für Deutschland. Ich habe nie verstanden, warum er 1917 nur das EK II bekommen hat, er wäre doch fast tot gewesen. Sein Pferd hat ihn nicht aus der Schlacht getragen, wie man's immer liest. Bei uns in der Stadt gab es wenig Pferde, nur vor dem Müllwagen, dann ist er mit seinem Rollstuhl dicht an sie herangefahren und hat sie gestreichelt. Mit Pferden konnte er umgehen. Sein Großvater war noch Bauer, aber sein Vater war schon Förster, und der ließ ihn studieren.

»Hast du dir die abgeschnittenen Beine noch mal angeguckt, bevor sie weggeworfen wurden? Wie sehen die aus: so Beine für sich?« Er wußte es nicht. Ich hätte sie mir genau angesehen. Auf meinen Vater zulaufen durfte ich nicht, damit er nicht umfällt. Ich bin auch nie an seiner Hand gegangen. In der Wohnung brauchte er beide Hände für die Stöcke. Zum erstenmal morgens, wenn er aufs Klo ging: Holzbein, Stock, anderes Holzbein, zweiter Stock: tam, tim, tam, tim, tam. Manchmal schaffte er es nicht schnell genug; wenn er Durchfall hatte, dann machte er in die Hose.

In den Zeitungen gab es viele Seiten mit Todesanzeigen, in der Ecke hatten sie ein Kreuz, genau wie das EK I oder II. »Gefallen« stand unter den Namen. Das habe ich nicht verstanden: Warum sind die gleich tot, wenn sie fallen? Wenn mein Vater hinfiel, brach er sich vielleicht ein Bein, also: den Stumpf. Dann kam er ins Krankenhaus. Das war immer sehr schön, weil er nie seinen Pudding aß, den hob er für mich auf. Im Krankenhaus bin ich mit dem Paternoster gefahren, sogar durch den Keller oder oben über den Boden. Ich hatte Angst, aber ich hab's trotzdem getan.

Für die Hitler-Jugend war ich noch zu klein. Aber mein ältester Bruder war schon 15, in seinem Fähnlein hat er gelernt, wie eine Panzerfaust funktioniert. Man muß sie auf die Schulter legen und abziehen, am besten ganz dicht vor dem Panzer, sonst sehen sie einen und schießen. »Und wenn man trifft, sind die dann tot?« habe ich gefragt. »Weiß ich nicht«, hat Peter gesagt. Als er eingesetzt wurde, hat er's so gemacht und ist dafür mit dem EK II ausgezeichnet worden. Er hätte das EK II auch wirklich bekommen, wenn die Orden nicht gerade allegewesen wären. Deshalb hat ihm mein Vater seins gegeben. Er hat ihm die Hand gedrückt und hatte Tränen in den Augen. Peter war ein Held.

Bei Fliegeralarm sind wir fast nie in den Keller gegangen. Meine Mutter hatte Angst, daß ich mir wieder eine Lungenentzündung hole. Und ehe mein Vater mit seinen Prothesen fertig war, gab's meist Entwarnung. Die Bomber flogen nach Berlin, und wenn sie zurückkamen, war hinter ihnen der Himmel rot. »Berlin brennt«, sagten die Leute. Ich wäre gern mal dort gewesen, um zu gucken: eine ganze Stadt in Flammen, alles rot und gelb, und man kann im Feuer spazierengehen. Das wär' bestimmt schön.

An dem Abend hörte man die Flieger wie sonst, immer mehrere auf einmal. Bald mußten sie vorbei sein, und wenn sie von Berlin zurückkommen, gibt's Entwarnung. Doch dann krachte es, das Haus wackelte, es donnerte und explodierte um uns herum, man konnte nichts anderes mehr hören als Bomben. Ich mußte mich schnell anziehen, das olle Kleid, das aus zwei alten zusammengesetzt war, und den Matrosenmantel, den meine Brüder schon getragen hatten. Bei der nächsten Explosion drückte mich meine Mutter hinter das Bett auf den Fußboden, dabei waren doch Jalousien vor den Fenstern, weil im Krieg alles verdunkelt sein muß, die Scheiben konnten gar nicht splittern! Die Schuhe durfte ich mir nicht mehr zubinden, aber meinen Teddy habe ich ordentlich unter die Bettdecke gesteckt, damit er nicht friert, bis ich wiederkomme.

Weil wir im Luftschutzkeller mit drei Kindern keinen Platz hatten, mußten wir in unseren Keller gehen, wo die Kartoffeln lagen und die Äpfel und der Wein für meinen Vater. Christian, mein zweiter Bruder, saß schon auf der Bettkiste, die mein Vater noch von seinen Großeltern hatte, eine große Eichenkiste, in die sind wir reingekrochen, wenn es kalt war. Die Betten waren klamm und rochen muffig. Ich glaube, Christian hat auch reingepinkelt. Peter ja nicht, der war schon im Krieg. Der Krach ging weiter, eine Explosion nach der andern, viel lauter als wenn meine Mutter schimpft. Christian heulte, deswegen habe ich auch angefangen, aber als er sagte: »Eri heult!« habe ich sofort aufgehört. Ich wußte, die Bombe, die trifft, hört man nicht. Und genauso war es. Meine Mutter hat uns noch von der Kiste gezogen, und auf einmal waren überall Steine, um mich herum, auf mir drauf, ich sah nichts mehr, alles war staubig, und ich dachte: »Jetzt stirbst du.« Da kam ein kleiner Lichtstrahl durch: mein Vater hatte eine Taschenlampe! Meine Mutter hat mich rausgewühlt, mein einer Schuh blieb stecken. Alles war kaputt, nur die große, eichene Bettkiste stützte eine Wand ab. Die Tür zum Luftschutzkeller war nicht aufzukriegen. Ich habe gehört, daß jemand schrie: »Luft!«, ganz leise. Ich glaube, es war Gerda, die Tochter der Hauswirtin, die war immer nett zu uns gewesen. Ich sagte: »Da schreit jemand.« Aber meine Mutter sagte: »Nein.« Mein Vater blieb sitzen, wo er saß, über Trümmer konnte er nicht laufen. In einer Ecke sah ich plötzlich einen von Peters Stiefeln. Er war doch bei der Reiter-HJ! Jetzt hatte ich für beide Füße Schuhe. Ein Wunder, genau wie in der Bibel! Im Kindergottesdienst hatte ich gelernt, was Wunder sind.

»Lebt da noch jemand?« riefen sie später von draußen. Und dann haben sie nach uns gegraben. Christian und ich und meine Mutter konnten durch das Loch krabbeln, mein Vater mußte gehoben und geschoben werden. Christian wäre fast in den Krater gefallen, der war voll Wasser, die Linde lag daneben. Erst habe ich sie nicht gesehen, weil ich geblendet war. Das Eckhaus brannte und links gegenüber das auch. Das Haus, in dem wir gewohnt hatten, war ganz kaputt. Aber keiner sagte was, nicht mal meine Mutter hat geschimpft. Und wen hätte sie verhauen sollen?

Peter kam für ein paar Stunden vorbei, bevor er an die Front mußte. Er stand oben auf den Trümmern, das braune Hemd mit der Hakenkreuzbinde am Ärmel leuchtete. Die Kinder lachten mich aus, weil ich in seinen Stiefeln ging, mit 15 hatte er schon Größe 42. Dabei war das besser als zwei ungleiche Schuhe. Meine Haare waren vom Kalkstaub verfilzt, man mußte die Zöpfe ein Stück abschneiden, um mit dem Kamm durchzukommen. Und ich hätte gern lange, dicke Zöpfe gehabt, wie der Führer sie liebt. Mein Vater wollte das auch.

Wer konnte, hat angefangen, die Steine wegzuräumen, um an den Luftschutzkeller ranzukommen. Wir hatten Glück, weil's bei uns nicht gebrannt hat. Ein Eisenträger war der Hauswirtin direkt ins Kreuz gefallen, also, mit der war's gleich vorbei. Ohne Maschinen konnte man den gar nicht heben, deshalb haben sie die Leichen dringelassen. 17 Tote waren's bei uns, ich habe sie gezählt.

Mein Vater war eigentlich zu nichts nutze, beim Buddeln konnte er nicht helfen, und ins Gericht brauchte er nicht mehr zu gehen, das Gericht war zu, auch wenn's vielleicht noch was zum Rechtsprechen gegeben hätte. Er saß in seinem Rollstuhl vor dem Trümmerhaufen, und sie warfen die Kleinigkeiten in den Kasten, in dem seine Füße standen, ich meine: die Prothesen mit den Schuhen – einen verbeulten Silbereierbecher oder ein Stück Holz, das man zum Kochen nehmen konnte. Ich hoffte immer, daß sie meinen Teddy finden, aber er war nicht dabei. Meine Mutter nahm alles, was gefunden wurde, die Flüchtlinge, die bei uns untergekommen waren, hatten doch nur ihre beste Wäsche mitgenommen, aber mein Vater war damit nicht einverstanden. Er sagte: »Das ist Diebstahl, man muß es den Erben geben.«

Drei Häuser weiter haben sie uns aufgenommen. Wir hatten keine Betten, keinen Tisch und keinen Schrank, auch keine Kleider. Aber die Bettwäsche von den toten Flüchtlingen und Besteck und die Kassette, in der meine Mutter den Schmuck und die wichtigen Papiere aufhob, auch das EK II lag da drin. Eine Treppe tiefer wohnte Nini, die in meine Schule ging. Ihre Eltern hatten einen weißen Flügel mit goldenen Verzierungen, darauf haben sie gespielt. Der Flügel soll mal einem Juden gehört haben. So was machten meine Eltern nicht, die hatten auch keine Russin als Dienstmädchen wie die. Manchmal kam noch Post für die Juden an, also waren sie nicht tot. Aber lebendig waren sie auch nicht, denn sie hatten keine Wohnung. Mein Vater meinte, Ninis Eltern sollten wenigstens nicht auf dem Flügel spielen. Warum nicht? Operettenlieder sang sonst keiner. Ein paar Tage später, als wir schon bei Frau Pöhlmann im Keller lagen, haben Tiefflieger eine Bombe in das Haus geschmissen. Die russischen Dienstmädchen von Ninis Eltern waren dann auch tot.

Die Russen haben keine Bomben geschmissen, die hatten auch keine Tiefflieger, nur die Amerikaner, vor denen mußte man sich in acht nehmen. Wenn Tiefflieger kommen, muß man sich sofort verstecken, die jagen die Leute vor sich her, und wen sie erwischen, den knallen sie ab. Als ich mit Männe Milch holen gegangen bin, für Kinder gab's noch Zuteilung, hörten wir sie kommen. Mit Männe spielte keiner gern, weil er sich nicht schmutzig machen durfte, aber es war besser, wenn man nicht allein auf die Straße ging. Wir sind zusammen in die Trümmer gerannt, der Schreibtisch von meinem Vater war halb freigeschaufelt, da wo er die Beine mit den Prothesen druntergestellt hat, wenn er abends noch an seinen Urteilen arbeitete, haben wir uns versteckt. Für zwei Kinder hat's gerade gereicht, die Flieger haben uns nicht gesehen. Wir haben noch eine Weile gewartet und sind dann um die Wette gelaufen. Barfuß über Ziegelberge ist nicht so einfach, man muß aufpassen, daß man nicht auf eine Kante trifft, und darf nicht hinfallen. Ich war schneller. Aber damit war dann Schluß. Die Leichen stanken zu sehr. Selbst wenn ich mir die Nase zuhielt, habe ich sie gerochen. Der Magen, die Lungen, alles, was man in sich drin hat, auch im Kopf, wollte raus, wenn man was von diesem Leichengestank reingekriegt hatte. Giftig faulende Menschen. Keiner kümmerte sich drum. Ich glaube, es gab keine Verwaltung mehr und keine Zwangsarbeiter, die Männer waren alle beim Volkssturm – wer sollte es machen?

Ich habe jeden Tag gebetet: »Lieber Gott, bitte, laß nicht die Russen kommen!« Die Kommissare sind die Schlimmsten, das wußte ich, die bringen die Leute alle einzeln um. Trotzdem hat Frau Pöhlmann auf die Hitlerjungs geschimpft, die hinten im Garten eine Flak aufgebaut haben, eine andere hätte sich das vielleicht nicht getraut. Dabei wußte jeder, daß ein Geschütz Flieger anzieht, und daß da hingeschossen wird. Wir hörten sie vom Keller aus. Ich saß neben meinem Vater, als der Blindgänger durch die Wand fuhr, an meinem Kopf vorbei, im Hof ist er explodiert. Meine Backe wurde ganz dick und heiß. Daß wir nicht getroffen worden sind, war bestimmt ein Wunder.

Man wußte, die Russen wollen, daß man sich ergibt. Frau Pöhlmann hat ein Laken an einen Stock gebunden und es an die Haustür gehängt. Dann sagte jemand, daß die Russen rote Fahnen haben und daß es vielleicht besser ist, man nimmt was Rotes, dann denken sie, man ist mit ihnen einverstanden. Aber man konnte doch nicht die letzten Betten zerschneiden! Weil die Hakenkreuzfahne sowieso nicht mehr gebraucht wurde, haben sie den weißen Kreis mit dem Kreuz abgetrennt. Es blieb ein dunkelroter Fleck, das haben die Russen auch gemerkt und haben das Haus gleich zweimal durchsucht. Als sie kamen, hoben wir die Arme, wie wir es in der Wochenschau gesehen hatten. Mein Vater krempelte sich die Hosenbeine hoch und klopfte auf die Prothesen: Holz. Er machte seine Jacke auf und kehrte die Taschen um. Seine Uhr hatte er Christian gegeben. Meine Mutter kam erst später, die war versteckt, in einem Wandschrank auf Frau Pöhlmanns Hängeboden.

Dann durften wir wieder draußen sein und am Straßenrand sitzen. Die Russen zogen vorbei. Lastwagen, Geschütze, Panzer, Soldaten, Soldaten. Schön waren sie nicht. Dreckig, müde, und diese rasierten Köpfe. Mager auch. Überhaupt keine Helden. Und Geschütze, Lastwagen, Panzer. Und ich hatte immer gedacht, wenn Frieden ist, läuten alle Glocken, wir sitzen auf dem Balkon, die Geranien blühen, und es gibt Brötchen mit Butter und Marmelade.

Der Sommer wurde heiß. Aber baden war verboten. Man hätte den See trockenlegen müssen, um die Leichen rauszuholen. Die Fische wurden besonders fett in dem Jahr. Wir haben sie trotzdem nicht gegessen. Manchmal habe ich den ganzen Nachmittag im Gras gelegen und mir vorgestellt, wie ein Schmalzbrot schmeckt. Meine Mutter hat aus den Trümmern die Ziegel rausgesucht, die noch alle Ecken hatten, damit jemand für sie einen Herd baut. Mein Vater sagte, daß man erst die Erben um Erlaubnis fragen muß, weil es sonst Diebstahl ist. Sie hat's dann getan, ohne drüber zu sprechen. Mein Vater war eigentlich zu nichts mehr nutze, er wußte nicht, wie man Essen ranschafft, keiner wollte noch, daß er Recht spricht, und ohne die Wohnung mit den vielen Zimmern, die so schön waren, daß wir Kinder nicht drin spielen durften, war er eben nur ein Kriegsbeschädigter und ein Nazi. Davon gab's viele. Sie haben ihn dann zur Arbeit in einem Büro eingeteilt, er mußte Akten ordnen. Als die Zeiten besser wurden, hat er sich oft betrunken, und wenn er umgefallen war, weil er nicht mehr laufen konnte, habe ich geholfen, ihn aufzuheben. Meine Mutter hat sich nicht mehr um ihn gekümmert. An manchen Tagen hat sie nur geschrien.[1]

[1] Die Nachricht vom Tod meines Vaters bekam ich 1961, als ich auf einer Demonstration gegen Atomrüstung meinen ersten Film drehte. Mein Vater hat die deutsche Wiederbewaffnung bejaht, er war auch für eine Aufrüstung der Bundeswehr mit Atomwaffen. Darüber haben wir nie sprechen können. Seit ich nach Moskau gefahren war, zu den Weltjugendfestspielen, hat er kaum mehr mit mir gesprochen: die Russen blieben für ihn die Feinde.

# Michael Schneider

## Das Erscheinungswunder

Ich weiß nicht genau, wann zum ersten Mal das Gerücht aufkam, Cambiani sei mehr als nur ein virtuoser Zauber- bzw. Trickkünstler. Auf einmal jedenfalls war dieses Gerücht in Umlauf und seither nicht mehr einzudämmen. Eines Tages erschien in der Sensationspresse ein ganzseitiger Artikel mit der Überschrift: »Das Wunder der Telekinese«. Der Verfasser behauptete, daß es telekinetische Kräfte gebe, vermöge derer der Mensch ohne Beteiligung irgendeiner bekannten physikalischen Energie oder mechanischen Vorrichtung einen entfernten Gegenstand in Bewegung setzen könne. Und als Kronzeugen seiner Behauptung führte er Cambianis bekanntes Kunststück mit der Spielkarte an. »Die Tatsache«, so hieß es, »daß die Karte erst zehn Meter durch den Raum segelt, um dann wie ein Bumerang wieder in die Hände des Magiers zurückzukehren, beruht auf einer telekinetischen Fernwirkung. Cambiani zwingt der Spielkarte seinen Willen auf.« Über diesen haarsträubenden Unsinn wurden im Zirkel zunächst nur Witze gemacht. Aber die Sache ging weiter. Es dauerte nicht lange, und in einer TV-Podiumsdiskussion zum Thema »Psi – Ich weiß nicht wie!« verfocht eine Kapazität auf dem Gebiete der Astrophysik die These, daß der Mensch kraft der in ihm wirkenden Psi-Kräfte in der Lage sei, auch jenen Widerstand zu brechen, den ihm die Materie normalerweise entgegensetze. Und als Beweis führte er unter anderem Cambianis berühmtes Ringspiel an; durch die »Polung seines inneren Kraftfeldes« gelinge es ihm, selbst eine so solide und feste Materie wie Metall blitzartig zu durchdringen. Wenig später wurde auf einem interdisziplinären Fachkongreß von Philosophen, Psychologen und Gehirnforschern zum Thema »Grenzen der menschlichen Willensfreiheit« – einer höchst seriösen Veranstaltung immerhin – von namhaften Wissenschaftlern die Behauptung aufgestellt, daß der Mensch bei vollständiger Konzentration seiner parapsychischen Kräfte auch die Willensfreiheit eines anderen Menschen vollständig aufheben könne. Und wieder mußte Cambiani, in diesem Fall sein telepathisches Kunststück mit den drei Büchern, als Beweis dafür herhalten: Die Tatsache, daß die Zuschauer aus zirka 1500 Buchseiten just den einen und einzigen Satz auswählen, den Cambiani zuvor auf einem Zettel notiert habe, spreche ebenso sehr für sein hellseherisches wie für sein hypnotisches Vermögen. Ihre Wahl sei offenbar durch »hypnotische Fernsteuerung ihrer Gehirnströme« vorprogrammiert. – Auch die Vertreter ernstzunehmender Wissenschaften gerieten also, wie ich zu meiner großen Beunruhigung feststellen mußte, in den Sog dieser Stimmung.

Ich will Ihnen, verehrter Leser, die Aufzählung und Beschreibung der aberwitzigen Hypothesen und Mythen, die sich von nun an um die Person Cambianis rankten und die ein Buch für sich füllen würden, hier ersparen. Sein Ruf, über wunderbare Kräfte zu verfügen und überhaupt eine so bezwingende Persönlichkeit zu sein, daß er Menschen wie Dingen jederzeit seinen Willen aufzwingen könne, verbreitete sich wie ein Lauffeuer. Zwar forderten Zirkelmitglieder ihn immer wieder zu einer öffentlichen Stellungnahme auf, um den hanebüchenen Gerüchten, die über ihn in Umlauf waren, endlich ein Ende zu setzen, aber Cambiani hielt sich sonderbarerweise immer zurück.

Es vergingen wohl Wochen und Monate, bis sich der Spitzenmagier des Landes wieder zu einem seiner beliebten – und nun mit um so größerer Spannung erwarteten – Auftritte in der populären Fernsehsendung »Der magische Blick« bewegen ließ. Nachdem er, wie üblich, einige Kostproben seiner zauberhaften Kunst gegeben hatte, fragte ihn der Moderator mit seltsam feierlicher Stimme, ob bei den Kunststücken, die er eben vorgeführt habe, nicht auch *andere* Kräfte als Fingerfertigkeit, Geschicklichkeit und so weiter im Spiel seien. Cambiani quittierte diese Frage mit einem rätselhaften Lächeln.

Aber der Moderator ließ nicht locker. Ob es denn wahr sei, was die Leute von ihm glaubten: Daß er *wirklich* die Schwerkraft aufheben, die Materie durchdringen und sich einen fremden Willen unterordnen könne? Cambiani lakonisch: »Woran man glaubt, das gibt es auch. Was man nicht glaubt, gibt es nicht!« – Ein Orakelspruch, über dessen Bedeutung vierzig Millionen Fernsehzuschauer noch Wochen danach die tollkühnsten Mutmaßungen anstellten.

Einige Monate später gab Cambiani über den Rundfunk bekannt, daß er gedenke, in Bälde ein absolut einmaliges Zeugnis *wahrer* Zauberkunst abzulegen, indem er sich selbst auf offener Bühne beerdigen werde, um im selben Moment an einem dreißig Meter entfernten Ort buchstäblich aufzuerstehen – ein *Wunder,* das bisher kein Magier der Welt fertig gebracht habe – mit Ausnahme des Herrn Jesus Christus, der aber nach geltender Vorstellung nicht zu den Magiern, sondern zu den Heiligen zähle.

Die meisten Kollegen aus dem Zirkel hielten Cambianis phantastische Ankündigung zunächst für einen Scherz; einige meinten, seine frühen Erfolge seien ihm derart zu Kopf gestiegen, daß man nun ernsthaft um seinen Verstand bangen müsse. Als aber zwei Monate später alle Litfaßsäulen des Landes Cambianis »Auferstehungswunder: Das größte Erscheinungswunder seit Jesus Christus« ankündigten – bezeichnenderweise war die Uraufführung auf den Ostersonntag, 20 Uhr im Olympia-Theater angesetzt! –, machten sie allesamt lange Gesichter und rätselten Tag und Nacht, wie Cambiani dieses Wunder bloß bewerkstelligen wolle.

Infolge der imposanten Vorankündigungen war die Premiere schon Wochen vorher vollständig ausverkauft. Einzelne Besucher hatten sich rechtzeitig ganze Kartenkontingente gesichert, die nun hintenherum zu Höchstpreisen gehandelt wurden; ein regelrechter Schwarzmarkt blühte um die sogenannten Cambiani-Billette auf, deren Kurswert sich über Nacht verdoppelte und verdreifachte. Nicht nur die magische Fachwelt des In- und Auslandes, auch die Prominenz des ganzes Landes war zu der großen Premiere angereist.

Falls Sie, verehrter Leser, zu denjenigen gehören sollten, die nicht dabei gewesen sind, will ich Ihnen diese Welturaufführung im ausverkauften Olympia-Theater hier kurz beschreiben. Der erste Teil der Premiere verlief zunächst ohne besondere Vorkommnisse und Höhepunkte. Geduldig ertrug das Publikum das anderthalbstündige Rahmenprogramm, das der angekündigten Sensation vorausging, um deretwillen es eigentlich gekommen war. Als Cambiani endlich das »Große Finale – das größte Erscheinungswunder seit Jesus Christus« ankündigte, lief eine Welle der Erregung durch das Parkett. Im selben Moment begannen die Fernsehkameras zu surren, die das zu erwartende Wunder live auf allen gleichgeschalteten Programmen übertrugen.

»Meine Damen und Herren«, begann Cambiani mit leiser, fast flüsternder Stimme. »Die meisten Zauberkünstler pflegen von sich zu behaupten, daß sie wirklich zaubern können, obwohl sie doch *nur so tun*, als könnten sie zaubern. Und Sie, verehrtes Publikum, sind gewohnt, über diese gleichsam professionelle Anmaßung augenzwinkernd hinwegzusehen. Und doch, frage ich Sie, wer von Ihnen vermag mit Sicherheit auszuschließen, daß es unter all diesen Möchtegern-Zauberern nicht vielleicht *einen* gibt, der *wirklich* zaubern kann?!« Tobender Applaus, in dem selbst einzelne Zwischenrufe wie »Hört! Hört! Das wollen wir doch erst mal sehen!« sofort untergingen. »Meine Damen und Herren«, fuhr Cambiani mit leichter Verbeugung gegen sein Publikum fort, »ich überlasse es

Ihnen herauszufinden, wer unter all den professionellen Falsch-spielern, die auf Ihre Leichtgläubigkeit setzen, der *wahre* Zauberer ist. Was mich betrifft: Ich beuge mich weder den Gesetzen der Schwerkraft noch denen des Raums und der Zeit, sondern einzig dem Urteile meines Publikums!«

Totenstille ist eingetreten, als ob eine tausendköpfige Menge auf Befehl den Atem angehalten hätte. Nur der Hall der schweren Tritte Cambianis auf der weiten Bühne, in deren Mitte ein schwar-zer Kasten steht, ist noch zu hören. »Dieser Kasten, den Sie hier se-hen, meine Damen und Herren, ist ein aufklappbarer Sarg, die letzte Hülle des Menschen. Er ist vollständig leer. Bitte, überzeu-gen Sie sich selbst!« Zum Beweis klappt Cambiani nun die Wände des Kastens nacheinander auf. Dann stellt er den wieder zuge-klappten Sarg schräg gegen ein kleines Podest. »Und nun, meine Damen und Herren, verabschiede ich mich von Ihnen. Wovor sich jeder Mensch fürchtet, ich tue es freiwillig; denn ich bin mein eige-ner Jedermann und lege mich, nicht weil ich muß, sondern weil ich *will, freiwillig* zur letzten Ruhe.« Cambiani steigt in den Sarg und schließt den Deckel über sich. Dann tritt jener Augenblick absolu-ter Stille ein, der jedem wirklichen Mysterium vorauszugehen hat. Noch einmal hebt sich langsam der Deckel. Hysterisches Kreischen aus dem Parkett. Cambiani steckt den Kopf aus dem Sarg: »Noch bin ich da!« sagt er mit rätselhaftem Lächeln. Dann schließt sich der Deckel. Ein Paukenschlag wie ein Donner, der Deckel springt auf: Der Sarg ist leer. »Es ist vollbracht!« ertönt im *selben* Moment eine laute Stimme von hinten. Alles fährt herum: Cambiani steht, die ausgestreckte Rechte wie zum Gruß oder zum Segen erhoben, im purpurnen Mantel, auf dem Haupt einen Zylinder mit golde-nem Hutband, der wie ein Heiligenschein wirkt, in der Kaiserloge, die etwa dreißig Meter von der Bühne entfernt ist. Das Publikum ist vor Schreck wie gelähmt. Totenstille, dann kommen die ersten verstörten Rufe aus dem Parkett: »Das geht nicht mehr mit rechten Dingen zu!« »Mein Gott! Ein wahrhaftiges Wunder!« Nun kennen die Leute kein Halten mehr: Sie rasen, brüllen, toben, trampeln mit den Füßen, bis sich der Jubel schließlich in einer nicht mehr abrei-ßenden Salve von Heil-Rufen Bahn bricht: »Heil Cambiani! Heil! Heil! Heil! ... Cambiani, der größte, der einzig wahre Zauberer dieses Jahrhunderts!«

Mit diesem Tage war, wie Sie wissen, Alfredo Cambianis Welt-karriere besiegelt. Er hatte ein geradezu biblisches Wunder voll-bracht, das keiner enträtseln, keiner nachmachen konnte ...

# Autodafé der Magie

Als ich viele Jahre später die Mündung der Passage erreichte, wo sonst Stadtstreicher, Pflastermaler, Straßenmusikanten und Schausteller der verschiedensten Art die Passanten um sich scharten, sah ich zu meinem Schrecken Alfredo Cambiani, von einer großen Menschenmenge umringt, auf dem schwarzen Kasten stehen, der ihm als Podest diente. Mit hochgerissenen Armen und einer Stimme, die selbst einem Marktschreier das Grausen beigebracht hätte, schrie er in die Menge: »Wer hat noch nicht, wer will noch mal! Mit zwei Augen und Ohren seid ihr dabei! Kommt näher, Leute! Noch näher! Auf daß ihr euren Kindern und Kindeskindern später sagen könnt: Wir sind dabei gewesen! Wir haben sie miterlebt: Die letzte große Vorstellung des Wundermannes Alfredo Cambiani . . . Nur keine Bange! Ihr sollt euer blaues Wunder schon erleben! Der Eintritt ist frei. Denn die Wahrheit kostet nichts!«

Die johlende Menge war plötzlich mucksmäuschenstill geworden. Verstört und in banger Erwartung blickte alles auf diesen aufgewühlten Mann mit den flackernden Augen, der allen bekannt war und den doch keiner jemals so gesehen hatte. »Hier steht er: Der größte, der einzig wahre Zauberer dieses Jahrhunderts, den ihr wie einen Gott verehrt habt und den ihr jetzt bespucken dürft!« Dabei brach er in ein gellendes Gelächter aus, das mir in alle Glieder fuhr. »Aber erst müßt ihr meine Beichte anhören! Dieser schwarze Kasten: Mein Beichtstuhl! Ihr alle: Meine Beichtväter! Absolution wird nicht erteilt! Hört also: Ich Alfredo Cambiani, Zauberer von Luzifers Gnaden – habe euch mit diesem Zauberstab jahrelang an der Nase herumgeführt, habe euch gebluft mit meinen trickreichen Künsten, und ihr habt es in eurer abgrundtiefen Dummheit nicht bemerkt! Aber ihr sollt getröstet werden, ihr Hammel von Gottes Gnaden! Denn ab sofort gebe ich meine magische Schatzkammer zur Plünderung frei. Hokuspokus fidibus. Nun ist Schluß!« Und mit einem Ruck zerbrach er seinen Zauberstab, den er einst wie sein Vater an den Fingern hatte schweben lassen, und warf die Stücke hohnlachend aufs Pflaster.

»Wo bleibt der Beifall! Ihr applaudiert doch sonst jedem Esel! Das Kunststück gefällt euch wohl nicht?! Gut, ich mache eine Zugabe.« Und im gleichen Augenblick zog er zwei einzelne Ringe aus seiner Fracktasche, schlug sie ineinander und bog dann den geschlitzten Ring an der Nahtstelle so weit auseinander, bis jedermann sah, daß auch dieses wunderbare Stück Metall Anfang und Ende hatte. »Durchdringung der Materie! Hahahahaha! Es ist freilich kein Kunststück, eure leeren Hirnschalen mit ein paar wohlgesetzten Worten zu durchdringen!« Dann warf er das traurige Stück Metall unter die Leute. »Wo bleibt der Applaus? Gefallen euch meine Tricks nicht mehr? Die Wahrheit wollt ihr nicht sehen, wie? Denn sie ist so *hohl* wie diese Halbschale und so *kaputt* wie dieser Ring. Ihr aber braucht einen, der all das, was kaputt ist, wieder *heil* und *ganz* zaubert! Einen, der euch ein Heil vorspiegelt, das euch eure eigene Kaputtheit vergessen läßt! Einen Wundermann, der euch über eure eigene Ohnmacht und Winzigkeit hinwegtröstet! Einen Esel wie mich, der sich den Atlasberg eurer maßlosen und eitlen Wünsche auf die Schultern lädt. Einen Vollidioten wie mich, der eure Kitschträume von Größe und Allmacht über die Rampe bringt! Einen unglücklichen Menschen wie mich, der für euch und euren verfluchten Ehrgeiz den Übermenschen markiert! Schämt ihr euch eigentlich nicht, einen Menschen so auf den Sockel zu setzen, daß er nur noch den Verstand verlieren kann? Wahrlich: Ihr schreckt vor nichts zurück, wenn ihr einmal entschlossen seid, einen Menschen in euren eingebildeten Götterhimmel zu heben! Ihr seid bereit – allzeit bereit! – eurer sklavischen Verehrungssucht jedes Opfer zu bringen. Noch jetzt wird mir kotzübel, wenn ich an die Salve von Heil-Rufen denke, mit denen ihr mich in der Kaiserloge empfangen habt: Heil Cambiani! Heil! Heil! Heil! Dem größten, dem einzig wahren Zauberer dieses Jahrhunderts! . . . Und wofür? Für ein Jahrmarktswunder, das auf dem billigsten Trick dieses Jahrhunderts beruht! . . . Warum schweigt ihr? Warum sagt ihr nichts? Habt ihr keine Zunge mehr? Hat es euch die Sprache verschlagen? . . . Ah, ich verstehe! Jetzt wollt ihr es plötzlich nicht mehr gewesen sein. Jetzt will keiner mehr dabeigewesen sein. Jetzt hat keiner mehr ›Heil‹ geschrien! Und ich, ich habe mir alles nur eingebildet! Eine Sinnestäuschung, wie? Eine fixe Idee von mir? Ich bin also verrückt! Komplett verrückt! Ich leide am Größenwahn, mit dem ihr nichts, rein gar nichts zu tun habt, wie? . . . Wäre auch nur ein *einziger* unter euch gewesen, der die Hand gegen mich aufgehoben oder mich vor versammeltem Publikum ausgelacht hätte, ich wäre wie ein Kartenhaus zusammengeklappt und mein Bann wäre auf ewig gebrochen gewesen. Aber nein! Da braucht nur einer ein bißchen Hokuspokus machen und sich als großer Mann aufspielen, als Wundermann, und schon beugt Ihr den Nacken!

Natürlich habe ich ein bißchen mit der Bibel, den Wundertaten des Herrn Jesus und der ›Vorsehung‹ kokettiert. Das gehört nun mal zu meinem Job! Aber konnte ich ahnen, daß ihr diese Wortspielchen gleich für bare Münze nehmt? Konnte ich ahnen, daß ihr aus jedem Trick von mir gleich ein Wunder, aus jedem Wort von mir gleich ein Evangelium, aus jedem Furz von mir gleich ein Mysterium macht? . . . ›Aufhebung der Schwerkraft‹, ›Durchdringung der Materie‹, ›Überwindung von Raum und Zeit‹! Und zu all dem soll mich die ›Vorsehung‹ befugt und auserwählt haben?! . . . Soll ich euch sagen, worin meine ›Vorsehung‹ bestand: Aus einer Halbschale, einem geschlitzten Ring und – nun höret und staunet: – Aus meinem eigenen Bruder! Mein Bruder ist für mich in diesen schwarzen Kasten gestiegen, der natürlich einen doppelten Boden hat!«

Und nun sprang er von dem schwarzen Kasten, öffnete den Deckel und klappte, für jedermann sichtbar, die doppelte Wand auf. »Mein eigener Bruder hat sich für mich Abend für Abend da hineingelegt, damit ich euch als Wundermann, der Raum und Zeit überwindet, in der Kaiserloge erscheinen konnte. Jawohl! Ich habe – und dies war mein bester Trick! – ein *lebendes* Double benutzt, ein Fleisch gewordenes Abziehbild meiner selbst!

# Rolf Schneider

## Schmetterlinge

### 1

Es war einmal eine Zeit, die liegt jetzt dreißig Jahre zurück, und das
war eine Zeit, in welcher Krieg herrschte, und er herrschte in einem Erdteil, der hieß Europa, und mitten in diesem Erdteil lagen
zwei Länder, Deutschland und Polen, und in diesen Ländern, wie
in anderen auch, lebten Menschen.

### 2

Es war einmal ein Dorf, das hieß Klivno. Es lag in Galizien, und
Galizien ist eine Provinz des Landes Polen. Es lebte aber in Klivno
ein Junge, der hieß Moische Nachman, und er lebte dort mit seiner
Mutter und mit seinem Großvater. Die Nachmans waren Juden,
das sind Menschen mit einem besonderen Gottesglauben und mit
besonderen Festen, die heißen zum Beispiel Passah oder Laubhüt-
tenfest, und einmal in der Woche feiern sie den Schabbes, welcher
ist, was anderswo Sonntag heißt, aber die Juden beginnen den
Schabbes schon am Freitagabend, und er dauert dann vierundzwanzig Stunden lang. Und es geschah, daß die Nachmans den
Schabbes begehen wollten mit Essen und Kerzenbrennen und Ge-
bet. Und es geschah, daß sie vor ihrem Haus Lärm hörten, der war
von einem schweren Motor, wie er in großen Lastwagen ist. Und es
geschah, daß die Nachmans fortfuhren, ihren Schabbes zu begehen. Und es geschah, daß die Tür plötzlich aufgestoßen wurde, und
in der Tür standen drei Männer in Uniform, und die Uniformen
waren deutsche. Da empörte sich der Großvater des Moische Nachman, er stand auf von seinem Stuhl und schrie die fremden Männer
an, weil sie den Schabbes störten, dabei streckte er die Arme vor
und ging auf die Männer zu. Da schoß einer der Männer in Uniform auf den alten Mann aus einem Gewehr, und der alte Mann
wurde in die Brust getroffen, daß er umfiel und tot war, sofort. Da
nahm ein anderer der Männer ein Papier aus der Tasche und las
von dem Papier einen Text, welcher besagte, daß die Juden von
Klivno ausgesiedelt würden in einen anderen Ort, und Moische
Nachman und seine Mutter hörten zu, und sie taten dann rasch,
wie es ihnen befohlen war, daß sie Sachen packten in einen Koffer,

und der tote alte Mann lag immer noch auf den Dielen neben der Schabbestafel, und Moische begriff, wie schrecklich es war, wenn einer keinen Gehorsam leistete solchen Befehlen.

3

Die Nachmans wurden auf einen Lastwagen geschickt, in dessen Bauch warteten schon die anderen Juden von Klivno. Der Lastwagen fuhr eine Stunde bis zu einem Bahnhof, und dort, auf einem besonderen Bahnsteig, warteten die Juden von Klivno zusammen mit Juden aus anderen Dörfern, die warteten schon viel länger, auf einen Güterzug. Es war aber kalt, Ende Februar, und es war Frost und manchmal Wind und schneite auch ein wenig. Und es kamen schließlich deutsche Männer in deutschen Uniformen, und sie trugen zwischen sich einen Kessel mit warmer Suppe. Sie hatten einen großen Schöpflöffel, den tauchten sie in die Suppe, und einem alten Mann, der sehr verhungert war, wollten sie die erste Suppe geben, aber dafür sollte er, verlangten sie, laut aufsagen, daß er ein Affe sei und kein Mensch und überhaupt ein Judenschwein. Sie lachten, als er das alles so gesagt hatte, und gaben ihm heiße Suppe in eine Schüssel. Es empörte sich aber darüber die Mutter des Moische Nachman, sie schlug dem Mann die Schüssel aus der Hand und beschimpfte ihn, daß er sich für ein Essen zum Aff gemacht hatte. Da packten die deutschen Männer in deutschen Uniformen die Mutter des Moische Nachman und schafften sie fort unter Flüchen, und Moische würde sie auch nie wiedersehen. Und er dachte darüber nach, daß es vielleicht doch besser wäre, ein Aff zu sein und zu essen und zu leben, als stolz zu sein und für immer verschollen.

4

Es war dann, daß der Güterzug endlich hereinrollte, und alle wartenden Juden auf dem Bahnhof wurden in die Güterwagen getan, dort drinnen standen sie sehr eng, und sie fuhren so zwei Tage. Sie fuhren dabei nicht die ganze Zeit, immer bloß Viertelstunden, sonst stand der Zug irgendwo. Und in den Güterwagen wurde gewimmert, weil es Hunger gab, und der Schneewind ging durch die Spalten im Holz, und es stank auch sehr. Und nach zwei Tagen hielten sie wieder auf einem Bahnsteig und durften den Zug verlassen, und da waren sie in einer großen Stadt, dort gab es ein Ghetto. Was ist ein Ghetto? Das ist ein Stadtteil, in dem bloß die Juden leben dürfen und niemand sonst, aber es dürfen auch die Juden nicht den Stadtteil verlassen, weil es ihnen verboten ist für eine fürchterliche Strafe. Es gab aber in diesem Ghetto etwas Arbeit und viel Hunger, es war auch eine schreckliche Enge, und es gab Schmutz und Krankheiten. Durch die Straßen fuhr, als häufigstes Gefährt, ein Leichenwagen, und wer durch die Straßen ging, hatte gesenkte Köpfe, Pferde und Katzen und Menschen.

Einmal begegnete Moische Nachman, der bloß so herumlungerte, ein Mädchen. Sie war zwei Jahre älter und trug einen langen und weiten und grauen Rock wie eine alte Frau. Sie setzten sich nebeneinander und sprachen, und das Mädchen hob nach einer Weile ihren Rocksaum, da hatte sie an ihr Bein ein Brot gebunden, das war, sagte sie, so geschmuggelt. Sie nahm das Brot und brach zwei Stücke ab und gab sie dem hungrigen Moische. Das geschah dann immer wieder an den auffolgenden fünf Tagen. Am sechsten Tag aber wartete Moische vergeblich, und er wartete umsonst auch am siebenten Tag, und er lief umher und suchte und fragte und erfuhr, daß das Mädchen erschossen worden war bei dem Versuch, daß sie heimlich das Ghetto verlassen wollte, um Nahrungsmittel zu holen. Und Moische dachte nach und wußte jetzt, daß auch das Gutsein nicht weit führt und am Ende tödlich ist in so einer Zeit.

## 5

Es geschah aber, daß in dem Ghetto dann ein Aufstand ausbrach. Die Männer, die dort wohnten, hatten Gewehre unter den Türschwellen versteckt, und sie hoben die Türschwellen auf und nahmen die Gewehre aus dem Versteck, und ihre Frauen taten Säcke voller Sand in die Straßen und Möbelstücke, und die Männer legten sich mit ihren Gewehren dahinter und schossen auf die deutschen Männer in den deutschen Uniformen. Die ließen aber Geschütze in die Straßen fahren, und sie legten Feuer in die Häuser. Drei Tage dauerte dieser Kampf und war sehr laut und heftig, und danach gab es kein Haus mehr und nur wenige Menschen im Ghetto, und die es noch gab, wurden zum Bahnhof getrieben, vorbei an Ruß und Gestank und zerfetzten Leibern, und unter denen, die zum Bahnhof getrieben wurden, war Moische Nachman, und er dachte darüber nach, daß ein Aufstand nichts nützte, auch wenn ihn nicht bloß ein einzelner vornahm, wie sein Großvater, sondern sehr viele, wie hier, es war alles sinnlos, sinnlos.

## 6

Es war einmal ein Lager, das war wie viele andere Lager der Deutschen in Europa, aber es war kleiner als andere Lager, denn wo die Zehntausende von Menschen hatten, gab es hier bloß tausend, und unter ihnen war Moische Nachman, ein Gefangener in einer Kleidung aus blauen und weißen Stoffstreifen. Er mußte, obwohl er noch ein Kind war, mit den andern in einem Steinbruch arbeiten, dabei wurden sie von scharfen Hunden bewacht. Oft starben Leute. Sie wurden dann verbrannt in Öfen, und das ganze Lager hatte davon einen ekelhaften Geruch. Manchmal, an den Abenden, zeichnete Moische Nachman Schmetterlinge auf Stücke von altem Papier, das hatte er im Lager gefunden, und mit einem Stift, den hatte ihm jemand geschenkt. Die Schmetterlinge hatten Fühler wie Stacheldraht und Leiber wie Stahlruten, und ihre Flügel waren gestreift wie die Lumpen von den Gefangenen.

7

Und es kam ein Tag im Frühjahr, da wurden die deutschen Bewacher im Lager vertrieben von einer fremdländischen Armee, die kam aus dem Osten, und das Lager wurde geöffnet, und die Gefangenen waren frei. Sie bekamen jetzt mehr zu essen und andere Kleidung und warteten darauf, daß sie davonfahren konnten. Aber Moische Nachman ging allein fort, und es vermißte ihn niemand, denn sie waren insgesamt sehr viele gewesen.
Und Moische Nachman ging einen halben Tag und wurde dann müde und legte sich neben ein Gebüsch aus krüppeligen Kiefern, es schmerzten ihm auch die Füße.
Und er schlief ein und erwachte dann wieder, da war es Dämmerung und Nebel.
Und es war nahe Moische Nachman ein Dibbuk.
Was ist ein Dibbuk? Ein jüdischer Poltergeist. Ein Satan. Ein Nichtsnutz. Eine Fratze. Eine Ausgeburt. Ein Teufelsdreck. Ein Hirngespinst. Ein Alp. Und der Dibbuk schwang sich ein bißchen im krüppeligen Kieferngeäst und kicherte und schrie und krächzte und ließ sich herabfallen ins magere Frühjahrsgras neben Moische Nachman, und er japste und sagte:
Da sieh. Da bist du. Was bist du? Ein bissele Dreck, no? Was willst du machen? Was du gemacht hast bisher. Was hast du gemacht? Einen Dreck. Hast du gemacht Schmetterlinge mit häßlichen Gliedern und lumpigen Flügeln. Die fliegen nicht weit. Die verfaulen schnell. Die sind wie die Welt und was darin kreucht. Die Welt ist ein Morast aus Dreck und Blut und Unrecht und wär besser angezündet und verbrannt insgesamt. Da erschrak aber Moische bei dieser Vorstellung und sagte heftig: Nein!
Da lachte aber der Dibbuk und krächzte und schrie: Wieso denn nicht? Weißt du was Besseres?
Da suchte Moische nach einer Antwort und fand keine und schwieg.
Da lachte der Dibbuk und sagte: Hast du nicht selber erlebt, wohin das führt: Ehrfurcht und Stolz und Liebe und Aufstand? Es führt zu nichts. Das Leben ist ein Dreck.

Da erschrak Moische wieder und sagte heftig: Nein!
Da schrie und johlte und sprang der Dibbuk und rief: Beweis mir
das Gegenteil! Beweis es dir selber!
Und stupste den Kopf des Moische Nachman in eine andere Richtung, und dort war, nicht besonders weit entfernt, ein junger
Mensch, der war etwas älter als Moische Nachman, und er trug
eine deutsche Uniform und hatte gelbes Haar und sah überhaupt
aus, wie Moische Nachman die Deutschen meistens erlebt hatte.
Dem hier aber war eine Hand fortgerissen, die linke, vielleicht von
einem Geschoß, und es war ein weißes Tuch vor den Stumpf gewik-
kelt und schon völlig durchweicht mit Blut, und vielleicht weil er so
viel davon verloren hatte, lag er, der Mensch, und war nicht mehr
bei Bewußtsein.
Und Moische Nachman besah sich ihn. Und Moische Nachman
dachte: So wie du hier liegst, hab ich viele liegen sehn von meinen
Leut. Und Moische Nachman beugte sich über ihn, um zu horchen,
ob da noch Atem war, aber es war. Und Moische Nachman nahm
ihn bei den Schuhen und schüttelte daran, daß er aufwachte, wenn
er vielleicht bloß schlief, aber er schlief nicht. Und Moische Nachman dachte wieder nach und sagte sich: Wenn er verkommt, ist es
einer mehr. Und er besah sich den Menschen, seufzte, rieb sich die
Hände und bückte sich und hob den Körper auf und legte ihn sich
über den eigenen Rücken und trug und schleifte ihn davon. Der
fremde Körper war schwer, und Moische Nachman mußte oft anhalten und sich den Schweiß wischen und fluchen. Er kam schließlich an ein Dorf, und er legte den kranken Menschen vor eine Tür
und überzeugte sich, daß Rauch kam aus dem Schornstein des Hauses, und er klopfte heftig an die Tür und ging weiter. Er hatte es bestimmt nicht aus Mitleid getan. Es hatte ihn auch nicht die Verwun-
dung beeindruckt, denn da hatte er wirklich schon viele Wunden
vor Augen gehabt und jedenfalls schlimmere. Er wollte es bloß dem
Dibbuk beweisen!

8
Moische Nachman malte später noch viel, auf Papier und auf Stoff,
und seine Schmetterlinge hatten dann richtige Leiber und glatte
Flügel, er malte außerdem Sterne, Kiefern, Häuser mit Schornstei-
nen, Katzen, Pferde, Wiesen, Fenster und Hände, aber er malte
auch immer wieder Schmetterlinge, die waren sehr bunt.

# Erasmus Schöfer

## Die Augen wußten ihren Tod

Bliss stand auf dem schmalen, eisernen Gang, der ein paar Meter
über dem Hof zu den rückwärtigen Zimmern der Herberge von
Margarita Kokkinu führte, hatte den Schweiß abgeduscht, und das
sanfte, vielfach verwischte und gedämpfte Sonnenlicht, das die
Blätter des Lindenbaums durchließen, schien ihm jetzt wie ein Zauber, der den Dreck und Verfall des baufälligen Hauses in griechi-
sche Patina verwandelte. Dieser wie vom Himmel in einen nichts-
ahnenden Hinterhof der Plaka gefallene deutsche Lindenbaum
machte ihm mit seinem gelbgrünen dämmrigen Zwielicht die von
Hitze und Lärm flirrende Stadtsteppe Athens wieder ertragbar, ließ
ihn hier, zu Füßen der Akropolis, fast vergessen, was ihn vor einer
Stunde noch sein ganzes Arsenal an Verwünschungen hatte mobili-
sieren lassen.

Er verlor sich in den Gedanken und Stimmungen, die das Bild
der jungen Frau in ihm angestoßen hatte. Als tot war sie gemeldet
im Rizospastis, den er sich am Kiosk in der Ermoustraße gekauft
hatte, als tot seit zwei Tagen und nicht nur das, sondern: ermordet.

Er hatte es immer abgelehnt, über den Tod nachzudenken. Oder
zu sprechen. Es war ein fast physischer Widerwillen gegen diese all-
gegenwärtige Beschäftigung mit dem Tod, die sich ihm aufdrängte,
die ihm aufgedrängt wurde als Unausweichlichkeit, als eine mit der
Wahrheit, der er sich zu stellen hätte. In der Philosophie, mit der er
belehrt worden war, war alles Leben eines zum Tode hin, und die
Angst des Menschen vor dem Tod, dem Nichts, sollte die beherr-
schende Stimmung seines Lebens sein. Das zog sich von den erle-
sensten Köpfen der Gesellschaft bis in die Schrumpfspalten der
Boulevardzeitungen, die täglich die Lehre von Mord und Totschlag
als Pralinen unter das Volk brachten, damit die sozialen, staatlichen Morde, die gegenwärtigen und die zukünftigen, ungeschoren
durchgingen.

Eine breite Lust kroch durch das veröffentlichte Bewußtsein: von
den Toden der andern zu lesen. Filme, Fernsehen, Theater, Polan-
skis Vampire, Frankenstein, Charles Manson, der Blutsauger im
Christus-Look, der Leutnant Calley in My Lai, alle 900 Leichen
von Jonestown, Guyana, in Kupfertiefdruck und Technicolor mil-

lionenfach – das redete von einem Bedürfnis, einer Sehnsucht. War das aber Notwendigkeit, unausweichliche? Er hatte es nie richtig eingesehen, obwohl auch er an Erlebnisse und Zustände geraten war, in denen er nicht mehr gewußt hatte, wie er weiterleben sollte. Wo er Methoden durchgespielt hatte, sich möglichst unauffällig und schmerzlos das Leben zu nehmen, so daß seine Lebensversicherung einen Unfalltod nicht in Zweifel ziehen konnte. Aber er war doch so fest eingerastet in seinem Leben, dann auch immer wieder auf die Fortsetzungen neugierig, daß er eigentlich keine Angst hatte vor einem Freitod aus Verzweiflung oder Resignation. Er hatte mehr Angst vor der Unwiderruflichkeit des Endes als vor der Ungewißheit und Schwierigkeit des Fortgangs.

Also doch Angst vor dem Tod, dem eigenen? Es war ihm unvorstellbar, wie ein Mensch sie verlieren konnte. Manchmal versuchte er, sich in die Gefühle eines salvadorianischen Guerillakämpfers, eines arabischen Fedayin zu versetzen, die wissen mußten, daß der Entschluß zum bewaffneten Kampf den eignen Tod bedeutete. Es gelang ihm nicht. Er verstand Soldaten, kämpfende, überhaupt nicht. Er verstand auch Kommunisten nicht, die für eine bessere Gesellschaft sich foltern und umbringen ließen. Christliche Märtyrer, die den Scheiterhaufen als Weg in das Paradies annahmen, die waren ihm noch begreiflich. Aber diese unbeugsamen Genossen, die auf das Leben verzichteten, für das sie eigentlich kämpften, die ihr Leben also andern, Unbekannten, noch nicht Geborenen, herschenkten – sie waren ein im Grunde unverstehbares Beispiel für die Ausschaltung des Selbsterhaltungstriebes durch das Bewußtsein.

Das war die eine Seite. Auf der andern – oder war es noch immer dieselbe? – stand seine Lust zu arbeiten, zu wissen, zu sehen, zu verstehen. Er faßte Erde und Steine, den Stiel einer Schaufel genauso gern an wie Bücher oder eine elektrische Schreibmaschine. Oft verdächtigte er sich, daß er nicht subtil und empfindlich genug seine kranke Gegenwart verstände, wenn er in der Literatur der siebziger Jahre die differenzierten Aufgüsse Kafkaesker Bedrohung, Beckettscher Vergeblichkeit, der Absurdität Ionescos las – Grass, Handtke, Strauß und Bernhard, Zwerenz, Walser, Enzensberger, phantasievolle Realisten alle einer Wirklichkeit, die sie nicht erfanden, aber mühsam und beflissen hervorschürften aus dem Friedhof der Gesellschaft, und er geriet in den Sog dieser Begängnisse und Betrachtungen. Zweifelte statt an ihnen an sich.

Welche Stimmungen und Gefühle waren wichtig? Welche notwendig, welche Luxus? Oder auch: welche rührten aus Stärke, welche aus Hinfälligkeit? Noch anders: war nicht die Dekadenz ungleich interessanter, differenzierter, farbiger als so etwas Biederes wie der Fortschritt, von dem seine Genossen rundheraus sprachen – dieser dynamische Begriff, der ihm immer leicht nach der Mentalität der Bodybuilder roch, im Gegensatz zu der feinsinnig-verhaltenen und gezähmten Entwicklung, der die Sozialdemokraten sich anzuvertrauen vorzogen?

Die junge dunkelhaarige Frau, die ihn gleich unter dem Zeichen von Hammer und Sichel und den Bildern demonstrierender Massen mit stillem Ernst von der Frontseite der KKE-Zeitung ansah, hatte Ähnlichkeit mit dem ruhigen Licht dieses Hinterhofes – eine nicht definierbare, aber unmißverständliche Ähnlichkeit.

Er hatte noch kaum ein paar der Überschriften entziffert, danach waren die griechischen Arbeitgeber schuld am Tod der Genossin vor einer Athener Fabrik. Die gestrige Demonstration gegen Teuerung, Entlassungen und Arbeitslosigkeit war zu einer gewaltigen Manifestation gegen die Politik der Karamanlis-Partei geworden, der Mord an der Studentin hatte zusätzliche Empörung bewirkt.

Ja, Mord, schrieb Rizospastis, Bliss schaute das Wort noch einmal im Lexikon nach, dolophonia. Hier, in dem politisch so friedlich gewordenen Griechenland, Sommer 80, am hellen Tag, auf offener Straße. Ermordet? Vorsätzlich. Mit einem Autobus.

Aber der Blick aus diesem Bild! Nein, Blick nicht – Schauen. Ein langes verharrendes Schauen. Durch den Verstand hindurch. Das Foto war nach dem Tod der jungen Frau gemacht, sagten Bliss die Augen. Muttergottesaugen. Woher wußten sie diesen Schmerz? Schwarze Augentrauer, vorweggenommen; eingerahmt in die Brillenreifen; darüber die schmalen dunklen Brückenbögen, unverbunden, überwölbt von lockeren Schwarzhaarbüscheln. Aber die Kerne, die Brennpunkte des Gesichts: diese an den Wimpern hängenden Nachtmonde, die wohl herabgesunken waren aus der Stirn in die weißen Mandeln, sie fast ausfüllten und nun redeten. Während die Lippen geschlossen blieben. Sie hielten das zurück, was die Augen sagten, den Vorwurf, den Schmerz. So viel Schmiegsamkeit, Nachgiebigkeit, Sanftmut in der Nase, dem Mund, dem Kinn. Die ovalen Wangen, kein Makel. Nichts von Härte und Kampf.

Viktor Bliss – da schaut dich was an, da betrifft dich was – woher kennst du diese junge Frau, die man hier umbringen kann unter unbedeckter Sonne? Wo hast du diese sanfte Entschlossenheit erlebt, Entschlossenheit zum Tod, die schon trauert um sich in ihrer Jugend? Bilder. Bilder von dunkelhaarigen Frauen mit aufgerauhten Altstimmen, heraufwischend, verschmelzend, abtauchend, nichts Fixierbares, aber sichtbar wie dieses zerfließende, zerstäubende Lindenbaumschattenlicht mit seiner unfaßlichen Melancholie. Das einzige, was hier nicht dreckig ist, ist das Wasser, sagte An-klam im Türrahmen, das Handtuch um die Hüfte. Willst du mich abhärten?

Und dieser Hof? Die Ruhe hier? Sokrates hat da unten gestan-den.

Und an die Linde gepinkelt, ja? Weil ihm das Klo der Madame Kokkinu gestunken hat. Bücken darfst du dich nicht in der Dusche, dir diesen Urschlamm in der Ecke ansehn, den seit Wochen keiner putzt, Haare, Nägel, Schuppen, Dreck. Da stehst du drin, wenn das Wasser nicht abfließt.

Das Haus wird bestimmt bald abgerissen, tröstete ihn Bliss, in der Plaka sanieren sie auch.

An allen Wänden kleben die Mückenkadaver! Mäkelte Anklam weiter. Ein Sadist war das, der dir den Stall empfohlen hat.

Ein Schauspieler auf Rhodos.

Ja Schauspieler! Schauspieler und Studenten – für die ist das Ro-mantik. Ein deutscher Arbeiter sitzt hier so falsch wie im Pißpott.

Du, Manfred, sagte Bliss, zeigte ihm die Zeitung – dies Mädchen hier war eine Studentin.

Ja –?

Für die waren gestern die Athener Arbeiter auf der Straße. Sie ist umgebracht worden, vor einer Fabrik.

Anklam wischte sich mit dem Handtuch das Wasser vom Ge-sicht, das ihm aus den Haaren gelaufen war. Stand einen Augen-blick nackt in der Tür. Faschisten? fragte er.

Überfahren. Mit einem Autobus. Ich muß das erst übersetzen. Es ist die, die sie heute beerdigt haben. Sotiria. Den Namen hat der alte Genosse am Telefon auch gesagt.

# Monika Sperr

## Wildnis

Douglas McCormack hatte Imponierendes geleistet: die große Rasenfläche zwischen den Bäumen war gleichmäßig gekürzt. Die McCoy stieß laute bewundernde Schreie aus, während Anna still der niedergemähten Wildnis nachtrauerte, in der sich noch heute morgen die Katzen gebalgt hatten. Die gezähmte Natur. Jahrtausendelang hatte der Mensch mit ihr gerungen, um sie zu beherrschen. Kaum hatte er gesiegt, war er dabei, sie zu vernichten. Wo gab es schon noch Oasen wie diese?

Sie schulden mir noch eine Antwort, sagte der Mann an ihrer Seite, setzte, da sie verwirrt schwieg, belustigt hinzu: Nun, wie lange werden Sie bleiben?

Bis morgen oder übermorgen. Seine Frage erinnerte Anna an das Interview. Am liebsten hätte sie darauf verzichtet, aber das konnte sie sich nicht leisten. Weil sie dann die Reise selber zahlen müßte. Außerdem würde Beate es nicht verstehen und ihr also nicht verzeihen und ihr deshalb nie mehr einen Auftrag geben. WER A SAGT, MUSS AUCH . . . Ob ihr Irland etwa nicht gefiele? Douglas McCormack wirkte richtig aufgebracht. Zwei, drei Tage, das wäre wohl ein Witz? Das Haus sei groß genug zum Bleiben, Cathleen McCoy für ihre Gastfreundschaft berühmt.

Anna dachte, wie schlecht Nachbarn oft die Nachbarn kennen. Von den vielen Schwierigkeiten der McCoy ahnte er anscheinend nichts. Da knurrte die für ihre Gastfreundschaft Berühmte: Das irische Landleben ist doch tödlich. Vielleicht begleite ich Sie nach München, ich sehe die Freunde dort ja viel zu selten.

Freunde in München. Ob sie es ernst meinte mit der Begleitung? Oder war es nur so eine Idee?

Da könnte ich mich revanchieren und Ihnen mein kleines Zimmer überlassen, sagte sie etwas zu eifrig. Ich wohne mitten in Schwabing, in einer ruhigen Dachgeschoßwohnung.

Wie schön für Sie!

Die kleine Frau bückte sich und brach eine Rose, so behutsam, als befürchte sie, sich oder ihr weh zu tun. Du gefällst mir schon seit Wochen nicht, knurrte der Hüne. Vermutlich solltest du weniger schreiben und mehr mit den Leuten reden. Du ziehst dich ja von aller Welt zurück. Warum eigentlich? Er musterte sie mit zornig gerunzelten Brauen, doch blieb sie ihm die Antwort schuldig. Also zwängte er sich verärgert in seinen kleinen Renault. Anna mußte an einen Löwen im Käfig denken. Der Löwe schob sein mächtiges Haupt ins Freie und brüllte: Laß mich wissen, wie du dich entscheidest, so long!

Die so heftig Angebrüllte entschied erst einmal, sich hinzulegen, auszuruhen. Sie bot Anna eine Hängematte an, falls sie nicht das Bett bevorzuge. Anna lag tagsüber nie im Bett, deshalb wählte sie die Hängematte. Im Geräteschuppen, vollgestellt mit Harken, Schaufeln, Spaten, roch es wie in einer Gruft. Hier müßte mal aufgeräumt werden, stöhnte die McCoy, aber das kann nur ich selber tun und mir fehlt die Zeit dazu.

Sie befestigten das handgewebte Schlafnetz an zwei Rotbuchenstämmen, dicht neben den aufgehäuften Steinen zur Straße hin. Ich denke, es hält, sagte die McCoy zweifelnd und warf sich, die Arme wie beim Kopfsprung aus größerer Höhe vorgestreckt, bäuchlings hinein. Es krachte bedenklich. See you, nickte sie, als sie wieder fest auf der Erde stand. Und trottete mit gesenktem Kopf zum Haus zurück, den Oberkörper vorgebogen.

Anna schob sich in das schwankende Netz, fühlte sich darin recht unbehaglich, war aber zu müde, um den luftigen Platz gleich wieder zu verlassen. Die Stille wirkte einschläfernd. Mit schmalen Augen beobachtete sie das unermüdliche Hin und Her der Ameisen, die an der bemoosten Mauer auf- und niederflitzten. In einem mörderischen Tempo. Akkordarbeit. Plötzlich stellte sie sich die Erdkugel als einen riesigen Ameisenhaufen vor, in dem vier Milliarden Menschen zielstrebig durcheinander krabbelten, immer in Bewegung, auf Trab, in Eile – am liebsten hätte sie hier in der Hängematte, im Schatten und im Schutz der Bäume ihr restliches Leben verbracht.

Den Schrei hielt sie erst für Einbildung. Schneller als ihr Bewußtsein reagierte ihr Körper, und so rannte sie bereits quer über den Rasen auf das Haus zu, bevor sie begriff, daß Cathleen McCoy tatsächlich um Hilfe rief. Im Haus wußte sie nicht, wohin. Nach rechts? Nach links? Die Treppe hinauf? Das Schreien hatte aufgehört, ebenso jäh, wie es begonnen hatte. Sie überlegte, wie sie sich bewaffnen könnte. Das Schüreisen! Sie wandte sich nach links, dem Kaminzimmer zu. Da erschien die tödlich bedroht Geglaubte oben auf der Treppe – sehr bleich in ihrem dunkelgrünen Morgenrock, mit einem Gesicht zum Fürchten. Oder zum Erbarmen. Sorry, sagte sie, ohne Anna wirklich wahrzunehmen. Ich habe schlecht geträumt. Hoffentlich habe ich Sie nicht allzu sehr erschreckt. Ihr Lächeln fiel kläglich aus. Macht nichts, versicherte Anna mit einem Zittern in der Stimme, das sie nicht unterdrücken konnte. Alles okay?

Yes, an diese Alpträume bin ich von Kindheit an gewöhnt. It's the hell!

Sie verzog ihr Gesicht zu einer clownesken Maske. Wie ein greinendes Kind sah sie aus, und wie ein Kind hätte Anna sie am liebsten getröstet: AUF, IHR KINDER, AUF UND SINGT, BIS ES IMMER BESSER KLINGT . . . Das Telefon schrillte. Cathleen McCoy eilte die Treppe hinab, rief gleich darauf: Für Sie!

Für mich?

Es war Sibylle. Wie es ihr ginge? Sie hätte sich plötzlich ganz schrecklich gesorgt.

Anna wunderte der Anruf nicht. Sibylle hatte, was sie betraf, eine ganz besondere Sensibilität. Oft wußte sie viel besser als sie selbst, wie sie sich fühlte.

Gut, lachte sie und hoffte, daß dieses Lachen nicht zu erleichtert klang. Und jetzt, wo ich deine Stimme höre: ganz prächtig!

Ihr Lachen klang wohl doch zu alarmierend, jedenfalls für Sibylle. Wenn es Schwierigkeiten gebe, solle sie es nur sagen, deshalb riefe sie ja an.

Nein, nein, versicherte Anna, ich fühle mich gut, wenn auch etwas wie aus der Welt gefallen.

Wie das denn zu verstehen sei?

Ach, seufzte sie, Irland kommt mir wie eine Wildnis vor, voller unbenennbarer Gefahren.

Sie hörte Sibylle scharf atmen, aber ihre Stimme drückte nichts als Gelassenheit aus: Und ich sehe dich in einem behaglichen Landhaus, mit Heckenrosen, umsorgt von einer aufmerksamen Gastgeberin. Ein fremdes Land ist immer irritierend, aber so fremd ist Irland doch gar nicht, oder gibt es unvorhergesehene Schwierigkeiten?

Cathleen McCoy gab irgendwelche Zeichen, die Anna nicht zu deuten wußte. Sie legte die linke Hand über die Sprechmuschel, flüsterte wie eine Verschwörerin: Ja?

Soll ich das Kaminfeuer anzünden, hörte sie und nickte, lachte in die Muschel: Draußen scheint die Sonne und wir zünden ein Feuer an.

Sibylle fand das sehr romantisch, wenn für kontinentale Verhältnisse zur Zeit auch nicht vorstellbar. Sie schliefe bei offenem Fenster und unbedeckt, so warm sei es. Sofort sah Anna sie liegen – die Hände unter das Gesicht gebogen, die breiten Schenkel aufeinander. Wäre sie dort, würden Hände und Schenkel auf ihr liegen, bis sie sich beide in ihre Schlafstellung rollten und Po an Po einschliefen.

Auch ohne Nachthemd, fragte sie. Sibylles Lachen perlte durch die Leitung: Ja, ganz nackt.

Diesmal hatte Anna das Gefühl, das Gespräch würde absichtlich unterbrochen. Ob die Telefonisten hier deutsch verstanden? Sie hielt die Iren für prüde. In der Republik sollte die Bevölkerung zu über neunzig Prozent katholisch sein. Ob Cathleen McCoy an einen Gott glaubte? Unschlüssig verharrte sie neben dem Telefon. Diese abrupt abgebrochenen Gespräche verwirrten sie doch mehr, als sie sich eingestand.

Eine Freundin, fragte die tief über das Torffeuer gebückte Gestalt und richtete sich auf, als wolle sie die Antwort besser hören. Ja, nickte Anna, von dem lauernden Tonfall irritiert, meine Freundin. Sie heißt Sibylle Schröder und ist Psychiaterin.

Mit einer schroffen, fast wilden Bewegung warf die McCoy den Kopf zurück; ihre Haare flammten. Wortlos trottete sie zum Beistelltisch am Nordfenster, in dessen Versenkung verschiedene Flaschen und hohe stiellose Gläser standen. Während sie nach der Whiskyflasche griff, sagte sie mit einer Heftigkeit, die Anna als aggressiv empfand: Von Natur aus ist jeder Mensch bisexuell. Nehmen Sie auch einen Drink vorm Essen?

Anna merkte, wie sie errötete. Gern, sagte sie mit fast tonloser Stimme und fühlte sich wie eine Primanerin, die nach ihrem ersten Liebeserlebnis gefragt wird. Eine solche Verlegenheit hatte sie seit Jahren nicht empfunden, dabei glaubte sie sich diesen Peinlichkeitsgefühlen längst entwachsen. Aber die McCoy hatte das Wort BISEXUELL auf eine Weise betont, als hielte sie die Natur des Menschen für lächerlich. War es lächerlich zu lieben? Verliebt hatte sie sich früher oft, doch ohne ernsthafte Folgen. Es blieb alles im Ungewissen, in der Schwebe. Aber dann: Edith! Sie brach so ungestüm in ihr Leben ein, daß sie sich wie von einem mächtigen Strom fortgerissen fühlte. Wie lange lag das jetzt zurück! Stundenlang hatten sie auf dem Teppich vor dem schmalen Klappbett gekauert, ohne sich hinein zu wagen. Ediths Hand bewegte sich auf ihrem Rücken wie ein Kundschafter im fremden Land: mit größter Vorsicht und Behutsamkeit. Während dieser ganzen langen Expedition quer über ihren Rücken redete sie, wie um von der eigenen Kühnheit abzulenken, unaufhörlich von Dieter, ihrem Mann. In jener Nacht ein Musterbeispiel an Verständnis und Toleranz. Nie würde sie sich von ihm trennen, sagte Edith, und war sechs Wochen später schon geschieden. Auf sein Verlangen hin, fast gegen ihren Willen.

Ihr Drink – cheers!

Cheers!

Sie hob ihr Glas und trank den hochprozentigen Whisky, als wäre er Wasser.

Gut, lobte der Kobold im Morgenrock, den schmallippigen Mund sichelförmig verzogen. Noch einen?

# Karin Struck

## Ein Kind lernt das Wort Angst
für Gabriel, für später

Ein Kind lernt das Wort »Angst«, zuerst heißt das Wort »Anst«; plötzlich steigt es auf aus seinem Wortschatz, der jeden Tag größer wird. »Bot« (Brot), »nicht heia machen« (nicht schlafen), »Auto«, »Papi«, »Kacki«, »Babiel« (Gabriel); das erste »Ich«, zuerst klingt es wie »Iss«; und dann, eines Abends – das Kind ist zwei Jahre alt – ich sitze neben seinem Bett, lege mich auf den Boden daneben (»Mama hinlegen«, sagt das Kind), fasse zwischen den Stäben des Bettes die rechte Hand des Kindes, streichle sie (kleine, alltägliche Einschlafzeremonie), da sagt das Kind «Anst, Anst«.

»Du brauchst keine Angst haben«, sage ich sofort und frage, aufmerkend: »wovor hast du denn Angst?«

Das Kind sagt »Fugzeug«; das Kind sagt »laut«; das Kind sagt »viel laut« (viel zu laut). Und dann wiederholt das Kind immer, immer wieder das Wort »Anst«, »Anst«, »Anst«.

Ich sage ihm, immer wieder: »du brauchst keine Angst zu haben; Mama ist da; Mama beschützt dich« (und weiß doch, daß es im »Ernstfall« nichts nützte, daß »Mama da ist«).

Und das Kind spricht nach: »Mama ist da, keine Anst ham« und klammert sich an meiner Hand fest. Und im »Ernstfall« nützten auch diese einfachen menschlichen Gesten nichts.

In den Tagen nach der Entstehung des Wortes »Anst« läuft das Kind beim ersten Gewahrwerden des Tieffliegerlärms sofort mit Schreckaugen auf mich zu; flüchtet sich in meine Arme, preßt seinen Kopf zwischen meine Schenkel, hält sich mit beiden Händen die Ohren zu; klettert vom Stuhl, wenn es gerade ißt; hört auf zu essen; klagt »viel laut, viel laut«. Ich lege die Hand auf sein Haar, und wir warten, bis der Tiefflieger wieder fort ist. Das Kind horcht an heißen Tagen, ob ein nächster Tiefflieger kommt; denn gerade an schönen, sonnigen Tagen verseuchen sie die Gegend mit ihrem höllischen Krach. Dann ist mir manchmal, als ob sich Sadisten einen Spaß machten, und den Menschen, die sich an dem Sonnenschein freuen, die Nerven zerrütten wollten. Ob das Kind sich auch mit der Zeit an das Krachen und Donnern der Tiefflieger »gewöhnen« wird?, haben sich denn die Erwachsenen daran »gewöhnt«?

Zuckt nicht jeder nicht ganz abgestumpfte Mensch zusammen vor Angst, wenn der höllenartige Lärm saust und surrt und donnert und kracht, in einem langgezogenen krachenden Kreischen ohrenbetäubend, wie ein Schmerz in die Glieder fahrend, über den Schädel hinwegfegt?; ist es nicht jedesmal ein Schlag ins Nervensystem; fühlt man nicht sekundenlang, als begänne ein Krieg? Nur machen die meisten davon kein Aufhebens; sie glauben, man könne nichts tun, als ob es sich um eine Naturerscheinung, ein Gewitter, ein Erdbeben handele; aber es sind ja keine Naturerscheinungen. Die Männer in dieser Gegend sind nur abends und an den Wochenenden zu Hause, dann fliegen die Tiefflieger meist nicht mehr; und die Frauen denken niemals darüber nach, daß sie etwas gegen das Getöse tun könnten.

*Der Major hat mir erzählt, in der Bundeswehr gebe es kein größeres Alkoholproblem als in anderen Branchen der Gesellschaft auch; außer vielleicht bei den Piloten. Die Piloten seien »extrem im Sex, mit Alkohol und beim Sauigeln, wahrscheinlich wegen der Todesangst, der Todesnähe«, sagt der Major. Die Piloten dürften acht Stunden vor Antritt des Fluges keinen Alkohol getrunken haben; wenn sie wie ein normaler Autofahrer nur einmal kurz aus dem Fenster guckten, seien sie verloren. Sie würden jedes Jahr auf Herz und Nieren untersucht; dürften keine Plombe im Zahn haben; der Zahn mit dem geringsten kariösen Befall müsse sofort herausgezogen werden; mit vierzig würden sie pensioniert.*

Manchmal habe ich Angst, einer der Tiefflieger könnte über dem Haus abstürzen. Sie kommen zu nah; sie bedrängen mich und das Kind; sicher, die Piloten proben, *üben* (für den »Ernstfall«); es sind Angriffe, höhnische Angriffe.

Ich weiß nicht, ob das Kind sich jemals an den Höllenlärm »gewöhnen«, d. h. wie die Erwachsenen, *seine Angst nicht mehr so offen zeigen wird.*

An Feiertagen und Sonntagen sage ich dem Kind abends, wenn das Wort »Anst«, nach einem Moment der Stille, in das dunkle Zimmer sickert: »heute nicht«; ich sage: »heute kommen die Flugzeuge nicht«; und das Kind wiederholt, geradezu euphorisch: »heute nich, heute kommen Fugzeuge nich; viel laut; viel laut«. Und dann entwickelt sich ein freudiger Dialog zwischen uns: »Fugzeuge böse«, sagt das Kind –, »viel zu laut«, sage ich –, »viel laut«, sagt das Kind –, »viel zu laut«, sage ich.

Das Kind wird von morgens bis abends von den Tieffliegern beherrscht; nicht vom »schwarzen Mann«, nicht vom »bösen Wolf«; von den Tieffliegern geht der Schrecken aus. *Der Schrecken in den Augen des Kindes;* ich habe vorher nicht diesen Schrecken in seinen Augen gesehen; und seine Angst ist eine andere als eine, die es vor Hunden z. B. empfindet.

Die Angst *überträgt* sich auch auf anderes; bei einem Gewitter sagt es immer: »Fugzeug soll nich kommen«, wenn es donnert; ich kann ihm nicht erklären: das ist der Donner, das ist ein Blitz, das ist kein Flugzeug; immer wiederholt es: *doch Fugzeug, hab Anst«.*

Und es denkt sogar an die Tiefflieger, wenn sie gar nicht zu hören sind; zu einem anderen Kind sagt es: »Hast du Aua, sollst nicht weinen, Fugzeug tut dir nichts; *Fugzeug kommt nie wieder, kommt nich mehr.«*

# Hannelies Taschau

## Alle verteilen Druck, nur er nicht,
## sagt Ben von dir

An Ben zu denken, bedeutet, auch an dich zu denken. Du bist wieder gegenwärtig in unserem Leben, du machst dich unentbehrlich. Für Ben bist du eine Instanz. Ich werde das nicht verhindern. Du lenkst ihn ab und hilfst ihm weiter. Ihm qualmte der Kopf. Die Nazi hätte triumphiert. Da sagte ein eben Fünfzehnjähriger zu seinen vierzigjährigen Eltern: Warum habt ihr das zugelassen, ihr wart doch dauernd da, ihr müßt doch gemerkt haben, wie's abwärts ging, wie's enger wurde. Was habt ihr euch alles abkneifen lassen an Rechten und Freiheiten. Und wir stehen jetzt da. Seit wann hat man sich eigentlich maskiert. Ab wann wart ihr nicht mehr dabei. Wann hat das angefangen mit dem Datensammeln.

Du weißt das nicht, du warst meist in Bordeaux.

Ich weiß das auch nicht genau, wahrscheinlich 1972.

Was heißt »Inpol«.

»Informationssystem der Polizei«, ein gigantischer Computerverbund, was Ähnliches gibt es auf der ganzen Welt nicht.

Wie wird dir, wenn du das hörst: »Inpol« ist ein maschendichtes Schleppnetz, das mit Lichtgeschwindigkeit funktioniert.

Nimm das mit, lies mir das unterwegs vor, sagtest du zu Ben, und ihr fuhrt zum Fliegen.

Du weichst nicht aus. Du relativierst.

In Gorleben werden Bodenuntersuchungen gemacht, als Erdöl- und Gasbohrungen getarnt. Durch Gorleben ist der »Zonenrand« ins Gerede gekommen. Fünfte Welt, Tierhimmel, Natur, die wieder undurchdringliche Werkstatt wird. Ben will hin.

Aber nicht mit dem Wagen, sagst du. Warum nicht? Weil die Gegend überwacht wird, weil wahrscheinlich jeder fotografiert und jede Autonummer notiert wird? Ben denkt nicht darüber nach, ihm ist Fliegen ohnehin lieber. Ihr macht eine unvergeßliche Luftwanderung, den gesamten »Zonenrand« entlang. So nah ran, wie erlaubt, aber lieber fünfunddreißig Kilometer als dreißig Kilometer Abstand halten, sonst muß man nach Plan fliegen, jede Kurve, die man fliegen will, muß man beantragen, und irgendwo da unten liegt auch Gorleben.

Ihr fotografiert Grohnde, von Emmerthal aus, von Hämelschenburg aus und vom Scharfenberg aus. Der Stacheldrahtzaun ist schon da, und die Kräne sieht man selbst auf dem Foto von Hämelschenburg aus. Du schneidest maßstabgerecht die Kühltürme zu und stellst sie ins Wesertal.

Sprühregen. Und Ben unter einem Vordach, verzweifelt über alles, über die fast leeren Rucksäcke der Radfahrer von Freiburg, Wyhl und anderswo auf der Durchfahrt nach Grohnde, über das nasse Brot, das sie aus den nassen Rucksäcken holten, über ihre Tänze zur Geige, über ihre undichten Capes und ihre undichten Schuhe, über die alte Frau, die sagte: Da siehst du, da sind sie; über den alten Mann, der aufstand, und fünf Litertüten Milch auf den Platz in den Regen stellte und wegging, so schnell er konnte.

Ben sagte: Ich sollte auch nach Grohnde. Aber ich habe Angst. Und sein Gesicht hatte alle bisher gewonnene Festigkeit verloren.

Ich hätte gesagt: Viele haben Angst, deshalb müßtest du nicht wegbleiben. Aber du warst ja da, wenn du da bist, wendet er sich ausschließlich an dich.

Du wolltest zum Treffen der Drachenflieger auf die Wasserkuppe: Wenn du willst, kannst du mitkommen. Aber egal wofür du dich entscheidest, es ist richtig.

Ben fuhr mit dir.

In Grohnde hat dann der bisher schwerste Zusammenstoß zwischen Polizei und Demonstranten stattgefunden. Ich mußte mir vorwerfen, als ich die Fotos und Filme sah und die Berichte las, Ben nicht abgeraten zu haben. Du brauchtest dir nur vorzuwerfen, ihn weggelockt zu haben.

Alle verteilen Druck, nur er nicht, sagt Ben von dir. Er vertraut dir, er will deinen Rat. So ein Gefühl kann einem das Leben erhalten. Vielleicht brauchst du das Gefühl. Ben liebt dich und will dich, morgens und abends. Will zupacken und dich haben. Auf dich zurückgreifen können. Nicht zweifeln müssen. Es soll nichts mit mir zu tun haben. Er muß aber glauben, es hätte mit mir zu tun, so wie du dich anstellst, wenn ich nicht mit euch kommen will. Er muß glauben, daß es zwischen dir und ihm zu Ende ist, wenn es zwischen dir und mir zu Ende ist.

Keiner von Bens Freunden ist in »normalen familiären Verhältnissen« aufgewachsen. Ihr Verhältnis zu ihren Eltern ist locker, spannungslos, kein Streit, keine Berührungen. Ihre Sehnsucht nach

Nähe zu anderen, das ist meist die nach Gleichaltrigen, nach der Gruppe, den Eltern entweichen sie, wo sie können. Bei Ben ist das anders. Er ist gerne mit dir zusammen, du bist Friedens- und Ruhestifter, er würde dir seine Schwächen gestehen und beredt anklagen und nichts beschönigen, denn du verhältst dich nicht wie ein Vater.

Zu mir hatte er eine halbwegs gesicherte kontinuierliche Bindung, zu dir nur die paar Jahre vor Bordeaux. Jetzt glaubt er, er konnte dich selber wählen.

Du hast Leselampen dort angebracht, wo du am liebsten sitzt oder liegst. Du hast die besten Plätze herausgefunden für dich. Oft ist Ben aber vor dir da.

Oder ihr sitzt, jeder in seinem Zimmer, bei geöffneten Türen, Hauptsache, Ben kann dich sehen, und arbeitet aufeinander zu. Du sitzt im selben Raum wie früher, Geräusche und Stimmen stören dich nicht, sind dir vielleicht sogar angenehm oder unentbehrlich. Was suchst du hier?

Solange die neue Wohnung vermietet war, brauchten wir nicht über sie nachzudenken. Aber jetzt steht sie leer. Ich hatte sie noch nicht betreten, ich hatte nur die Tür geöffnet und wurde schon gezwungen, geradeaus und nirgend woandershin zu gucken als auf diese blendende Dachterrasse, weiße, winterfeste Kacheln, die Phoenixpalmen vom Vorgänger werden noch so einen Winter nicht überstehen, ein weißes Geländer wie eine Reling, die Glaswand, die sich in Schienen bewegen läßt, war kein Hindernis, ein prächtiger Anblick, alles etwas verkommen, aber geräumig und großzügig, das über die Terrasse gespannte gelbe Segel, dahinter das Wehr, die Schleuse, aufsteigende Schichten von Mischwäldern, und das bei Sonne!

Die Wohnung selbst ist fast leer, aber man kann sitzen, fernsehen, Musik hören, übernachten, kochen und baden. Stehen die Bilder noch auf dem Fußboden, an die Wand gelehnt, als ob wir uns zwar entschieden hätten, aber noch nicht die passenden Nägel?

Ben schleppt heimlich Sachen rüber, die er hier entbehren kann, Schallplatten und Kassetten läßt er nach einer Fête gleich drüben für die nächste. Er mag dasselbe wie du, daß es immer heißes Wasser gibt, daß man an nichts sparen kann, die Fernheizung bedient einen, ob man will oder nicht, man zahlt pauschal. Bei bedecktem Himmel müssen die Lampen brennen, draußen auch, und schon ist die Terrasse einbezogen in den Wohnraum. Diese Wohnung ist eine Nötigung, Verschwendung ist eingebaut und nicht kenntlich. Ich kann diese ungenießbare Verschwendung schwer ertragen, ich brauch' den Gieper, der kommt und kriegt und geht und kommt . . .

Wohnen unter dem Penthouse noch die drei Burschen? Ihre Stereo-anlage teilte Schläge aus durch das ganze Haus. Als ich da war, hat ein Mädchen so geschrien, daß ich gegen die Tür getreten habe. Das Mädchen hat aufgeheult: Jetzt leben wir schon antizyklisch, und immer noch hat jemand was zu meckern.

Nie unterläuft dir, daß du von dieser Penthouse-Wohnung als deiner Wohnung sprichst. Es ist unsere, und es wird nicht mehr lange dauern, bis die Frage laut gestellt wird, wann wir endlich rü-berziehen. Aber wenn ich von »unserer Wohnung« spreche, denke ich an diese hier und denke, es ist Bens und meine Wohnung.

Ich rufe an, nicht weil ihr vielleicht dasein könntet, ich bin davon überzeugt, daß niemand abnehmen wird; daß ich nicht sprechen kann, macht nichts. Ich lasse es so lange klingeln, bis die Verbin-dung automatisch unterbrochen wird, und bin nicht mehr zu ent-täuschen.

Du sitzt in dem fast dunklen Zimmer, beleuchtet ist nur die Tisch-platte mit deinen Händen und das schöne Hemd, wie gefaltet, wie eine Schaufensterauslage, und Ben sitzt dir gegenüber in seinem Zimmer, ihr arbeitet füreinander, ihr bereitet eine Luftwanderung vor, das Schönste, was es im Flugsport gibt. Nach vielen Irrungen hast du dich endlich für einen Motorsegler entschieden. Mit ihm kann man ganzjährig fliegen. Du brauchst keinen Startaufbau und keine Helfer. Du kannst ihn allein, und nun mit Hilfe von Ben, aus der Halle schieben.

Wenn er nicht gleich Aufwind findet, müßt ihr nicht wieder zu-rück. Im Kraftflug sucht er ruhig weiter, bis das Rütteln die Ther-mik anzeigt.

Ben lebt auf, wenn du da bist oder wenn du erwartet wirst. Aber das weißt du ja nicht. Du denkst, es sei immer so, wie du ihn erlebst.

Wenn du in Amerika bist, sitzt er am Telefon und wählt eine der langen Nummern, die du ihm dagelassen hast, der Hörer bleibt auf der Gabel.

Du mußt fast jeden Monat nach Amerika. Im Dezember mußt du nach Taiwan. Für dich ist das nichts Besonderes, für uns ist das un-vorstellbar. Ben sagt jedesmal, und er sieht dich dabei nie an, darum weißt du nicht, wie ernst es ihm ist: Ich fahr' mit.

Dann lachst du jedesmal dein schlichtendes zärtliches Gaumen-lachen, das Segel deines Gaumens – du kommst gut weg. Statt in Atlanta oder Toronto hättest du ebensogut in Hamburg sein und im Hilton an einer Konferenz teilnehmen können, mit dem Taxi vom Flugplatz geholt, mit dem Taxi zurückgebracht, durch alle

Jahreszeiten hindurch in deinem mit untrüglicher Sicherheit ausgewählten, alterlosen, nicht etwa knitterfreien, nicht einmal knitterar-
men sandfarbenen unschuldigen Mantel aus England, der dir an-
wächst wie eine Eigenschaft, der für einige, für Lev ganz bestimmt,
ein Ärgernis ist, jeder, der sich auch so einen Mantel kaufen würde,
hätte dich kopiert.

Dich braucht man nach einer Reise nicht abzuholen, du wirst gebracht. Vorübergehend bist du empfindlich und wortkarg, weil du
mit der Zeitverschiebung schwer fertig wirst. Darüber hinaus haben wir keine Anhaltspunkte dafür, daß du tatsächlich aus Amerika
kommst. Zu erzählen gibt es nichts, zu fragen, wie es gewesen ist,
erübrigt sich, du weißt nicht einmal, wie das Wetter war.

Du machst es mir vor, ich könnte es lernen: Reisen, die du allein
machst, zählen nicht, Unternehmungen wie diese haben nichts mit
uns zu tun und dienen nur deinem Beruf. Was dein Leben eigentlich ausmacht, passiert mit uns. Wir lassen dich in Ruhe, du bist ja
nicht launisch, du sagst häufig bitte und danke, du schläfst im Sitzen, wir sollen keine Rücksicht nehmen, und wenn deine Verstim-
mung sich gelegt hat, zeigst du so viel Behagen, daß unser Verhalten zwiespältig wird: Wir müssen doch annehmen, auch wir sind
der Grund.

Was findest du hier.

Wir verhalten uns zueinander wie Erwachsene. Wir kränken einander nicht mit heimlichen Liebschaften. Von dir weiß ich, daß du
zur Zeit und ziemlich lange schon keine Freundin hast. Und in der
Vergangenheit hatten wir allenfalls dates. Das Wort konnten wir so
käsig aussprechen, wie dates eben sind.

Wir sahen uns so oft wie möglich. Wir freuten uns deutlich, wenn
wir einander sahen. Wir redeten über vieles. Wir gingen gerne zusammen weg. Wir schliefen miteinander, und das nicht zu knapp.
Ich sah keinen Anlaß, etwas zu ändern. Ich dachte, wir sollten immer so weiterleben, wir könnten sagen, wir tun es für Ben. Ich weiß
nicht, was mir an diesem Zustand gefiel. Ich habe nicht darüber
nachgedacht.

Weil wir morgens aus demselben Zimmer kommen, sieht Ben
uns offen und prüfend an. Es ist nicht nur unsere Sache, es ist auch
seine Sache, wie du und ich miteinander auskommen.

Als ob nicht sieben oder acht Stunden seit dem Disput am Vorabend vergangen wären, kann er beim Frühstück weitergehen:
»Der Strohmann?« Ein Flop! Wenn das Amerikas Selbstreinigungs-
prozeß sein soll, wenn damit die McCarthy-Zeit bewältigt sein soll.

Dabei waren Bernstein, Ritt und Mostel selbst Opfer. Und machen einen so platten, eitlen, folgenlosen Film, maßgeschneidert für Woody Allen. Lies mal »Scoundrel Time«. Warum wird »Scoundrel Time« nicht endlich übersetzt. Lies mal.

Keine Zeit. Besser dieser Film als keiner. Denn dieser ist mehr als nichts.

Erbarmung.

Außerdem bringt NBC demnächst ein dreistündiges TV-Spiel über McCarthy, außerdem gibt's »Hollywood on Trial« . . .

Ben sitzt bewegt dabei, wird verdonnert, den »Strohmann« zu sehen und »Scoundrel Time« zu lesen, hört gar nicht, was wir reden, hört nur, daß wir reden, genießt uns, schmiert sich ein Brot nach dem anderen dick mit Butter zu. Obwohl du immer nur ungefähr sagen kannst, wann du zurückkommen wirst, versucht Ben es so einzurichten, daß er zu Hause ist. Meine Vermutung, daß Ben nie sicher ist, ob du wieder zurückkommst, hierherkommst, äußere ich zum ersten Mal, habe sie aber schon länger.

Ben schweigt neuerdings über das, was er allein unternimmt, als ob es zweitrangig wäre in seinem Leben. Freunde wollen nächstes Jahr zum Nordkap, und er wird mitfahren, so drückt er es aus. Dir fällt daran nichts auf. Frage ich Ben, obwohl du abrätst, wenn er von irgendwoher zurückkommt, wie es gewesen sei, antwortet er ruppig, als ob er uns die Gewißheit geben wollte, alle Unternehmungen ohne uns seien weniger erfreulich und nicht erwähnenswert.

Mich hat er. Dich will er. Er will dir gefallen, und du läßt es freundlich zu, das kränkt mich, wie geht sie denn aus, unsere Geschichte, diese Geschichte, wie weit komme ich, wo komme ich an, und kann ich da weitermachen, auch wenn ich jetzt glaube, diese Reise bis an ihr Ende hin zu überblicken.

# Guntram Vesper

## Stadtrand

Steht man auf den Hügeln im Westen, liegt die Stadt unten im Tal und am jenseitigen Hang. Eduard, als er die Topografie zum erstenmal sah, vermutete gleich, das müsse die nördlichste Föhnlage Deutschlands sein. Sind deshalb deine Briefe manchmal so konfus. Oder liegt es mehr an dir und den Menschen, die um dich sind. Wer das wüßte, wüßte viel von dir.

Die hundertdreißigtausend Einwohner leben in der engen Altstadt, im benachbarten großzügigen Ortsviertel, seitab in den Siedlungen des sozialen Wohnungsbaus, in umgrünten Reihenhausvierteln oder in Dörfern, zehn Kilometer draußen im Land. Zu den zwei Warenhäusern, den beiden Theatern, der ausufernden Fußgängerzone und den achtzehn Kriegerdenkmälern, versteinerten Nebeln auf deutscher Geschichte von Langensalza bis Stalingrad, kommt das neue Rathaus mit zwanzig Stockwerken, das seinen Schatten schon in die Einkaufsstraßen, über die Türken- und Studentenquartiere wirft.

Es gibt noch Gerüchte. Wenn ich auch die Persönlichkeiten, die sie betreffen, nicht in jedem Fall kenne. Die Prominentenzirkel, Cliquen, Klüngel durchdringen einander. In ihnen werden Geschäfte, Karrieren vereinbart. Wer baut das neue Schulzentrum, wer wird Kulturdezernent. Kriegt die Partei eine Spende, wenn die Verwaltung das durchgehen läßt. Wie können wir dem Kämmerer aus städtischem Besitz einen Bauplatz von doppelter Größe zum halben Preis verschaffen. Der Oberstadtdirektor spielt in der Kellerbar mit dem Chef der Lokalredaktion Karten, der Oberbürgermeister macht seine Sonntagsmärsche zum Hainberg in Gesellschaft mehrerer Bauunternehmer. Also gut, die Gewerbesteuer wird nicht erhöht, dafür bekommt unser Freund aber den Ausschußvorsitz.

Heine hat über die Stadt und ihre Bewohner einmal knappe und böse Worte gesagt, in der Harzreise. Weil die Zeiten, die Fassaden gewechselt haben, ist das Zitat ein Bonmot in aller Mund geworden. Und Bürger, Lichtenberg, die hier gelebt, gearbeitet und den Namen der Stadt in die Literaturgeschichten geschrieben haben. Auch ein Beitrag zum Thema Provinz und Talent. Über den buckligen Lichtenberg haben die Spießer gelacht, Bürger wurde von der besseren Gesellschaft in Acht und Bann getan. Das alles soll lange her und längst vergessen sein. Von den zwei Zeitungen aus dem Anfang der sechziger Jahre ist nur die Stadtredaktion der einen übriggeblieben.

Zehn Jahre ist es her, daß ich vor der Eingangstür des Verlages in der Prinzenstraße gestanden habe. Vom Nabel bis zu Wiederholdt war alles voller Studenten. Wir kannten die Schlagzeilen auswendig, mit denen das Tageblatt nach dem Dritten Reich gerufen hatte. Schon 1924 ganz schrill. Eine Abordnung verlangte von den Besitzern eine Seite je Ausgabe nur für uns. Angenommen, riefen die drei vom Balkon herunter. Der Jubel. Wie stark man war, einfach dadurch, daß man mit tausend anderen dastand. Gleichzeitig halb unterdrückte Ahnungen, die Vollversammlungen, in die wir gingen wie ins Kino, könnten auch von den fünf, sechs Dauerrednern nur einberufen werden, um eine Arena zum Kampf um den längsten Beifall zu haben. Morgens zwischen vier und fünf kamen wir nach Hause, brieten in der Gemeinschaftsküche Eier mit Speck und vergegenwärtigten uns, auf den harten Hockern vor Riesenportionen sitzend, mit heiseren Stimmen die Höhepunkte der Nacht. Das Haus schlief noch, aber wir waren hellwach. Wir sahen die Sonne über Nikolausberg aufgehen und hörten den besonders eindrucksvollen Frühgesang der Vögel. Die ersten Leute ließen ihre Autos an und fuhren zur Arbeit. So aufgekratzt, so ausgelassen waren wir. Alles klar. Dagegen das Zwielicht heute.

Die beschreibenden Sätze fallen mir noch am leichtesten. Dem Stadtkern werden die schönen Fachwerkhäuser ausgebrochen wie einem alten Gebiß die mürben Zähne. Jenseits der Wälle soll der Gürtel der vierspurigen Schnellstraße, ein Halbkreis, endlich geschlossen werden, während drinnen ganze Straßenzüge der sogenannten Flächensanierung anheimfallen. Anderswo hat die Flächenbombardierung ähnliches vollbracht. Zum erstenmal seit Wochen nimmst du den Weg wieder durch die enge, wohnliche Straße, und plötzlich sind um dich Weite und Licht. Aber was für Weite, was für Licht. Die Weite der Leere, das Licht der Fremde. Man muß sich nicht daran gewöhnen. Die Baubuden stehen schon; Umsatz und Rendite des Kommenden waren längst berechnet, da tapezierten die ahnungslosen Bewohner noch ihre Zimmer neu.

Zwar haben vor einigen Jahren, als aus Bonn Gelder zur Altbausanierung kamen, fast alle Gebäude der Hauptgeschäftsstraße einen Anstrich in leuchtender Farbe erhalten, zwar renoviert die Stadt jetzt drei Häuser hinter dem Markt, in denen Mieter noch voriges Jahr ohne Bad und mit Hofklo gewohnt haben, aber was sind

solche Unternehmungen, ein Platz begrünt, zwei Häuser herge-
richtet, die Ladenfronten angestrichen, gegen die lange Liste der
Verluste. Und keine Anzeichen dafür, daß diese Liste demnächst
geschlossen wird. Parkhaus, Warenhaus, Ärztehaus, Apartment-
haus sind zeitgemäßere Nutzungsformen zentraler Grundstücke.

Wer heute in den alten Häusern lebt, tut es auf Abruf: Ausländer,
Studenten, Greise. Innenstadt als Durchgangslager. Zwischensta-
tion auf dem Weg zum Holtenser Berg. Und die beiden Hauptstra-
ßen haben sich in Haupteinkaufsstraßen verwandelt, so wie überhaupt aus der Stadt etwas ganz anderes, nämlich eine Einkaufs-
stadt, geworden ist. Kronzeuge August, ohne Wohnung und mit
ausgebeulten Taschen. Alles nur Bonbons, sagt er zu Wölfchen und
steckt ihm eins zu. Oft finde ich ihn im Lesesaal, eingenickt über
dem Großen Brockhaus, Stichwort Alter. Er sagt auch, die Stadt,
seine Stadt, habe sich in den letzten dreißig Jahren stärker verändert als in den dreihundert Jahren davor. Dabei sind nicht mehr als
fünf Bomben gefallen. Und wir, fragt er dann mit erhobener
Stimme, was wird aus uns. Ja was.

Wer wir sein sollen, wer wir schon sind: unsere Siedlung liegt
weit vor der Stadt, sechs Kilometer. Sie gleicht einer Insel; auf zwei
Seiten wird sie von Autobahnen, auf der dritten von der Bahnlinie
mit ihren dreihundert Zügen pro Tag begrenzt. Wie der Wind auch
steht, man hört das eine oder das andere. Eine einzige Straße, die
Autobahn überbrückend, führt in die Siedlung und aus ihr heraus.
Der dauerhaft geteerte Verbindungsweg zum eingemeindeten
Nachbardorf mit seinen Läden, Kneipen und Handwerksbetrieben
ist für den Privatverkehr gesperrt und darf nur von Stadtbussen be-
fahren werden.

Das Viertel ist in den vergangenen acht Jahren auf die grüne
Wiese, auf Äcker betoniert worden. Ringsum freies Feld. Abge-
stufte, bis zehn Stockwerke hohe und mehrere hundert Meter lange
Häuserzüge. Aber was heißt in diesem Zusammenhang Haus. Bau-
körper müßte man sagen. Breite, rechtwinklig sich kreuzende Straßen. Innenhöfe, so groß wie Fußballfelder. Autos über Autos.
Wenn du da durchgehst, hast du nicht den Eindruck, das könnte
Heimat sein. Wenn du die öden Spielplätze, die siechen Baumkari-
katuren, die sinn- und nutzlosen Grasplätze vor dem Hintergrund
der Wohnungen siehst, wenn du weißt, daß die vielen Kinder nur
im verdreckten Sand spielen oder mit den Kettcars auf und ab fahren können, daß sie, älter geworden, nicht viel mehr als der Fernseher erwartet, wenn dir bewußt ist, daß die Gestaltungsmöglichkei-
ten der Erwachsenen über das kollektive Anlegen schräger Tram-
pelpfade zu den Blocktüren nicht hinausgehen, fragst du dich, was

die Menschen, die hier für immer wohnen müssen, befähigt, eine solche Umgebung auszuhalten. Und was wird aus den Kindern, die in diesen Siedlungen aufwachsen, in dieser vollgeräumten Leere immer gleicher Gegenstände, gleicher Formen, gleicher Lebensweisen. Die alten Apfelbäume an den Feldwegen im Norden des Viertels sieht das Auge bald kaum noch, und die Wildkaninchen, die sich zwischen die Häuser verirren, werden zu Zielscheiben, vom Wohnzimmerfenster aus: Junge, hol den Hasen rauf, den ich erwischt habe.

Klein-Chikago, so nennt man auf der anderen Seite der Stadt in den gepflegten Ein- und Zweifamilienhäusern des Ostviertels mit den behüteten Anlagen vor Fenstern und Türen dieses Neubaugebirge des sozialen Wohnungsbaus. Wer wohnt hier. Das Industriegebiet ist zu Fuß zu erreichen. Nach vier, wenn die Betriebe Feierabend machen, rollen überfüllte Busse ins Viertel. Und von aller städtischen Prominenz hat sich nur das Ratsmitglied der DKP in solcher Umgebung niedergelassen.

Die Isolation in den Blocks, die Scheu vor Berührungen. Die Situation der Nachbarn könnte die eigene Situation deutlich machen. Und die Abwehr, das Mißtrauen, wenn Fremde Fragen stellen. Oh, es geht uns gut. Es fehlt an nichts. Aber was denkt man, wenn man sonntags das Auto nimmt und ins Ostviertel rüberfährt und dort spazierengeht, vorbei an Einfamilienhäusern, die nie unter vierhunderttausend Mark gehandelt werden. Das frage ich mich.

Die Widersprüche der Wirklichkeit, ihre Vielfalt. Das Zögern vor jedem Versuch einer Beschreibung. Auf der anderen Seite die einfachen Wahrheiten. Einfach und brutal wie diese Viertel, aus denen man nur in umgekehrter Richtung fliehen kann, ins neue, größere Auto und in die Wohnung, deren Tür man hinter sich verriegelt, in die Sitzecke, die mit den Tapeten gewechselt wird, vor den Fernseher. Oder in die Ehescheidung, die unerklärliche Depression, die rätselhafte Allergie. In das Nichtwissenwollen.

Zwischen den letzten Blocks und der Autobahn ist vor vier Jahren eine Reihe Gartenhofhäuser gebaut worden. Hier wohne ich. Von hier aus sehe und erlebe ich das Viertel, von hier aus beschreibe ich es auch; die Menschen in den Hochhäusern und die unmittelbaren Nachbarn in ihren Bungalows mit hundertfünfzehn Quadratmeter Wohnfläche, von denen stets dreiundvierzig auf das Wohnzimmer, je zehn auf die beiden Kinderzimmer kommen. Haus an Haus auf kleinen Grundstücken. Fußwege zu den Eingängen. Weißgekalkte Mauern. In den Vorgärten hier ein Weißdorn, dort ein Sandkasten. Eine Bank neben der Haustür, ein Schaukelstuhl. Stockrosen, Waldreben. Nachmittags die Kinder, mit Rollern, Schaufeln, Pappkartons, mit Brettern, Ziegeln, Kreide und Fingerfarben. Die Mütter, die Väter stehen dabei, helfen mit, die meisten Anfang bis Mitte Dreißig, Lehrerinnen, Wissenschaftler, leitende Angestellte kleinerer Firmen, Geschäftsleute. Man erzählt sich was, alle duzen sich. Beinahe wie auf dem Dorf, soll eine Besucherin gesagt haben. Aber über allem der Lärm der Autobahn, die keinen Steinwurf weit entfernt ist. Und es gibt keinen Horizont. Man sieht nur die weißen Wände, die Gehwegplatten, die Büsche, die Kinder, den Himmel. Keine Landschaft, man ahnt noch nicht einmal die nahen Hochhäuser, deren Bewohner nie zwischen unseren Häusern spazierengehen. Auch die Kinder, die Halbwüchsigen halten sich fern.

Einem Fremden muß das wie eine nach innen gewendete Idylle vorkommen. Jedoch: mehr als ein Viertel der Häuser hat nicht nur Ein-, sondern auch Auszüge erlebt. Extrem das Haus neben den Garagen mit vier Familien in vier Jahren. Für die einen war die Siedlung lediglich Durchgangsstation, sie haben von Anfang an ein richtiges Haus bauen wollen. Andere sind versetzt worden, konnten woanders besser Karriere machen. Mindestens eine Familie hatte sich übernommen; diesen war die Autobahn zu laut, jenen der Garten zu klein. Ohne Wimpernzucken wird der Möbelwagen bestellt. Oder die Zahl der Kinderzimmer hat nicht ausgereicht.

Außerdem geben die Gerüchte, Geständnisse, halbunterdrückten Schreie zu denken, dieser Schutt, der Weltbilder bestätigt. Die dritte Tochter der Nachbarn, elf Jahre, Vater Geschäftsführer einer Eisenwarenhandlung, wird demnächst in ein Heim auf dem Land gegeben. Sonst bricht die Familie auseinander, heißt es. Das Kind hat hysterische Anfälle und versucht immer wieder, per Anhalter zu den Großeltern nach Korbach zu kommen. Nachbar auf der anderen Seite ist ein alleinlebender Mann in meinem Alter. Erst sind seine Eltern mit dem Auto tödlich verunglückt, dann hat er im eigenen Schlafzimmer die Frau mit einem Freund ertappt. Seit der Scheidung bringt uns der Briefträger von Zeit zu Zeit seine Einschreibbriefe mit der Forderung nach schriftlicher Stellungnahme. Er werde auf Schritt und Tritt überwacht, selbst im Wald, sogar an der Arbeitsstelle mache man ihm Zurufe, das ganze Haus sei mit Wanzen bestückt, andauernd werde bei ihm eingebrochen, die Kripo sei schon informiert, ob wir etwas wüßten.

Dann gibt es den Angestellten des Kulturamtes, der unsere Kinder zum Weinen bringt, indem er ihnen mit scharfer, gepreßter Stimme den öffentlichen Rasen hinter seinem Haus verbietet. Kaum ist für ihn am Freitagnachmittag um drei der Dienst zu Ende, geht sein Klopfen, Bohren und Sägen los, das wir auch sonn-

abends und sonntags hören. Zuerst hat er die Betonplatten der großen Terrasse gegen Waschbeton ausgetauscht, dann waren Klinker
doch schöner; anschließend wurde der Vorgarten gepflastert und
ein Schuppen gebaut; jetzt täfelt er die Zimmerdecken mit Kiefern-
holz. Ich kann nicht ruhig sitzen, was soll ich machen, hat er lächelnd gesagt. Im nächsten Haus wohnt der Prokurist mit den stillen, intelligenten Töchtern, der so stolz auf seinen auch im August
dunkelgrünen Rasen ist. Vorige Woche hat er in der Augenklinik
das Urteil gehört: beginnende Netzhautablösung. Die sozialen Si-
cherungen sind ja gut und schön, sagt die Frau, als wir uns an den
Mülltonnen treffen, aber wie soll ich es mit ihm aushalten, wenn er
bald den ganzen Tag im Wohnzimmer rumsitzt.

Und das Ehepaar mit dem Doppelnamen, Arzt und Lehrerin.
Sechstausend Mark Monatseinkommen, und trotzdem handgreifli-
che Auseinandersetzungen wegen des Geldes. Vor jeder Einladung
gibt er die Devise aus: Aber gefrühstückt wird zu Hause. Sie nickt
nur. Der Betriebsleiter, der immer von Zucht und Ordnung geredet
hat und am Ende mit der neunzehnjährigen Freundin der Tochter
zusammengezogen ist. Seine Frau geht von Tür zu Tür und zieht
Erkundigungen über das neue Scheidungsrecht ein. Weiter die
Lehrerin mit den Beklemmungen, eine Art seelische Atemnot, hat
sie gesagt, die abends ihren BMW mit Vollgas über die Autobahn
nach Kassel jagt.

Schließlich Jan. Die Eltern, Direktionsassistentin und promo-
vierter Historiker, kommen erst gegen Abend nach Hause. Ich
weiß, daß das schlimm ist, sagt die Mutter, aber meine eigenen Interessen sind mir wichtiger. Habe ich nicht auch das Recht auf
Selbstverwirklichung. Der Junge geht nach der Schule in den Hort,
und nach dem Hort ist er ziellos mit dem Fahrrad unterwegs. Er
stottert, macht ins Bett und erzählt kleineren Kindern blutige Märchen. Zwei Wochen vor der Einschulung sind die Eltern für einen
Monat ins Ausland geflogen und haben ihn bei Nachbarn zurückgelassen, die ihrerseits nach zehn Tagen in Urlaub fuhren. Kann
ich nicht bei euch wohnen. Ich habe seine Stimme noch im Ohr.
Zur gleichen Zeit wurde der Spielplatz unten am Lärmschutzwall
eingeebnet. Der bärtige Politologe mit dem freundlichen Blick,
Spezialgebiet Minoritätenprobleme, hatte das mit Unterschriftenli-
ste, dauernden Protesten und Anwalt erreicht.

Sind wir das, ist von uns die Rede. Wir haben uns an den Stadtrand gedrängt und drängen lassen. Wenn wir in den Spiegel guk-
ken, wissen wir nicht, wessen Gesicht wir sehen. Erstaunen. Erschrecken. Mein Kinn ist ja ganz schmal. Was ist denn mit meiner
Nase los. Und von unseren Träumen ist auch nichts zu erkennen.

Das sollen wir sein. Sehen wir wirklich so aus, oder machen wir nur zufällig eine Grimasse, oder ist mit dem Spiegel etwas nicht in Ordnung. Irgendwann sind über diesen Fragen vielleicht die Tage und Jahre vergangen, und die Antworten interessieren mich nicht mehr. Davor habe ich Angst.

# Walter Vogt

## Ein Brief an meine Ärztin

Verehrte, liebe Frau Doktor,
ich glaube keineswegs, daß man in jenen Zuständen erhöhter Klarsicht (Bewußtseinserweiterung, Psychedelie) tatsächlich etwas erfährt über *Gott*; aber man erfährt etwas über Religion, wie sie entstanden sein könnte, über Mythologie und über Psychopathologie, wie Sie es wohl nennen würden.

Ich würde lieber sagen: über des Menschen Herz.

Ich *war* einmal Gott auf dem Sinai. Ich saß in Sizilien auf einer Düne (1970 im Mai, Sie werden es ja genau wissen wollen, für Ihre Eintragung in mein Krankenblatt: ein simpler Haschischrausch). Die große Muttergöttin, meine Frau, *spürbar* neben mir. Aber dann gab es plötzlich nur noch diesen Gott und sein Geschöpf, das gleichzeitig sein Widersacher war; am Fuß meines Sandhügels ein Ameisenlöwe in seinem selbstgebauten Trichter, ein geniales, bösartiges, kleines Insekt, das vorübereilende Ameisen mit Sand bewirft. Sie rutschen ab, in seinen Trichter, der Ameisenlöwe packt sie mit Zangen, saugt sie aus.

Ich starrte auf den Ameisenlöwen, minutenlang, genau weiß ich es nicht: eine Ewigkeit, ein Zustand ohne das tödliche Ticken der Zeit.

Ich *habe*, von einer Schallplatte, Mozarts Krönungsmesse, meine Geschöpfe, die Menschen, mir Halleluja zurufen hören. Ich wußte: weiter kommt man nicht. Hörte mit diesen Experimenten auf.

Wer immerzu halluzinieren muß, ist kindisch.

Hat seinen Untergang verdient.

Wer gar nie halluziniert, verfehlt etwas. Wird nie wissen, wer oder was er sein *könnte*, auf dieser Erde, dieser Welt.

Diese Erfahrungen haben mich nicht unverändert gelassen. Ich begann unter meinem Alltag zu leiden – mehr, anders als zuvor.

Denn in meinem Alltag war ich ja selbst so ein kastriertes, frustriertes, besinnungslos einer fühllosen Gottheit ›Halleluja‹ singendes Geschöpf; auf dem kurzen Weg von einer entsetzlichen Geburt zu seinem ganz persönlichen, kleinen, lächerlichen, schmerzlichen Tod.

Nach dem Spiel ›Himmel und Hölle‹, das ich bald zur Genüge kannte, begann mich das gefährlichere Spiel zu faszinieren, ›Leben und Tod‹, das Spiel der Fixer, Selbstmörder und Generale.

Nun, Sie haben mich davon geheilt.

Es ging, scheint es, anstandslos.

Ich weiß gar nicht, wie ich Ihnen dafür danken soll.

Aber: In welche Gegenwart entlassen Sie mich?!

Ich habe aus meinen vorweltlichen Erfahrungen gelernt:

Die alten, mythischen Figuren leben mitten unter uns, in dieser übertechnisierten, katastrophischen Welt.

Diese Erkenntnis hat mich bereichert, wenn Sie wollen, aber auch lebensuntüchtig gemacht.

Ich habe mich plötzlich von außen gesehen, meine Lebens-Laufbahn, mein jämmerliches Spiel ›Bürgerliches Elend‹, ›Bürgerliche Existenz‹.

Verstehen Sie das: Jahrelang um etwas kämpfen, das man gar nicht wollen kann!

Und dabei war doch diese Frau meine Frau, waren diese Kinder meine Kinder – vier sehr geliebte Menschen, im wörtlichen Sinn körperlich abhängig von mir.

Ich weiß, das ist nicht nur mein Problem.

Auch diese Einsicht ist kein Trost.

Ich habe vieles erfahren. Nur: Wohin hat diese Erfahrung geführt?

Dorthin, wohin solches Wissen, diese Erfahrung führen muß: zu Ihnen. Ins Irrenhaus.

Andere wählen den direkten Weg in den Tod.

Wird man in solchen, ›psychedelischen‹, Zuständen eingeschlossen, in einen engen Raum, fängt man unter Zwang an, ›katatone‹ Bewegungen auszuführen – so würden Sie es ja wohl nennen: Man kniet nieder, breitet die Arme aus, Handflächen nach vorn, den Mund halb geöffnet, eine Anbetungshaltung, offen, inhaltlos, gedankenleer.

Man spürt, man *könnte* ›es‹ unterdrücken; aber um welchen Preis!

Um den Preis der Panik, einer ganz unermeßlichen Angst. Auch das hätte mir blühen können, in diesem leuchtenden Frühjahr 1974, als ich psychotisch war, wenn Sie mich eingeschlossen hätten.

Statt dessen ließen Sie mich laufen, und alles kam, wie es kam.

Ich kann Ihnen gar nicht genug danken dafür.

Ich grüße Sie, von Haus zu Haus, von See zu See!

PS: Die katatonen Erfahrungen waren unter LSD.

Ohne Datum.
Nicht abgeschickt.

# Günter Wallraff

## Gerling-Konzern — Als Portier und Bote

Nach zweimonatiger Portier- und Botenexistenz im Gerling-Konzern – und nachdem ich Ostersamstag und Ostersonntag jeweils von 7.00–18.00 Uhr im »Notdienst« den Konzern vor eventuellen Eindringlingen zu schützen hatte – tue ich etwas ganz Banales und Selbstverständliches, womit ich allerdings die heftigsten Reaktionen auslöse . . .

Ein Ausdruck für die Klassenstruktur im Gerling-Konzern ist das nach Rang und Stellung gestaffelte Kantinenessen. Dem ›gemeinen Volk‹ ist der ›Jahrhundertsaal‹ vorbehalten, ein eindrucksvoll und pompös gestalteter Eßsaal, in dem, durch die Expansion des Konzerns bedingt, die Tische immer enger gerückt wurden. Wenn man sich im Gedränge einen freien Platz sucht, muß man schon darauf achten, daß man seine Suppe nicht einem Kollegen in den Nacken schüttet. Hier muß man sich selbst bedienen, bis zu zehn Minuten in der Schlange stehen, bis einem das Essen zugeteilt wird.

Bevollmächtigte und Prokuristen haben ihre eigenen Speiseräume im Souterrain, ein Gartenkasino ist für sie reserviert. Die Vorstandsdirektoren wiederum haben ihren gesonderten exklusivfeudalen Speisetrakt. Sie dinieren an festlich gedeckten Tischen, lassen sich erlesene Gerichte servieren.

Zu ihnen geselle ich mich während der Mittagspause in meiner Botenuniform, um es mir einmal richtig schmecken zu lassen. Ich trete ins Kasino ein, ein gutes Dutzend Gerling-Bosse sitzt an mehreren Tischen verteilt. Es ist reichlich Platz hier, meine Kollegen von der Poststelle würden es sich hier auch noch bequem machen können, ohne daß die Herren zusammenrücken müßten. Ich steuere auf den Tisch am Kopfende des Saals zu. Ich habe etwas Herzklopfen, denn einige der Herren blicken schon auf; es muß schon etwas Außerordentliches geschehen sein, wenn ein Bote sie hier in ihrem intimen Speisebereich aufsucht. Jedoch kein Telegramm oder eiliges Fernschreiben, mit dem ich dienen könnte. Statt dessen setze ich mich zu drei Direktoren an den Tisch. »Mahlzeit«, sage ich. Der jüngere von ihnen, in Gedanken versunken, erwidert meinen Tischgruß noch, erschrickt jedoch, als er die beun-

ruhigt bis entsetzt dreinschauenden Gesichter seiner Tischnach-
barn entdeckt. Die Gespräche an den umliegenden Tischen geraten
ins Stocken, zuvor schwirrten noch Zahlen im Raum, angeregtes
bis hektisches Plaudern; jetzt heißt's für die Herren ›Haltung bewahren‹, nur ja nicht ihr Gesicht verlieren, sich auch außergewöhn-
lichen Situationen gewachsen zeigen. Einige nehmen das Gespräch, leise und dezent, wieder auf, nicht ohne mir dabei verstoh-
len lauernde Blicke zuzuwerfen. Ich nehme an, auf die abgeklärte-
ren und würdigeren unter ihnen wirkt mein Eindringen so, als ob
die neue Zeit angebrochen sei, jetzt ist es soweit, jetzt brechen die
Dämme auf, jetzt strömt das Volk an unsere Tische und Tröge. Keiner wagt, aufzustehen, um mich des Saales zu verweisen, dafür hat
man seine Leute.

Man läßt mich jetzt nicht mehr aus den Augen, gebannt starrt
jetzt alles auf mich. Der jüngere Kellner beugt sich an mein Ohr,
und bevor er mir etwas zuflüstert, sage ich laut und vernehmbar,
auf den Teller meines neben mir sitzenden Direktors zeigend: »Das
sieht aber lecker aus. Bringen Sie mir das auch, und ebenso Cham-
pagner bitte.« – Der junge Kellner, mit gedämpfter Stimme und
fast flehend: »Sie sind falsch hier, hier ist nur für Direktoren ge-
deckt . . .« – »Ich bin genau richtig hier«, unterbreche ich ihn,
»bringen Sie mir jetzt das Menü, so lange Pause hab ich nicht.« –
Jetzt halte ich es doch für erforderlich, deutlicher zu werden, um
nicht zu Mißverständnissen Anlaß zu geben. Auf die Direktoren
zeigend, sage ich: »Was soll das denn. Die werden doch auch bedient. Sind die denn was Besseres!« – Der Kellner gibt auf, mit einer Geste wie ›ich habe meine Pflicht getan, ich bin mit meinem La-
tein am Ende‹ wendet er sich an die Direktoren und entfernt sich.

Nun gut, man weigert sich, mich zu bedienen. Ich habe vorge-
sorgt. Aus einem Butterbrotpaket, das ich neben meinen Stuhl gelegt habe, packe ich meine Ration aus. Knäckebrot, mit Schinken
belegt, einen Apfel. Als ich ein mitgebrachtes Messer in die Hand
nehme, um den Apfel zu schälen, gespannte, beunruhigte Wach-
samkeit bei den Direktoren. Aber ich fange mit dem Messer wirklich an, meinen Apfel zu schälen. Ich stelle ein mitgebrachtes
Schnapsglas auf den Tisch. Inzwischen sind einige Minuten vergangen. Die Direktoren, darum bemüht, ihr Gesicht zu wahren,
halten die Stellung. Am Anfang war ich ziemlich aufgeregt und nervös. In Anbetracht der ablehnenden Haltung einer Gruppe, die einen als einzelnen ungebetenen Gast so feindselig empfängt, ist es
gar nicht so einfach, cool und unbefangen zu bleiben. Jedoch, je ir-
ritierter und nervöser die Herren des Vorstandes werden, um so ge-
lassener und ruhiger werde ich. Außer Atem spurtet Herr Klein ins

Kasino. Mit federnden Schritten, den anwesenden Direktoren mit leichter Verbeugung zugrüßend, nähert er sich meinem Platz. Herr Klein, ein ehemaliger Kriminalbeamter, ist mein Vorgesetzter. Er ist für die Portiers und Boten zuständig und für die Werksicherheit. Herr Klein ist mit einem Miniaturfunksprechgerät ausgestattet, das fortwährend aufgeregt piepst und über das er Anweisungen empfängt, während er auf mich einredet.

Ich habe ihm den freien Stuhl neben mir angeboten, auf dessen vorderer Kante er Balance haltend Platz genommen hat. Er scheint den Anwesenden gegenüber dokumentieren zu wollen, daß es ihm nicht ansteht, es sich hier in einem Sessel der Konzernspitze bequem zu machen und daß er sich rein aus dienstlichen Gründen zu mir auf gleiche Sitzhöhe begibt, um mich besser ins Auge fassen und um so zwingender hinauskomplimentieren zu können.

Herr Klein versucht's zuerst mit pragmatischen Argumenten, mich zum Aufgeben zu bringen: »Herr G., es ist hier das Vorstandskasino. Sie können sich das Essen hier nicht leisten.« – Ich zücke mein Portemonnaie und antworte: »Ich will es nicht geschenkt haben, ich kann es ja bezahlen.« Klein (besänftigend): »Hier wird auch nichts verkauft, Herr G . . . Verstehen Sie doch, für uns ist das verboten hier. Wer hat Sie überhaupt auf die Idee gebracht . . .?« – Ich antworte: »Da brauchte mich keiner drauf zu bringen, da bin ich ganz von selbst drauf gekommen, das ist doch was ganz Selbstverständliches, längst überfällig . . .« Klein: »Also, Herr G., ich bin jetzt 13 Jahre im Konzern und das habe ich wirklich noch nie . . .« – Ich: »Aber einer muß ja schließlich mal den Anfang machen.«

Herr Klein wird zusehends nervöser. Mich sanft am Arm fassend und hilfesuchend zu den Direktoren blickend: »Bitte, kommen Sie mit, Herr G., tun Sie mir doch den Gefallen, dann unterhalten wir uns draußen weiter. Wir sind doch immer gut miteinander ausgekommen.« Ich (mich nicht vom Platze rührend): »Ja, aber erst, wenn ich mein Essen bekommen habe. Ich kann ja nicht mit leerem Magen wieder an die Arbeit zurück.«

Klein (ratlos): »Herr G., sind Sie jetzt mal ehrlich, haben Sie heute morgen Alkohol zu sich genommen?«

Ich: »Nein, wieso? Ich bin stocknüchtern.« Ich schütte das mitgebrachte Gläschen voll Korn und schiebe es Herrn Klein hin: ». . . Trinken Sie erst mal, Sie können einen Schluck vertragen. Kommen Sie, das tut gut, da beruhigen Sie sich.« Klein wehrt erschrocken ab. Darauf nehme ich das Glas und kippe es, ihm zuprostend, runter. Herr Klein gerät außer Fassung: »Das ist ein Entlassungsgrund, Herr G., Sie wissen doch, daß es für uns verboten ist, im Dienst Alkohol zu trinken.« Jetzt halte ich den Zeitpunkt für gekommen, auf die Direktoren zeigend, auf Widersprüche hinzuweisen: »Was soll das denn«, sage ich, »die trinken doch hier alle ihren Sekt und scheinen nicht befürchten zu müssen, deshalb ihren Job zu verlieren.« Ein Direktor, der soeben sein Glas zum Trinken anhebt, läßt es erschrocken wieder sinken, wohl um mich nicht weiter herauszufordern. Er wirft einem jüngeren Kollegen einen strafenden Blick zu, der sich ein Grinsen nicht verkneifen konnte.

Der Kasinochef, Herr Rüssel, erscheint. Klein springt auf; und um mich erst mal von meinem Sessel, auf dem ich wie angewachsen sitze, hochzubringen, sagt er: »Herr G., darf ich Ihnen den Kasinochef vorstellen, Herrn Rüssel.« – Ich erhebe mich, wie es die Höflichkeit verlangt, reiche ihm die Hand, sage »Angenehm« und setze mich wieder auf meinen Platz. »Können Sie nicht dafür sorgen, daß ich endlich zu meinem Essen komme«, komme ich dem Kasinochef zuvor, »ich hab nämlich nur 40 Minuten Pause und muß gleich wieder die Post austragen, sonst kommt der gesamte Arbeitsablauf im Konzern noch durcheinander, da greift schließlich eins ins andere.« Der Kasinochef steht verdattert da. Ein Vorstandsdirektor gibt ihm und Klein mit einem Wink zu verstehen, daß sie sich entfernen sollen. Man hat wohl begriffen, daß mich die Argumente nicht überzeugen, im Gegenteil zu um so beharrlicherem und hartnäckigerem Verbleiben bewegen. In die Runde der Direktoren fragend: »Können Sie das verstehen, daß man mich hier einfach nicht bedient? Sie haben doch Ihr Essen auch anstandslos bekommen.« Auf die Speisekarte schauend »Menu, Hühnerkraftbrühe mit Einlage oder Orangensaft, – Schweincrücken ›Bäckerin Art‹, Kopf- und Selleriesalat – Herrencreme, – Kaffee«, sage ich: »Sind Sie im allgemeinen zufrieden mit dem Essen hier?« – Der jüngere am Tisch will zu einer Erklärung ansetzen, jedoch die beiden anderen geben ihm ein Zeichen, sich zu erheben, und wortlos räumen die drei das Feld. Sie haben ihre vollen Sektgläser zurückgelassen, und freundlich der Runde der noch Verbliebenen zuprostend, genehmige ich mir den edlen Tropfen.

Nun sitze ich wieder allein am Tisch. Nur noch sechs Direktoren sind, der Dinge harrend, die noch kommen mögen, auf ihren Plätzen verblieben. Ihretwegen bleibe ich auch. Zwei Herren kommen zielstrebig auf meinen Tisch zu. Ein tatendurstig dreinschauender Jüngerer und ein in-sich-ruhender, vom-Leid-der-Welt-wissender, jedoch nichts-dagegen-tun-könnender Älterer. Der Jüngere gibt sich so, als ob er mit Handlungsvollmachten ausgestattet sei, der Ältere, als ob er wenig zu sagen hätte.

Der Jüngere stellt sich als Abgesandter der Personaldirektion vor und den Älteren als Mitglied des Betriebsrates. (Wie ich später erfahre, ist dieses Betriebsratsmitglied aus einem ganz anderen Konzernteil und für mich überhaupt nicht zuständig; man hat ihn wohl mitgebracht, weil von ihm kein Widerspruch zu erwarten ist.)

Der Jüngere: »Ich weiß nicht, was Sie veranlaßt hat, sich hier zu placieren?!«

Ich: »Dafür gibt es viele Gründe. Ein Grund ist zum Beispiel, daß mein Arzt mir empfohlen hat, diese Dampfkost im Jahrhundertsaal zu meiden und dieses als Schonkost viel besser geeignete Essen hier zu mir zu nehmen, ich hab nämlich einen nervösen Magen.« Der Jüngere von der Personalabteilung: »Sehen Sie mal, hier hat jeder seinen eigenen Bereich, seinen bestimmten Arbeitsplatz in seinem jeweiligen Büro. Sie können sich ja auch nicht einfach auf einen anderen Arbeitsplatz setzen und sagen, ›die Arbeit hier gefällt mir besser, die mach ich jetzt‹. Ich will hier sitzen und nicht da.«

Ich: »Aber das ist doch etwas ganz anderes. Das hat mit Einarbeitung, einer gewissen Qualifikation und so zu tun. Aber essen, das kann doch wohl jeder. Um ein Glas Sekt zu trinken, brauch ich doch keine besondere Ausbildung.«

Betriebsrat: ». . . Das hat doch damit nichts zu tun.«

Personalabteilungs-Mann: ». . . Von einem Vorstand kann man eben erwarten, wenn er mittags seinen Sekt trinkt, daß ihm das nichts ausmacht . . . In jedem Unternehmen gibt es gewisse Ordnungsvorstellungen und Unterschiede, die ihren Sinn haben und ihren Zweck erfüllen. Und hier werden Gespräche geführt, die auf höchster Geschäftsebene stattfinden, und da hat man es nicht gern, wenn nebenan irgendwer sitzt. Sehen Sie mal, das sind Ordnungsstrukturen und Prinzipien, die sind Jahrhunderte und Jahrtausende alt, die sind gewachsen, die können Sie doch nicht über den Haufen schmeißen. Diese Rangunterschiede, die findet man doch, wenn man bis ins Tierreich zurückgeht. Da frißt erst der männliche Löwe und was er übrigläßt, das kriegt die Löwin mit den Jungen, und dann kommen die Schakale dran, ich will sagen, das ist gewachsen, das ist Natur . . .«

Ich: »Und da sollen wir die Rolle der Schakale übernehmen. Das würde Ihnen so passen. – Im Grunde ist's nur konsequent, was Sie da von sich geben. Sie berufen sich auf die Gesetze der freien Wildbahn, nach denen hier ja auch gehandelt wird.«

# Martin Walser

## Die Rede des vom Zuschauen erregten Gallistl vom Fernsehapparat herunter, daß es keine Wirklichkeit geben dürfe

Als das Fernsehprogramm zu Ende war und aus dem Apparat noch ein gemeines Prasseln kam, stellte er sich auf den Apparat und sagte unter dem Schutz dieses Prasselns leise in den Raum: Am besten wäre es, wenn das Fernsehen uns ganz übernehmen würde. Es käme ganz zu uns. Ins Haus. Wir müßten nicht mehr selber leben, sondern auch nur noch darstellen. Das Schlimmste ist ja die Gewalt des Dargestellten über einen, und dann muß man doch draußen bleiben in der undargestellten Wirklichkeit. Das Dargestellte ist das Wirkliche, dem eine Belohnung hinzugefügt wird. Das Dargestellte ist erträglich. Alles andere ist unerträglich. Der Sinn, den das eigene Leben abwirft, ist unannehmbar. Man flieht vor dem Deutlichwerden dieses Sinns überall hin. Am liebsten zu den Darstellungen. Die bieten einfach einen besseren Sinn oder mehr Sinn oder doch eine wunderbare Entschädigung für Sinnlosigkeit oder wenigstens Heroisches beziehungsweise Orgelmusik. Wie ungerecht, den Darstellungen vorzuwerfen, sie lenkten uns ab. Gerade das tun sie nicht. In ihrer Schönheit und immer abgerundeten Gelungenheit weisen sie uns andauernd auf die Unschönheit und Ungelungenheit unseres eigenen Daseins hin. Der Zuschauer verlange jeden Abend, wenn er gefoltert von den provozierenden Vollkommenheiten der Darstellungen zurück muß in die Wirklichkeit, eine Kompanie Soldaten, ihm unterstellt, damit er sich mit Hilfe dieser ihm willenlos ergebenen Horde und ausgerüstet mit ALLEN Machtmitteln noch während dieser Nacht eine Genugtuung in Wirklichkeit verschaffen kann. Und zwar will er sich mit Hilfe von Gewalt in Wirklichkeit so befriedigend bewegen dürfen, wie es den Darstellern in der Darstellung auf Grund der grundsätzlichen Verlogenheit der Darstellungswelt möglich war. Er will ganz rasch einen Streifzug machen durch Verhältnisse, die ihm Sinn, Glück und Sieg bieten. Und das wenigstens so lange, wie er das in der Darstellung anschauen mußte. Länger nicht. Er will nicht unbescheiden sein. Aber so lange, wie das dort lief, soll es jetzt bei ihm auch laufen. Triumph, Rache, Verantwortungslosigkeit. Guter Ausgang. Befriedigender Ausgang. Belohnung. Egal welcher Art. Auf jeden Fall nicht mehr dieses direkte Hinüberächzen ins reale Schlafzimmer. Dieses Hineinplumpsen ins durchgelegene Bett. Bleibt doch mal auf'm Teppich, Leute! Was hat er denn grad noch für Betten gesehen. Das könnt ihr mit ihm doch nicht machen. Dieser Geruch seiner Nachtwäsche. Diese flankierenden Schmerzen. Und diese steinerne Gewißheit, daß es morgen vormittag noch schlimmer sein wird. Und keine Waffe in der Hand. Die Waffen sind alle in Händen der Darsteller. Wenigstens eine Bartholomäusnacht, bitte. Alle Darsteller aus den Betten holen und auspeitschen, federn, pfählen, henken, verbrennen. Alle Vormacher, Gelungenheitsveranstalter, Feinsinnigkeitsproduzenten, Sensibilitätsprotze, Talentlumpen, Politlächler, Sinnlosigkeitsvirtuosen, Menschheitsbeleidiger, Einzigartigkeitsbehaupter, alle, die man anschauen soll, die einem die Welt als eine gelungene oder mißlungene darstellen, alle, die nichts anzubieten haben zur sofortigen, in dieser Nacht noch zu beginnenden Verbesserung des Lebens des Zuschauers, soll man totschlagen noch in dieser Nacht. Aber wirklich. Bloß keine Gnade. Jetzt kein liberales Winseln mehr und dann alles noch mal von vorn. Schluß jetzt mit dem Gewinsel aus Hamburg, München usw. Schluß mit der Bosse-Kultur. Zündet an. Sprengt die Darstellungsanstalten. Zerschlagt die Medienpaläste. Henkt die Clique aus Springer - SPD - Grunerjahrbertelsmann - Regierung - Oppositionplus-Spiegel-plus-Millionäre-plus-Bankiersplu-plu-plus, bis kein Bild mehr zustande kommt, bis jeder leben muß und nicht mehr abhauen kann in die Darstellung. Entweder alle werden aufgenommen, und zwar Tag und Nacht, daß wir nicht mehr leben müssen, sondern nur noch darstellen ... ODER Schluß mit der Darstellerei, Todesstrafe für jeden, der noch was darstellt. ALLE müssen leben und sterben. KEINER darf überleben. Wer das Wort Unsterblichkeit in den Mund nimmt oder etwas in Gang setzt, um sich eine solche zu erschleichen, wird sofort erschossen, erschossen von jedem, der ihn dabei ertappt. Es gibt aber für das Erschießen von anderen keinerlei Belohnung, Auszeichnung oder auch nur Anerkennung. Es gibt keine Beförderung für irgend etwas oder zu irgend etwas. Es gibt überhaupt keine Betonung oder Entwicklung von Unterschieden. Das nackte Leben soll endlich durchbrechen dürfen. Bis alle Zensuren verrottet sind und jeder, der lebt, lebt. Unverstellt. Ununterdrückt. Mit Haut und Haaren. Von keinem Vorbild beleidigt. Auf ihn kommt es an. Er falle aus, wie er wolle. Gibt es Musik? Es gibt auf keinen Fall einen, der Musik machen darf. Wenn es trotzdem Musik gibt, soll es uns recht sein. Wir würden uns freuen. Es darf nur keine Macher mehr geben. Stürmt, Leute, die Zwingburgen. Denkt daran, welche Burgen und Klöster gestürmt werden mußten, damit es weitergehen konnte. Da waren höhere und schönere und bessere darunter als die Darstellungspaläste. Und keine Unterschiede, kein Hinhören, egal ob es sich um so eine fluoreszierende Magermilchkuh wie die englische Königin handelt oder um einen Hamburger Meinungsadmiral mit Tressenschnauze. Weg damit. Ich werde weich. Fort damit. Aber deportiert werden sie! Auf Inseln. Bitte schön. Noch weicher werde ich nicht. Dann werden diese Inseln millimeterdicht mit einer Palisade aus genauesten Nachbildungen der amerikanischen Freiheitsstatue im Maßstab 1:1 umstellt, daß kein Entkommen mehr möglich ist und die Herrschaften im Schatten dieser Figur noch gar verhauchen können. Denn mit dieser Figur haben sie uns alle drangekriegt. Das soll ihr Dasein beschließen, ein Riesenzaun aus in Beton gegossenen Freiheitsstatuen, damit sie nie vergessen, warum sie da drin sind: um unserer Freiheit willen. Solang sie draußen waren, waren wir Gefangene, die die Freiheit nur anschauen durften in ihren Darstellungen. In ihren unsere Gefangenschaft besiegelnden Darstellungen.

Er sprang vom Apparat herunter und sagte noch leiser: Jeder ist eine unendliche Fülle von Erscheinungen, die von keinem je wahrgenommen, geschweige denn erlebt wird. Die unendliche Vielfalt jedes Menschen bleibt zeugenlos. Dann löschte er das Licht und ging so leise als möglich ins Bett, um Marianne, die vor ihm aufstehen mußte, nicht zu stören.

# Dieter Wellershoff

## Der Tod eines Polizisten

Mitten im Laufen merkte er, daß er nicht mehr mit sich einig war. Er verfügte nicht über seine gewohnte Kraft, und sein Atem ging keuchend, so daß es ihm vor sich selber peinlich wurde. Hinter ihm hatte Josten gerufen Schießen Sie doch!, und noch während er sich durch das Gebüsch zwängte, um auf die Weide zu kommen, über die Findeisen davonlief, hörte er sich »Halt« rufen, Halt, stehenbleiben oder ich schieße!

Aber es war nicht seine gewohnte Stimme, sie klang leise und erstickt, als übe er verlegen diesen Ruf für sich allein, und es war ihm eingefallen, daß das vielleicht ein Zeichen des Ernstfalls war: alles stimmte nicht, man war nicht bereit, nicht ganz fertig mit seinen Vorbereitungen, mit denen man alles vorwegzunehmen geglaubt hatte, so daß er, als Josten bei ihm eingetreten war, sich zunächst mit einem Gefühl feierlicher Würde hinter seinem Tisch erheben konnte und das Koppel mit der Pistolentasche und die Mütze mit einem einzigen ruhigen Griff vom Wandhaken nahm. Aber draußen, als er mit Josten durch den Vorgarten zu dessen Wagen lief und sich auf dem engen Beifahrersitz zurechtsetzte, fühlte er die befremdende Steifheit seines ganzen Körpers und blickte kaum zu der Ansammlung von Leuten hin, die vor der Gastwirtschaft Heese standen und alle mit großen Armbewegungen in Richtung Lemförde zeigten. Er begriff, daß sie auf ihn gewartet hatten, auf sein Erscheinen, seine Haltung, seine Uniform, seine Statur, mit der er sie alle überragte, er war jetzt der wichtigste Mann im Ort, und seine aufgereckte Haltung versteifte sich noch mehr, als vor ihnen zweimal das Blaulicht des Gerätewagens aufblitzte, der Findeisen in einigem Abstand folgte.

Sie fuhren mit aufgeblendeten Scheinwerfern vorbei, und gleich danach nahm Josten den Fuß vom Gas. Vor ihnen war er. Ein Radfahrer in einem langen dunklen Mantel mit einer Aktentasche auf dem Gepäckständer. Er fuhr unerwartet langsam in ihrem Scheinwerferlicht, als ob er sie täuschen wollte, aber als sie neben ihm herfuhren und er das Fenster herunterkurbelte, um ihn anzurufen, war er plötzlich nach rechts weggekippt und in dem Gebüsch neben der Straße verschwunden.

Viel zu langsam war er aus dem Wagen herausgekommen, und in der Dunkelheit des Gebüsches hatte er sich rufen hören: Halt, stehenbleiben oder ich schieße! und war, durchdrungen von einem Gefühl der Lächerlichkeit, gestürzt. Niemand hat es gemerkt, sagte er sich, und kam kriechend aus der bewachsenen Senke heraus, ohne jemand sehen zu können. Schon jetzt keuchte er, als er auf eine der unbestimmten Verdichtungen der Dunkelheit zulief. Er ist entwischt, dachte er, ich war zu langsam. Aber er war ja von vorneherein entschuldigt durch die Mißerfolge früherer Verfolger, denen er sich bereits anschloß, nur noch ein Stück weiterstolpernd über Maulwurfshügel oder Grasbuckel, als er plötzlich vor sich einen Mann erkannte, der im Laufen mit seltsamen windenden Bewegungen seinen Mantel abzustreifen versuchte. Schießen, dachte er, und zerrte an seiner Pistolentasche, die er schon im Wagen hatte öffnen sollen. Dann stolperte er über etwas, das sich in seinen Beinen verfing. Das mußte der Mantel sein, denn der Mann vor ihm lief jetzt gleichmäßiger, aber in unverändertem Abstand, ohne schneller zu werden, und auch er lief nicht schneller, er war nicht mit sich einig, mit seinem mächtigen durchtrainierten Körper, von dem er sich enttäuscht fühlte, weil er schon außer Atem war und nur noch mit äußerster Anstrengung die Verbindung zu dem kleinen laufenden Mann halten konnte. Aus Angst vor seiner atemlosen Stimme rief er nicht und hörte hinter sich auf der Straße die Motoren der Fahrzeuge, die irgendwo seitlich in einen Feldweg setzten, und plötzlich kamen sie mit aufgeblendeten Scheinwerfern durch das Gattertor auf die Weide gefahren. Die Lichtstrahlen schwankten und standen zu hoch und nicht ganz in der Fluchtrichtung, und er war froh, daß er weiter durch die Dunkelheit laufen und sich immer weiter von ihnen entfernen konnte. Sie dahinten mit ihren Autos erschienen ihm jetzt als seine Feinde. Sie waren nicht mitgelaufen, sie ließen ihn allein. Gleich, wenn er ausgepumpt zu ihnen zurückkam, würden sie fragen, warum er nicht geschossen hatte.

Ja, er mußte schießen, er mußte die Warnschüsse abgeben.

Er zerrte an seiner Pistolentasche, während er weiterlief mit dem faden metallischen Geschmack im Mund, wie manchmal auf dem letzten Bahnstück seiner 400-Meter-Läufe.

Aber es wurde anders jetzt. Er merkte, daß er schneller wurde und immer leichter lief. Der Krampf löste sich, und der Mann vor ihm sah sich im Laufen mehrmals nach ihm um und änderte plötzlich die Richtung. Da mußte ein Hindernis sein, über das er nicht hinwegkonnte, ein Draht, der Weidenzaun, an dem er nun entlanglief und eine Lücke suchte. Wieder kam er ihm ein ganzes Stück näher, so daß er ihn fast mit der Hand erreichen konnte, als Findeisen mit einem Ruck nach links abbog und jetzt dicht vor ihm wieder auf das Gebüsch an der Straße zulief. In diesem Augenblick kamen sie beide in den Suchscheinwerfer des Gerätewagens, und er machte drei lange Schritte, um Findeisen an der Schulter zu packen. Neben ihm war das bleiche, angespannte Gesicht, das er von dem Plakat kannte, aber es kam ihm auf andere Weise vertraut vor wie eine Erinnerung nicht an einen bestimmten Menschen, sondern an Hoffnungslosigkeit und Unterwerfung, die er früher einmal in anderen Gesichtern gesehen hatte, und als er zugreifen wollte, keuchte Findeisen »Laß mich doch«, als ob sie beide, weit von den anderen entfernt, sich verständigen könnten, und einen Augenblick kam er aus dem Schritt und verlor die Verbindung. Aber Findeisen war nur ein paar Schritte zur Seite ausgewichen und schien vor Erschöpfung nicht weiterzukommen. Ohne Eile konnte er sich aufrichten und ihm zuwenden, um dadurch auszudrücken, daß er jede Gemeinsamkeit ablehne, daß er nicht mit sich handeln ließ. In dieser Haltung empfing er den ersten Schuß.

Der Schmerz dauerte nicht länger als das Mündungsfeuer, das er vor sich aufblitzen sah – es war eine Spiegelung des Feuerscheins in seiner Brust, die ihn überraschte, so daß er mit einer beschwichtigenden Bewegung die Hand ausstreckte. Aber der nächste Schuß riß ihm den Arm herunter. Und er begriff die demütigende Übermacht, mit der der kleine Mann, der zwei Schritte vor ihm stand, ihn kaputtmachte, denn als er vorwärts taumelte, traf ihn ein Schuß in den Bauch, und er dachte, daß das bereits zuviel sei und nicht wiedergutzumachen, als er mit demselben Aufblitzen etwas höher wieder einen rasenden Schlag in den Bauch bekam, der seinen ganzen Unterkörper sprengte und auslöschte.

Er glaubte, daß er weich und senkrecht falle und sich dabei an etwas festklammere. Das war der Fuß von jemand, der sich über ihn beugte. Er klammerte sich daran, wie ein nicht abzuschüttelnder Bittsteller, als könne der, zu dessen Füßen er lag, alles rückgängig machen. Denn er spürte ja auch keine Schmerzen, nur noch einmal diesen krachenden Schlag in den Rücken unter seiner Schulter, und jetzt kam der Schmerz mit einer riesigen heulenden Autohupe direkt auf ihn zu, und er versuchte sich aufzurichten und seine Pistole in die Hand zu bekommen. Wenn er jetzt schoß, würde alles anders ablaufen, in der richtigen Reihenfolge. Aber er bekam die Arme nicht hoch, und kniend sah er zwei Scheinwerfer über die Weide näherkommen. Jemand rief etwas, und er glaubte, daß er zurückrief. Dann kam ein dicker Schwall Blut aus seinem Mund, und er hustete, während er undeutlich mehrmals seinen Namen hörte.

Aber sie sollten ihn in Ruhe lassen, damit er nachdenken konnte, was geschehen war.

Trifft ein Geschoß auf die Haut, so ruft es auf ihr eine Ausbuchtung hervor, was darauf beruht, daß die Haut zäh und elastisch ist und die darunterliegenden Gewebe keinen Widerstand leisten. Infolgedessen wird unmittelbar unter der Geschoßspitze die Haut gespannt. Das Geschoß, das eine rotierende Bewegung beschreibt und gleichzeitig vorwärts getrieben wird, verlangsamt beim Aufschlag seine Geschwindigkeit und bohrt sich mehr oder weniger tief in den Körper ein. Es setzt dabei auf der Haut Rauch, Ruß und Metallpartikel ab und hinterläßt um den Einschuß einen grauen Ring. Obwohl die Haut beim Eindringen des Geschosses in den Körper gedehnt wird, kehrt sie in ihre frühere Lage zurück. Die Größe des Einschusses erscheint daher oft kleiner als der Durchmesser des Projektils. Typische Einschußwunden haben saubere runde Öffnungen mit einem gleichmäßigen grauen Rand, aus denen verhältnismäßig wenig Blut quillt. Auf seinem Weg durch die inneren Körpergewebe verlangsamt sich rasch die Geschwindigkeit des Geschosses, wodurch die Ausschußwunden meist viel größer werden als sein Durchmesser. Sie sind lappig und zerrissen und bluten gewöhnlich stärker als der Einschuß. Oft quellen Fettstückchen und andere Teile von Körpergeweben aus der Wunde heraus. Falls das Geschoß nur auf weiche Gewebe trifft, durchdringt es den Körper in gerader Linie. Schlägt es jedoch auf einen Knochen auf, kann man nicht sagen, welchen weiteren Weg es nehmen wird. Es kann den Knochen glatt durchschlagen, aber auch einen Splitterbruch mit weitgehender Zerstörung der umliegenden Weichteile verursachen. Diese Wirkung ist auf die Übertragung der Bewegungsenergie auf die Knochensplitter zurückzuführen, wobei diese dann wie ein neues Projektil wirken. Aber nicht nur die Knochensplitter richten große Zerstörungen an, sondern auch das Geschoß selbst, und zwar wenn es sich überschlägt oder deformiert wird und dadurch größere Verletzungen in den Geweben verursacht, mehr Gefäße zerreißt und die Blutung verstärkt. In derartigen Fällen ist die Ausschußwunde viel größer, zerrissener und verheerender.

Der zu Tode Verletzte schreit nicht. Er weiß nicht genau, was mit ihm geschieht. Durch sein getrübtes Bewußtsein dringen Stimmen und Geräusche auf ihn ein. Er wird angehoben und getragen und auf etwas Hartes gelegt. Er möchte etwas sagen und hustet. Luft, will er schreien, gleichzeitig ist ihm kalt. Als er sich aufrichten will, spürt er ein schweres Gewicht, das er selbst ist. Geräusche sind gleichzeitig größer und ferner. Er versucht sie zu deuten, aber sie bedeuten nichts. Auf mein Herz, denkt er, kann ich mich verlassen. Dann fällt ihm ein, daß das Herz Blut braucht, und er will es ihnen sagen und dreht den Kopf. Jemand berührt ihn, den er nicht sehen kann. Andere bewegen sich in unbestimmtem Abstand. Manchmal sieht er sie, manchmal hört er sie, jetzt ist nichts da. Er weiß, daß die Verbindung schwächer wird. Er vergißt, was er sagen wollte. Erst muß er Kraft sammeln, muß diese Ohnmacht überwinden. Er kann nicht sprechen, weil er atmen muß.

# Gabriele Wohmann

## Vor dem Schlafengehen

Nun war wieder der ganz angenehme Typ von der Drogenberatung dran, und zwar mit einem Tiefschlag in die feierlich-dramatische Flanke des Moderators. Es tat Conny gut zu hören, daß auch Eltern als Vorbilder überhaupt nichts nützten.

Aber müßten nicht wir Erwachsenen alle miteinander, wir mit unseren Trinkgewohnheiten und dem Tabakkonsum, mit unseren Tabletten gegen jedes Wehwehchen . . .

Der völlig suchtfreie, schuld- und sühneversessene Moderator wurde vom grimmigen Experten und Mann an der Basis unterbrochen und Conny genoß das. Nicht mal die nikotinfreisten Eltern, auch nicht diese Leute, die dauernd wußten, wofür jemand lebte, und die das dauernd furchtbar lohnend fanden, und ebenso wenig die kreativste Mutter ließ der einleuchtende Praxisbursche gelten. Schluß mit jeglicher Ursachengläubigkeit. Conny räkelte sich im Fernsehsessel, und wider Erwarten fing er an, die heute abend ungewöhnliche Situation gutzuheißen. Unverabredet war es seit langem zur Gewohnheit geworden, daß seine Eltern und er nie die selben Fernsehprogramme anschauten. Seine Eltern sahen überhaupt selten irgendwas. Ausgenommen die Reihen INTERNATIONALES THEATER und KULTUR DER WELT gab es ganz selten eine Sendung, für die sie sich bei Conny ankündigten. Mit dem Beginn der Fernsehverschmähung bei den Eltern hing auch Connys gleitender Auszug aus Parterre und erster Etage zusammen. Und eines Tages war er ganz im Keller seßhaft geworden. Dummerweise kam und kam er nicht zu einem Schlüssel. So mußte er weiterhin viel Zeit auf diverse Verstecks wenden.

Der schon wieder abgeschmetterte Moderator wandte sich an einen Vertreter der Polizei, der nach knapper Rechtfertigung der unzulänglichen Polizeiarbeit zur Jugendgruppe hinüberlächelte, alle repressiven Methoden verwarf und daraufhin die Rückkehr irgendeines alten Idealvertreters und Wunschtraums von Pädagogen wie eine Auferstehungssehnsucht heraufbeschwor.

Da hat er recht, unsere Schulen sind inhuman, sagte Connys Mutter.

Sie fing schon wieder an zu stören. Immer ging sie so mit.

Der Verfasser einer umstrittenen Illustriertenserie mit dem Titel EINSAM STERBEN EURE KINDER blieb dabei, sich als Aufklärer zu sehen. Die Serie erschien demnächst angereichert und erweitert als Buch, und Conny wußte, daß seine Mutter auch schon auf den Film zum Buch scharf war. Er fand, daß sein Vater schon im Profil mißtrauisch aussah. Seine Mutter wirkte aufgeregt und fasziniert. Er selber fühlte sich an diesem Abend plötzlich völlig aussprachebereit. Natürlich, darin war er kenntnisreich genug, natürlich hing das damit zusammen, daß er sich vorhin auf einem wie eh und je unertappten Schleichgang und Beutezug mit einer Handvoll neuer Medikamente versorgt hatte. Und jetzt zerschmolz so ganz friedlich und allmählich eine Validon-Tablette. Es machte Spaß, sie eine Zeitlang in der Backentasche zu bevorraten. Nachher gäbe er einen Schluck Rotwein dazu.

Nicht zu fassen, so nett und zart wie sie aussieht, sagte Connys Mutter, und er fand es etwas sinnlos, wie sie auf den Bildschirm deutete. Wieder war nämlich jetzt die authentische Angelika zu sehen.

Du hast es geschafft, Angelika, sagte der Moderator, halb in den Knien vor seinem Ausstellungsstück.

Sie sieht doch gar nicht zerrüttet aus, sagte Connys Mutter.

Connys Vater hatte sowieso niemals vor, während eines Fernsehprogramms und um was es sich auch handelte, Einwürfe seiner Frau aufzugreifen, nur bei äußerster Kontaktbereitschaft gönnte er ihr einen alles und nichts sagenden Knurrton. Die Einwürfe von Connys Mutter glichen eigentlich den Angelhaken, die sein Vater an Sonntagnachmittagen über den Fluß schleuderte, an langer Schnur, auf einen Anbiß hoffend. Und beide hatten mit dem Fischsport ein ganz ähnliches Pech. Conny kam seit langem nicht mehr nach Hilsbach mit, und auf einmal tat ihm sein Vater leid. Verdammt allein ließ er ihn, dort an seinem Gewässer. Connys Mutter hatte seit einem halben Jahr sonntagnachmittags immer in der Frauengruppe zu tun, die sich um die Gesprächsrunden der 10 bis 12jährigen kümmerte. Und daß er sogar auch sie nun bemitleidete, wunderte ihn doch. Auch sie kam ihm einsam vor, obwohl sie fast immer redete und emsig sich in der Welt umschaute. Hatte er nicht wahre Fundstücke von Eltern fürs Anvertrauen? Einen abendlich erschöpften Handelsvertreter und Hobbyangler, der sich mit Niederlagen auskannte und alle Medienphrasenlust beargwöhnte, ganz offensichtlich in diesem Moment. Und die Mami, was ist mit der? Conny fürchtete, er hätte vor lauter Validon-Wohligkeit laut gedacht. Warum widerte ihn eigentlich ihr brennendes Interesse für süchtige Jugendliche und gefährdete Kinder so an? Sie saß so verdammt sauber und adrett aufrecht, glatt frisiert, nippte am Rotwein.

Sucht ist auch Suche, das wollten wir ja nicht vergessen, mahnte ein predigerhafter feister Mann aus der Diskussionsrunde, aber einen Theologen hatten sie nicht eingeladen und Conny wußte nicht mehr, was für einen Job der gutgelaunte Mann hatte.

Seine Mutter schien Lust zu haben, die Angelika von der Stelle weg zu adoptieren, diesen Therapieteilerfolg. Sie hörte sicher gar nicht gern, daß Angelika jetzt äußerte, geschmeichelt in die Kamera blickend, vom pflegermäßig besorgt schauenden Moderator weg:

Mittlerweile sehe ich auch die Beziehung zu meinen Eltern anders, ich habe gelernt zu kapieren, was da läuft zwischen uns und daß das eben auch was mit mir zu tun hat.

Angelika war erst 14 und sah sehr niedlich aus. Die Drogenerfahrung stand ihr gut. Conny wurde 17 und nichts paßte so richtig zu ihm, er bildete keinen erkennbaren Typ aus sich heraus, auch Schlampigkeit glückte ihm nicht: er selber sah das jetzt so in den Augen seiner Mutter. Er wußte, daß sie ihn nicht wirklich gut fand. Nicht schmissig. Nicht anrüchig in einem zur Cooperation einladenden Sinn. Neulich am Kiosk hatte sie so getan, als sähe sie ihn nicht. Das war selbstverständlich nur eine Vermutung. Die Validon fing an, bitter säuerlich zu schmecken: Zeit, sie schlundabwärts zu schlucken. Doch , das war und blieb ein guter Abend. Er fühlte sich vorläufig frei vom Beschaffungsproblem. Volles Lager, für sicher drei Tage, wenn er normal dosierte. In der Stimmung von eben, oder besser: wenn man noch eine halbe Stunde zugab, würde er gern reden. Ich sag's ihnen, nahm Conny sich vor, und vielleicht ist die Mami gar nicht sauer, weil ich keine richtig aufregenden, richtig harten Sachen nehme; natürlich, genieren wird sie sich, weil das alles bei mir nicht schick ist, und vielleicht packt mein Vater endlich zu, hat endlich mal einen Fisch an der Angel, könnte ja sein. Conny wußte, wenn er genug geschluckt hatte, immer ziemlich deutlich, daß es so nicht auf die Dauer mit ihm weiterginge, und er freute sich auf jedes quälende Problem in weicher Sympathie für sich und alle Beteiligten.

Und für diese Suche, die nämlich Sucht auch ist, müssen wir Erwachsenen uns dringend was einfallen lassen. Der leichenbestatterhafte Conférencier von Moderator wirkte überwältigt von ernstem Glück.

So ein Herzinfarktforscher hat neulich gesagt, er wird sich nur noch für Sachen anstrengen, für die es sich zu sterben lohnt, sagt Conny. Er war im Stadium für Mut, fürs Sprechen. Nicht leben.

Was nuschelst du so, sagte seine Mutter, du artikulierst gar nicht richtig, bist du bettreif, Conny?

Keine Ahnung, sagte Conny. Er bekam das noch gut mit: das war zwar das mutige und redebedürftige Stadium, aber es fiel zusammen mit dem von Kontrollverlust. Im Kopf war er völlig klar, aber er brachte diese glasklaren Angelegenheiten nicht mehr sauber über die Rampe.

Sehen wir das hier an oder machen wir Konversation, sagte Connys Vater.

Als die Vertreterin aus der Runde der erfahrungsgeprüften Eltern nun wieder das ostereiförmige grüne Mikrophon vor die Lippen gekippt bekam – mit ihr ging der Moderator sparsam um, sie war ein wenig verschwätzt, was sich wahrscheinlich erst bei der Sendung herausgestellt hatte –, da empfahl sie wieder diese gewisse Härte, bei aller Mutterliebe.

Auch ich wollte zu lange Zeit einfach alles glauben, was der Micky mir aufgebunden hat, ich begriff erst sehr viel später, daß der Micky mich reinlegte . . .

In seiner Hilflosigkeit REINLEGTE, nicht wahr? fragte der Moderator und trennte sich schnell wieder vom Mikrophon, schnickte es der Mutter vom Micky hin, nach geschickt lanciertem Zuruf: Und Ihr Ratschlag? Mitten aus der Praxis heraus?

Mein Ratschlag, sagte die Mutter und sah kühn auf den Moderator, der aber wünschte, daß sie endlich frontal wurde.

Da ist unsere Kamera, sagen Sie es bitte unseren Zuschauern, drohte er.

Die Gründung unserer EVAU EVAU . . . Die Mutter mußte lachen, nicht unterstützt vom Moderator, so daß sie, von seinem Ausdruck erschreckt, sich abfing, das Kichern abbrach und ernst aufsagte: Ich meine, wir gründeten die Eltern-Vereinigung ev., die EVAU EVAU eben, nicht wahr, und die ist sehr sehr hilfreich und ich möchte allen allen Eltern raten, sich zusammenzutun, und wir haben herausgefunden, daß wir alle miteinander unser Viertelstündchen pro Tag für die Kinder reservieren müssen, komme was wolle, und zwar am besten vor dem Schlafengehen, da hat jeder Zeit für ein Wort, und wer sich diese Zeit nicht nimmt, der –

Der hilft seinem Kind nicht bei der Suche, die Sucht ja nicht zuletzt ist, sagte der Moderator und schaute wie ein unfreundlicher, keines Vertrauens würdiger Spielverderber auf Conny, der sehr gern ALTER IDIOT gesagt hätte, aber seiner Zunge nicht recht traute.

Wenn das nicht der oberste Blödsinn ist, sagte Connys Vater. Mir reicht's. Er gähnte.

Ich finde es nicht unwichtig, sagte Connys Mutter.

Du mußt dieses ganze Zeug doch auswendig wissen, sagte Connys Vater.

Mir war es trotzdem wichtig, schon einfach nur der Gesichter wegen, sagte Connys Mutter.

Die Viertelstunde vorm Schlafengehen, die haben wir jetzt hier am Bildschirm vertrödelt, großes Künstlerpech, sagte Connys Vater.

Wieso war er so gesprächig? Conny bedauerte seine Mutter beim Abnabeln von der Sendung. Sie tat immer schließlich doch so, als sei sie diejenige gewesen, die es nicht länger ausgehalten hatte.

Viel zu spät in die Nacht gelegt, so ein brisantes Thema wie dieses, sagte sie, und die Bildecken rasten ineinander und verlöschten.

Nun ja, wen's betrifft, der kann sowieso nicht gut schlafen, sagte Connys Vater.

Es war sonst nicht üblich, daß sie sich alle drei gleichzeitig für die Nacht rüsteten. Conny verzog sich meistens schon nach dem Abendessen und tat seinen Eltern zuliebe so, als verbringe er die folgenden Stunden nicht allein in seinem Keller, sondern irgendwo draußen. Sie hatten es wirklich aufgegeben, über ihn als einen Einzelgänger zu beratschlagen. Conny fiel genug Erzählstoff ein von der Clique Erdheim und den SEVEN SINS und wo sonst er noch erwünscht war. In der von den EVAU EVAU-Leuten empfohlenen Viertelstunde vor dem Schlafengehen quetschten nun die Eltern sich im Bad aneinander vorbei. Connys Mutter mußte sich abschminken, Connys Vater behandelte seinen Mundraum mit Salvisan, einem der langweiligsten Medikamente aus der Hausapotheke, wirklich kurz vor Jod, Conny konnte es nicht einmal bei Engpässen nutzen. Nur an Vormittagen mit großer Übelkeit, wenn er zu schlecht dran war für den Kiosk, half Salvisan: dann vermittelte es, über Gaumen, Zunge und Zahnfleisch getupft, einen reinigenden gesetzestreuen, wiedergutmachenden Geschmack.

Gibst du mir mal, sagte Conny zu seinem Vater.

Was willst du damit, fragte der, wie Conny fand eigentlich übertrieben erstaunt. Er sah alarmiert aus und gleichzeitig abwehrbereit.

Conny winkte ab und sein Vater stellte die kleine braune Salvisan-Flasche unnötig erleichtert ins Spiegelschränkchen zurück. Er brauchte seinen Schlaf, das sah man. Doch Mami, wie stand's mit der? Sie hätte doch so gern die Diskussion bis zum Open End mitgemacht. Sie bestrich jetzt ihr eifriges Gesicht mit glasig weißlicher Creme. Gut, daß sie ins Schlafzimmer ausgewichen war. Sie sah leberkrank aus, weil sie die Augenhöhlen nicht zuschmierte. Conny sagte:

Ich hätte da auch auftreten können, bei denen, Mami.

Was du brauchst, das sind Interessen, sagte sie. Ein Hobby.

Ich hab ja die Guitarre, sagte Conny.

Ach so, na klar, stimmt ja, dumm von mir, dumm von uns beiden! Oder? Sie lachte. Das kommt vom Keller. Ich kann dich hier oben nicht mehr hören.

Ich hätte trotzdem da auftreten können, sagte Conny.

Was ist mit euch beiden hier passiert, fragte sein Vater, der nach seinem Schlafanzug griff.

Ich hab heut einen Haufen Jägermeister getrunken und jetzt –

Soll das unser Viertelstündchen sein, zwitscherte seine Mutter dazwischen. Du, laß uns das vertagen, willst du? Sei ein Schatz, mein Schätzchen.

Ich hab das Salvisan wegen dem Jägermeistergeschmack gewollt, sagte Conny und stand absichtlich im Weg für Vater und Mutter, aber von Medikamenten fiele heute kein Wort mehr. Er spürte, wie die Lust zum Anvertrauen aus ihm sickerte.

Jägermeister! Wie enttäuscht seine Mutter aussah. Das ist was für Rentner, hab ich nicht recht?

Was soll ich davon verstehen, hab ich nicht recht, hab ich nicht recht. Connys Vater spielte seine Gemächlichkeit nicht gut. Er sah feindselig und mit unterdrückter Angst auf sein Bett, auf den Schlafanzug, wie auf bedrohtes Terrain, und beim Angeln, wußte Conny jetzt, bekam er auch immer diese dicke Ader links oben auf der Stirn. Und wer weiß, vielleicht war die Mami wirklich nicht ganz gesund, und diese Schmiere machte nur überdeutlich, was sonst keinem mehr weiter auffiel: dunkle Ringe um die Augen. Auch an der Hastigkeit beim Abwischen des Zeugs, das sicher nicht richtig eingewirkt hatte, erkannte Conny, daß es höchste Zeit war für eine allgemeine Freude. Daß er schlecht artikulierte, fiel jetzt beiden nicht mehr auf, als er sagte:

Ich hab mal einen Quatsch gemacht, so als Test, fürs Evau Evau-Viertelstündchen. Okay? He? Alles okay?

Alles okay. Die Eltern verziehen ihm den allerdings als sehr schlecht bezeichneten Spaß sehr schnell. Sie konnten ja darin überhaupt noch keine Übung haben, es wirkte aber so, dermaßen geläufig, und sie entließen ihn in seinen Keller, wo Conny anfing damit, sich auf den nächsten Tag zu freuen. Auf einen heißen Sommertag. Die Eltern würden morgen überhaupt keine Schwierigkeiten machen, wenn er in der Schule zu fehlen beabsichtigte, und das tat er. Die Cognacflasche war von heute vormittag her frisch aufgefüllt, er brauchte nicht zum Kiosk. Jägermeister für den Spätnachmittag: vorhanden. Zwischen Bettrahmen und Matratze steckte der Hauptplastikbeutel mit Tablettengemisch, und den 50-Mark-Schein zwischen Einlegsohle und Schuhleder brauchte er noch nicht anzubrechen. Er würde im aufgelassenen ehemaligen Schrebergelände umherschweifen, die Guitarre als Vorwand und Transportmittel, Giftguitarre, wie er sie in einem selbstgemachten Lied nannte, und um die Gruppe mit den fesch schweigsamen Drogenkindern, diesen niedlich verkommenen Angelikas und den gut verschlampten Mikkys, würde er seinen üblichen Bogen machen, neidisch und gruppenfern und in der ungeliebten Kaste ganz gewöhnlicher Süchtiger, kein Medienthema, nichts für den vitalen Eifer seiner Mami. Ach, aber wie gut verstand er sich mit der vierzigjährigen Apfelweinfrau! Sie benutzten den selben Kiosk.

Es fragt sich, ob Ihr Mann wirklich nichts merkt oder ob er nur so tut, sagte Conny. Eine Validon gab er ihr nicht ab, aber ein Dragee von den rezeptfreien Dormalin.

Ah nein, er merkt nichts. Ich bin ungeheuer raffiniert.

Ein Dormalinchen?

O ja, her damit.

Und heiß, so heiß und so einschläfernd, so säuselig war es, und Conny mit der Apfelweinfrau, nicht gefragt, schlimmer dran, unerwähnt, undiskutiert, schrecklich unansehnlich – mitten im grünenden Unkraut, schlecht zu erkennen.

# Christa Wolf

## Schwarzsehen

Charlotte, die mit der Jahrhundertjahreszahl mitgeht, ist nun neununddreißig. Sie hat zugenommen. Sie trägt jetzt die sogenannte Olympiarolle, ihr Mann hat ihr letztes Weihnachten einen Silberfuchs geschenkt, rausgeschmissenes Geld, denn wann soll sie ihn ausführen? Neuerdings, färbt sie sich das Haar, im Badezimmer auf der Glaskonsole liegt eine Zahnbürste mit schwarzen Borsten neben der Tube mit Haarfarbe. Deutschlands Chemie war auch damals schon hochentwickelt, doch lassen sich die Haarfarben jener Zeit nicht mit den heutigen vergleichen, Charlottes Haaransatz bekommt einen Braunstich. Nelly besieht sich die schwarze Zahnbürste, als verriete sie ihr ein Geheimnis der Mutter. Sie stellt sich vor den Spiegel im Badezimmer, löst ihre Zöpfe auf, probiert Frisuren aus und schneidet Grimassen. Dann blickt sie sich selber starr in die Augen und sagt deutlich und langsam: Mich liebt keiner. (Ein authentischer Satz, natürlich nicht durch Abdruck verbürgt wie der des Doktor Goebbels vom germanischen Reich. Wie soll jemand begreifen, daß nach deiner Meinung diese beiden so ganz und gar verschiedenen Sätze auf irgendeine Weise miteinander verbunden sind? Das aber wäre gerade die Art Authentizität, die dir vorschwebt, und da siehst du es, an einem unscheinbaren Beispiel, wohin der geriete, der sich ernstlich darauf einließe: ins uferlose, und das ist noch wenig gesagt.)

Schwarzsehen kann ja dann, vier, fünf Jahre später, mit dem Tode bestraft werden, weil, je trüber eine Lage ist, die Maßnahmen um so drastischer sein müssen gegen die, die sie »trübe« nennen. Im Jahr 44 wird Charlotte Jordan öffentlich – das heißt in ihrem Ladengeschäft – in Gegenwart von drei Kundinnen, die sie gut zu kennen glaubte, deren eine aber eine leitende Stelle in der NS-Frauenschaft innehatte, verlauten lassen: Den Krieg haben wir verloren, das sieht doch ein Blinder mit dem Krückstock.

Drei Tage später, es war ein Sommerabend, Charlotte saß mit ihrer Tochter Nelly und mit ihrer Mutter in der Rasenecke hinter der Veranda und wickelte für Onkel Emil Dunsts Bonbonfabrik Eisbonbons ein, da erschienen zwei Herren im Trenchcoat, trotz der Wärme, und verlangten sie zu sprechen, möglichst im Haus. Bruno

Jordan, der dazukam, legte seiner Frau eine Decke über die Beine, um den beiden Herren den Anblick ihrer schlotternden Knie zu entziehen: Seine Frau sei leidend, sie fröre so leicht.

Zu den Kindern: Die? Achgott, zwei Herren vom Finanzamt. Eine Auskunft, wie es im Geschäftsleben vorkommt.

Zu den Herren: Nie! sagte Charlotte. Nie habe ich so etwas gesagt. Der Krieg verloren! Da muß sich jemand verhört haben, und zwar gründlich. Wo hat Nelly ihre Augen gehabt, daß sie nicht gemerkt hat, daß ihre Mutter vor Angst innerlich flog – bei jedem Klingeln zum Beispiel, insbesondere abends – und daß sie wenig schlief, fünf, sechs Wochen lang, bis jene abschließende Aussprache im Haus der Gestapo stattgefunden hatte, wo ihr mitgeteilt wurde: Man lasse die Angelegenheit auf sich beruhen, da die anderen beiden Zeuginnen die fragliche Äußerung nicht gehört haben wollten und der Leumund der Frau Jordan bisher untadelig sei. – Leo Siegmann, des Vaters alter Freund mit dem Goldenen Parteiabzeichen, hatte »alle Minen springen lassen«.

Vermuteter Dialog zwischen Bruno und Charlotte Jordan am Abend dieses Tages. Bruno: Nun sei um Gottes willen vorsichtig, kannst von Glück sagen.

Charlotte: Glück? – Sie hatte eine herausfordernde Art, Wörter, an denen sie zweifelte, zu wiederholen. Ich danke für Backobst. Aber fest steht: Lieber beiß ich mir jetzt die Zunge ab . . .

Dann war es ja gut.

Dabei war die beanstandete Äußerung sehr maßvoll im Vergleich mit jener anderen, mit der sie den Krieg begann. Die nämlich lautete: Ich scheiß auf euern Führer!

Die Szene hat man sich folgendermaßen vorzustellen: Handlungszeit ist der späte Abend des 25. August 1939, Handlungsort: Jordans spärlich beleuchtetes Treppenhaus. Die Personen sind: ein Briefträger; Bruno Jordan, dem Briefträger gegenüberstehend; Nelly, wie immer in solchen Fällen stumm, in der Wohnungstür; auf halber Treppe Charlotte, und höher, über das Geländer gebeugt, Schnäuzchen-Oma.

Warum sagt sie euern? dachte Nelly. Euern Führer?

Während Bruno Jordan seine Frau am Oberarm packte, wahrscheinlich mit einem »festen Griff«, und zwei Sätze sagte. Den einen zu Charlotte: Mädel! Du redest uns um Kopf und Kragen! Den zweiten zum Briefträger: Das müssen Sie nicht so genau nehmen. Meine Frau ist nervös. Worauf der abwinkte und ging.

Ein authentischer Vorgang, der der Deutung bedarf.

Charlotte vermied streng und verbot auch ihren Kindern den Gebrauch fäkalischer Schimpfwörter. Sie sagte »Ferkel«, aber nie-

mals »Schwein«. Sagte »Dummkopf«, doch nicht »Idiot«. Nicht
überliefert ist, ob sie abends, wenn die Kinder schliefen und die
Eheleute Jordan unter der Wohnzimmerlampe die Zeitung lasen,
dem Führer still bei sich oder halblaut ihrem Mann gegenüber womöglich eine Stufenleiter immer gewagterer Worte beigelegt hat;
denkbar wäre, daß sie an jenem Abend gleich die für sie höchste
Steigerungsstufe erreichte, die später, nach Kriegsende, allerdings
durch den Titel »verfluchter Verbrecher« überboten wurde.

Der Abend hatte alle Steigerungsstufen in sich. Es war ja der
siebte Geburtstag von Bruder Lutz, eine heitere Feier im Familien-
kreis hatte stattgefunden, am Abend hatten die Onkel ihre Frauen
und Kinder abgeholt, die schon am Nachmittag um den Kaffeetisch
gesessen, Schnäuzchen-Oma für den Streuselkuchen gelobt und
einander Freundliches gesagt hatten: Nach einer Zeit unerquickli-
cher Mißverständnisse zwischen den Verwandten schien man sich
endlich versöhnen zu wollen. Tante Liesbeth lobt die kunstvoll ge-
steckte Frisur von Tante Lucie, diese kann sich nicht genug wun-
dern, wie sich Klein Manfred (Vetter Manni, das Siebenmonats-
kind) in jüngster Zeit herausgemacht hat. Und nach dem Abend-
brot erheben sich alle drei Schwäger, um miteinander anzustoßen,
und zwar, was naheliegt, auf das Gedeihen ihrer Familien. Nelly,
schweigsam, aber empfindlich für Schwingungen, empfindet Er-
leichterung, vielleicht »Entzücken«, Schnäuzchen-Oma wischt sich
die Augen mit dem Schürzenzipfel. Jedermann hat das Gefühl, daß
man auf der Welt ist, um ein derart friedvolles und gelassenes Leben miteinander zu führen. Verschämt wird irgendwo der Satz ge-
äußert: Na seht ihr, so geht es auch! – Und ob! sagt Bruno Jordan.

So trennt man sich denn. Jordans legen sich Kissen ins Fenster,
um den Abend ausklingen zu lassen. Jetzt keine großen Worte. Am
liebsten überhaupt keine Worte. Am liebsten bloß Stille und
Abendfrieden.

Da kommt einer, sagt Charlotte. Eine schwarze Gestalt in der
Dunkelheit auf der menschenleeren Straße. Komisch, wie der in
alle Häuser geht. (In alle nicht, aber in viele, denn es wurden gleich
mehrere Jahrgänge »mobil« gemacht.) Was klopft der denn überall?
Sieht beinah aus wie ein Briefträger. Du, das ist auch einer. Was
will der denn, mitten in der Nacht? Du, weißt du, was ich glaube,
was der bringt?

Schwarzsehen, immer bloß schwarzsehen. Anstatt erst mal Ruhe
zu bewahren. Anstatt erst mal abzuwarten, ob er auch zu uns
kommt. Dann ist ja immer noch Zeit, ein Wort wie »Gestellungsbefehl« auszusprechen. Dann ist es vielleicht immer noch zu früh, von
Krieg zu reden. Aber nein. Charlotte muß es gleich loswerden, alles
auf einmal: Du! Der bringt Gestellungsbefehle! Du! Es gibt Krieg!

Dann, wie gelähmt, dem Mann mit Blicken folgen, wie er jetzt die Bahrschen Häuser abklappert, wie Lichter in einigen Wohnungen angehen, wie er schließlich akkurat im rechten Winkel die Soldiner Straße kreuzt, ohne zu zögern, auf ihren Treppenaufgang zusteuert – da löst Charlotte sich vom Fenster und rennt zu Schnäuzchen-Oma hoch, um sie von dem bevorstehenden Ereignis zu unterrichten –, Schritt für Schritt, da er ja müde ist, die Treppe heraufkommt, an der Haustür nicht zu klingeln braucht, weil Bruno Jordan ihm schon öffnet, und das schmutziggelbe Kuvert hinreicht: Ich hätte da was für Sie.

Bruno, gefaßt: Ist es also wieder mal soweit.

Der Briefträger, müde: Ja. Soll wohl so sein.

Und danach von halber Treppe her Charlottes Ausruf: Ich scheiß auf euern Führer!

Die Mutter läßt also den Führer im Stich. Der Vater muß in den Krieg. Krieg ist das Allerschlimmste. Der Vater kann »fallen«. Der Führer weiß, was er tut. Jetzt muß jeder Deutsche tapfer sein.

Der Gestellungsbefehl lautet auf den nächsten Vormittag, neun Uhr. Treffpunkt: Adlergarten. An einem solchen Tag bleiben die Kinder der Schule »fern«. »Ich bitte, das Fernbleiben meiner Tochter von der Schule zu entschuldigen. Sie hat ihren Vater, der eingezogen wurde, an den Bahnhof begleitet.« – Leicht veränderter Text einer Traueranzeige, wenn man für »eingezogen« »abberufen«, für »Bahnhof« »auf seinem letzten Weg begleitet« setzen würde. Und Nelly konnte nicht umhin – das Erbteil ihrer Mutter, schwarzzusehen, war nicht zu unterdrücken –, sich wie auf einem letzten Weg zu fühlen. O wär er zur Ruhuh und ahalles vorbei . . . Keine Tränen, das nicht.

Heinersdorf-Opa kam mit dem Fahrrad, um sich von seinem Sohn zu verabschieden. Ja, brauchen die denn Veteranen? Bruno Jordan war zweiundvierzig. Im Adlergarten wird erst mal gewartet. Fast die Hälfte seines Lebens wartet der Soldat vergebens. Gartenstühle und -tische stehen zur Verfügung. Bierausschank ist natürlich verboten. Mehr Zivilisten als künftige Soldaten, die sich durch den verschnürten Persil-Karton verraten, den sie herumtragen oder vor die Füße stellen. Das Kommando »Antreten!«, jedem vertraut, fährt ihnen doch anders in die Knochen als sonst. Der Vater, tadellos ausgerichtet, im zweiten Glied. Verlesung einer Namenliste. Kommandos, welche die Kolonne in Bewegung setzen, in Richtung Bahnhof, ein kurzes Stück.

Ein Lied! »Die Vöglein im Walde, die singen so wunderwunderschön, in der Heimat, in der Heimat . . .« Singen konnte der Vater nie.

Die Familien, Frauen und Kinder, auf den Bürgersteigen zu beiden Seiten der Marschkolonne. Ecke Bahnhofstraße dreht Bruno Jordan sich um. Die Geste, die er mit der Hand macht, soll heißen: Bleibt jetzt zurück. Charlotte gehorcht wider Erwarten. Sie bleibt stehen und bricht in Schluchzen aus. Der Vater hat das Gesicht der Männer, die sich das Weinen verbeißen müssen. Auf dem Rückweg – Charlotte weint, wenn die Katastrophe in ihrer Familie zuschlägt, immer laut in aller Öffentlichkeit, Nelly muß daher die Zähne zusammenbeißen, sie zieht den Bruder hinter sich her –, genau vor dem Milchladen, tut Heinersdorf-Opa einen erstaunlichen Ausspruch: Euern Vater seht ihr nicht mehr wieder, meine Tochter. Denk an meine Worte.

Prophezeiungen sind Heinersdorf-Opas Sache sonst nicht. Nelly, die des Vaters letzten Satz im Ohr hat: Steh der Mutter bei!, muß nun auch des Großvaters Satz noch in sich aufbewahren und verschließen. Manchmal schienen sich solche Sätze zu häufen. Wo käme sie hin, wenn sie mit ihnen fahrlässig umginge?

Die Mutter aber, Kassandra, fährt den Vater ihres Mannes heftig an. Wie kannst du so was sagen!

In dieser Nacht bist du zwischen zwei und drei Uhr aufgefahren. Die Gewohnheit, täglich ein Stück Text auf weiße Seiten zu schreiben, war in Frage gestellt.

Du warst, im Traum, in einem weitläufigen ländlichen Haus, einer Art Gasthaus, in dem es von Menschen wimmelte: bärtige, weißgesichtige Männer in wilder Aufmachung, die du alle nicht kanntest, von denen du aber angesprochen wurdest, so als wäret ihr alle zu einem gemeinsamen Zweck hier zusammengekommen, über den man nicht weiter reden mußte. Zu deiner Überraschung fandest du in einem weißgekalkten, übrigens recht primitiven Zimmer, in das du dich zurückzogst, einen kleinen, mißgestalteten Mann vor – er hatte einen eiförmigen Oberschädel –, der aber auf deine Bitte hin sofort ging. Allerdings wurde er Minuten später auf gräßliche Art wieder hereingeschleudert, durch die zersplitternde Tür durch, kopfunter an einer schaukelartigen Strick-Vorrichtung hängend, die von Folterknechten hin und her geschwungen wurde, wobei sie den kleinen Mann schlugen und brüllend bestimmte Auskünfte von ihm verlangten. Da sahst du zu deinem unbeschreiblichen Entsetzen: Dieser Mann konnte nicht sprechen, er hatte keinen Mund. Seine untere Gesichtshälfte, die bei jedem zweiten Schaukelschwung dicht vor dir hochschwang, war glatt und weiß und stumm: Er konnte seinen Folterern nicht zu Willen sein, selbst wenn er es gewollt hätte. Verzweifelt dachtest du – und verleugnetest den Gedanken sofort vor dir selbst –, schreiben müßten sie ihn lassen, um etwas von ihm zu erfahren. Im gleichen Augenblick banden die Folterer ihn los, setzten ihn auf dein Bett und gaben ihm einen Bleistift und schmale weiße Papierstreifen, auf denen er seine Antworten niederschreiben sollte. Die arme Kreatur stieß Laute aus, daß dir das Blut in den Adern erstarrte. Das schlimmste aber war, du verstandest ihn: Er wisse nichts. – Sie fuhren fort, ihn auf deinem Bett zu foltern.

Das Entsetzen hielt Stunden nach dem widerwilligen Erwachen an. Es konzentrierte sich auf den Augenblick, da du vorausdachtest, was die Folterer tun müßten, um ans Ziel zu kommen: den Stummen schreiben lassen. Und daß du gelähmt, festgelegt auf die Beobachterrolle, daneben standest und nicht vortreten konntest, um dem Gepeinigten beizuspringen. Du gäbest etwas darum, den Traum vergessen zu können.

In einem deutschen Konzentrationslager gab es einen SS-Mann namens Boger, der ein Folterinstrument erfand, das dann nach ihm »Boger-Schaukel« benannt wurde. Es war wohl zu erwarten, daß die Schreibarbeit das Unterste nach oben bringen würde. Es geht wohl über die Kraft eines Menschen, heute zu leben und nicht mitschuldig zu werden. Die Menschen des zwanzigsten Jahrhunderts, sagt ein berühmter Italiener, seien sich selbst und einander gram, weil sie ihre Fähigkeit bewiesen haben, unter Diktaturen zu leben. Aber wo beginnt die verfluchte Pflicht des Aufschreibers – der, ob er will oder nicht, Beobachter ist, sonst schriebe er nicht, sondern kämpfte oder stürbe –, und wo endet sein verfluchtes Recht?

Wo sind die Zeiten, da die raunenden Beschwörer des Imperfekts sich und andere glauben machen konnten, sie seien es, die die Gerechtigkeit verteilten. O über diese Zeit, da der Schreibende, ehe er zur Beschreibung fremder Wunden übergehen darf, die Wunde seines eigenen Unrechts vorweisen muß.

# Wolf Wondratschek

## Domenica

Ich will gar nicht wissen, was Babylon zu Fall brachte. Ich weiß es. Domenica, linkes Fenster, Haus zehn, Herbertstraße.

Ich nenne sie eine Hure, weil sie eine Hure ist. Ich werde sie verherrlichen. Ich will sie verherrlichen wie die Mexikaner ihre weißen und schwarzen Marias verherrlichen, die sie barhäuptig und mit begehrendem Lächeln anbeten.

Domenica ist eine Hure bis hinein in ihr großes, träges Herz; und sie ist bis in die Beine eine Frau.

Sie ist keine tragische Nummer und kein gefallener Engel. Keine Schnalle, die geizig vom Ersparten träumt und von einer soliden Partie. Keine mit einem Anker auf ihrem Bizeps.

Was sie macht, macht sie richtig. Und wenn sie mit ihrem Hintern wackelt, fließen die Flüsse bergauf.

Zum Teufel mit den Huren, die sich immerzu nur zu schade sind. Die ihre Beine nur noch aus Rache breitmachen. Die ihr Loch heilig sprechen. Die in Gedanken ausspeien. Die ihr Leben verfluchen und die Verfluchten ausnehmen, zimperlich und hohlwangig, frech und häßlich. Pritschen, die keine Arbeitsmoral kennen – und die wohl nur eines im Sinn haben, nämlich abstoßend perfekt um alle Lust, um alles Vergnügen zu betrügen.

Was soll man denn mit einer solchen Hure anfangen, deren Kopf so voll ist mit Ekel, Abscheu und Haß? Die nicht mehr kennengelernt hat als enttäuschte Hoffnung? Die den ganzen lieben Tag lang jammert, wie schlecht die Welt ist, jammert und jammert, daß die Männer alles Schweine sind, die immer nur das eine wollen – und die aber den Kopf erst recht hängen läßt, wenn kein Schwein sie mehr anschaut, geschweige denn haben will.

Wo sind die Huren, die ihren Beruf noch mit Freude und Frömmigkeit ausüben? – ohne daß einem Mitleid alle Manneskraft nimmt und ein Seufzer gleich Untergangsstimmung ankündigt?

In einem seiner Gedichte schreibt William Blake drei erstaunliche Verse: »Bei einem Eheweibe würde ich mir wünschen/was man bei Huren immer findet/den Ausdruck gestillten Verlangens«.

Ich habe gestilltes Verlangen auf dem Gesicht einer Hure auch wahrgenommen, aber nur beim Kassieren der Scheine. Ich habe in den Gassen, den Straßen und Kontakthöfen nur böse und gelangweilte Gesichter gesehen. Ich war schon sauer, wenn ich »Mein Süßer« hörte, weil es immer der gleiche Tonfall war. Perfide Diebinnen, die sie sind. Fließband-Schicksen. Leichen, die mein Leben veröden lassen.

Welche Anmaßung, daß sich solche Erscheinungen als Huren anbieten. Huren müßten doch eigentlich mitbekommen haben, wie schwer es ist, seine Kröten zu verdienen. Warum also nur kleinlich und schnöde die Männer abkassieren und bestehlen? Männer, die ihr mühsam verdientes Geld auf den Kopf hauen? Nichts gegen eine schnelle Nummer, von mir aus in voller Montur! Aber fünfzig Mark für fünf Minuten Phantasie, ist das zuviel verlangt?

Seit ich Domenica kenne, kann ich mich nicht mehr beklagen.

Solange ich denken kann, habe ich nach so einer Hure gesucht. Ein pralles Weib, dem ich mich hundeähnlich an die Schenkel hätte lehnen dürfen – mir wäre alles recht gewesen. »O Gott, gib mir eine Hure, immer und ewig.« Das hatte Henry Miller geschrieben, und es gefiel mir, als ich zwölf war.

Ich malte mir aus, wie ich mit ihr die Welt erlöste, von der die Zeitungen im Land behaupteten, sie leide an Verstopfung. Gebt mir, ihr Huren, meine Chance – ich will auf alle sieben Himmel spucken.

Aber die Sache sah anders aus. Ich hatte die Hosen gestrichen voll. Irrte off limits um die Ecken, meine Kniekehlen zitterten bis zum Kehlkopf, meine Ohren hörten nicht, meine Augen schauten nicht. Ich wagte die Mädchen, die in einem schlecht beleuchteten Hauseingang standen und auf Kundschaft warteten, nur zu beobachten, wenn ich sicher war, sie hatten mich übersehen. Ich brauchte Tage und Wochen, um mich endlich aufzuraffen.

Und dementsprechend war dann auch meine Premiere. Ich ließ mich anlocken. Sie befummelte mich schon beim Hinaufsteigen in ihre Kammer. Sie mußte sich nicht einmal die Mühe machen, meinen Hosenlatz zu öffnen. Ich gab ihr mein gesamtes Vermögen dafür, einen gefalteten Zehnmarkschein, und ging wieder.

Wer hatte mich betrogen? Das Mädchen oder dieser Miller aus Amerika? Hatte er nicht geschrieben – und hatte ich ihm nicht geglaubt –: »Wenn man eine Hure hat, besitzt man ein Juwel«? Er wollte eine Welt, »wo die Vagina durch einen einfachen, ehrlichen Schlitz dargestellt ist«. Und nichts anderes wollte ich auch. Also machte ich Jagd auf Juwelen.

Was Freude machte, machte nur Angst. Und die Angst machte mich wütend. Es war zuviel Erziehung an mich verschwendet worden.

Ich war heilig, als ich zu Huren ging . . . heilig wie alle Schüler des Lebens; aber so gab's keinen Blumentopf zu gewinnen.

Ich kannte nur Wünsche. Ich war maßlos im Wünschen. Ich suchte die Hure, von der geschrieben stand, daß sie zwischen den Beinen glühe, daß sie die Männer verrückt mache mit allem, was an ihr dran ist. Eine, die ausspricht, was ich noch nie gehört habe. Die bei der Sache ist, ohne den sterbenden Schwan aufzuführen, während ich bei ihr im Bett liege. Ich suchte nach Augen, die mich mit Heiterkeit überfluten, nach Händen, die leicht sind. Suchte nach Hüften, breit genug für viele Männer, für die, die vor mir da waren und die, die nach mir auftauchen werden.

Peitscht mich aus, ihr toten Dichter – peitscht mich aus mit allen Peitschen meiner Phantasie. Raus aus den Schatten, die seit Baudelaire an allen Wänden kleben. Ins Bett mit Molly Bloom, mit allen Dirnen der Weltliteratur. Alles, wofür ich leben wollte, war unerreichbar.

So arbeitete ich mich also vorwärts, durch das Panorama deutscher Bordelle, durch das System der Zuhälter, der Profite, der Verachtung – durch das kalte Dämmerlicht bemalter Neonröhren, durch die Standards der modernen Hygiene. An Mauern vorbei, an denen sich primitive Künstler zu schaffen gemacht hatten mit ihren Visionen. Die gute alte Zeit. Die Laterne. Irma la Douce und ihr Pudel. Mädchen im Dienste der Liebe, alles in grellen Farbtönen. Der Höllensturz als Faschingsscherz. Freudenhäuser ohne Freude. Traurige Schlitze. Das leichte Gewerbe tonnenschwer. Blutjunge Teenager, die von nichts eine Ahnung hatten. Perückte Hausfrauen. Frauen, die älter waren, älter als die eigene Mutter. Es gab keinen Grund, wählerisch zu sein. Ich habe es mit allen gehabt. Mit den Fräulein-Junkies. Mit deutschen Schwedinnen. Mit dem ganzen, jeder Lust entrissenen Ensemble.

Ich kam und ging – und mein Wünschen wuchs. Daß ich heilig war, ging ins Geld – die Teufelstänzerinnen standen sich die Beine in den Leib, während ich meine Wiedergeburt erträumte.

Ich bin ein ganz normaler Freier. Ich bin kein Sado und kein Maso. Ich möchte nachts keine Frau sein. Weg mit dem Todeselexier, den aufblasbaren Titten, den abwaschbaren Pornoheften.

Ich will eine Hure auf die gleiche Weise wie ich auch eine Frau will. Ich will auch die Frauen nie ganz – auch die nicht, die ich eifersüchtig liebe.

Ich wußte nicht, daß sie Domenica hieß – und noch weniger, daß sie eine Hure war. Ich lag bei Nischi in Hamburg in der Sauna, war müde von zu wenig Schlaf und zuviel Alkohol, hatte ein Badetuch um und eine Stunde Zeit.

Sie lag auf einer Liege am Swimmingpool, neben ihr ein Mann, ein Brocken von Mann. Die beiden hatten auch wenig Schlaf und viel Alkohol gehabt vergangene Nacht.

Niemand sprach etwas. Wir drei waren allein.

Ich beobachtete sie vorsichtig aus den Augenwinkeln heraus, schließlich wollte ich keinen Streit. Sie schien mich auch zu fixieren.

Als ihr Begleiter in die Sauna ging, folgte sie ihm – und ich folgte ihr. Ich wäre nicht bei Verstand gewesen, wäre ich liegengeblieben.

Ihr Gang wirkte wie die Fortbewegung einer tropischen Schlingpflanze. Sie war fett und saftig. Eine schlafende Schlange. Ein Wildwuchs, der Millionen Jahre überdauert hatte. Stellt sie auf eine Muschel – und malt die Fresken neu.

Sie hatte ein Badetuch verknotet über ihrer Brust, aber ich sah auch so, welche Offenbarung sie da verhüllte. Die Mutter unserer Welt könnte es nicht mit ihr aufnehmen. Sie mußte in der Lage sein, zweiundzwanzig Zwillinge – und Romulus und Remus dazu – zu stillen.

Ich saß noch keine Minute, als sich Domenica neben mich setzte, ohne irgend etwas gesagt zu haben oder sagen zu wollen, und mir die Beine öffnete mit ihrem Mund.

Die Grenzen der bekannten Welt lagen in Schutt und Asche. Ich verließ Hamburg und flog über Deutschland dahin, als sei ein Flugzeug überflüssig. Der Himmel hatte die Farbe, mit denen man Irrenhäuser streicht.

Nach einem Jahr war ich wieder in Hamburg, aber ich tat, als sei das alles erst gestern gewesen. Ich wußte immer noch nicht, wer Domenica war. Wenn sie nur einfach – wie ich – ein Hotelgast gewesen war, standen meine Chancen schlecht, sie wiederzufinden.

Ich ging ins gleiche Hotel wie damals, und gleich in die Sauna und wartete auf das Wunder.

Ich wartete vergebens und beschloß, Marion zu besuchen, mit der ich befreundet bin und die in der Herbertstraße arbeitet.

Aber bis zu ihrem Haus kam ich gar nicht, denn in einem der vielen Fenster entdeckte ich Domenica. Da saß sie. Das Fresko einer Liebesgöttin. Meine Ur-Hure. Meine Erdenmutter. Und dabei alles andere als symbolisch. Sie saß da wie hinphantasiert in dieses Milieu. In ihrem schwarzen Kleid mit dem Ausschnitt, ihren Stökkelschuhen und Seidenstrümpfen, die Haare streng nach hinten gekämmt, wo sie zu einem Dutt verflochten waren, sah sie aus, als warte sie auf einen König. Ich war der König.

Ich blieb wie angewurzelt stehen. Sie öffnete das Fenster und koberte mit 50 Mark. Aber wenn ich es nett haben wollte, sollte ich das Doppelte zahlen. Ich zahlte das Doppelte.

Sie erkannte mich nicht, wie auch. Sie hat 364 Tage lang Kundschaft, jung und alt, Lauf- und Stammfreier. Und sie hat genau so viele Nächte, um sie alle zu vergessen.

Ich fragte sie ein bißchen aus – nicht etwa, warum und wieso sie als Stricherin geht, das überlasse ich fassungslosen Ehemännern.

Sie arbeitet Nachtschicht, ziemlich regelmäßig und ohne Zuhälter. Da sie nicht wie eine Deutsche aussieht, tippe ich auf Spanierin. Ihr Vater war Italiener – ein einfacher, schweigsamer Mann aus den Abruzzen. Von ihm erzählt sie mit Zuneigung, und nur seinetwegen würde sie als Hure aufhören. Da er aber tot ist, erübrigt sich das. Wenn man Domenica anschaut, spürt man, wieviel Heimweh und wieviel Sehnsucht dieser Italiener ihr vererbt hat. Das Heimweh nach Erde und Landschaften – und seine Sehnsucht nach einem einfachen, kompromißlosen Leben. Statt dessen lebt sie in St. Pauli und das Leben dort ist nicht einfach – wenn einer hier nicht bereit ist, Kompromisse zu schließen, weh ihm!

Wir wurden ein sonderbares Liebespaar, vor allem deshalb, weil wir nicht wußten – oder nicht wissen wollten –, ob wir überhaupt verliebt waren.

Wir segelten wie eine angeschossene, aber prächtige Fregatte auf Halbmast und genossen laue Winde, dabei waren die besten Seeleute an Bord, die das Ruder jederzeit hätten herumreißen können. Wir hätten Kriege gewinnen können, aber warum Kriege, wo es in den Winden bis auf weiteres so angenehm war?

Mein Verliebtsein beruhte auf dem stillschweigenden Abkommen, daß keiner einen Fehler beging; womit ich ausdrücken will, daß ich sie nicht als zartfühlende Freundin begehrte, sondern als fremde Frau. Ich dachte noch einmal an Miller, dessen Stoßgebet mir in den Sinn kam: was zum Teufel soll man mit einer zartfühlenden Hure anfangen? Ich war viel zu scharf auf Domenica, als daß ich mit ihr nur hätte aufregende Gespräche führen wollen. Ich verteidigte die Quelle aller Lust, bevor sie sich in Wohlgefallen auflöste. Leidenschaft und Freundschaft – ein tödliches Duell.

Da Domenica Großzügigkeit angeboren ist, steckte sie mir Geld zu, wenn ich sie besuchen kam. Sie steckte es mir, ohne daß ich es gleich merkte, in die Jacken- oder Hosentasche. Und als ich es entdeckte, wollte ich mich wehren. War ich ein ausgemisteter Teddybär? Die Hure und der Dichter? Aber Hurengeld kitzelt! Ich nahm es. Ich akzeptierte, daß sie mich bezahlte – sie bezahlte mich eines Tages sogar dafür, daß ich mit ihr schlief.

Jetzt war ich die Hure. Es ging hin und her. Sie war glücklich, wenn wir in wunderwirkender Verkehrung im Bett lagen. Sie hatte ein paar Scheine hingelegt und wollte selbst Freier sein.

Unsere Duelle waren närrische Spielereien. Die Überraschungen nahmen kein Ende. Unsere Körper kochten keine Überzeugungen gar. Ich war nicht Charly, der Ölmann, und ein Berufs-Mittelstürmer war ich auch nicht. Ich war kein schräger Senator auf Staatsrente und kein Antiquitäten-Millionär mit infantilen Handicaps. Daß ich Bücher schrieb, hängte ich zwar nicht an die große Glocke, aber eines Tages wußte sie Bescheid. Gottseidank hielt sich ihre Begeisterung in Grenzen. Die Hure und der Dichter? Sie will nur ein kleines Gedicht von mir – über sich; irgendwann in den nächsten Jahren. Woraus ich schließe, daß sie möchte, wir würden noch lange Freunde bleiben. Ihr Wunsch macht mich glücklich.

Das Geld, daß sie mir zusteckte, hauten wir zusammen auf unseren Runden rund um St. Pauli wieder auf den Kopf. Wir sitzen bei Hanne in der »Ritze«. Siehe da – wen sehe ich? Den Brocken von Mann aus der Sauna. So haben sich inzwischen die Kreise geschlossen.

Ich bin offenbar der kompliziertere Charakter, denn während ich mir Gedanken mache, wie wir unsere sexuelle Lust aufeinander stabil halten können, hat Domenica einfach nur Lust. Was immer ich an Komplikationen auftische, sie fegt sie wieder weg.

Manchmal glaube ich, daß sie alles begreift und mich längst völlig durchschaut hat – meinen Hunger nach Übersättigung, meine schamlose Neugier auf Pfefferkuchen, meine Hurenlust, meine Lust auf die billige Nummer – und die Lust, sie anzuschauen, sie zu verherrlichen und ihr zu Füßen zu sinken. Sie kennt die Fauna und Flora des Morgengrauens. Ich bin ihr heiliger Schüler.

Sie fühlt – ich denke. Ich denke an die Balance, die wir beide aufrecht erhalten müssen – sie balanciert! Sie stößt mich in Abenteuer, während ich mich mit abenteuerlichen Ansichten herumschlage.

»Ich sitze hier, und der Mann kommt, um was mit mir zu machen« – das ist ihre Berufsauffassung, von der sich die Meute ein Stück abschneiden sollte.

»Ich neige dazu, meine Gäste aufzufordern, etwas mit mir zu spielen.« Aber es geht, wie sie enttäuscht hinzufügt, nur mit den Intelligenteren. So einer tauchte vor ein paar Tagen bei ihr auf. Ein gut aussehender, vierzig Jahre alter Mann, der sich nach einem Gang an allen Fenstern vorbei für Domenica entschied – was tatsächlich intelligent war. Er will nicht gleich zu ihr aufs Zimmer, sondern bittet sie um ein kurzes Gespräch. Er erzählt ihr, warum er gerade sie ausgewählt hat: sie ähnelt seiner Tante – und diese Tante hatte er, als er vierzehn Jahre war, dabei beobachtet, wie sie es mit einem Fremden trieb. Er hat die Szene durchs Schlüsselloch beobachtet – und seither geistert das Schlüsselloch und die Tante und der Fremde durch seine Phantasie, zwanzig Jahre lang. Jetzt endlich hat er sich dazu entschlossen, hierher zu kommen, um sie zu bitten, es mit ihm nachzuspielen, zu inszenieren. Domenica hat nichts dagegen, sie versteht den Mann, weiß wie ihm zumute ist – so was kann einem schließlich das ganze Leben ruinieren. Man wird krank, Krebs bricht aus, die Ehe endet tragisch und der Kopf wird zur Zwiebel.

Wenn er schon so lange daran denken muß, soll ihm geholfen werden. Sie handeln den Preis aus, woraufhin der Mann verschwindet und verspricht, wie verabredet, am nächsten Morgen wiederzukommen. Und wie er wiederkommt: mit Schultasche und Anorak und einem Mützchen auf dem Kopf. Und als er Domenica im Fenster sieht, ruft er »Hallo Tante«. Und Domenica antwortet: »Ah, da ist er ja, mein Neffe Christian«.

In der Schultasche sind keine Bücher und Schreibhefte, sondern all die Dinge, die er bei der Inszenierung seines Wahns benötigt. Und so spielen die beiden den ganzen Tag lang in der Herbertstraße die Phantasie dieses Mannes – wenige Schritte entfernt nur vom Ohnsorg-Theater, auf dessen Spielplan ja auch Komödien aus dem einfachen Menschenleben stehen.

Auf Deinem Antlitz, Domenica, habe ich es gesehen: den Ausdruck gestillten Verlangens. Sie ist eine Hure, deren Tugend darin liegt, daß sie errötet – wollte man von ihr anderes erwarten. Sie geistert durch die Seelen der Toten, und die Leiber der Lebenden. Sie hat den kleinen, halb ohnmächtigen Knirps, in dessen Hand ein gefalteter Zehnmarkschein steckte, erlöst. Und den Jüngling erlöst, der nur stammeln konnte von den Abgründen, in die man hineinstürzt ohne zu wissen, daß man fällt. Zum Teufel mit den moralischen Robotern, die keinen Respekt zeigen, nicht einmal vor den Huren, nicht einmal davor.

# Gerhard Zwerenz

## Unsterblich wie Steine,
## nur weniger hart

Als ich sieben Jahre alt war, also beinahe erwachsen, ging ich eines schönen Abends unschuldig zu Bett, und am nächsten Morgen, als ich aufwachte, war die Weimarer Republik verschwunden. Wir schrieben damals Ende Januar des Jahres 1933. – Meist merkt man ja nicht sofort, wenn einem was geklaut worden ist, besonders über Nacht. Außerdem litt ich nicht an Schlaflosigkeit, im Gegenteil, ich schlief tief und lange.

An jenem Morgen war ich mir auch nicht gänzlich sicher. Man weiß manchmal nicht recht, ob es einem an etwas mangelt. Ich suchte hier und dort und guckte aus lauter Verlegenheit unters Bett. Fehlt dir was? fragte meine liebe Großmutter. Ach ja, sagte ich, die Weimarer Republik! Na meine Großmutter war allerhand gewöhnt, Fragen stellt der Junge! stöhnte sie manchmal, ihr war die Republik gar nicht geklaut worden, sie hatte früher im Königreich Bayern gelebt, da gab's so was nicht, dann war sie ins Königreich Sachsen ausgewandert, und als dort Ende des Ersten Weltkriegs die Republik ausbrach, hatte meine Großmutter nur damit zu tun, die hungrigen Mäuler ihrer Familie zu stopfen, da gab es unter Hohenzollern und Hindenburg wie unter Ebert und Hindenburg für die kleinen armen Leute nichts zu lachen.

Ich fand die geklaute Republik an dem Morgen jedenfalls nicht, und es tat sich für mich die Jahre hindurch auch nichts weiter, nur einmal, ich war inzwischen elf Jahre alt geworden, da traute ich doch meinen Augen nicht, da saß ich in der Klasse – ganz plötzlich von einem Tag zum andern – unter lauter braunen Affen.

Das Dritte Reich hatte seine Hitlerjugend und sein Jungvolk zur Staatsjugend erhoben, und um es zu zeigen, kamen alle, Lehrer wie Schüler, an diesem Tag in Uniform zur Schule. Davon hatte ich bis dahin nichts geahnt. Wir waren nur ganz wenige, eine kleine nicht-radikale Minderheit in Zivil.

Das tat nicht gut. Ich lag meinem Vater solange in den Ohren, bis er mir auch das Braunhemd der Jugend kaufte, seitdem fiel ich nicht mehr auf. Ein Opportunist war geboren worden.

Zweimal die Woche war an den Nachmittagen »Dienst«. Ältere

Jungs traten vor die Front und brüllten was, und dann hatte man entweder still zu stehen oder sich nach links oder rechts umzuwenden, zu marschieren, zu singen, sich mit dem Bauch in den Dreck zu werfen.

Das gefiel mir wenig. Einmal stellten sie mich vor die Front, weil jeder Pimpf seinen Marschallstab im Tornister habe, ich sollte lernen, Kommandos zu geben, ich brüllte so laut herum, daß sich alle erschreckt wie die Bleisoldaten benahmen. Ich begriff, Kommandieren war viel leichter und einfacher als Gehorchen. So begann meine Laufbahn als Hitlerjugendführer. Man heftete mir eine rotweiße Schnur an die Brust, später eine grüne, und ich hatte immer einen Trupp dummer Jungs unter mir und daheim in der Zweizimmerwohnung eine mit meiner Karriere höchst unzufriedene Mutter, die in der Fabrik arbeitete und von Arbeitskolleginnen berichtete, denen man wieder den Mann weggeholt hatte, ins »Konzertlager«, wie die KZ genannt wurden.

Manchmal tauchten diese Männer später wieder bei ihren Frauen auf, waren arm dran und krank und siechten dahin oder starben bald.

Du gehörst nicht zu denen, schalt Mama mich, wenn ich in meiner braunen Idiotenuniform mit Affenschaukel vor ihr stand und zum Dienst abmarschierte. Ich gehöre weder zu denen noch zu euch und schon gar nicht ins Konzertlager, dachte ich und: Als ich damals, mit sieben, nach der geklauten Republik suchte, da habt ihr mich ausgelacht, ein dummer Junge, ja, na so klug wie ihr bin ich noch allemal.

Ich hab immer in armen, verrufenen Gegenden gewohnt. Wir lebten damals in der Textilindustriestadt Crimmitschau in einem Vorort, dem »Berg«, wo es nur arme Leute gab, Arbeiter, durchweg Kommunisten, Sozis, SAPer (Sozialistische Arbeiter-Partei), einer Gründung, die zwischen SPD und KPD stand und in unserer Gegend großen Zulauf hatte. Mein Onkel war mit dem SAP-Führer Max Seydewitz aus einigen Saalschlachten bekannt. Auch mein Vater war zeitweise ein Sapper, ich aber las in der Zeit Karl May, mir wäre Vater als Trapper viel lieber gewesen. Was ich nicht wußte damals, auch Seydewitz, der SAP-Führer las am liebsten Karl May. Walter Ulbricht, nach 1945 der erste König der DDR, hatte Seydewitz zum ersten sächsischen Ministerpräsidenten gemacht, das war, bevor in der DDR die Länder aufgelöst und in Bezirke umgewandelt wurden. Als man Ulbricht auf Seydewitz' revisionistische SAP-Vergangenheit aufmerksam machte, soll Walter geantwortet haben: Na wennschon, der hat doch sowieso nur Karl May im Kopp!

Ich lebte also immer in verrufenen Gegenden. Geborgen in einem winzigen sächsischen Kaff, aufgewachsen auf dem »Berg«, später in Leipzig logierte ich in einer Studentenbude in der »Seepiepe«, einem stadtbekannten Nachtjackenviertel. Na und noch viel später wohnte ich sogar ein paar Jahre in Offenbach am Main. Aber ich hab's immer durchgestanden.

Im Krieg hatte ich nach zwei Jahren genug gelernt. Im August 1944 lief ich zur Roten Armee über. Die Weimarer Republik fehlte mir nun schon ganze elf Jahre, und ich beschloß, sie mal bei den Kommunisten zu suchen. Sie behielten mich mehr als vier Jahre in ihren Lagern, und dann sagten sie, ich könnte heim nach Sachsen, wenn ich mich zur Volkspolizei verpflichtete. Ich zeigte wenig Lust, aber sie sagten: Dann geht's auch nicht heim. Na, dachte ich, bevor sie dich noch mal gute vier Jahre bei sich behalten, unterschreibst du eben.

So kehrte ich heim, und gleich wieder in die Kaserne, denn die Volkspolizei war eine Volksarmee, die wir gründeten, und in die Partei mußten wir auch gleich dürfen, ich zählte mittlerweile 24 Jahre, hatte zwei Jahre Militär und vier Jahre Kriegsgefangenschaft hinter mir und heimlich geschworen: Nie wieder fasse ich ein Gewehr an.

Jetzt marschierte ich, als Bereitschaftspolizei, wieder mit dem Karabiner auf der Schulter durch die Straßen der Stadt und hustete mir vor lauter Wut und Ärger eine schwere Tbc an. Das verschaffte mir endlich den Abgang von der Armee, der neuen, und ein Jahr Aufenthalt in Heilstätten.

Als ich daraus entlassen wurde, rief gleich die Partei. Der Genosse zeigte auf ein großes Gebäude, eine Ingenieurschule, dort wirst du morgen früh antreten, sagte er, als Dozent für Gesellschaftswissenschaften. Aber ich hab doch gar keine Ahnung von so was, entgegnete ich, tut nichts, sagte er, der Platz für einen Dozenten der Literatur ist auch noch frei, das übernimmst du mit. Na ich hatte schon drei Bücher gelesen, Karl-May-Romane, vor der Dozentur in Literatur hatte ich wenig Angst, die Sache mit den Gesellschaftswissenschaften aber stimmte mich ein wenig elegisch. Ich ging abends statt mit meiner Frau mit zwanzig Lehrbüchern zu Bett und hielt zweimal die Woche so schöne Vorlesungen, daß alle davon begeistert waren.

Ganze Lexikon-Seiten lernte ich auswendig, versah sie mit dem nötigen ideologischen Vorzeichen und kam hurtig voran. Ich hätte in der DDR noch Minister für Gesellschaftswissenschaften und Literatur werden können. Von Karl May bis Karl Marx kannte ich mich glänzend aus. Ich war daher der einzige, der genau wußte, daß ich gar nichts wußte und alles nur auswendig lernte.

Also gab ich meine schöne Doppeldozentur auf und ging nach Leipzig, um Philosophie zu studieren. Das wollten damals 1952 nur sehr wenige, die Herren Professoren fürchteten schon arbeitslos zu werden und begrüßten jeden Philosophiestudenten noch persönlich mit Handschlag. Zeiten waren das.

Das schärfste Kabarett der DDR ist die Leipziger PFEFFERMÜHLE. Sie war gerade mal wieder zu scharf gewesen und hatte dabei ihren Leiter eingebüßt. An seiner Stelle stand jetzt ein blutjunger blondhaariger Schauspieler namens Conrad Reinhold, der seine Ernennung in Auerbachs Keller, wie seit Goethe üblich, mit Unmengen Bier feierte. Ich hatte sechs Semester Philosophie hinter mir und war gerade mit Nietzsche zu der Überzeugung gelangt, daß Gott tot sei und seither nur noch von schrägen Laiendarstellern gespielt werde, als Conrad Reinhold mich aufforderte, für sein nächstes Kabarett-Programm Texte zu schreiben. Gott ist tot, das Kabarett aber lebt, dachte ich. Voll von den guten Geistern des Königs Alkohol eilte ich auf meine Seepiepenbude und begann zu schreiben. Auch andere schrieben. Es wurde das schärfste Pfeffermühlen-Programm seit tausend Jahren. Die Leute standen Stunden vor Beginn in Reihen mehrfach um die schöne alte Kirche herum, in der schon der Bach Sebastian gespielt hatte, aber sie wollten nicht in die Kirche, sondern nebenan ins Kabarett.

Der Erfolg war so enorm, daß Conrad Reinhold bald darauf in hohem Bogen aus dem Kabarett flog, und aus der Partei noch mit hinzu. Ich befand mich aus diesen und mehreren anderen Gründen auch bereits im vollen Fluge, und so landeten wir 1957 in einem Westberliner Keller, den außer uns nur fünf eingeborene Ratten bewohnten. Wir taten ihnen nichts an, sie bissen uns nicht, so ergibt sich eine Koexistenz bei allen ideologischen Gegensätzen, Strauß hat recht – alles Elend beginnt mit linken Ratten – abends litten wir unter dem ohrenbetäubendem Lärm, der aus dem Keller des Nachbarhauses drang, ein Gerede, Gegrummel, Gelächter, Gedröhne, dann gab es einen unerhörten Bums: Wumm!

Wir gingen rüber, kamen in eine drangvolle Enge, mitten unter den Massen saß eine saukomische Figur mit dem guten Gesicht eines grundehrlichen Tagdiebes, an einer Hand fehlte dem Kerl ein Finger, er sang freche Lieder, brüllte schräge Worte und haute dann dröhnend auf eine große Trommel: Wolfgang Neuß, der Mann mit der Pauke.

Paar Jahre später kam ich mal wieder nach West-Berlin, ging zu Neuß ins DOMIZIL, da war noch so 'n komischer Kleiner dabei, klimperte auf seiner Gitarre rum, stocherte sich faule Witze aus den

Zähnen und blickte einen mit seinen wunderbar treuherzigen Glupschaugen an: Wolf Biermann (Ost) zu Besuch bei Wolfgang Neuß (West), damals gab's eine Zeitschrift »twen«, die brachte grad Platten raus und machte aus dem Duo eine LP, ich schrieb den Text fürs Cover, das Ding ist heute eine gesuchte Rarität.

Später verzweifelte Biermann an der DDR, ging westwärts auf Reisen und durfte nicht zurück, Wolfgang Neuß aber hatte schon verzweifelt zu Drogen gegriffen und sah noch wunderbarer aus als vordem, aber alle alle sagten: der ist hin und kaputt, und der Neuß dementiert seinen Tod mit so wunderbaren Worten und Blicken, daß die Leute ganz weg sind, wenn sie es sehen und hören, und dann sagen sie erneut: Der ist hin und kaputt, und der Neuß dementiert es noch wunderbarer. So steigern sich Künstler und Publikum in unerahnte Höhen und Tiefen hinein.

Ursula Herking, große Dame des westdeutschen Nachkriegskabaretts, bis sie daran starb, holte Conrad Reinhold aus unserm Keller neben dem Domizil weg zur Lach- und Schießgesellschaft, dann war er im Düsseldorfer Kom(m)ödchen und was weiß ich wo noch, bis er in Frankfurt sein eigenes Kabarett aufmachte, Die Maininger, das kleine Frankfurter Resistenztheater, da spielte er an die zwanzig Jahre fast, bis er sich zu nahe an die SPD begab und u. a. daran starb. Etwas über vierzig Jahre alt geworden. Er hatte es eben noch mal versuchen wollen. In Leipzig hatte ihn die SED gleich ausgeschwitzt. Mit der SPD in Frankfurt wollte er's besser machen. Herzinfarkt infolge fehlender Distanz zu politischen Machern.

Wir begruben ihn in Offenbach auf dem Neuen Friedhof unweit des Main und direkt unter der Einflugschneise des Rhein-Main-Flughafens. Da hängt ihm nun immer sein Publikum im großen Jet-Brummer überm Grab, dem kann er was hinaufspielen in den mageren Himmel, das graue Blei der Höhe, Conni reißt seine Witze aus der Grube heraus und spuckt die Maschinen blitzeblank mit seinem Giftspeichelspott.

Ich hab über ihn und den Frankfurter Oberbürgermeister ein lustiges Buch geschrieben, Wozu das ganze Theater, die Frankfurter und Offenbacher wollen es aber nicht lesen, weil, meinen sie, was bei ihnen selbst geschieht, das kann nicht viel wert sein. Manchmal lese ich ihnen ein Kapitelchen daraus vor, dann lachen sie sich krumm und buckelig und verstehen sich und die Welt nicht mehr, was? sagen sie, das soll bei uns passiert sein? Sie können es einfach nicht glauben. Was nicht glauben? Daß man über sie und ihre Gegend und alles, was vorfiel bei ihnen und vorfällt bei ihnen, so herzhaft lachen kann, ohne sie auslachen zu wollen. Daß das Lachen ein wunderbar gnädiges Gut ist, christlich und unchristlich, atheistisch, kommunistisch, demokratisch, menschlich und sonstwie -isch, und daß es einfach guttut, so zu lachen.

Manchmal gehe ich zu dem Grab auf dem Neuen Offenbacher Friedhof, und dann lache ich dort, und wenn man genau hinhört, sind es zweie, die lachen. Dann reden wir von damals in Leipzig, von der Wahnsinnspremiere der Pfeffermühle, als die Leipziger ganz aus dem Häuschen waren, weil der Conrad Reinhold und seine Kabarettleute so spitz und steil aufspielten, dann reden wir von Wolfgang Neuß und Wolf Biermann, von der Ursula Herking, vom alten Bloch, vom alten Brecht und vom Ernst Busch und über wen wir sonst noch so stolperten in dem kleinen kurzen Vierteljahrhundert, das wir uns kannten, und wenn ich den Friedhof verlasse und vorn in mein Auto steige und vorher schon aufgehört habe zu lachen wegen der Leute, die das nicht mögen, daß einer lacht auf 'nem Friedhof, also dann hör ich den Conrad Reinhold hinter mir noch immer laut lachen aus seiner schönen guten sicheren Grube heraus und zu den schwer mit Menschenfracht beladenen Düsenjets hinauf an den Himmel, die dort im Landeanflug hängen, denn das Leben, nicht wahr, geht weiter. Besonders für die toten Kabarettisten und Possenmacher und Witzereißer, die unsterblich sind wie die Steine, nur weniger hart.

# Ingrid Zwerenz

## Abnabeln

Es wäre schön, zu sagen, ich hätte mich mit meiner Tochter immer so gut verstanden wie heute. Aber erstens wäre das nicht wahr und zweitens nicht normal. Kinder müssen von der Mutter abgenabelt werden, gleich nach der Geburt durch einen scharfen Schnitt und später durch Widerworte, Widerstand, Wutanfälle, was die Verbindung nicht zerreißt, sondern festigt. Erst die mitunter schmerzliche Entfernung voneinander stellt die Nähe wieder her, und je ähnlicher man sich ist, desto mehr müssen Unterschiede herausgearbeitet und betont werden. Ich geb nicht viel auf Sternzeichen, halte es aber nicht für unwichtig, daß Catharina und ich Waagemenschen sind, beide im Oktober geboren, von Natur gewissermaßen auf Proporz aus, dem Kompromiß und der vernünftigen, auch gefühlsbetonten Verständigung zugeneigt. Unter diesem Wischi-Waschi-Sternbild bilde mal einer seinen Charakter aus. Dennoch brachte meine Tochter ein paar wesentliche Voraussetzungen dafür mit, das erste Wort, das sie klar und deutlich aussprechen konnte, war Nein. Nicht Papa, Mama oder dem technischen Zeitalter gemäß: Auto, wie viele Eltern, halb stolz, halb beleidigt, aus dem Mund ihres Sprößlings zu hören kriegen. Vor dem entschiedenen Nein verfügte Catharina von Anfang an über eine unüberhörbare Ungeduld, kaum war sie mit Ausfahr-Kleidung versehen, sollte es auch schon losgehen, bei Verzögerungen schrie sie fürchterlich, sie muß das gewittert haben, ein sechs bis acht Wochen alter Säugling vermag ja wohl nicht zu wissen, welche Textilien für drinnen und welche für draußen bestimmt sind. Später formulierte sie kurz und prägnant: Jacke an – weg! Hingegen entschloß sie sich schon sehr früh, Besuchern die Schuhe auszuziehen, offensichtlich wollte sie, selbst aufs Fortgehen versessen, die Gäste am Fortgehen hindern. Außer mit Besucher-Schuhen spielte das Krabbel-Kind am liebsten mit kleinen Löffeln, die beim Essen zu benutzen es konsequent ablehnte, das entsprach allerdings den von Catharina bevorzugten Speisen, die knapp Einjährige mochte am liebsten Bratkartoffeln, Brathering, Camembert, Schnitzelbissen, und all das verzehrt man ja nun mal mit Hilfe einer Gabel, süße Suppen verweigerte sie entschieden: Neiiiin! Ich hatte also ein kleines Mädchen auf dem

Schoß, das, zumindest seinen Eßgewohnheiten nach, in kein päd-
agogisches Lehrbuch-Schema paßte, wahrscheinlich paßte ich aber
auch in kein Mutter-Schema, fütterte die Tochter mit dem, was sie
wollte, und erzwang keine altersgemäße Ernährung, solange sie
wuchs und gedieh, scherte ich mich den Teufel um die seit Generationen für Babys bewährten Breichen und Müsli. Obst aß Catharina, und das enthielt Zucker genug, die meisten Kinder kriegten
eher zu viel süßes Zeug und Karies gleich mit den ersten Zähnen.
    Bei Tisch und bei Tag kamen wir also gut miteinander aus, weni-
ger gut in der Nacht, die Tochter wollte nicht ins Bett, und wenn
schon, dann nicht von abends bis morgens allein drin liegen bleiben. Spätestens zur Geisterstunde geisterte sie durch die Wohnung,
riß mich aus dem Schlaf und wollte sich unbedingt ›anschmiegeln‹,
ein rührendes Zärtlichkeitsbedürfnis, das aber ganz schön an den
Nerven zerrte. Hier äußerte auch der Vater zum ersten Mal Unzufriedenheit mit Frau und Tochter, er war von den späten Visiten
nicht direkt betroffen, weil er und ich zwar miteinander schlafen,
aber kein gemeinsames Schlafzimmer haben, doch die nächtlichen
Umsiedlungen Catharinas mißfielen ihm außerordentlich. Den
ganzen Tag über klebt ihr schon zusammen, schimpfte Gerhard,
wenn deine Tochter jetzt auch noch nachts in dein Bett kriecht,
wird sie dir wohl bald in den Bauch zurückkriechen!
    Das schien mir nicht recht realistisch. Allerdings war meine Ge-
duld durch die ständigen nächtlichen Stör-Aktionen bald so erschöpft wie ich selbst, ich brauch meine acht Stunden Schlaf, sonst
bin ich kein Mensch.
    Als kein Mensch reagierte ich schließlich, ohrfeigte Catharina,
als sie nachts wieder vor meinem Bett stand, nachdem ich ihr vorher wochenlang gut zugeredet hatte. Die Schläge hat sie so wenig
vergessen, wie ich sie vergessen habe. Es ist jetzt fast zwanzig Jahre
her, und ich sehe die Verwunderung, den Schmerz und die Empörung in ihren Augen, damals, als mir die Hand ausrutschte, und
heute, wenn wir darauf zu sprechen kommen. Nie vorher und nie
nachher hab ich Backpfeifen ausgeteilt.
    Von wegen Backpfeife, sagt Catharina, du warst die reinste Fu-
rie, blaue Flecke hatte ich im Gesicht, und weil du dich deshalb ge-
schämt hast, mußte ich die nächsten drei Tage 'ne Sonnenbrille tragen. Dabei wollte ich doch nur zu dir ins Bett, weil ich mich in meinem so gefürchtet hab wegen der Bombe!

    Nach und nach erinnere ich mich wieder, zusammen mit einer
gleichaltrigen Freundin aus dem Haus hatte meine Tochter einen
Fernsehfilm angeschaut, Nachmittagsprogramm, für Kinder durch-

aus empfohlen, wie mir die Mutter der Freundin später versicherte, aber da gab es eine Szene, in der ein Mann samt Bett explodierte, die beiden kleinen Mädchen ängstigten sich schrecklich, Catharina offenbar nachhaltiger als ihre Spielgefährtin Inge.

Ich hatte dir doch hundertmal erklärt, daß das nur gespielt war, nicht tatsächlich geschehen –

Und weißt du noch, was ich darauf antwortete? Den Wolfgang Leonhard kenn' ich wirklich *und* aus dem Fernsehen, also ist doch alles wahr, was sie dort zeigen.

Die erwachsene Catharina lacht heute über die verständliche Verwechslung von Spielfilm und Dokumentar-Aufnahmen, ihr Umkehrschluß vom ihr persönlich bekannten und im tv-Film erscheinenden Wolfgang Leonhard auf die reale Existenz sämtlicher im Fernsehen auftauchenden Männer amüsiert sie, löscht aber nicht die kindlichen Ängste aus und ihre damalige Überzeugung: wenn die Leute im Film mit ihrem Bett in die Luft fliegen, kann mir das in Wirklichkeit genauso passieren.

Außerdem, wende ich ein, bist du ja auch schon früher in der Nacht gewandert, lange vor der befürchteten Bombe.

Weil ich Angst hatte im Dunkeln.

Dagegen ließen wir ja immer eine kleine Lampe brennen im Flur und deine Tür einen Spaltbreit offen.

Und dann seid ihr weggegangen, ins Kino oder zu Freunden, und ich war so schrecklich verlassen in meinem Zimmer. Inge hatte wenigstens ihre große Schwester bei sich. Heute seh' ich ja ein, mit vier, fünf Jahren muß man lernen, allein zu bleiben, auch in der Nacht, aber daß du mich in all meiner Angst verhauen hast, das war gemein von dir, und gerade du, meine beste Mutter. Das Ingelein hat ja schnell mal eine gescheuert gekriegt, sie hat es auch nicht so schwer genommen, aber für mich war's ein richtiger Schock.

Ich stand eben auch unter Schock, Nacht für Nacht aus dem ersten Schlaf aufgestört, vielleicht verstehst du mich, wenn's dir später mal genauso ergeht mit deinem Jungen oder deinem Mädchen, wetten, daß du da auch die Beherrschung verlierst?

Nie!

Nimm nur den Mund nicht so voll.

Nie, weil ich ja keine Kinder will! bekräftigt Catharina.

Noch kaue ich an meinem frühen pädagogischen Sündenfall, da versetzt mich meine liebe Tochter schon ins nächste Desaster. Verständlich oder verrückt, ihre Mutterschafts-Verweigerung empfinde ich als Mutter-Versagen. Meine Glucken-Instinkte sind nicht sehr entwickelt, aber gar kein Kind, das ist doch kein Leben! Ich red' mich gleich in Rage, als ich aufzähle, was ihr alles entgeht, an Freude und Frust, an Aufschwüngen und Niederlagen, die einem der Nachwuchs bereitet. Ist ihr nie deutlich geworden, wie sehr wir an ihr hängen? Waren wir als Familie tatsächlich so wenig überzeugend, daß Catharina radikal drauf verzichten will? Das ist ganz typisch, wie du reagierst, sagt sie. Weshalb ziehst du dir denn den Schuh an? Es ist doch Egoismus von mir, wenn ich das alles zu belastend finde, Schwangerschaft und Geburt und diese ganze Murkelei, bis so ein Krümel mal aus dem Gröbsten raus ist. Wenn du ehrlich bist, mußt du einfach zugeben, daß du mich manchmal ganz schön satt gehabt hast. Wär' ich nicht gewesen, hättest du zu Ende studiert –

Dann hätt' ich jetzt meinen Doktor, aber keine Tochter –

Zieh das nicht ins Lächerliche. Gerhard zum Beispiel hat nie geleugnet, daß er Kinder aufwendig und anstrengend findet und besonders in den Jahren, als ihr finanziell kaum zurechtgekommen seid. So was verdrängst du ja gern, aus lauter Gutmütigkeit und weil du nie eingestehen würdest, daß du einen Fehler gemacht hast.

Soll ich dich etwa als Fehler betrachten?

In gewisser Weise schon. Ich als Anhängsel hab deine Abhängigkeit von Gerhard verstärkt. Das werf ich dir nicht vor, mir läge nur daran, daß du es erkennst!

O. k., solange du noch nicht krauchen konntest, bin ich für die Arbeit ziemlich ausgefallen, aber nachher haben wir das doch ganz gut hingekriegt. Du hast mich lesen und tippen lassen, unter meinem Schreibtisch gehockt und nur ganz selten gefragt: Darf ich dich mal zerstören?

Was soll ich dazu sagen? Ach, wie niedlich? Man will dir was klarmachen, und du antwortest mit so 'ner herzigen Mutter-Kind-Anekdote!

Ein Glück, daß ich so 'ne kluge Tochter hab, die mir mein Leben nach rückwärts und vorwärts erklärt.

Siehst du, jetzt bist du beleidigt. Wenn's weh tut, denkst du nie etwas konsequent bis zum Ende durch, jedenfalls, was dich betrifft, andere Leute siehst du gern ironisch und scharf. Für mich ist es ja schön, daß ich da bin, und zum Donnerwetter, ich will doch bloß, daß du zugibst, manchmal war das für dich nicht schön, sondern schwer!

Was hätt' ich denn machen sollen? Dich zurücknehmen?

Sosehr ich mir früher manchmal mit Gerhard deinetwegen in die Haare geraten bin, aber in einem hat er völlig recht: Mit dir kann man nicht argumentieren!

Das hab' ich ja fein hingekriegt, zwei Kritiker in der Familie!

Wie leid du mir tust! Sagt man dir die Wahrheit, fühlst du dich ungerecht behandelt. Erst schluckst du ewig runter und dann explodierst du, wie dmals in der Nacht, als du mir die Backe blau geschlagen hast!

Das wirst du mir wohl noch auf dem Sterbebett vorwerfen!

Es ist doch nur ein Beispiel. Und es hatte Ursachen, tiefere Gründe, ich meine eben, es kam nicht nur davon, daß du übermüdet und überreizt warst, du hast eine gewisse innere Unzufriedenheit aus dir rausgeprügelt –

Rausgeprügelt! Wie das klingt! Entmenschte Mutter mißhandelt kleine Tochter – nächste Station Kinderschutzbund!

Das Verrückte ist doch, du hast dir selbst am meisten wehgetan damit.

Danke für dein Verständnis. Zu gütig.

Lenk nicht auf so billige Tour ab. Ich will dir doch nicht an den Karren fahren, oder nur ein kleines bißchen, damit du aufwachst.

Weil ich ja auch die meiste Zeit meines Lebens verschlafe. Nein, nehm ich zurück, sonst sagst du wieder, mit mir könnte man über Privates nicht diskutieren, da würde ich sofort unsachlich. Aber in all solchen Aufrechnungen steckt immer zugleich auch ihre Karikatur, wie bei einem streitenden, miesen alten Ehepaar und ständig mit dem Kehrreim: Du bist schuld – Nein, du!

Immerhin sind wir ja ein ganz schön altes Mutter-Tochter-Paar, kein mieses, glaub ich, oder doch so wenig mies wie möglich, und du, ich halt mich nicht für einen Kalender-Fetischisten, aber neulich fiel mir ein, nächstes Jahr bin ich so alt wie du warst, als du mich gekriegt hast.

Und?

Nichts und – es fiel mir eben ein!

Weißt du was? Ich bin nicht überzeugt, daß du wirklich nie ein Kind willst.

Wenn du dir gern einbilden willst, daß du am Ende Recht behältst – meinetwegen.

*Solche und ähnliche Gespräche mit Catharina muß ich nicht gleich notieren, die hab' ich im Ohr, im Kopf, im Herzen, manchmal liegen sie mir auch im Magen. Mitunter mag's nicht recht logisch hergehen in dem Gerede, wichtiger ist, daß es dialogisch bleibt, nicht einer der Generationsgetrennten sich im Besitz der absoluten Wahrheit wähnt und sie dem andern aufzwingen will.*

# Bibliographische Angaben
# und Quellennachweis

*Ilse Aichinger,* 1921 in Wien geboren, von 1953–1972 mit Günter Eich verheiratet, lebt in Großgmain bei Salzburg. Studierte Medizin; arbeitet heute für Verlage in Frankfurt und Wien und an der Hochschule für Gestaltung in Ulm.
Veröffentlichungen u. a.: ›Die größere Hoffnung‹, Roman (1948), ›Der Gefesselte‹, Erzählungen (1953), ›Rede unter dem Galgen‹, Erzählungen (1954), ›Nachricht vom Tag‹, Erzählungen (1970), ›Wo ich wohne‹, Erzählungen, Dialoge, Gedichte (1963), ›Eliza Eliza‹, Erzählungen (1965), ›Schlechte Wörter‹, Erzählungen, Gedichte, Hörspiel (1976), ›Verschenkter Rat‹, Gedichte (1978), ›Meine Sprache und ich‹, Erzählungen (1978).

›Abgezählt‹. Aus: ›Verschenkter Rat.‹ Mit freundlicher Genehmigung des S. Fischer Verlages.

*Carl Amery,* 1922 in München geboren, lebt dort. Studium der Neuen Sprachen und Literatur. 1976–1977 Vorsitzender des Verbands deutscher Schriftsteller (VS), seit 1980 Vorsitzender des Deutschen Literaturfonds.
Veröffentlichungen u. a.: ›Das Ende der Vorsehung‹ (1972), ›Das Königsprojekt‹ (1974), ›Der Untergang der Stadt Passau‹ (1975), ›Natur als Politik‹ (1976), ›An den Feuern der Leyermark‹ (1979), ›Lebwohl geliebtes Volk der Bayern‹ (1980).

›Der zehnte Kreis‹. Aus: ›Das Ende der Vorsehung.‹ Mit freundlicher Genehmigung des Rowohlt Verlages.

*Arnfrid Astel,* 1933 in München geboren, lebt in Saarbrücken. Studium der Biologie und Literatur in Freiburg und Heidelberg, Verlagstätigkeit, seit 1967 Literaturredakteur beim Saarländischen Rundfunk, seit 1979 Lehrauftrag der Universität Saarbrücken: ›Selber schreiben und reden.‹
Veröffentlichungen u. a.: ›Notstand‹ (1968), ›Kläranlage‹ (1970), ›Zwischen den Stühlen sitzt der Liberale auf seinem Sessel‹ (1974), ›Neues (& Altes) vom Rechtsstaat und von mir‹ (1978), ›Die Faust meines Großvaters & andere Freiübungen‹ (1979), ›Die Amsel fliegt auf. Der Zweig winkt ihr nach‹ (1982).

›Fünfzehn Lektionen zur Schulweisheit‹ vom Autor zusammengestellt aus den letzten drei der obengenannten Veröffentlichungen. Mit freundlicher Genehmigung des Autors.

*Rose Ausländer*, 1901 in Czernowitz geboren, lebt in Düsseldorf.
Veröffentlichungen u. a.: ›Der Regenbogen‹, Gedichte (1939), ›36 Gerechte‹, Gedichte (1967), ›Ohne Visum‹ (1974), ›Gesammelte Gedichte‹ (1976), ›Doppelspiel‹ (1977), ›Im Atemhaus wohnen‹ (1980), ›Mein Atem heißt jetzt‹ (1981), ›Einen Drachen reiten‹ (1981), ›Mein Venedig versinkt nicht‹ (1982), ›Südlich wartet ein wärmeres Land‹ (1982).

›Vorbereitung‹. Mit freundlicher Genehmigung der Autorin.

*Wolfgang Bächler*, 1925 in Augsburg geboren, lebt in München. Mitgründer der Gruppe 47. 1956–1966 Aufenthalt in Frankreich, seither Presse-, Verlags- und Funkmitarbeiter.
Veröffentlichungen u. a.: ›Der nächtliche Gast‹, Roman (1950), ›Traumprotokolle‹ (1972), ›Ausbrechen‹, Gedichte (1976), ›Stadtbesetzung‹, Prosa (1979), ›Die Erde bebt noch. Frühe Lyrik‹ (1981), ›Nachtleben‹, Gedichte (1982).

›Das Wasser wird kommen‹. Aus: ›Ausbrechen.‹ Mit freundlicher Genehmigung des S. Fischer Verlages.

*Reinhard Baumgart*, geboren 1929 in Breslau-Lissa, lebt in München. Studium der Geschichte, der deutschen und englischen Literatur. 1955–1962 Verlagslektor, seither freischaffender Schriftsteller.
Veröffentlichungen u. a.: ›Der Löwengarten‹, Roman (1961), ›Hausmusik‹, Roman (1962), ›Literatur für Zeitgenossen‹, Essays (1966), ›Panzerkreuzer Potjomkin‹, Erzählungen (1967), ›Aussichten des Romans‹, Essays (1968), ›Die verdrängte Phantasie‹, Essays (1974), ›Jettchen Geberts Geschichte‹, Stück (1978).

›Was heißt das: bürgerlich?‹. Aus: ›PEN – Neue Texte deutscher Autoren‹, Hrsg. Martin Gregor-Dellin (1971). Mit freundlicher Genehmigung des Autors.

*Jurek Becker*, 1937 in Lodz (Polen) geboren, lebt in Berlin (West). Kindheit in Ghetto und KZ. Studium der Philosophie. 1960–1977 freischaffender Schriftsteller in Berlin (Ost). 1977 wegen Protest gegen die Biermann-Ausbürgerung aus der SED ausgeschlossen, lebt seither in der Bundesrepublik.
Veröffentlichungen u. a.: ›Jakob der Lügner‹, Roman (1969), ›Irreführung der Behörden‹, Roman (1973), ›Der Boxer‹, Roman (1976), ›Schlaflose Tage‹, Roman (1978), ›Nach der ersten Zukunft‹, Erzählungen (1980).

›Die Mauer‹. Aus: ›Nach der ersten Zukunft.‹ Mit freundlicher Genehmigung des Suhrkamp Verlages.

*Manfred Bieler,* 1934 in Zerbst geboren, lebt in München. Studium der Germanistik, 1965 übersiedelte er nach Prag, 1968 nach Süddeutschland. Veröffentlichungen u. a.: ›Bonifaz oder Der Matrose in der Flasche‹, Roman (1962), ›Maria Morzeck oder Das Kaninchen bin ich‹, Roman (1969), ›Der Mädchenkrieg‹, Roman (1975), ›Der Kanal‹, Roman (1978), ›Ewig und drei Tage‹, Roman (1980).

›Winternacht‹. Mit freundlicher Genehmigung des Autors.

*Horst Bienek,* 1930 in Gleiwitz geboren, lebt in München. Studium in Berlin/DDR. 1951 aus politischen Gründen verhaftet und zu 25 Jahren Zwangsarbeit verurteilt; vier Jahre in einem stalinistischen Arbeitslager in Workuta. 1955 amnestiert. Lebt seitdem in der Bundesrepublik. Rundfunkredakteur, Lektor, jetzt freischaffender Schriftsteller. Veröffentlichungen u. a.: ›Traumbuch eines Gefangenen‹, Gedichte und Prosa (1957), ›Die Zelle‹, Roman (1968), ›Gleiwitzer Kindheit. Gedichte aus zwanzig Jahren‹ (1976), Romanzyklus über den Krieg, bisher erschienen: ›Die erste Polka‹ (1975), ›Septemberlicht‹ (1977), ›Zeit ohne Glocken‹ (1979), ›Erde und Feuer‹ (1982).

›Die Zeit danach‹. Aus: ›Gleiwitzer Kindheit. Gedichte aus zwanzig Jahren‹. Mit freundlicher Genehmigung des Carl Hanser Verlages.

*Wolfgang Bittner,* 1941 in Gleiwitz geboren, lebt in Göttingen. Studium der Rechtswissenschaft, Soziologie und Philosophie. Freischaffender Schriftsteller. Veröffentlichungen u. a.: ›Der Aufsteiger oder Ein Versuch zu leben‹, Roman (1978), ›Rechts-Sprüche – Texte zum Thema Justiz‹ (1979), ›Alles in Ordnung‹, Satiren (1979), ›Abhauen‹, Jugendroman (1980), ›Nachkriegsgedichte‹ (1980), ›Bis an die Grenze‹, Roman (1980), ›Weg vom Fenster‹, Jugendroman (1982).

›Taxi frei‹. Mit freundlicher Genehmigung des Autors.

*Heinrich Böll,* 1917 in Köln geboren, lebt in Köln. 1939 Studienbeginn, bei Kriegsbeginn Einberufung zur Wehrmacht, Entlassung 1945, Rückkehr nach Köln, Wiederaufnahme des Studiums. Seit 1951 freischaffender Schriftsteller. 1972 bekam er den Nobelpreis für Literatur. Veröffentlichungen u. a.: ›Wanderer, kommst du nach Spa . . .‹, Erzählungen (1950), ›Wo warst du, Adam?‹, Roman (1951), ›Und sagte kein einziges Wort‹, Roman (1953), ›Haus ohne Hüter‹, Roman (1954), ›Das Brot der frühen Jahre‹, Erzählung (1955), ›Irisches Tagebuch‹ (1957), ›Billiard um halb zehn‹, Roman (1959), ›Ansichten eines Clowns‹, Roman (1963), ›Ende einer Dienstfahrt‹, Erzählung (1966), ›Gruppenbild mit Dame‹, Roman (1971),

›Die verlorene Ehre der Katharina Blum‹, Erzählung (1974), ›Fürsorgliche Belagerung‹, Roman (1979), ›Was soll aus dem Jungen bloß werden? Oder: Irgendwas mit Büchern‹ (1981).

›Straßenschule‹. Aus: ›Was soll aus dem Jungen bloß werden?‹. Mit freundlicher Genehmigung des Lamuv Verlages.

*Elisabeth Borchers,* 1926 in Homberg/Niederrhein geboren, lebt in Frankfurt. Verlagslektorin.
Veröffentlichungen u. a.: ›Gedichte‹ (1961), ›Nacht aus Eis‹ (1965), ›Der Tisch an dem wir sitzen‹ (1967), ›Eine glückliche Familie und andere Prosa‹ (1970), ›Gedichte‹ (1976).

›H., einer von vielen‹. Aus: ›Gedichte‹ (1976). Mit freundlicher Genehmigung des Suhrkamp Verlages. ›H., einer von wenigen‹. Mit freundlicher Genehmigung der Autorin.

*Volker Braun,* 1939 in Dresden geboren, lebt in Berlin (Ost). Studium der Philosophie, 1965/66 Dramaturg beim Berliner Ensemble, von 1972–1977 Mitarbeiter des Deutschen Theaters Berlin, danach am Berliner Ensemble.
Veröffentlichungen u. a.: ›Provokation für mich‹, Gedichte (1965), ›Wir und nicht sie‹, Gedichte (1970), ›Die Kipper‹, Schauspiel (1972), ›Das ungezwungene Leben Kasts‹, Berichte (1972), ›Gegen die symmetrische Welt‹, Gedichte (1974), ›Training des aufrechten Gangs‹, Gedichte (1979), ›Großer Frieden‹, Schauspiel (1979).

›Höhlengleichnis‹. Aus: ›Training des aufrechten Gangs‹. Mit freundlicher Genehmigung des Suhrkamp Verlages.

*Irmela Brender,* 1935 in Mannheim geboren, lebt in Sindelfingen. Jugendbuchlektorin, seit 1980 freischaffende Buch- und Funkautorin sowie Übersetzerin.
Veröffentlichungen u. a.: ›Man nennt sie auch Berry‹ (1973), ›Streitbuch für Kinder‹ (1973), ›Ja-Buch für Kinder‹ (1974), ›Die Kinderfamilie‹ (1976), ›Stadtgesichter‹ (1980), ›Schanett und Dirk‹ (1982).

›Ich werde nicht vom Fallen träumen‹. Mit freundlicher Genehmigung der Autorin.

*Christine Brückner,* 1921 in Waldeck geboren, lebt in Kassel. Verheiratet mit dem Schriftsteller Otto Heinrich Kühner.
Veröffentlichungen u. a.: ›Ehe die Spuren verwehen‹, Roman (1954), ›Die

Zeit danach‹, Roman (1961), ›Der Kokon‹, Roman (1966), ›Das glückliche Buch der a. p.‹, Roman (1970), ›Wie Sommer und Winter‹, Jugendbuch (1971), ›Überlebensgeschichten‹ (1973), ›Jauche und Levkojen‹, Roman (1975), ›Nirgendwo ist Poenichen‹, Roman (1977), ›Mein schwarzes Sofa‹, Aufzeichnungen (1981).

›Nicht einer zuviel!‹ Aus: ›Überlebensgeschichten‹. Mit freundlicher Genehmigung des Ullstein Verlages.

*Günter de Bruyn,* 1926 in Berlin geboren, lebt in Berlin (Ost) und auf dem Lande bei Beeskow. Nach dem Krieg Lehrer, 1949-1953 Besuch der Bibliothekarsschule, nachher wissenschaftlicher Mitarbeiter im Zentralinstitut für Bibliothekswesen. Seit 1961 freischaffender Schriftsteller. Veröffentlichungen u. a.: ›Hochzeit in Weltzow‹ (1960), ›Der Hohlweg‹, Roman (1963), ›Maskeraden‹, Parodien (1966), ›Buridans Esel‹, Roman (1968), ›Preisverleihung‹, Roman (1972), ›Tristan und Isolde‹ (1975), ›Das Leben des Jean Paul Richter‹, Biographie (1975), ›Märkische Forschungen‹, Erzählung (1978).

›Eines Tages ist er wirklich da‹. Aus: ›Im Querschnitt‹. Mit freundlicher Genehmigung des Mitteldeutschen Verlages.

*Hans Christoph Buch,* 1944 in Wetzlar geboren, lebt in Berlin (West) und bei Gorleben. Studium der Germanistik und Slawistik. 1974/75 Lehrauftrag an der Universität Bremen, 1977/78 Gastdozent für ›Marxistische Ästhetik‹ an der University of San Diego/California. Freischaffender Schriftsteller.
Veröffentlichungen u. a.: ›Unerhörte Begebenheiten‹, Geschichten (1966), ›Die Scheidung von San Domingo‹. ›Wie die Negersklaven von Haiti Robespierre beim Wort nahmen‹ (1976), ›Bericht aus dem Inneren der Unruhe. Gorlebener Tagebuch‹ (1979), ›Zumwalds Beschwerden. Eine schmutzige Geschichte‹ (1980), ›Jammerschoner. Sieben Nacherzählungen‹ (1982).

›Anekdote aus dem letzten Krieg‹. Mit freundlicher Genehmigung des Autors.

*Peter O. Chotjewitz,* 1934 in Berlin geboren, lebt in Haunetal-Kruspis. Studium der Musik, Philosophie, Geschichte, Jura und Publizistik. Arbeitet als freiberuflicher Schriftsteller und Rechtsanwalt.
Veröffentlichungen u. a.: ›Hommage à Frantek‹, Roman (1965), ›Die Insel, Erzählungen auf dem Bärenauge‹, Roman (1968), ›Roman. Ein Anpassungsmuster‹ (1968), ›Abschied von Michalek‹, Erzählungen (1969), ›Vom Leben und Lernen, Stereotexte‹, Roman (1969), ›Die Trauer im Auge des

Ochsen‹, Erzählungen (1972), ›Malavita, Mafia zwischen gestern und morgen‹, Sachbuch (1973), ›Reden ist tödlich, schweigen auch‹, Erzählung (1974), ›Durch Schaden wird man dumm‹, Erzählungen aus 10 Jahren (1976), ›Die Briganten‹, Erzählung mit Aldo de Jaco (1976), ›Der dreißigjährige Friede‹ (1977), ›Die Herren des Morgengrauens‹ (1978), ›Saumlos‹, Roman (1979), ›Die mit Tränen säen, Israelisches Reisejournal‹, Roman mit Renate Chotjewitz-Häfner (1980).

›Mißglückte Geschichte, deren Ende schon in der Mitte feststeht, so daß der Anfang zu lang ist, zwischendurch einige Seiten ausgelassen werden müssen und der Schluß unbefriedigend bleibt, da er keine Überraschung mehr bildet‹. Mit freundlicher Genehmigung des Autors.

*Franz Josef Degenhardt,* 1931 in Schwelm/Westfalen geboren, lebt in Quickborn. Studium der Rechtswissenschaften. Seit 1963 Liedermacher und Schriftsteller.
Veröffentlichungen u. a.: ›Spiel nicht mit den Schmuddelkindern‹, Balladen, Chansons, Grotesken, Lieder (1967), ›Väterchen Franz‹, Notenheft (1967), ›Im Jahr der Schweine‹, Lieder (1970), ›Zündschnüre‹, Roman (1973), ›Brandstellen‹, Roman (1975), ›Petroleum und Robbenöl‹, Jugendroman (1976), ›Kommt an den Tisch unter Pflaumenbäumen‹, Lieder (1979), ›Die Mißhandlung oder Der freihändige Gang über das Geländer der S-Bahn-Brücke‹, Roman (1979), ›Der Liedermacher‹, Roman (1982) und 15 Langspielplatten.

›Ballade vom verlorenen Sohn‹. Aus: ›Kommt an den Tisch unter Pflaumenbäumen‹; ›In den Roten Bergen‹. Aus: ›Zündschnüre‹. Mit freundlicher Genehmigung des C. Bertelsmann Verlages.

*Friedrich Christian Delius,* 1943 in Rom geboren, lebt in Bielefeld. Studium der Germanistik, Lektoratstätigkeit.
Veröffentlichungen u. a.: ›Kerbholz‹, Gedichte (1965), ›Wir Unternehmer. Eine Dokumentarpolemik‹ (1966), ›Wenn wir, bei Rot‹, Gedichte (1969), ›Unsere Siemens-Welt‹, Dokumentarsatire (1972), ›Ein Bankier auf der Flucht‹, Gedichte (1975), ›Ein Held der inneren Sicherheit‹, Roman (1981), ›Die unsichtbaren Blitze‹, Gedichte (1981).

›Ode an die Flugzeugträger‹. Aus: ›Die unsichtbaren Blitze‹. Mit freundlicher Genehmigung des Rotbuch Verlages.

*Hilde Domin,* 1912 in Köln geboren, lebt in Heidelberg. Dott. scienze pol., vielseitig ausgebildet durch Karl Jaspers, Karl Mannheim. Das Exil. Brotverdienst in 4 Sprachgebieten.
Veröffentlichungen u. a.: ›Nur eine Rose als Stütze‹, Gedichte (1959),

›Rückkehr der Schiffe‹, Gedichte (1962), ›Hier‹, Gedichte (1964), ›Das zweite Paradies. Roman einer Rückkehr‹ (1968), ›Wozu Lyrik heute‹, Theorie (1968), ›Ich will dich‹, Gedichte (1970), ›Von der Natur nicht vorgesehen.‹ Autobiographisches (1974), ›Aber die Hoffnung‹, Autobiographisches aus und über Deutschland (1982).

›Abel steh auf‹, ›Postulat‹, ›Graue Zeiten‹. Aus: ›Ich will dich‹. Mit freundlicher Genehmigung des Piper Verlages. ›Rückwanderung‹. Aus: ›Hier‹. Mit freundlicher Genehmigung des S. Fischer Verlages.

*Tankred Dorst,* 1925 in Sonneberg/Thüringen geboren, lebt in München. Studium der Kunstgeschichte und Theaterwissenschaft. In den 60er und 70er Jahren Film-, Funk- und Verlagstätigkeit. Freischaffender Schriftsteller.
Veröffentlichungen u. a.: Stücke: ›Die Kurve‹ (1960), ›Große Schmährede an der Stadtmauer‹ (1961), ›Toller‹ (1968), ›Eiszeit‹ (1973), ›Auf dem Chimborazo‹ (1974), ›Die Villa‹ (1979), ›Merlin oder Das wüste Land‹ (1981). Filme: ›Klaras Mutter‹ (1978), ›Mosch‹ (1980).

›Der Schatten des Vaters‹, ›Parzifal‹. Aus: ›Merlin oder Das wüste Land‹. Mit freundlicher Genehmigung des Suhrkamp Verlages.

*Ingeborg Drewitz,* 1923 in Berlin geboren, lebt in Berlin. Mitbegründerin des Verbandes deutscher Schriftsteller (VS). 1968 zum erstenmal Vizepräsidentin des PEN Zentrums der Bundesrepublik.
Veröffentlichungen u. a.: ›Oktoberlicht‹, Roman (1969), ›Bettine von Arnim – Romantik Revolution Utopie‹, Biographie (1969), ›Wer verteidigt Katrin Lambert?‹, Roman (1974), ›Das Hochhaus‹, Roman (1975), ›Der Eine der Andere‹, Erzählungen (1976), ›Gestern war heute – hundert Jahre Gegenwart‹, Roman (1978), ›Eis auf der Elbe‹, Roman (1982).

›Und ich weiß, daß ich damit nicht allein stehe . . .‹. Aus: ›Kurz vor 1984‹ (1981). Mit freundlicher Genehmigung des Radius-Verlages.

*Friedrich Dürrenmatt,* 1921 in Konolfingen/Bern geboren, lebt in Neuchâtel. Studium der Literatur und Philosophie. Schriftsteller.
Veröffentlichungen u. a.: ›Der Richter und sein Henker‹, Roman (1950), ›Der Verdacht‹, Roman (1951), ›Die Ehe des Herrn Mississippi‹, Komödie (1952), ›Der Tunnel‹, Erzählung (1952), ›Ein Engel kommt nach Babylon‹, Komödie (1953), ›Grieche sucht Griechin‹, Prosakomödie (1955), ›Der Besuch der alten Dame‹, Komödie (1956), ›Die Panne‹, Erzählung (1956), ›Romulus der Große‹, Komödie (1957, 2. Fassung), ›Die Physiker‹, Komödie (1962), ›Der Meteor‹, Komödie (1966), ›Sätze aus Amerika‹ (1970), ›Der Sturz‹ (1971), ›Die Frist‹, Komödie (1977), ›Albert Einstein‹, Vortrag (1979).

›Prokrustes‹. Aus: ›Nachgedanken zu „Zusammenhänge, Essay über Israel, Eine Konzeption"‹ (1980). Mit freundlicher Genehmigung des Diogenes Verlages.

*Axel Eggebrecht,* 1899 in Leipzig geboren. 1918 schwer verwundet. Studium. 1920–1925 in der KPD, lange in Moskau. Seit 1925 Mitarbeiter der ›Weltbühne‹ und linksliberaler Berliner Blätter. 1933 Haft, Berufsverbot, später Mitautor von Unterhaltungsfilmen. Nach 1945 Mitbegründer des NWDR. Seit 1949 wieder freier Autor.
Veröffentlichungen u. a.: ›Katzen‹, Essays und Erzählungen. (1927/67), ›Leben einer Prinzessin‹, Roman (1929), ›Junge Mädchen‹ (1932), ›Weltliteratur‹, Überblick (1948), ›Volk ans Gewehr‹, Roman (1959/80), ›Bangemachen gilt nicht‹, Betrachtungen (1969), ›Der halbe Weg‹, Autobiographie (1975/81), ›Die zornigen alten Männer‹ (Hrsg.) (1979/82).

›Aktiver Frieden‹. Zuerst 1948 veröffentlicht. Mit freundlicher Genehmigung des Autors.

*Gisela Elsner,* 1937 in Nürnberg geboren, lebt in München. Studium der Germanistik und Philosophie.
Veröffentlichungen u. a.: ›Die Riesenzwerge‹, Roman (1964), ›Das Berührungsverbot‹, Roman (1970), ›Der Punktsieg‹, Roman (1977), ›Die Zerreißprobe‹, Erzählungen (1980), ›Abseits‹, Roman (1982).

›Die Schattenspender‹. Aus: ›Die Zerreißprobe‹. Mit freundlicher Genehmigung des Rowohlt Verlages.

*Bernt Engelmann,* 1921 in Berlin geboren, lebt in Rottach-Egern. Studium der Rechtswissenschaften, Sprachen, Neuere Geschichte. Journalist von 1946–1962, jetzt freischaffender Schriftsteller. Seit 1977 Vorsitzender des Verbands deutscher Schriftsteller (VS).
Veröffentlichungen u. a.: ›Meine Freunde die Millionäre‹ (1963), ›Deutschland ohne Juden‹ (1970), ›Wir Untertanen‹ (1974), ›Preußen, Land der unbegrenzten Möglichkeiten‹ (1979), ›Weißbuch: Frieden‹ (1982).

›Ein deutscher Radikaler: Johann Jacoby‹. Aus: ›Trotz alledem. Deutsche Radikale 1777–1977‹ (1977). Mit freundlicher Genehmigung des C. Bertelsmann Verlages.

*Hans Magnus Enzensberger,* 1929 in Kaufbeuren/Allgäu geboren, lebt in München. Nach Studium der Germanistik, Literaturwissenschaft und Philosophie Theaterarbeit. 1955–57 Rundfunkredakteur. 1960/61 Verlagslektor. 1964–68 Lehrtätigkeit an verschiedenen Universitäten.

Veröffentlichungen u. a.: ›Verteidigung der Wölfe‹, Gedichte (1957), ›Landessprache‹, Gedichte (1960), ›Einzelheiten‹, Essays (1962), ›Blindenschrift‹, Gedichte (1963), ›Das Verhör von Habana‹, Drama (1970), ›Der kurze Sommer der Anarchie‹, Roman (1972), ›Mausoleum‹ (1976), ›Der Untergang der Titanic‹ (1978), ›Die Furie des Verschwindens‹, Gedichte (1980).

›Vorschlag zur Strafrechtsreform‹. Aus: ›Gedichte 1955–1970‹. Mit freundlicher Genehmigung des Suhrkamp Verlages.

*Rainer Erler,* 1933 in München geboren, lebt in Bairawies im Isartal. Er arbeitet als Autor und als Regisseur und Produzent von Filmen, die zahlreiche nationale und internationale Auszeichnungen erhielten. Von 1970 bis 1975 war er Dozent für Schauspielerführung an der Münchner Hochschule für Film und Fernsehen.
Veröffentlichungen u. a.: ›Die Delegation‹, Roman (1973), ›Fleisch‹, Roman (1979), die fünfteilige Science-Thriller-Reihe ›Das blaue Palais‹ mit den Titeln ›Das Genie‹, ›Der Verräter‹, ›Das Medium‹, ›Unsterblichkeit‹ und ›Der Gigant‹ (1980), ›Die letzten Ferien‹, Roman (1981), ›Delay-Verspätung‹, Roman (1982).

›Der Commander‹. Aus: ›Dreizehn phantastische Geschichten‹. Mit freundlicher Genehmigung des Autors.

*Ludwig Fels,* 1946 in Treuchtlingen geboren, lebt in Nürnberg. Volksschule, Berufsschule, Malerlehre. Lebt seit 1973 als freischaffender Schriftsteller.
Veröffentlichungen u. a.: ›Anläufe‹, Gedichte (1973), ›Platzangst‹, Erzählungen (1974), ›Ernüchterung‹, Gedichte (1975), ›Die Sünden der Armut‹, Roman (1975), ›Alles geht weiter‹, Gedichte (1977), ›Ich war nicht in Amerika‹, Gedichte (1978), ›Mein Land‹, Geschichten (1978), ›Vom Gang der Bäuche‹, Gedichte 1973–1980 (1980), ›Ein Unding der Liebe‹, Roman (1981), ›Kanakenfauna‹, 15 Berichte (1982).

›Die Sünden der Armut‹. Aus dem gleichnamigen Roman. Mit freundlicher Genehmigung des Hermann Luchterhand Verlages.

*Erich Fried,* 1921 in Wien geboren, lebt seit 1938 als Emigrant in England. Seit 1946 arbeitet er als freischaffender Schriftsteller und Übersetzer.
Veröffentlichungen u. a.: ›Ein Soldat und ein Mädchen‹, Roman (1960), ›Warngedichte‹ (1964), ›und Vietnam und‹, Gedichte (1966), ›Anfechtungen‹, Gedichte (1967), ›Unter Nebenfeinden‹, Gedichte (1970), ›Gegengift‹, 49 Gedichte und ein Zyklus (1976), ›Die bunten Getüme‹, Gedichte (1977), ›Liebesgedichte‹ (1979).

›Fünfundzwanzig Jahre nach Bertolt Brechts Tod‹. Aus: ›Das nahe Suchen‹, Gedichte (1982). Mit freundlicher Genehmigung des Klaus Wagenbach Verlages.


*Uwe Friesel,* 1939 in Braunschweig geboren, lebt in Hamburg. 1968/69 Rom-Preis Villa Massimo. 1970 Dramaturg an der Freien Volksbühne Berlin. Freischaffender Schriftsteller und Übersetzer.
Veröffentlichungen u. a.: ›Linien in der Zeit‹, Gedichte (1963), ›Sonnenflecke‹, Roman (1965), ›Am falschen Ort‹, Erzählungen (1978).

›Elternabend oder Der lange Marsch durch die Institutionen‹. Aus: ›Nur Dummköpfe haben keine Angst‹ (1980). ›Väter und Söhne‹, ›Friedensbombe‹. Mit freundlicher Genehmigung des Autors.


*Christian Geissler,* 1928 in Hamburg geboren, lebt dort. 1960 bis 1964 Mitherausgeber der ›Werkhefte Katholischer Laien‹, 1965 bis 1968 Mitherausgeber des ›Kürbiskern‹, 1972 bis 1974 Lehrer an der Deutschen Film- und Fernsehakademie in Berlin (West).
Veröffentlichungen u. a.: ›Anfrage‹, Roman (1960), ›Schlachtvieh‹, Fernsehspiel (1962), ›Kalte Zeiten‹, Roman (1965), ›Ende der Anfrage‹, Stücke, Reden, Berichte (1967), ›Das Brot mit der Feile‹, Roman (1973), ›Wird Zeit, daß wir leben‹, Roman (1976), ›Im Vorfeld einer Schußverletzung‹, Gedichte (1980).

›Von den Einsamkeiten des Widerstands‹: Gedicht ›Nachdenkend . . .‹: Aus: ›Schottisches Nächtebuch‹. Mit freundlicher Genehmigung des Autors. Prosa: Aus: ›Wird Zeit, daß wir leben‹. Gedicht ›Wir alle du auch . . .‹ Aus: ›Im Vorfeld einer Schußverletzung‹. Mit freundlicher Genehmigung des Rotbuch Verlages.


*Albrecht Goes,* 1908 in Langenbeutingen in Württemberg geboren, lebt in Stuttgart. Studium der evangelischen Theologie. Von 1930–1952 Pfarrer in Württemberg. Neben seiner Arbeit als freischaffender Schriftsteller und Herausgeber kam er bis zu seinem 70. Lebensjahr einem regelmäßigen Predigtauftrag nach.
Veröffentlichungen u. a.: ›Unruhige Nacht‹, Erzählung (1949), ›Das Brandopfer‹, Erzählung (1954), ›Aber im Winde das Wort‹, Erzählungen (1963), ›Das Löffelchen‹, Erzählung (1965), ›Das Tagwerk‹, Erzählungen (1976).

›Das Wagnis‹, ›Tübingen, 1928‹, ›Das Wort‹, ›Die Langverstoßne‹, ›Motette‹, ›Die unablösbare Kette‹, ›Olévano, Blick auf Latium‹. Aus: ›Lichtschatten du, Gedichte aus fünfzig Jahren‹ (1978). Mit freundlicher Genehmigung des S. Fischer Verlages.

*Günter Grass*, 1927 in Danzig geboren, lebt in Berlin und Wewelsfleth (Schleswig-Holstein). Nach dem Krieg Studium der Bildhauerei in Düsseldorf und Berlin, daneben schriftstellerische Tätigkeit. 1956–1959 Aufenthalt in Paris, seither freischaffender Schriftsteller.
Veröffentlichungen u. a.: ›Die Vorzüge der Windhühner‹, Gedichte (1956), ›Die Blechtrommel‹, Roman (1959), ›Katz und Maus‹, Novelle (1961), ›Hundejahre‹, Roman (1963), ›Die Plebejer proben den Aufstand‹, Schauspiel (1966), ›Ausgefragt‹, Gedichte (1967), ›Örtlich betäubt‹, Roman (1969), ›Aus dem Tagebuch einer Schnecke‹ (1972), ›Der Butt‹, Roman (1977), ›Das Treffen in Telgte‹, Erzählung (1979), ›Kopfgeburten oder Die Deutschen sterben aus‹ (1980).

›Die dritte Brust‹. Aus: ›Der Butt‹. Mit freundlicher Genehmigung des Hermann Luchterhand Verlages.

*Martin Gregor-Dellin*, 1926 in Naumburg geboren, lebt in Gröbenzell bei München. Er verließ 1958 die DDR, arbeitet als freischaffender Schriftsteller. Herausgeber der Werke Klaus Manns.
Veröffentlichungen u. a.: ›Jakob Haferglanz‹, Roman (1956), ›Der Nullpunkt‹, Roman (1959), ›Der Kandelaber‹, Roman (1962), ›Einer‹, Roman (1965), ›Föhn‹, Roman (1974), ›Das Riesenrad‹, Erzählungen (1976), ›Im Zeitalter Kafkas‹, Essays (1979), ›Richard Wagner – Sein Leben, sein Werk, sein Jahrhundert‹, Biographie (1980), ›Schlabrendorf oder Die Republik‹ (1982).

›Die Unmöglichkeit von Filmaufnahmen‹. Mit freundlicher Genehmigung des Autors.

*Max von der Grün*, 1926 in Bayreuth geboren, lebt in Dortmund. 1944 amerikanische Kriegsgefangenschaft, nach Entlassung bis 1951 im Baugewerbe tätig, danach Bergmann im Ruhrgebiet. Seit 1964 freischaffender Schriftsteller.
Veröffentlichungen u. a.: ›Irrlicht und Feuer‹, Roman (1963), ›Fahrtunterbrechung‹, Erzählungen (1965), ›Zwei Briefe an Pospischiel‹ (1968), ›Am Tresen gehen die Lichter aus‹, Prosa (1972), ›Stellenweise Glatteis‹, Roman (1973), ›Leben im gelobten Land‹, Gastarbeiterporträts (1975), ›Wenn der tote Rabe vom Baum fällt‹, Reisebericht (1975), ›Vorstadtkrokodile‹, Jugendroman (1976), ›Unterwegs in Deutschland‹, Berichte (1979), ›Wie war das eigentlich? Kindheit und Jugend im Dritten Reich‹ (1979), ›Flächenbrand‹, Roman (1979), ›Späte Liebe‹, Roman (1982).

›Rom‹. Aus: ›Etwas außerhalb der Legalität‹ (1980). Mit freundlicher Genehmigung des Hermann Luchterhand Verlages.

*Peter Härtling,* 1933 in Chemnitz geboren, lebt in Mörfelden-Walldorf. Arbeitete als Journalist, war Mitherausgeber von ›Der Monat‹ in Berlin, von 1968–1973 Geschäftsführer eines Verlages, seit 1974 freischaffender Schriftsteller.
Veröffentlichungen u. a.: ›Yamins Stationen‹, Gedichte (1955), ›Niembsch oder Der Stillstand‹, Roman (1964), ›Janek‹, Roman (1966), ›Das Familienfest‹, Roman (1969), ›Das war der Hirbel‹, Kinderroman (1973), ›Eine Frau‹, Roman (1974), ›Oma‹, Kinderroman (1975), ›Hölderlin. Ein Roman‹ (1976), ›Anreden‹, Gedichte (1977), ›Hubert oder Die Rückkehr nach Casablanca‹, Roman (1978), ›Ben liebt Anna‹, Kinderroman (1979), ›Nachgetragene Liebe‹, Erzählung (1980), ›Alter John‹, Kinderroman (1981), ›Die dreifache Maria. Eine Geschichte‹ (1982).

›Drei Kalendergeschichten aus meinem Land‹. Aus: ›Der wiederholte Unfall‹ (1980). Mit freundlicher Genehmigung des Autors.


*Peter Hamm,* 1937 in München geboren, lebt in München. Er arbeitet als Redakteur, Literatur- und Musikkritiker, Herausgeber von Sammlungen deutscher, schwedischer und tschechoslowakischer Lyrik. Fernsehfilme, u. a. über Hanns Eisler, Hans Werner Henze, Alfred Brendel und Ingeborg Bachmann.
Veröffentlichungen u. a.: ›Kritik – von wem, für wen, wie? Eine Selbstdarstellung deutscher Kritiker‹ (1968), ›Robert Walser. Leben und Werk im Bild‹ (1980), ›Der Balken‹, Gedichte (1981).

›Pasolini in Venedig‹. Aus: ›Der Balken‹. Mit freundlicher Genehmigung des Carl Hanser Verlages.


*Margarete Hannsmann,* 1921 in Heidenheim geboren, lebt in Stuttgart. Schauspielstudium. Jetzt freischaffende Schriftstellerin.
Veröffentlichungen u. a.: ›Zwischen Urne und Stier‹, Gedichte (1971), ›Chauffeur bei Don Quijote‹, Roman (1977), ›Schaumkraut‹, Gedichte (1980), ›Spuren‹, Gedichte (1981), ›Der helle Tag bricht an‹, Roman (1982).

›Landschaft‹, ›An die Gemeinderäte‹, ›Insel Rügen‹, ›Heinrich in Quedlinburg‹, ›Filderherbst‹. Aus: ›Landkarten‹, Gedichte (1980). Mit freundlicher Genehmigung des Claassen Verlages. ›Bielefeld‹, ›Ökologie‹. Aus: ›Schaumkraut‹. Mit freundlicher Genehmigung des Verlags Eremiten-Presse. ›Mandje! Mandje! Timpe Te!‹. Mit freundlicher Genehmigung der Autorin.


*Ludwig Harig,* 1927 in Sulzbach/Saarland geboren, lebt im Saarland. Bis 1970 Volksschullehrer, dann beurlaubt. Seit 1974 ist er freischaffender Schriftsteller.

Veröffentlichungen u. a.: ›Zustand und Veränderungen‹ (1963), ›Reise nach Bordeaux‹ (1965), ›Sprechstunden‹, Roman (1971), ›Allseitige Beschreibung‹ (1974), ›Die saarländische Freude‹, Ein Lesebuch (1977), ›Rousseau – Der Roman vom Ursprung der Natur im Gehirn‹ (1978), ›Heimweh. Ein Saarländer auf Reisen‹ (1979), ›Der kleine Brixius‹, Novelle (1980), ›Heilige Kühe der Deutschen‹ (1981).

›Körperbau und menschliche Natur. Ein Beitrag zum Geist der Utopie‹. Aus: ›Die saarländische Freude‹. Mit freundlicher Genehmigung des Carl Hanser Verlages.

*Geno Hartlaub,* 1915 in Mannheim geboren, lebt in Hamburg. 1934 keine Studienerlaubnis, kaufmännische Lehre, Sekretärin und Auslandskorrespondentin in einer Maschinenfabrik, jetzt freischaffende Schriftstellerin. Veröffentlichungen u. a.: ›Die Tauben von San Marco‹, Roman (1953), ›Gefangene der Nacht‹, Roman (1961), ›Der Mond hat Durst‹, Novelle (1963), ›Unterwegs nach Samarkand‹, Reisebericht (1965), ›Lokaltermin Feenteich‹, Roman (1972), ›Wer die Erde küßt‹, Autobiographie (1975), ›Das Gör‹, Roman (1980).

›Das Gärtchen des Kommandanten‹. Aus dem Erzählungsband: ›Rot heißt auch schön‹ (1969). Mit freundlicher Genehmigung des Claassen Verlages.

*Gert Heidenreich,* 1944 in Eberswalde geboren, lebt bei München. Neben Gedichten, Erzählungen, Kinderliedern und -geschichten veröffentlichte er bisher fünf Theaterstücke. Freischaffender Schriftsteller. Veröffentlichungen u. a.: ›Die ungeliebten Dichter‹, politische Dokumentation (1981), ›Und es bewegt sich doch‹ (Hrsg. 1981), ›Der Riese Rostratum‹, Kinderstück (1982), ›Der Ausstieg‹, Roman (1982).

›Die Prozedur‹. Aus: ›Generationen – Dreißig deutsche Jahre‹, hrsg. Eva Zeller (1972). Mit freundlicher Genehmigung des Autors.

*Günter Herburger,* 1932 in Isny/Allgäu geboren, studierte Philosophie und Sanskrit. Nach Aufenthalt in verschiedenen Ländern lebt er in München. Veröffentlichungen u. a.: ›Eine gleichmäßige Landschaft‹, Erzählungen (1964), ›Ventile‹, Gedichte (1966), ›Training‹, Gedichte (1969), ›Die Messe‹, Roman (1969), ›Jesus in Osaka‹, Roman (1970), ›Die Eroberung der Zitadelle‹, Erzählungen (1972), ›Operette‹, Gedichte (1973), ›Die amerikanische Tochter‹, Gedichte, Aufsätze, Hörspiel (1973), ›Hauptlehrer Hofer‹, Erzählungen (1975), ›Ziele‹, Gedichte (1977), ›Flug ins Herz‹, Roman (1977), ›Orchidee‹, Gedichte (1979), ›Die Augen der Kämpfer I.‹, Roman (1980), ›Makadam‹, Gedichte (1982).

›Klassentreffen‹. Aus: ZEIT-Magazin Nr. 49/1978. Mit freundlicher Genehmigung des Autors.


*Stephan Hermlin,* 1915 in Chemnitz geboren, wohnt in Berlin (Ost). 1936 Emigration, Beteiligung am spanischen Bürgerkrieg, 1940 Angehöriger der französischen Armee, 1944–1945 in Schweizer Internierungslagern. 1945 Rückkehr nach Deutschland, seit 1947 freischaffender Schriftsteller. Mitglied der Akademie der Künste der DDR und der Akademie der Künste in West-Berlin.
Veröffentlichungen u. a.: ›Zwölf Balladen von den großen Städten‹ (1945), ›Reise eines Malers in Paris‹, Erzählung (1947), ›Die erste Reihe‹ (1951), ›Gedichte‹ (1963), ›Gedichte und Prosa‹ (1965), ›Die Zeit der Gemeinsamkeit. In einer dunklen Welt‹, Erzählungen (1966), ›Der Leutnant York von Wartenburg‹, Erzählung (1974), ›Abendlicht‹ (1979), ›Die erste Hilfe‹, Erzählungen (1980), ›Lebensfrist‹, Gesammelte Erzählungen (1980).

›Erich M.‹ und ›1. Mai‹. Aus: ›Abendlicht‹. Mit freundlicher Genehmigung des Verlages Klaus Wagenbach.


*Richard Hey,* 1926 in Bonn geboren, lebt in West-Berlin, schreibt Schauspiele, Hörstücke, Fernsehfilme, Bücher, Artikel.
Veröffentlichungen u. a.: ›Ein Mord am Lietzensee‹, Kriminalroman (1973), ›Engelmacher & Co.‹, Kriminalroman (1975), ›Das Ende des friedlichen Lebens der Else Reber‹, Schau- und Hörstücke (1976), ›Ohne Geld singt der Blinde nicht‹, Kriminalroman (1980), ›Feuer unter den Füßen‹, Kriminalroman (1981), ›Im Jahr 95 nach Hiroshima‹, Roman (1982).

›Heimat deine Sterne‹ ist am 27. 9. 1980 in der ›Frankfurter Rundschau‹ veröffentlicht worden. Mit freundlicher Genehmigung des Autors.


*Stefan Heym,* 1913 in Chemnitz geboren, lebt in Berlin (Ost). 1933 Emigration in die Tschechoslowakei, dann in die USA. Studium in Chikago, 1943 amerikanischer Soldat. Nach dem Krieg Mitbegründer der ›Neuen Zeitung‹ in München, seit 1953 freischaffender Schriftsteller in der DDR.
Veröffentlichungen u. a.: ›Der Fall Glasenapp‹, Roman (1942/1956), ›Der bittere Lorbeer‹, Roman (1948/1950), ›Goldsborough‹, Roman (1953/1954), ›Lassalle‹, Roman (1968/1969), ›Der König David Bericht‹, Roman (1972), ›Fünf Tage im Juni‹, Roman (1974), ›Collin‹, Roman (1979), ›Ahasver‹, Roman (1981).

›Der Tod des Reb Joshua‹. Aus: ›Ahasver‹. Mit freundlicher Genehmigung des C. Bertelsmann Verlages.

*Rolf Hochhuth,* 1931 in Eschwege/Nordhessen geboren, lebt in Basel und Wien. Lehre als Buchhändler, 1955–1963 Lektoratstätigkeit. Seither freischaffender Schriftsteller.
Veröffentlichungen u. a.: ›Der Stellvertreter‹, Schauspiel (1963), ›Soldaten. Nekrolog auf Genf‹, Tragödie (1967), ›Die Hebamme‹, Komödie (1971), ›Die Berliner Antigone‹ (1975), ›Tod eines Jägers‹ (1976), ›Eine Liebe in Deutschland‹ (1978), ›Juristen‹, Schauspiel (1979), ›Ärztinnen‹, Schauspiel (1980), ›Spitze des Eisbergs‹, Reader (1982).

›Blätter aus einem Geschichtsatlas‹. Aus: ›Die Berliner Antigone‹. Mit freundlicher Genehmigung des Rowohlt Verlages.

*Gerd E. Hoffmann,* 1932 in Dt. Eylau (Iława) geboren, lebt in Köln. Ausgebildet als Redakteur und Warenhausverkaufsassistent, arbeitet er heute als freiberuflicher Schriftsteller.
Veröffentlichungen u. a.: ›Chirugame‹ (1969), ›Computer, Macht und Menschenwürde‹ (1976), ›Erfaßt, registriert, entmündigt – Schutz dem Bürger, Widerstand den Verwaltern‹ (1979), ›Erlebt in Indien – Wenn ich Vishnu Sharma hieße. Geschichten, Berichte, Notizen aus Indien‹ (1981), ›Die elektronische Umarmung‹ (1982).

›Von den Slums, der Gleichgültigkeit und einer fast restlosen Abfallverwertung‹. Aus: ›Erlebt in Indien‹. Mit freundlicher Genehmigung des Arena Verlages.

*Otto Jägersberg,* 1942 in Hiltrup/Westfalen geboren, wohnt in Baden-Baden. Autor.
Veröffentlichungen u. a.: ›Weihrauch und Pumpernickel‹, Roman (1964), ›Nette Leute‹, Roman (1967), ›Cosa Nostra‹, Stücke (1971), ›He he, ihr Mädchen und Frauen‹, Komödie (1975), ›Der letzte Biß‹, Erzählungen (1977).

›Herr Jesu‹. Mit freundlicher Genehmigung des Autors.

*Urs Jaeggi,* 1931 in Solothurn/Schweiz geboren, lebt in Berlin. Bankangestellter, Studium der Soziologie und Volkswirtschaft. Lehrtätigkeit an verschiedenen Universitäten, seit 1972 an der Freien Universität Berlin.
Veröffentlichungen u. a.: ›Wohltaten des Mondes‹, Erzählungen (1963), ›Die Komplizen‹, Erzählung (1964), ›Geschichten über uns‹, Erzählungen (1973), ›Brandeis‹, Roman (1978), ›Grundrisse‹, Roman (1981), verschiedene wissenschaftliche Veröffentlichungen.

›Wendland‹. Aus: ›Was auf den Tisch kommt wird gegessen‹. Mit freundlicher Genehmigung des Hermann Luchterhand Verlages.

*Karl-Heinz Jakobs,* 1929 in Kiauken/Ostpreußen geboren, lebt in Bochum. Tätigkeit in verschiedenen Berufen, seit 1958 freischaffender Schriftsteller in der DDR. Seit 1981 in der Bundesrepublik.
Veröffentlichungen u. a.: ›Beschreibung eines Sommers‹, Roman (1961), ›Merkwürdige Landschaften‹, Erzählungen (1964), ›Eine Pyramide für mich‹, Roman (1971), ›Tanja, Taschka und so weiter‹, Reiseroman (1975), ›Wüste kehr wieder. Erster Roman: El Had‹ (1976), ›Fata Morgana‹, Geschichten (1977), ›Wilhelmsburg‹, Roman (1979), ›Die Frau im Strom‹, Roman (1982).

›Der Weg zur Bühne‹ (1977). Mit freundlicher Genehmigung des Autors.

*Walter Jens,* 1923 in Hamburg geboren, lebt in Tübingen. Professor für Klassische Philologie und allgemeine Rhetorik in Tübingen.
Veröffentlichungen u. a.: ›Die Welt der Angeklagten‹, Roman (1950), ›Vergessene Gesichter‹, Roman (1952), ›Der Mann, der nicht alt werden wollte‹, Roman (1955), ›Das Testament des Odysseus‹, Erzählung (1958), ›Die Verschwörung‹, Fernsehspiel (1969), ›Der tödliche Schlag‹, Fernsehspiel (1974), ›Der Fall Judas‹ (1975), ›Republikanische Reden‹ (1976), ›Ort der Handlung ist Deutschland‹, Reden (1981).

›Bericht über Hattington‹. Aus: ›Herr Meister – Dialog über einen Roman‹ (1963). Mit freundlicher Genehmigung des Piper Verlages.

*Hermann Kant,* 1926 in Hamburg geboren, lebt in Berlin (Ost). Kurz vor Kriegsende Soldat, Kriegsgefangenschaft bis 1949. Anschließend bis 1956 Studien an der Universität Greifswald und an der Humboldt-Universität Berlin. Zunächst Tätigkeit als Redakteur, später freischaffender Schriftsteller. Seit 1969 Mitglied der Akademie der Künste der DDR, seit Mai 1978 Präsident des Schriftstellerverbandes der DDR.
Veröffentlichungen u. a.: ›Ein bißchen Südsee‹, Erzählungen (1962), ›Die Aula‹, Roman (1965), ›In Stockholm‹ (1971), ›Das Impressum‹, Roman (1972), ›Eine Übertretung‹, Erzählungen (1976), ›Der Aufenthalt‹, Roman (1977).

›Lebenslauf, zweiter Absatz‹. Aus: ›Eine Übertretung‹. Mit freundlicher Genehmigung des Aufbau Verlages.

*Horst Karasek,* 1939 in Wien geboren, lebt in Frankfurt, freischaffender Schriftsteller.
Veröffentlichungen u. a.: ›Wohnhaft im Westend‹ (1970, zusammen mit Helga M. Novak), ›Propaganda und Tat‹ (1974), ›1886, Haymarket. Die deutschen Anarchisten von Chicago‹ (1975), ›Die Kommune der Wiedertäufer‹ (1977), ›Belagerungszustand!‹ (1978), ›Der Fedtmilch-Aufstand‹

(1979), ›Der Brandstifter‹ (1980), ›Das Dorf im Flörsheimer Wald – Eine Chronik vom alltäglichen Widerstand gegen die Startbahn West‹ (1981).

›Ferien‹. Aus: ›Das Dorf im Flörsheimer Wald‹. Mit freundlicher Genehmigung des Hermann Luchterhand Verlages.

*Yaak Karsunke,* 1934 in Berlin geboren, lebt dort. Drei Semester Jura, Schauspielschule, einige Jahre Chefredakteur des Kürbiskern. 1976–1979 Fachberater für Drehbuch und Dramaturgie an der Deutschen Film- und Fernsehakademie Berlin, 1981/82 Gastprofessor an der Hochschule der Künste Berlin. Freischaffender Schriftsteller.
Veröffentlichungen u. a.: ›Bauernoper/Ruhrkampf-Revue‹, Theaterstücke (1976), ›da zwischen‹, 35 Gedichte & ein Stück (1979), ›auf die gefahr hin‹, Gedichte (1982); ferner die Theaterstücke ›Des Colhas' letzte Nacht‹ (1978), ›Nach Mitternacht‹ (nach dem Roman von Irmgard Keun (1981) und ›Großer Bahnhof‹ (1982).

›Unser schönes Amerika‹. Aus der gleichnamigen Theater-Revue. Mit freundlicher Genehmigung des Verlages der Autoren.

*Walter Kempowski,* 1929 in Rostock geboren, lebt in Nartum bei Bremen. 1948 in Wiesbaden Mitglied einer amerikanischen Arbeitskompanie, Rückkehr nach Rostock, wurde aus politischen Gründen zu 25 Jahren Zuchthaus verurteilt. 1956 Amnestie. Studium in Göttingen. Seit dem Examen Lehrertätigkeit.
Veröffentlichungen u. a.: ›Im Block‹, Haftbericht (1969), ›Tadellöser & Wolff‹, Roman (1971), ›Uns geht's ja noch gold‹, Roman (1971), ›Ein Kapitel für sich‹, Roman (1975), ›Aus großer Zeit‹, Roman (1978), ›Schöne Aussicht‹, Roman (1981).

›Der Lehrer Jonas‹. Aus: ›Schöne Aussicht‹, Albrecht Knaus Verlag.

*Irmgard Keun,* 1905 in Berlin geboren, gestorben am 5. 5. 1982 in Köln. Schauspielschule in Köln. 1935 Emigration.
Veröffentlichungen u. a.: ›Gilgi, eine von uns‹, Roman (1931), ›Das kunstseidene Mädchen‹, Roman (1932), ›Das Mädchen mit dem die Kinder nicht verkehren durften‹, Roman (1936), ›Nach Mitternacht‹, Roman (1937), ›Kind aller Länder‹, Roman (1938).

›Der Führer war da‹. Aus: ›Nach Mitternacht‹. Mit freundlicher Genehmigung des Claassen Verlages.

*Heinar Kipphardt,* 1922 in Heidersdorf/Schlesien geboren, lebt in Angels-bruck bei München. Dr. med., Fachrichtung Psychiatrie, 1951–1959 Chef-dramaturg am Deutschen Theater Berlin, 1959 Übersiedlung in die Bun-desrepublik, ab 1969 zwei Jahre Chefdramaturg an den Münchner Kam-merspielen. Lebt seit 1959 als freier Schriftsteller.
Veröffentlichungen u. a.: ›Shakespeare dringend gesucht‹, Lustspiel (1954), ›Der Hund des Generals‹, Schauspiel (1963), ›Die Ganovenfresse‹, Erzäh-lungen (1964), ›In der Sache J. Robert Oppenheimer‹, Drama (1964), ›Joel Brand‹, Schauspiel (1965), ›Die Soldaten‹, Schauspiel (1968), ›März‹, Ro-man (1976), ›Angelsbrucker Notizen‹, Gedichte (1977), ›Der Mann des Ta-ges‹, Erzählungen (1977), ›März, ein Künstlerleben‹, Schauspiel (1980), ›Traumprotokolle‹, Prosa (1981).

›Jakob Hartel. Briefe an Maria‹. Aus der Erzählung ›Der Deserteur‹ im Er-zählungsband ›Der Mann des Tages‹. Mit freundlicher Genehmigung des Verlags AutorenEdition.

*Hans-Christian Kirsch,* 1934 in Breslau geboren, lebt in Nomborn/Wester-wald. Studium der Volkswirtschaft, Pädagogik, Philosophie, Politische Wis-senschaften und Sprachen. Arbeitete als Privatschullehrer, Übersetzer, Herausgeber und Redakteur. Seit 1978 freischaffender Schriftsteller.
Veröffentlichungen u. a.: ›Rosa L.‹, Biographie (1976), ›. . . und küßte des Scharfrichters Tochter, Heinrich Heines erste Liebe‹, Roman (1978), ›Drei Frauen zum Beispiel‹, Biographie (1980), ›Georg B.‹, Biographie (1981), ›Tilman Riemenschneider, ein deutsches Schicksal‹, Biographie (1981).

›Reklame für Simone W.: Warum? Eine rote Lehrerin, Brief an eine Schüle-rin‹. Aus: ›Drei Frauen zum Beispiel‹. Mit freundlicher Genehmigung des Beltz & Gelberg Verlages.

*Sarah Kirsch,* 1935 in Limlingerode/Harz geboren, lebt in Bothel/Nieder-sachsen. Studium der Biologie, danach Studium am Literaturinstitut ›Jo-hannes R. Becher‹ in Leipzig. Seit 1977 in der Bundesrepublik. Freischaf-fende Schriftstellerin.
Veröffentlichungen u. a.: ›Landaufenthalt‹, Gedichte (1967), ›Zaubersprü-che‹, Gedichte (1973), ›Rückenwind‹, Gedichte (1977), ›Drachensteigen‹, Gedichte (1979), ›La Pagerie‹ (1980), ›Erdreich‹, Gedichte (1982).

›Im Juni‹, Aus: ›Rückenwind‹; ›Post‹, ›Rot‹. Aus: ›Drachensteigen‹. Mit freundlicher Genehmigung des Verlages Langewiesche-Brandt. ›Aus-schnitt‹. Aus: ›Erdreich‹. Mit freundlicher Genehmigung der Deutschen Verlagsanstalt.

*Alexander Kluge,* 1932 in Halberstadt geboren, lebt in München. Nach Studium der Rechtswissenschaft arbeitet er erfolgreich als Filmproduzent und -regisseur. Parallel dazu als Schriftsteller tätig.
Veröffentlichungen u. a.: ›Lebensläufe‹ (1962), ›Schlachtbeschreibung‹ (1964), ›Lernprozesse mit tödlichem Ausgang‹ (1973), ›Neue Geschichten. Hefte 1–18 „Unheimlichkeit der Zeit"‹ (1977).

›Der Luftangriff auf Halberstadt am 8. April 1945‹. Aus: ›Neue Geschichten‹. Mit freundlicher Genehmigung des Suhrkamp Verlages.

*Barbara König,* 1925 in Reichenberg/Nordböhmen geboren, lebt in Diessen am Ammersee. Studium der Zeitungswissenschaften und Creative Writing in den Vereinigten Staaten. Arbeit als Journalistin, Redakteurin und seit 1958 als freischaffende Schriftstellerin. Vizepräsidentin der Mainzer Akademie der Wissenschaften und der Literatur.
Veröffentlichungen u. a.: ›Das Kind und sein Schatten‹, Erzählung (1958), ›Kies‹, Roman (1961), ›Die Personenperson‹, Roman (1965), ›Schöner Tag, dieser 13. Ein Liebesroman‹ (1975), ›Der Beschenkte‹, Roman (1980).

›Latenzen‹. Aus: ›Spielerei bei Tage‹, Erzählungen (1969). Mit freundlicher Genehmigung des Carl Hanser Verlages.

*Irina Korschunow,* in Stendal/Altmark geboren, lebt in Grafrath bei München. Vater Russe, Mutter Deutsche. Studium der Germanistik, Anglistik, Soziologie in Göttingen und München. Schreibt für Kinder, Jugendliche und Erwachsene.
Veröffentlichungen u. a.: ›Die Wawuschels mit den grünen Haaren‹ (3 Bd. 1967, 1969, 1971), ›Der Führerschein‹, FS-Spiel (1977), ›Die Sache mit Christoph‹ (1978), ›Hanno malt sich einen Drachen‹ (1978), ›Er hieß Jan‹ (1979).

›Frieden für Anna‹. Mit freundlicher Genehmigung der Autorin.

*Ursula Krechel,* 1947 in Trier geboren, lebt in Frankfurt/Main. Studium der Germanistik, Theaterwissenschaften, Kunstgeschichte, Dramaturgin.
Veröffentlichungen u. a.: ›Erika‹, Theaterstück (1974), ›Selbsterfahrung und Fremdbestimmung – Bericht aus der Neuen Frauenbewegung‹ (1975), ›Nach Mainz!‹, Gedichte (1977), ›Verwundbar wie in den besten Zeiten‹, Gedichte (1979), ›Zweite Natur‹, Szenen eines Romans (1981).

›Meine Mutter‹. Aus: ›Nach Mainz!‹. Mit freundlicher Genehmigung des Hermann Luchterhand Verlages.

*Karl Krolow,* 1915 in Hannover geboren, lebt in Darmstadt. 1935–1942 Studium der Germanistik, Romanistik, Kunstgeschichte in Göttingen und Breslau. Seit 1942 freischaffender Schriftsteller.
Veröffentlichungen u. a.: ›Gesammelte Gedichte I‹ (1965), ›Gesammelte Gedichte II‹ (1975), ›Ausgewählte Gedichte‹ (1979), ›Das andere Leben‹, Erzählung (1979), ›Im Gehen‹, Erzählung (1981), ›Herbstsonett mit Hegel‹, Gedichte (1981).

›Hommage für Robespierre‹. Aus: ›Gesammelte Gedichte II‹. Mit freundlicher Genehmigung des Suhrkamp Verlages.

*Michael Krüger,* 1943 in Wittgendorf, Kreis Zeitz, geboren, lebt in München. Mitherausgeber des ›Tintenfisch‹, Herausgeber der Zeitschrift für Literatur ›Akzente‹.
Veröffentlichungen u. a.: ›Reginapoly‹, Gedichte (1976), ›Diderots Katze‹, Gedichte (1978), ›Nekrologe‹, Gedichte (1979), ›Lidas Taschenmuseum‹, Gedichte (1981), ›Aus der Ebene‹, Gedichte (1982).

›Diderots Katze‹. Aus dem gleichnamigen Gedichtband. Mit freundlicher Genehmigung des Carl Hanser Verlages.

*Dieter Kühn,* 1935 in Köln geboren, lebt in Düren. Studium der Germanistik und Anglistik, seit 1965 freischaffender Schriftsteller.
Veröffentlichungen u. a.: ›N‹ (1970), ›Die Präsidentin‹, Roman (1973), ›Mit dem Zauberpferd nach London‹, Kinderroman (1974), ›Stanislaw der Schweiger‹, Roman (1975), ›Luftkrieg als Abenteuer‹, Kampfschrift (1975), ›Ausflüge im Fesselballon‹, Roman (1977), ›Ich Wolkenstein‹, Eine Biographie (1977), ›Und der Sultan von Oman‹, Erzählung (1979).

›Amerika‹. Aus: ›Schnee und Schwefel‹ (1982). Mit freundlicher Genehmigung des Suhrkamp Verlages.

*Günter Kunert,* 1929 in Berlin geboren, lebt in Kaisborstel/Schleswig-Holstein. Einige Jahre Hochschule für angewandte Kunst in Berlin-Weißensee. Arbeiten für Zeitschriften, Film, Fernsehen und Rundfunk. Seit 1979 in der Bundesrepublik.
Veröffentlichungen u. a.: ›Erinnerungen an einen Planeten‹, Gedichte (1963), ›Der ungebetene Gast‹, Gedichte (1965), ›Im Namen der Hüte‹, Roman (1967), ›Warnung vor Spiegeln‹, Gedichte (1970), ›Unterwegs nach Utopia‹, Gedichte (1977), ›Unruhiger Schlaf‹, Gesammelte Gedichte (1979), ›Verspätete Monologe‹, Prosa (1981).

›Antropophagie‹, ›Keine Geschichte‹. Mit freundlicher Genehmigung des Autors.

*Dieter Lattmann,* 1926 in Potsdam geboren, lebt in München. Von 1969–1974 Vorsitzender des Verbands deutscher Schriftsteller (VS). Von 1972 bis 1980 gehörte er als Sozialdemokrat dem Deutschen Bundestag an. Freischaffender Schriftsteller.
Veröffentlichungen u. a.: ›Ein Mann mit Familie‹, Roman (1962), ›Mit einem deutschen Paß. Tagebuch einer Weltreise‹ (1964), ›Schachpartie‹, Roman (1968), ›Die Einsamkeit eines Politikers‹ (1977), ›Die lieblose Republik – Aufzeichnungen aus Bonn am Rhein‹ (1981).

›Staats-Stationen eines Bürgers‹. Mit freundlicher Genehmigung des Autors.

*Gabriel Laub,* 1928 in Bochnia/Polen geboren, lebt in Hamburg. 1939–1946 UdSSR, studierte 1946–1951 in Prag, ging 1968 aus der CSSR in die Bundesrepublik. Reporter, Filmjournalist, Kritiker, Feuilletonist, Übersetzer, Redakteur. Jetzt freischaffender Journalist und Schriftsteller.
Veröffentlichungen u. a.: ›Alle Macht den Spionen‹, Satiren (mit Cartoons von Manfred Limroth) (1978), ›Dabeisein ist nicht alles‹, Neue listige Geschichten (mit Cartoons von Manfred Limroth) (1980), ›Der leicht gestörte Frieden. Satirische Geschichten der Kriege‹ (1981), ›Das Recht, recht zu haben‹, Alle Aphorismen (1982).

›Schildaer Friedensregeln‹. Aus: ›Der leicht gestörte Frieden‹. Albrecht Knaus Verlag.

*Georg Lentz,* 1928 in der Nähe von Rostock geboren, lebt in Frankreich. Aufgewachsen in Berlin, im Krieg Flakhelfer, nach dem Krieg Kinderbuchverleger und Mitarbeiter in verschiedenen Verlagen, jetzt freischaffender Schriftsteller.
Veröffentlichungen u. a.: ›Muckefuck‹, Roman (1976), ›Kuckucksei‹, Roman (1977), ›Molle mit Korn‹, Roman (1979), ›Weiße mit Schuß‹, Roman (1980), ›Preußenliebe‹, Roman (zusammen mit Hermann Mostar) (1980), ›Heißer April‹, Roman (1982).

›Rolf‹. Mit freundlicher Genehmigung des Autors.

*Hermann Lenz,* 1913 in Stuttgart geboren, lebt in München. Studium der Kunstgeschichte, Archäologie und Germanistik. Im Krieg Soldat und Kriegsgefangener. Seit 1946 Schriftsteller.
Veröffentlichungen u. a.: ›Das doppelte Gesicht‹, drei Erzählungen (1949), ›Spiegelhütte‹, drei Erzählungen (1962), ›Die Augen eines Dieners‹, Roman (1964), ›Verlassene Zimmer‹, Roman (1966), ›Andere Tage‹, Roman (1968), ›Der Kutscher und der Wappenmaler‹, Roman (1972), ›Neue Zeit‹, Roman (1975), ›Die Begegnung‹, Roman (1979), ›Der innere Bezirk‹, Roman

(1980), ›Zeitlebens‹, Gedichte 1934–1980 (1981), ›Erinnerung an Eduard‹, Erzählung (1981).

›Studentenball 1932‹. Aus: ›Andere Tage‹. Mit freundlicher Genehmigung des Suhrkamp Verlages.

*Siegfried Lenz,* 1926 in Lyck/Ostpreußen geboren, lebt in Hamburg. Studium der Literaturgeschichte, Anglistik und Philosophie, schrieb für Presse und Rundfunk, war Feuilletonredakteur, lebt jetzt als freischaffender Schriftsteller.
Veröffentlichungen u. a.: ›So zärtlich war Suleyken‹, Geschichten aus Masuren (1955), ›Deutschstunde‹, Roman (1967), ›Das Vorbild‹, Roman (1973), ›Heimatmuseum‹, Roman (1978), ›Der Verlust‹, Roman (1981).

›Ein Freund der Regierung‹. Aus: ›Das Feuerschiff‹ (1960). Mit freundlicher Genehmigung des Hoffmann und Campe Verlages.

*Erich Loest,* 1926 in Mittweida/Sachsen geboren, lebt in Osnabrück. 1946–1950 Redakteur der ›Leipziger Volkszeitung‹, seit 1950 freischaffender Schriftsteller. 1957–1964 verhaftet und verurteilt wegen ›konterrevolutionärer Betätigung‹. Seit 1981 Dreijahresvisum zum Aufenthalt in der Bundesrepublik.
Veröffentlichungen u. a.: ›Jungen die übrigblieben‹, Roman (1950), ›Schattenboxen‹, Roman (1972), ›Es geht seinen Gang oder Mühen in unserer Ebene‹, Roman (1978), ›Swallow, mein wackerer Mustang‹, Roman (1980), ›Durch die Erde ein Riß. Ein Lebenslauf‹ (1981).

›Sie kamen während des Abendbrots‹. Aus: ›Durch die Erde ein Riß‹. Mit freundlicher Genehmigung des Hoffmann und Campe Verlages.

*Friederike Mayröcker,* 1924 in Wien geboren, lebt dort. Ab 1946 im Lehrberuf tätig, seit 1969 freischaffende Schriftstellerin.
Veröffentlichungen u. a.: ›Minimonsters Traumlexikon‹ (1968), ›Fantom Fan‹ (1971), ›Das Licht in der Landschaft‹ (1975), ›Fast ein Frühling des Markus M.‹ (1976), ›rot ist unten‹ (1977), ›Heiligenanstalt‹ (1978), ›Die Abschiede‹ (1980), ›Schwarze Romanzen‹ (1981), ›Gute Nacht, guten Morgen‹ (1982).

›Tannzapfen, und welche den Affenpelz trug‹. Aus: ›Die Abschiede‹. Mit freundlicher Genehmigung des Suhrkamp Verlages.

*Angelika Mechtel,* 1943 in Dresden geboren, lebt als freiberufliche Autorin in München.

Veröffentlichung von Romanen, Erzählungen, Lyrik, Hör- und Fernsehspielen, Dokumentationen und Kinderliteratur, u. a.: ›Die feinen Totengräber‹, Erzählungen (1968), ›Kaputte Spiele‹, Roman (1970), ›Hochhausgeschichten‹, Erzählungen (1971), ›Alte Schriftsteller in der Bundesrepublik‹, Dokumentation (1972), ›Die Blindgängerin‹, Roman (1974), ›Ein Plädoyer für uns – Frauen und Mütter von Strafgefangenen berichten‹, Dokumentation (1975), ›Die Träume der Füchsin‹, Erzählungen (1976), ›Wir sind arm, wir sind reich‹, Roman (1977), ›Die andere Hälfte der Welt oder Frühstücksgespräche mit Paula‹, Roman (1980).

›An zwei Orten zu leben‹. Aus der gleichnamigen Anthologie, hrsg. von Vera Botterbusch und Klaus Konjetzky. Mit freundlicher Genehmigung der Autorin.

*Peter de Mendelssohn,* 1908 in München geboren, gestorben am 10. 8. 1082. 1929 Schriftsteller in Berlin, emigrierte 1933 nach Paris. 1935 nach England. Nach 1945 als Presseberater der Britischen Kontrollkommission in Deutschland, ab 1949 wieder in England als Kritiker, Journalist und Rundfunkberichterstatter tätig. 1970 Rückkehr nach München.
Veröffentlichungen u. a.: ›Fertig mit Berlin?‹, Roman (1930), ›Das Haus Cosinsky‹, Roman (1934), ›Wolkenstein‹, Roman (1935), ›Das zweite Leben‹, Roman (1948), ›Einhorn singt im Regen‹, Aufsätze (1952), ›Churchill‹, Biographie (1957), ›Das Gedächtnis der Zeit‹, Roman (1974), ›Der Zauberer‹, Thomas Mann-Biographie, Bd. I (1975), ›Unterwegs mit Reiseschatten‹, Essays (1977).

›Dann mußte er fort . . .‹. Aus: ›Verklärung des guten Arbeiters. Heinrich Mann in seiner Zeit‹. Mit freundlicher Genehmigung des Autors.

*Michael Molsner,* 1939 in Stuttgart geboren, lebt in München. Er war Redakteur bei verschiedenen Zeitungen und arbeitet heute als freischaffender Autor.
Veröffentlichungen u. a.: ›Und dann hab ich geschossen‹, Roman (1968), ›Harakiri einer Führungskraft‹, Roman (1969), ›Rote Messe‹, Roman (1973), ›Das zweite Geständnis des Leo Koczyk‹, Roman (1979), ›Eine kleine Kraft‹, Roman (1980), ›Die Schattenrose‹, Roman (1982).

›Von uns aus gesehen‹. Aus: Kursbuch Nr. 45. Mit freundlicher Genehmigung des Rotbuch-Verlages.

*Leonie Ossowski,* 1925 in Röhrsdorf/Niederschlesien geboren, lebt in Berlin. Nach der Flucht aus Schlesien übte sie verschiedene Berufe aus und schrieb gleichzeitig Drehbücher, Hörspiele und Romane, bis sie als freischaffende Autorin leben konnte.

Veröffentlichungen u. a.: ›Wer fürchtet sich vorm schwarzen Mann?‹ (1968), ›Zur Bewährung ausgesetzt‹, Dokumentation (1972), ›Mannheimer Erzählungen‹ (1974), ›Weichselkirschen‹, Roman (1976), ›Die große Flatter‹, Jugendroman (1977), ›Stern ohne Himmel‹, Jugendroman (1978), ›Blumen für Magritte‹, Erzählungen (1978), ›Liebe ist kein Argument‹, Roman (1981).

›Josef und Frau Rosgalla‹. Aus: ›Mannheimer Erzählungen‹. Mit freundlicher Genehmigung des Piper Verlages.

*Jo Pestum,* 1936 in Essen geboren, lebt in Billerbeck. Studium der Malerei, Arbeit als Layouter, Redakteur, Verlagslektor, seit 1971 freischaffender Schriftsteller. Film-, Funk- und Fernsehautor und Herausgeber der Edition Pestum.
Veröffentlichungen u. a.: ›Astronautenlatein‹, Satire (1970), ›Schöner leben mit Maschinen‹, Satire (1970), ›Image‹, Satire (1971), ›Der Nachtfalter‹, Roman (1973), ›Der Astronaut vom Zwillingsstern‹ (1974), ›Zeit der Träume‹ (1976), ›Auf einem weißen Pferd nach Süden‹, Roman (1978), Serie ›Kater-Krimis‹ (1970–1979), ›Fang niemals einen Stern‹ (1980), ›Ein Indianer namens Heinrich‹ (1980). ›Kreidepfeile und Klopfzeichen‹ (1981).

›Der Emissär‹. Mit freundlicher Genehmigung des Autors.

*Heinz Piontek,* 1925 in Kreuzburg/Schlesien geboren, lebt in München. Studium der Germanistik. Seit 1948 freischaffender Schriftsteller. Herausgeber der Reihe ›Münchner Edition‹.
Veröffentlichungen u. a.: ›Die Furt‹, Gedichte (1952), ›Die Rauchfahne‹, Gedichte (1953), ›Die mittleren Jahre‹, Roman (1967), ›Liebeserklärungen in Prosa‹ (1969), ›Helle Tage anderswo‹, Reisebilder (1973), ›Dichterleben‹, Roman (1976), ›Juttas Neffe‹, Roman (1979), ›Was mich nicht losläßt‹, Gedichte (1981). Von einer Werkausgabe in 6 Bänden sind bisher Band 1 (Die Gedichte) und Band 2 (Die Romane) erschienen.

›Schmorell und die anderen‹. Aus: ›Die mittleren Jahre‹. Mit freundlicher Genehmigung des F. Schneekluth Verlages.

*Hermann Peter Piwitt,* 1935 in Volksdorf bei Hamburg geboren. Studium in Frankfurt/M., München und Berlin. Lebt als freischaffender Schriftsteller in Hamburg.
Veröffentlichungen u. a.: ›Rothschilds‹, Roman (1972), ›Die Gärten im März‹, Roman (1979), ›Deutschland – Versuch einer Heimkehr‹ (1981).

›Baulandbesichtigung‹. Aus: ›Die Gärten im März‹. Mit freundlicher Genehmigung des Rowohlt Verlages.

*Johannes Poethen,* 1928 in Wickrath am Niederrhein geboren, lebt in Stuttgart. Studium der Germanistik in Tübingen. Rundfunkredakteur.
Veröffentlichungen u. a.: ›Lorbeer über gestirntem Haupt‹, Gedichte (1952), ›Ankunft und Echo‹, Gedichte und Prosagedichte (1961), ›Rattenfest im Jammertal‹, Gedichte 1972–1975 (1976), ›Der Atem Griechenlands‹, Essays (1977), ›Ach Erde du alte‹, Gedichte (1981).

›In memoriam denen die in konzentrationslagern starben‹. Aus: ›Gedichte 1946–1972‹ (1973). Mit freundlicher Genehmigung des Claassen Verlages.


*Christa Reinig,* 1926 in Berlin geboren, lebt in München. Studium der Kunstgeschichte an der Humboldt-Universität Berlin (Ost), 1964 Übersiedelung in die Bundesrepublik.
Veröffentlichungen u. a.: ›Die Steine von Finisterre‹, Gedichte (1960), ›Der Traum meiner Verkommenheit‹, Erzählung (1961), ›Drei Schiffe‹, Prosa (1965), ›Schwalbe von Olevano‹, Gedichte (1969), ›Die himmlische und die irdische Geometrie‹, Roman (1975), ›Entmannung‹, Roman (1976), ›Müßiggang ist aller Liebe Anfang‹, Gedichte (1979), ›Der Wolf und die Witwen‹, Geschichten (1980).

›Transparent‹, ›Endlich‹, ›Briefschreibenmüssen‹, ›In die Gewehre rennen‹, ›Verwandlung‹, ›Maske und Spiegel‹. Aus: ›Steine von Finisterre‹ (1960). Mit freundlicher Genehmigung des Verlags Eremiten-Presse.


*Hans Werner Richter,* 1908 in Bansin/Usedom geboren, lebt in München. Buchhändler, Kriegsdienst, amerikanische Gefangenschaft, seit 1946 freischaffender Schriftsteller. 1946/47 Herausgeber der Zeitschrift ›Der Ruf‹ (zus. mit A. Andersch), Initiator der ›Gruppe 47‹.
Veröffentlichungen u. a.: ›Die Geschlagenen‹, Roman (1949), ›Spuren im Sand‹, Roman (1953), ›Linus Fleck oder der Verlust der Würde‹, Roman (1959), ›Karl Marx in Samarkand‹, Reisebericht (1967), ›Blinder Alarm‹, Erzählungen (1970), ›Briefe an einen jungen Sozialisten‹ (1974).

›Das Gefecht an der Katzbach‹. Aus: ›Menschen in freundlicher Umgebung‹. Mit freundlicher Genehmigung des Verlages Klaus Wagenbach.


*Luise Rinser,* 1911 in Pitzling/Oberbayern geboren, lebt in Rocca di Papa bei Rom. Studium der Psychologie und Pädagogik, Lehrerin, dann Literaturkritikerin, freischaffende Schriftstellerin.
Veröffentlichungen u. a.: ›Die gläsernen Ringe‹, Erzählung (1940), ›Hochebene‹, Roman (1948), ›Jan Lobel aus Warschau‹, Erzählung (1948), ›Mitte des Lebens‹, Roman (1950), ›Daniela‹, Roman (1953), ›Der Sündenbock‹, Roman (1955), ›Abenteuer der Tugend‹, Roman (1957), ›Die vollkommene

Freude‹, Roman (1962), ›Ich bin Tobias‹, Roman (1966), ›Der schwarze Esel‹, Roman (1974), ›Den Wolf umarmen‹, Autobiographie (1981); Tagebücher: ›Baustelle‹ (1970), ›Grenzübergänge‹ (1972), ›Kriegsspielzeug‹ (1980), ›Winterfrühling‹ (1982).

›Kinder des Todes, Kinder des Lichts‹. Aus: ›Der schwarze Esel‹. Mit freundlicher Genehmigung des S. Fischer Verlages.


*Herbert Rosendorfer,* 1934 in Gries/Bozen geboren, lebt bei München. Ein Jahr an der Akademie der Bildenden Künste, dann Jurastudium. Seit 1969 ist er Richter am Amtsgericht München.
Veröffentlichungen u. a.: ›Der Ruinenbaumeister‹, Roman (1969), ›Der stillgelegte Mensch‹, Erzählungen (1970), ›Großes Solo für Anton‹, Roman (1976), ›Das Messingherz‹, Roman (1979), ›Eichkatzelried. Geschichten aus Kindheit und Jugend‹ (1979), ›Ball bei Thod‹, Erzählungen (1980), ›Ballmann oder Lehrbuch für Konkursrecht‹, Roman (1981).

›Der Friseur‹. Aus: ›Ball bei Thod‹. Mit freundlicher Genehmigung der Nymphenburger Verlagshandlung.


*Peter Rühmkorf,* 1929 in Dortmund geboren, lebt als freier Schriftsteller in Hamburg. Studium der Germanistik und Psychologie, 1958–64 Verlagslektor.
Veröffentlichungen u. a.: ›Heiße Lyrik‹ (1956), ›Irdisches Vergnügen in g‹ (1959), ›Kunststücke. 50 Gedichte nebst einer Anleitung zum Widerspruch‹ (1962), ›Wolfgang Borchert in Selbstzeugnissen und Bilddokumenten‹ (1964), ›Was heißt hier Volsinii. Bewegte Szenen aus dem klassischen Wirtschaftsleben‹ (1969), ›Über das Volksvermögen. Exkurse in den literarischen Untergrund‹ (1971), ›Die Jahre, die ihr kennt. Anfälle und Erinnerungen‹ (1972), ›Lombard gibt den Letzten‹, Theaterstück (1973), ›Die Handwerker kommen. Ein Familiendrama‹ (1974), ›Strömungslehre I. Poesie‹ (1978), ›Auf Wiedersehen in Kenilworth. Ein romantisches Märchen‹ (1979), ›Haltbar bis Ende 1999‹, Gedichte (1979), ›Agar agar zaurzaurim – Zur Naturgeschichte des Reims und der menschlichen Anklangsnerven‹ (1981).

›Aussicht auf Wandlung‹. Aus: ›Gesammelte Gedichte‹ (1976). Mit freundlicher Genehmigung des Rowohlt Verlages. ›Haltbar bis Ende 1999‹ und ›Bleib erschütterbar und widersteh‹. Aus: ›Haltbar bis Ende 1999‹. Mit freundlicher Genehmigung des Autors.


*Erika Runge,* 1939 in Halle/Saale geboren, lebt in Berlin (West). Studium der Literatur- und Theaterwissenschaften. Schriftstellerin und Filmemacherin.

Veröffentlichungen u. a.: ›Bottroper Protokolle‹ (1968), ›Frauen. Versuche zur Emanzipation‹ (1969), ›Südafrika – Rassendiktatur zwischen Elend und Widerstand‹ (1974), ›Kinder in Kreuzberg‹ (1979), ›Streik bei Mannesmann‹, Text zur Kantate, Musik Hans Werner Henze u. a. (1974).

›Ein Schulaufsatz‹. Aus: ›Stichworte zur „Geistigen Situation der Zeit"‹. Mit freundlicher Genehmigung der Autorin.

*Michael Schneider,* 1943 geboren, lebt in Wiesbaden. Studium der Philosophie, Soziologie und Religionswissenschaften. Arbeit als Publizist, Lektor und Kritiker, später Schauspieldramaturg in Wiesbaden, jetzt freischaffender Schriftsteller.
Veröffentlichungen u. a.: ›Neurose und Klassenkampf, Materialistische Kritik und Versuch einer emanzipativen Neubegründung der Psychoanalyse‹ (1973), ›Die lange Wut zum langen Marsch, Aufsätze zur sozialistischen Politik und Literatur‹ (1975), ›Der Fall E. heute. Szenen, Songs und Texte zum Radikalenerlaß‹, Theaterstück (1976), ›Die Wiedergutmachung‹, Theaterstück (1977), ›Eine glatte Million‹, Songspiel (1978), ›Das Spiegelkabinett, eine Zauberergeschichte‹ (1980), ›Den Kopf verkehrt aufgesetzt oder: Die melancholische Linke‹ (1981), ›Luftschloß unter Tage‹, Theaterstück (1982).

›Das Erscheinungswunder‹. Aus: ›Das Spiegelkabinett‹. Mit freundlicher Genehmigung des Verlags AutorenEdition.

*Rolf Schneider,* 1932 in Chemnitz geboren, lebt in Schöneiche bei Berlin/DDR. 1951 bis 1955 Studium der Germanistik und Pädagogik in Halle-Wittenberg, danach Redakteur der kulturpolitischen Monatsschrift ›Aufbau‹ in Berlin, seit 1958 freischaffender Schriftsteller. Er gehörte mit zu den Unterzeichnern der Protestresolution (1976) gegen die Ausbürgerung Wolf Biermanns, wurde 1979 aus dem Schriftstellerverband der DDR ausgeschlossen.
Veröffentlichungen u. a.: ›Die Tage in W.‹, Roman (1965), ›Nekrolog. Unernste Geschichten‹ (1973), ›Die Reise nach Jaroslaw‹, Roman (1974), ›Das Glück‹, Roman (1976), ›November‹, Roman (1979).

›Schmetterlinge‹. Aus: ›Der Wolkenkutscher‹, Herausgeber Bernd Jentsch (1973). Mit freundlicher Genehmigung des Autors.

*Erasmus Schöfer,* 1931 bei Berlin geboren, lebt in Köln. Studium der Germanistik, Sprachwissenschaft und Philosophie. Seit 1962 neben wissenschaftlicher Arbeit Tätigkeit als Schriftsteller. 1969 Mitbegründer des ›Werkkreis Literatur der Arbeitswelt‹.
Veröffentlichungen u. a.: ›Machen wir heute, was morgen erst schön wird‹,

3 Stücke (1978), ›Erzählungen von Kämpfen, Zärtlichkeit und Zukunft‹ (1979), ›Der Sturm‹, Erzählung (1981), ›Die Bürger von Weiler. Optimistisches Trauerspiel‹ (1982).

›Die Augen wußten ihren Tod‹. Aus: ›Tod in Athen‹. Mit freundlicher Genehmigung des Autors.

*Monika Sperr,* 1941 in Berlin geboren, lebt in München. Buchhändlerin, Journalistin, Dramaturgin, lebt heute als freischaffende Schriftstellerin. Veröffentlichungen u. a.: ›Therese Giehse – Ich hab nichts zum Sagen‹, Biographie (1973), ›Das große Schlagerbuch – Deutsche Schlager 1800 bis heute‹ (1978), ›Die Freundin‹, Roman (1980), ›Treffpunkt Froschweiher oder Die Sache mit dem Fahrrad‹, Kinderroman (1982).

›Wildnis‹. Aus: ›Reise zu Cathleen McCoy‹. Mit freundlicher Genehmigung des C. Bertelsmann Verlages.

*Karin Struck,* 1947 in Schlagtow bei Greifswald/Mecklenburg geboren, lebt in Hamburg. Studium der Romanistik und Germanistik. Seit 1972 freischaffende Schriftstellerin. Veröffentlichungen u. a.: ›Klassenliebe‹, Roman (1973), ›Die Mutter‹, Roman (1975), ›Lieben‹, Roman (1977), ›Die liebenswerte Greisin‹, Erzählung (1978), ›Trennung‹, Erzählung (1978), ›Die Herberge‹, Erzählung (1981), ›Kindheitsende‹, Journal einer Krise (1982).

›Ein Kind lernt das Wort Angst‹. Aus: ›Kindheitsende‹. Mit freundlicher Genehmigung des Suhrkamp Verlages.

*Hannelies Taschau,* 1937 in Hamburg geboren, lebt in Hameln und Essen. Seit 1967 freischaffende Schriftstellerin. Mitgründerin und – 1972 bis 1974 – Mitherausgeberin der AutorenEdition. Veröffentlichungen u. a.: ›Verworrene Route‹, Gedichte (1959), ›Die Kinderei‹, Prosa (1960), ›Die Taube auf dem Dach‹, Roman (1967), ›Gedichte‹ (1969), ›Strip und andere Erzählungen‹ (1974), ›Landfriede‹, Roman (1978), ›Doppelleben‹, Gedichte (1979), ›Erfinder des Glücks‹, Roman (1981).

›Alle verteilen Druck, nur er nicht, sagt Ben von dir‹. Aus: ›Erfinder des Glücks‹. Mit freundlicher Genehmigung des Benziger Verlages.

*Guntram Vesper,* 1941 in Frohburg/Sachsen geboren, lebt in Göttingen und in Steinheim am Vogelsberg. Seit 1957 in der Bundesrepublik, Studium der Germanistik und Medizin.

Veröffentlichungen u.a.: ›Fahrplan‹, Gedichte (1965), ›Kriegerdenkmal ganz hinten‹, Prosa (1970), ›Nördlich der Liebe und südlich des Hasses‹, Roman (1979), ›Die Illusion des Unglücks‹, Gedichte (1980), ›Die Inseln im Landmeer‹, Gedichte (1982).

›Stadtrand‹. Aus: ›Nördlich der Liebe und südlich des Hasses‹. Mit freundicher Genehmigung des Carl Hanser Verlages.

*Walter Vogt,* 1927 in Zürich geboren, lebt in Muri/Bern. Studium der Medizin, heute Facharzt für Psychiatrie und Psychotherapie. Schreibt seit 1961.
Veröffentlichungen u.a.: ›Wüthrich‹, Roman (1966), ›Der Wiesbadener Kongress‹, Roman (1968), ›Schizigorsk‹, Roman (1977), ›Booms Ende‹, Erzählungen (1979), ›Vergessen und Erinnern‹, Roman (1980), ›Altern‹, Roman (1981).

›Ein Brief an meine Ärztin‹. Aus: ›Vergessen und Erinnern‹. Mit freundlicher Genehmigung des Benziger Verlages.

*Günter Wallraff,* 1942 in Burscheid bei Köln geboren, lebt dort. Buchhändlerlehre bis 1962, anschließend trotz Wehrdienstverweigerung zu zehnmonatigem Wehrdienst ohne Waffe gezwungen, arbeitete bis 1965 in fünf verschiedenen Industriebetrieben. Freischaffender Schriftsteller.
Veröffentlichungen u.a.: ›Wir brauchen dich. Als Arbeiter in deutschen Industriebetrieben‹ (1966), ›13 unerwünschte Reportagen‹ (1969), ›Von einem der auszog und das Fürchten lernte. Berichte, Umfrage, Aktion. Aus der unterschlagenen Wirklichkeit‹ (1970), ›Ihr da oben – wir da unten‹ (zusammen mit Bernt Engelmann) (1973), ›Unser Faschismus nebenan. Griechenland gestern – ein Lehrstück für morgen‹ (zusammen mit Eckart Spoo) (1975), ›Der Aufmacher. Der Mann der bei „Bild" Hans Esser war‹ (1977), ›Zeugen der Anklage. Die „Bild"-beschreibung wird fortgesetzt‹ (1979), ›Das BILD-Handbuch bis zum Bildausfall‹ (1981).

›Gerling Konzern – Als Portier und Bote‹. Aus: ›Ihr da oben – wir da unten‹. Mit freundlicher Genehmigung des Verlages Kiepenheuer & Witsch.

*Martin Walser,* 1927 in Wasserburg/Bodensee geboren, lebt in Überlingen. 1944/45 Kriegsdienst, 1946 Abitur. Studium der Geschichte, Literatur und Philosophie. 1949–1957 Arbeit bei Funk und Fernsehen. Seither freischaffender Schriftsteller.
Veröffentlichungen u.a.: ›Ein Flugzeug über dem Haus‹, Geschichten (1955), ›Ehen in Philippsburg‹, Roman (1957), ›Halbzeit‹, Roman (1960), ›Lügengeschichten‹, Erzählungen (1964), ›Das Einhorn‹, Roman (1966), ›Heimatkunde‹, Aufsätze und Reden (1968), ›Ein Kinderspiel‹, Theater-

stück (1970), ›Der Sturz‹ (1973), ›Jenseits der Liebe‹ (1976), ›Ein fliehendes Pferd‹ (1978), ›Seelenarbeit‹ (1979), ›Das Schwanenhaus‹ (1980).

›Die Rede des vom Zuschauen erregten Gallistl vom Fernsehapparat herunter, daß es keine Wirklichkeit geben dürfe‹. Mit freundlicher Genehmigung des Autors.

*Dieter Wellershoff,* 1925 in Neuss am Rhein geboren, lebt als Schriftsteller in Köln. Studium der Germanistik, Psychologie und Kunstgeschichte. Veröffentlichungen u. a.: ›Ein schöner Tag‹, Roman (1966), ›Die Schattengrenze‹, Roman (1969), ›Literatur und Veränderung‹, Essays (1969), ›Einladung an alle‹, Roman (1972), ›Die Schönheit des Schimpansen‹, Roman (1977), ›Glückssucher‹, Erzählungen (1979), ›Die Sirene‹, Novelle (1980), ›Das Verschwinden im Bild‹, Essays (1980).

›Der Tod eines Polizisten‹. Aus: ›Einladung an alle‹. Mit freundlicher Genehmigung des Verlages Kiepenheuer und Witsch.

*Gabriele Wohmann,* 1932 in Darmstadt geboren, lebt dort. Studium der Germanistik, Romanistik, Musikwissenschaft und Philosophie, nachher Sprachunterricht. Freischaffende Schriftstellerin. Veröffentlichungen u. a.: ›Jetzt und nie‹, Roman (1958), ›Abschied für länger‹, Roman (1965), ›Ländliches Fest‹, Erzählungen (1968), ›Treibjagd‹, Erzählungen (1970), ›Paulinchen war allein zu Haus‹, Roman (1974), ›Schönes Gehege‹, Roman (1975), ›Alles zu seiner Zeit‹, Erzählungen (1976), ›Ausflug mit der Mutter‹, Roman (1976), ›Grund zur Aufregung‹, Gedichte (1978), ›Paarlauf‹, Erzählungen (1979), ›Ach wie gut, daß niemand weiß‹, Roman (1980), ›Das Glücksspiel‹, Roman (1981), ›Komm lieber Mai‹, Gedichte (1981), ›Einsamkeit‹, Erzählungen (1982).

›Vor dem Schlafengehen‹. Mit freundlicher Genehmigung der Autorin.

*Christa Wolf,* 1929 in Landsberg/Warthe geboren, lebt in Berlin (Ost). 1949 Abitur, Studium der Germanistik. 1953–1962 Verlagstätigkeit, seitdem freischaffende Schriftstellerin. Veröffentlichungen u. a.: ›Der geteilte Himmel‹, Erzählung (1963), ›Nachdenken über Christa T.‹ (1968), ›Till Eulenspiegel‹, Filmerzählung (1972; zusammen mit Gerhard Wolf), ›Unter den Linden‹, Erzählungen (1974), ›Kindheitsmuster‹, Roman (1976), ›Kein Ort. Nirgends‹ (1979), ›Geschlechtertausch‹, Erzählungen (1980; zusammen mit Sarah Kirsch und Irmtraud Morgner).

›Schwarzsehen‹. Aus: ›Kindheitsmuster‹. Mit freundlicher Genehmigung des Hermann Luchterhand Verlages.

*Wolf Wondratschek,* 1943 in Rudolstadt/Thüringen geboren, lebt ohne festen Wohnsitz. Schriftsteller.
Veröffentlichungen u. a.: ›Früher begann der Tag mit einer Schußwunde‹, Prosa (1969), ›Chuck's Zimmer‹, Gedichte/Lieder (1974), ›Das leise Lachen am Ohr des anderen‹, Gedichte/Lieder II (1976), ›Männer und Frauen‹, Gedichte/Lieder III (1978), ›Letzte Gedichte‹, Gedichte/Lieder IV (1980), ›Chuck's Zimmer. Alle Gedichte und Lieder‹ (1982).

›Domenica‹. Aus: ›Chuck's Zimmer. Alle Gedichte und Lieder‹. Mit freundlicher Genehmigung des Autors.

*Gerhard Zwerenz,* 1925 in Crimmitschau/Sachsen geboren. Kupferschmiedelehre, Soldat ab 1942, August 1944 bei Warschau zur Roten Armee desertiert. Nach dem Krieg Volkspolizei, Studium der Philosophie, 1957 Flucht in die Bundesrepublik. Lebt heute im Hochtaunus.
Veröffentlichungen u. a.: ›Heldengedenktag‹, Erzählungen (1964), ›Casanova‹, Roman (1966), ›Erbarmen mit den Männern‹, Roman (1968), ›Rasputin‹, Roman (1970), ›Die Erde ist unbewohnbar wie der Mond‹, Roman (1973), ›Der Widerspruch‹ (1974), ›Das Großelternkind‹, Roman (1978), ›Kurt Tucholsky‹, Biographie (1979), ›Wir haben jetzt Ruhe in Deutschland‹ (1981).

›Unsterblich wie Steine, nur weniger hart‹. Mit freundlicher Genehmigung des Autors.

*Ingrid Zwerenz,* 1934 in Liegnitz geboren, lebt in Schmitten bei Frankfurt/Main. Studium der Philosophie. Verheiratet mit dem Schriftsteller Gerhard Zwerenz seit 1957.
Veröffentlichungen u. a.: ›Anonym. Schmäh- und Drohbriefe an Prominente‹ (Herausgabe 1968), ›Ein Loch muß in den Zaun‹, Kinderbuch (1973), ›Von Katzen und Menschen‹ (1974), ›Frauen – Die Geschichte des § 218‹ (1980).

›Abnabeln‹. Mit freundlicher Genehmigung der Autorin.

FRITZ J. RADDATZ

*Revolte und Melancholie*

Essays zur Literaturtheorie

336 Seiten. Gebunden.

«Raddatz konzentriert sich bewußt darauf, den Weg marxisti-
scher Ästhetik-Reflexion zu rekonstruieren. Daraus ergibt sich
der scharfe Akzent, den er auf den Aspekt der Revolte legt, auf
den Selbstentwurf des Handelnden, der, in der dargestellten Gestalt des Kunstwerkes nicht weniger als in der Wirklichkeit, das
Scheitern, den Tod nicht sucht, aber an den Verhältnissen zer-
brechen kann; in der Tat ist die Geschichte des Sozialismus und
Kommunismus, bis hinein in die gegenwärtigen Erosionskrisen
der Gesellschaft, ohne das Element des Tragischen weder analy-
tisch begreifbar noch ästhetisch darstellbar.»

*Oskar Negt, Frankfurter Rundschau*

*Eros und Tod*

Literarische Portraits.

280 Seiten. Gebunden.

«Von Raddatz läßt sich sagen, er sei ein ‹homme des lettres› in
dem Sinn, daß ihn sein Gegenstand, die Literatur, die Poesie,
im Tiefen anrührt, daß er ihn fasziniert, in Bann schlägt, nicht
losläßt. Wer so mit Literatur verhaftet ist, genießt sie nicht nur:
er leidet vor allem mit ihr mit, sieht in ihr seine eigene Sache
ausgetragen. ...
Man könnte vielerlei Themen aufgreifen, um Raddatz' Kunst
der Literaturvermittlung darzulegen: so die Frage nach Neger-
tum und Vereinsamung bei Baldwin, so das Thema des Mords
als Kunst bei Genet, so das Phänomen der Angst bei Fichte, so
den Wechsel von Surrealismus und Realismus bei Aragon.»

*Wilhelm Höck, RIAS*

ALBRECHT KNAUS VERLAG

JÜRGEN SERKE

*Die verbannten Dichter*

Berichte und Bilder von einer neuen Vertreibung

352 Seiten mit 321 Photos

In seinem Exilbuch schrieb Jürgen Serke die Geschichte der von
den Kommunisten verfolgten und in den Westen gezwungenen
Autoren aus dem Ostblock.
Dichter aus dem Osten, die ihr Land verlassen müssen, stehen
im Westen meist auf verlorenem Posten. Sie werden im Grunde
nicht verstanden und oft für durchsichtige politische Zwecke
mißbraucht. Daß ihnen mit Rechts-Links-Denken nicht beizu-
kommen ist, macht sie so unhandlich für den westlichen Konsum.
Um das Schweigen aufzubrechen, das viele Autoren aus dem
Osten heute umgibt, um Mißverständnisse auszuräumen, besuchten Jürgen Serke und der Photograph Wilfried Bauer 22 exilierte Dichter aus dem Ostblock in Amerika und Westeuropa.

‹Die verbannten Dichter› – das war vor allem die Geschichte
von Schriftstellern, deren Hoffnung der Sozialismus war.
‹Die verbannten Dichter› – das ist die Geschichte der Enttäuschung mit dem Sozialismus. Jürgen Serke meint: «Die ‹verbannten Dichter› sind die Brüder der ‹verbrannten Dichter›.
Wer den Sozialismus ernst nimmt, kommt deshalb nicht um eine
Auseinandersetzung mit der Wahrheit der Enttäuschten herum,
will er nicht als Heuchler dastehen oder als Zyniker, der die im
Namen des Sozialismus begangenen Verbrechen rechtfertigt. Er
wird sich in den Gestalten der ‹verbannten Dichter› den Zweifeln aussetzen und sich in die Verzweiflung begeben müssen, ehe
er wieder als Sozialist auftauchen kann.»

ALBRECHT KNAUS VERLAG